Calcul différentiel et équations différentielles

Sylvie Benzoni-Gavage

Calcul différentiel et équations différentielles

Cours et exercices corrigés

2e édition

DUNOD

Illustration de couverture : ©-izabell-istockphoto.com

11 rue Paul Bert, 92240 Malakoff
www.dunod.com
ISBN 978-2-10-083323-8

TABLE DES MATIÈRES

AVANT-PROPOS

Cette seconde édition, revue et corrigée, se veut plus progressive notamment dans la partie qui traite de calcul différentiel. Idéalement, un étudiant en mathématiques devrait pouvoir suivre l'ouvrage pas à pas, depuis la deuxième année de licence jusqu'en master. Des exercices corrigés l'accompagnent au long de ce chemin. Souvent inspirés d'applications, ils sont l'occasion de mettre en pratique les outils introduits dans le texte, et leurs solutions mettent en évidence des relations entre les différents chapitres.

Si l'apprentissage du calcul différentiel a toujours été ressenti comme difficile, il l'est d'autant plus aujourd'hui que les études secondaires ne confrontent plus du tout les élèves à l'abstraction. Quant aux études supérieures, elles sont devenues très « compartimentées », de sorte que les étudiants ont souvent les plus grandes difficultés à mobiliser simultanément des connaissances venant de différentes parties des mathématiques: analyse, algèbre, géométrie, etc. Le calcul différentiel cristallise dans une certaine mesure ces difficultés. Pour autant, rien n'est inaccessible à qui s'en donne la peine.

En guise de motivation, l'étudiant devrait prendre conscience que la beauté de certains concepts et raisonnements épargne à celui qui les maîtrise de fastidieux calculs. C'est particulièrement vrai pour l'analyse des équations différentielles : il est fini le temps où de grands savants se disputaient la meilleure manière de *résoudre* des équations différentielles au moyen de formules plus ou moins explicites. Les travaux de Poincaré sont passés par là et une véritable révolution s'est opérée. Les apprentis mathématiciens actuels ont cette chance: une fois consolidées leurs connaissances de base en calcul différentiel, ils peuvent accéder à une compréhension profonde du comportement des solutions des équations différentielles sans avoir besoin de les calculer explicitement, ce qui est au mieux pénible, sauf pour des équations modèles très simples, et au pire impossible.

Curieusement, cette révolution n'a pas encore vraiment imprégné les autres disciplines, bien que les physiciens, mécaniciens, chimistes, etc. aient plutôt bien intégré la révolution suivante, celle du calcul numérique. S'il ne leur est pas spécifiquement destiné, ce livre et les références qu'il contient pourraient leur être utiles. C'est en tous cas mon souhait, en cette année de célébration du bicentenaire de Lagrange, dont les travaux ont été plus que largement diffusés dans ces disciplines connexes aux mathématiques que sont la mécanique et la physique.

Même s'ils sont antérieurs d'un siècle à ceux de Poincaré, certains fondements posés par Lagrange transparaissent notablement dans ce qui suit et font partie du bagage qu'on peut attendre d'un étudiant en mathématiques, physique ou mécanique. Puissent ces grands esprits du passé et tous les Euler, Laplace, Lyapunov, Noether, inspirer les nouvelles générations.

Lyon, le 30 septembre 2013.

PRÉFACE DE LA 1RE ÉDITION

Je fais partie de cette génération nourrie à l'analyse des équations aux dérivées partielles (alors appelée abusivement *analyse numérique*), dans l'idée que l'analyse des équations différentielles ordinaires était « dépassée », au point qu'elle n'était guère plus enseignée qu'aux détours de cours de géométrie ou de mécanique. J'ai néanmoins pu apprécier au fil des années la richesse des interactions entre un domaine traditionnellement réservé aux géomètres, celui des *systèmes dynamiques*, et l'analyse appliquée à des modèles divers, que ce soient des équations différentielles ordinaires, des équations aux dérivées partielles, ou encore des équations différentielles fonctionnelles. C'est ce qui m'a incitée à mettre en place un cours d'équations différentielles ordinaires en première année du master « MAIM » (Mathématiques et Applications, Ingénierie Mathématique) à Lyon 1. Cet ouvrage est issu des notes rédigées pour l'occasion, et auparavant pour la préparation à l'épreuve de modélisation à l'agrégation, ainsi que de mes notes de calcul différentiel en troisième année de licence. La transformation en livre de ces notes éparses fut encouragée, sans qu'ils en aient nécessairement conscience, par plusieurs collègues : Michelle Schatzman et Denis Serre (que je remercie au passage pour leur fidèle et amical soutien), Francis Filbet (qui m'a fait bénéficier de sa toute fraîche expérience d'auteur chez Dunod), ainsi que ceux ayant manifesté leur intérêt pour mon « poly » (en ligne sur ma page personnelle). En espérant que cela en valait la peine, je remercie de tout c\oe ur mes proches pour leur patience (et bien plus) pendant ces mois passés à remettre l'ouvrage sur le métier. Je tiens en outre à remercier Pascal Noble, avec qui j'ai eu plaisir à enseigner cette matière et à qui je dois divers énoncés d'exercices, ainsi que des critiques constructives. Quant aux exercices de calcul différentiel, ils proviennent pour l'essentiel de sujets d'examen posés en L3: je remercie notamment Danièle Tarral, Laurent Pujo-Menjouet et Daniel Sondaz pour leurs contributions. Je remercie enfin Sarah Delcourte pour sa relecture attentive.

Malgré le soin que je me suis efforcée d'apporter à la rédaction, le lecteur[1] trouvera sûrement des imperfections, qu'il voudra bien me pardonner ou me signaler. Il pourra aussi regretter des omissions criantes à ses yeux : sur ce point je ne peux qu'assumer mes choix, dictés par mes goûts et la place allouée par l'éditeur.

Lyon, le 29 mai 2009.

1. Si je ne cède pas aux travers de la féminisation du langage, je n'en espère pas moins avoir autant de lectrices que de lecteurs !

Introduction

Cet ouvrage se présente en deux parties qu'il est conseillé d'aborder dans l'ordre, ou du moins est-il préférable d'avoir étudié le début de la première avant de s'attaquer à la deuxième.

La première partie reprend le calcul différentiel à la base, en passant un peu vite sur les fonctions d'une variable réelle (supposées relativement familières au public visé) pour arriver aux fonctions de plusieurs variables réelles et plus généralement aux fonctions définies sur des *ouverts* de $\mathbb{R}$-*espaces vectoriels normés*[1]. Un objectif avoué est d'amener progressivement le lecteur à se libérer des coordonnées et à être capable de mener des calculs les plus intrinsèques possibles, ce qui est évidemment indispensable en dimension infinie. La notion de *différentielle*, dont l'origine remonte à Leibniz, « co-inventeur » avec Newton du calcul différentiel, est centrale dans cette partie. Bien sûr le regard qu'on lui porte aujourd'hui est bien plus net qu'au XVIIe siècle, la notion de *limite* ayant été éclaircie au XIXe.

Le calcul différentiel est présenté ici dans un cadre qui généralise de façon assez naturelle le calcul dans $\mathbb{R}^n$. La traduction dans $\mathbb{R}^n$ des résultats énoncés dans un espace vectoriel normé général est en effet immédiate : mise à part l'absence de *compacité* locale (lorsque l'espace est de dimension infinie), il n'y a pas de difficulté supplémentaire (on supposera l'espace *complet* chaque fois que nécessaire). On pourrait bien entendu considérer des cadres encore plus généraux, comme les espaces de Fréchet ou les variétés, mais cela aurait pour défaut de noyer l'essentiel derrière des considérations techniques, et n'apporterait pas grand chose en vue de la seconde partie. La notion même de *variété* (différentiable) ne sera abordée qu'au détour du théorème des multplicateurs de Lagrange dans le chapitre sur les *extrema* et à l'occasion de l'*analyse qualitative* des équations différentielles dans le tout dernier chapitre. On présentera donc les grands classiques du calcul différentiel (théorèmes des accroissements finis, d'inversion locale, des fonctions implicites, formules de Taylor) dans les $\mathbb{R}$-espaces vectoriels normés, le plus souvent supposés complets et alors appelés *espaces de Banach*.

Le chapitre consacré aux problèmes d'extremum peut être vu comme une introduction à l'optimisation continue, à l'analyse convexe et au calcul des variations. Ce dernier est d'ailleurs l'une des motivations pour faire du calcul différentiel en dimension infinie. Ce sont de vastes domaines, dont on présentera seulement quelques bases permettant d'aborder la lecture d'ouvrages plus avancés. Ce chapi-

1. Les termes en italiques sont expliqués plus loin, on peut les retrouver grâce à l'index.

tre est de plus l'occasion de présenter une classe importante d'équations différentielles, à savoir les équations d'Euler-Lagrange.

Cette partie s'achève par un chapitre sur la théorie des *formes différentielles*, souvent absente des cursus d'enseignements universitaires, et pourtant cruciale non seulement en mathématiques dites « pures » mais aussi dans les applications des mathématiques (thermodynamique, électromagnétisme, dynamique des fluides, etc.). On définira les notions essentielles que sont le *produit extérieur* et la *différentielle extérieure* de q-formes différentielles sur $\mathbb{R}^n$, et l'on présentera dans ce cadre les théorèmes de Poincaré, Frobenius et Stokes. Ce chapitre, bien qu'en apparence difficile, nécessite assez peu de pré-requis et peut servir de *vade mecum* sur le sujet.

Hormis son dernier chapitre donc, la première partie constitue le bagage que l'on peut attendre en calcul différentiel d'un étudiant en fin de licence. Les outils ainsi introduits permettent d'aborder sereinement la seconde partie.

Elle concerne les équations différentielles dites « ordinaires » (EDO), elles aussi considérées dans des $\mathbb{R}$-espaces de Banach en général. Ce choix est motivé par l'étude de modèles mathématiques pouvant être vus comme des EDO en dimension infinie : par exemple les équations différentielles sur réseaux, issues ou non de la discrétisation en espace d'équations aux dérivées partielles (EDP) d'évolution, ou encore les équations différentielles dans des espaces fonctionnels comme $L^2(\mathbb{R})$ (certaines EDP d'évolution pouvant être vues comme telles) ; c'est expliqué plus détail dans le chapitre intitulé *Équations modèles et outils de base*.

Le cadre est celui des équations différentielles « non pathologiques », au sens où elles sont supposées résolues (en la dérivée d'ordre le plus élevé) et sans problème de régularité (on choisit de ne pas s'aventurer sur le terrain des solutions généralisées, pour des équations dont les données seraient peu régulières). C'est une partie comportant bien sûr des *outils*, sous forme de lemmes, formules, théorèmes, etc. (comme le lemme de Gronwall, la formule de Duhamel, le théorème de Cauchy-Lipschitz pour ne citer que les outils de base), mais elle est aussi l'occasion d'insister sur diverses *méthodes*, et notamment celles de Picard, Lyapunov-Schmidt et Melnikov. Sans négliger les aspects « élémentaires », comme la résolution explicite dans les cas les plus simples et la classification des points fixes dans le plan, elle va (bien) au-delà du théorème d'existence et d'unicité de Cauchy-Lipschitz. Ceci commence par la question de la dépendance des solutions par rapport aux « conditions initiales » (avec le théorème du flot) et aux paramètres, et se poursuit par un approfondissement de la théorie pour les équations linéaires d'une part, et pour les équations non-linéaires autonomes d'autre part. Pour les premières, cela comprend la notion de résolvante, la théorie de Floquet, des éléments d'analyse spectrale, les notions de projecteurs spectraux et de dichotomies exponentielles. Pour les secondes, il s'agit essentiellement de l'étude de l'existence et des propriétés qualitatives (comportement asymptotique, stabilité par rapport aux paramètres) de solutions particulières (stationnaires, périodiques, orbites homo/hétéroclines), sans chercher à les calculer explicitement, avec notamment la théorie de Lyapunov et les théorèmes de Poincaré-Bendixson, de la variété stable et de bifurcation de Hopf. Cette partie *équations différentielles* peut faire l'objet d'un solide cours de première année de master.

Même si l'ouvrage se veut « auto-contenu » sur tout ce qui touche au calcul différentiel et aux équations différentielles, il s'appuie nécessairement sur d'autres domaines des mathématiques. Dans la mesure du possible, les notions indispensables de topologie, calcul intégral, analyse fonctionnelle, analyse complexe, algèbre linéaire ou géométrie, sont rappelées au fil du texte et accompagnées de références. Les notions les plus couramment utilisées sont rappelées ci-après.

Définitions, notations et résultats utiles

• On suppose connue la notion d'espace vectoriel. Le corps de base des espaces vectoriels considérés sera $\mathbb{R}$ (ou éventuellement $\mathbb{C}$). Dans un espace vectoriel normé E, on notera en général $\|\cdot\|_E$ la *norme*, ou simplement $\|\cdot\|$ s'il n'y a pas d'ambiguïté possible. Une norme est caractérisée par les trois propriétés suivantes :

1) quels que soient $\lambda \in \mathbb{R}$ et $x \in E$, $\|\lambda x\| = |\lambda|\,\|x\|$;

2) le seul vecteur x tel que $\|x\|_E = 0$ est $x = 0_E$;

3) et l'on a l'*inégalité triangulaire* :

$$\|x + y\| \leqslant \|x\| + \|y\|\,, \text{ quels que soient } x\,,\, y \in E\,.$$

Une partie V d'un espace vectoriel normé E est un *voisinage* de $x \in E$ s'il existe une boule ouverte de centre x et de rayon $R > 0$,

$$B(x;\, R) = \{y \in E\,;\ \|y - x| < R\}\,,$$

incluse dans V. Un *ouvert* est une partie de E qui est un voisinage de tous ses points. Un *fermé* est un sous-ensemble de E dont le complémentaire est ouvert. Un *compact* est un sous-ensemble de E dans lequel toute suite admet une sous-suite convergente (une *sous-suite* d'une suite $(x_n)_{n\in\mathbb{N}}$ étant une suite de la forme $(x_{\varphi(n)})_{n\in\mathbb{N}}$ avec $\varphi : \mathbb{N} \to \mathbb{N}$ strictement croissante). L'image d'un compact par une application *continue* est compact. Les compacts d'un espace vectoriel normé de dimension finie sont les fermés bornés (théorème de Bolzano-Weierstrass).

• Un $\mathbb{R}$-*espace de Banach* est un $\mathbb{R}$-espace vectoriel normé *complet*, c'est-à-dire où toutes les *suites de Cauchy* sont convergentes (une suite $(x_n)_{n\in\mathbb{N}}$ étant dite de Cauchy si pour tout $\varepsilon > 0$ il existe $N \in \mathbb{N}$ tel que pour $n, p \geqslant N$, $\|x_n - x_p\| \leqslant \varepsilon$).

• Si E et F sont des espaces de Banach, l'espace vectoriel des applications *linéaires continues* de E dans F, muni de la norme

$$|||\ell||| = \sup_{x\in E\setminus\{0\}} \frac{\|\ell(x)\|_F}{\|x\|_E}$$

est un espace de Banach. Il sera noté $\mathcal{L}(E;\, F)$, ou simplement $\mathcal{L}(E)$ dans le cas $E = F$. En outre, le sous-ensemble des *isomorphismes* de E sur F :

$$\text{Isom(E; F)} := \{u \in \mathcal{L}(E;\, F)\,;\ \exists v \in \mathcal{L}(F;\, E)\,,\ v \circ u = \text{Id}_E \text{ et } u \circ v = \text{Id}_F\}$$

est un ouvert de $\mathcal{L}(E;\, F)$. En vertu du théorème d'analyse fonctionnelle suivant, Isom(E; F) coïncide avec l'ensemble des isomorphismes au sens algébrique.

Théorème 0.1 ***Théorème de Banach***

Si E et F sont des espaces de Banach, la réciproque d'une application *linéaire* continue et bijective de E sur F, est continue.

(Voir [2, Cor. II.6 p. 19].) Autrement dit, pour vérifier qu'une application u est un isomorphisme de E sur F, il « suffit » de vérifier que u est *linéaire continue et bijective*. En dimension finie, toutes les applications linéaires sont continues : ce théorème n'a donc d'intérêt qu'en dimension infinie.

• Si $E_1, \ldots, E_n$ sont des espaces de Banach, le produit cartésien $E = E_1 \times \cdots \times E_n$, muni de

$$\|(x_1,\ldots,x_n)\|_E = \|x_1\|_{E_1} + \cdots + \|x_n\|_{E_n},$$

est aussi un espace de Banach. Une application $\phi : E \to F$ est *n-linéaire* (et lorsqu'on ne veut pas préciser n on dit *multi-linéaire*) si pour tout $j \in \{1,\ldots,n\}$ et pour tout $(x_1,\ldots,x_{j-1},x_{j+1},\ldots,x_n) \in E_1 \times \cdots E_{j-1} \times E_{j+1} \cdots \times E_n$ (avec les conventions naturelles lorsque $j = 1$ ou $j = n$), l'*application partielle*

$$x \in E_j \mapsto \phi(x_1,\ldots,x_{j-1},x,x_{j+1},\ldots,x_n)$$

est *linéaire*. Si de plus ϕ est continue, toutes les applications partielles sont continues et il existe $C \in \mathbb{R}^{+*}$ tel que

$$\|\phi(h_1,\ldots,h_n)\|_F \leqslant C \prod_{j=1}^{n} \|h_j\|_{E_j}$$

quels que soient les vecteurs $h_j \in E_j$. L'ensemble des applications n-linéaires continues forme un espace vectoriel que l'on notera $\mathcal{L}(E_1,\ldots,E_n; F)$ (à ne pas confondre avec l'espace $\mathcal{L}(E_1 \times \cdots \times E_n; F)$ des applications linéaires sur E). Muni de la norme définie par

$$\|\phi\|_{\mathcal{L}(E_1,\ldots,E_n;F)} = \max\{\, \|\phi(h_1,\ldots,h_n)\|_F\,;\ \|h_j\|_{E_j} \leqslant 1\,\},$$

l'espace $\mathcal{L}(E_1,\cdots,E_n; F)$ est complet.

Lorsque $E_1 = \cdots = E_n = G$, on notera simplement $\mathcal{L}_n(G; F)$ l'espace des applications n-linéaires continues sur G^n, et $\mathcal{L}_n^s(G; F)$ le sous-espace des applications n-linéaires *symétriques*, c'est-à-dire invariantes par permutation des vecteurs $x_1,\ldots,x_n$ composant les vecteurs de G^n.

• Dans les espaces vectoriels normés de dimension finie, toutes les normes sont équivalentes, et tous ces espaces sont complets (indépendamment de la norme choisie). C'est le cas en particulier de $\mathbb{R}^n$, pour lequel des normes classiques sont

$$\|x\|_k = \left(\sum_{j=1}^{n} |x_j|^k\right)^{1/k} \quad \text{si } k < \infty \quad \text{et } \|x\|_\infty = \sup_{1\leqslant j\leqslant n} |x_j|,$$

où $x_1,\ldots,x_n$ désignent les composantes de $x \in \mathbb{R}^n$. De même, l'espace des matrices $\mathcal{M}_{p,q}(\mathbb{R})$ à p lignes et q colonnes, est complet quelle que soit la norme choisie. On peut notamment considérer les normes subordonnées aux normes $\|\cdot\|_k$ dans $\mathbb{R}^q$ et $\mathbb{R}^p$, définies par

$$|||M|||_k = \sup_{x\in\mathbb{R}^q, x\neq 0} \frac{\|Mx\|_k}{\|x\|_k}.$$

Si M a pour coefficients $m_{i,j}$ on a (voir par exemple [34, p. 43])

$$|||M|||_1 = \max_j \sum_i |m_{i,j}|,$$
$$|||M|||_\infty = \max_i \sum_j |m_{i,j}|,$$
$$|||M|||_2 = \sqrt{\varrho(M^{\mathrm{t}}M)},$$

où $\varrho(M^{\mathrm{t}}M)$ désigne le *rayon spectral*, c'est-à-dire la plus grande valeur propre (en valeur absolue) de la matrice symétrique positive $M^{\mathrm{t}}M$, la matrice M^{t} étant par définition la *transposée* de M, de coefficients $(m_{j,i})_{j\leqslant q, i\leqslant p}$.

• Si $E_1,\ldots,E_n$ sont des espaces de Banach, le produit cartésien $E = E_1 \times \cdots \times E_n$ peut être muni de l'une quelconque des normes, équivalentes entre elles,

$$\|(x_1,\ldots,x_n)\|_{k,E} = \|(\|x_1\|_{E_1},\ldots,\|x_n\|_{E_n})\|_k.$$

• Des exemples classiques d'espaces de Banach de dimension infinie sont les espaces de suites

$$\ell^p(\mathbb{N}) := \{u = (u_n)_{n\in\mathbb{N}}\,;\ \sum_n |u_n|^p < +\infty\},$$

munis des normes définies par

$$\|u\|_p = \Big(\sum_n |u_n|^p\Big)^{1/p},$$

pour $p < +\infty$, et

$$\ell^\infty(\mathbb{N}) := \{u = (u_n)_{n\in\mathbb{N}}\,;\ \|u\|_\infty := \sup_n |u_n| < +\infty\},$$

ainsi que divers espaces de fonctions, comme l'espace $\mathcal{C}(K;E)$ des fonctions continues sur un compact K et à valeurs dans un espace de Banach E, muni de la « norme sup », définie par

$$\|f\| = \max_{x\in K} \|f(x)\|_E.$$

Moyennant l'identification des fonctions coïncidant presque partout, les *espaces de Lebesgue* (voir par exemple [32, chap. 3])

$$L^p(\Omega) = \left\{ f : \Omega \to \mathbb{R} \text{ mesurable} \,;\ \int_\Omega |f(x)|^p \, \mathrm{d}x < +\infty \right\} ,$$

$$L^\infty(\Omega) = \{ f : \Omega \to \mathbb{R} \text{ mesurable essentiellement bornée} \} ,$$

où Ω est un ouvert de $\mathbb{R}^n$, munis des normes

$$\|f\|_p := \left(\int_\Omega |f(x)|^p \, \mathrm{d}x \right)^{1/p} , \quad \|f\|_\infty := \sup_{x \in \Omega} \mathrm{ess} |f(x)| ,$$

sont également des espaces de Banach de dimension infinie. Plus généralement, il est possible definir des espaces $L^p(\Omega; E)$ pour des fonctions à valeurs dans un espace de Banach E (par exemple un autre espace L^p) : cependant cela soulève des questions délicates de mesurabilité (on renvoie à [11] pour de plus amples détails).

• Les *espaces de Hilbert* sur $\mathbb{R}$ sont des cas particuliers de $\mathbb{R}$-espaces de Banach, dans lesquels la norme est définie par un *produit scalaire*, forme bilinéaire symétrique définie positive $\langle \cdot, \cdot \rangle$:

$$\|u\| = \langle u, u \rangle^{1/2} .$$

Les espaces de Hilbert sur $\mathbb{C}$, où la norme est associée à un *produit hermitien*, forme sesquilinéaire hermitienne définie positive, sont quant à eux des $\mathbb{C}$-espaces de Banach. Une propriété fondamentale des espaces de Hilbert est l'*inégalité de Cauchy-Schwarz* : quels que soient u et v dans un espace de Hilbert,

$$|\langle u, v \rangle| \leqslant \|u\| \, \|v\| .$$

Partie I

Calcul différentiel

DIFFÉRENTIABILITÉ 1

Ainsi il ne faut point s'étonner, si notre nouveau calcul des différences et des sommes, qui enveloppe la considération de l'infini et s'éloigne par conséquent de ce que l'imagination peut atteindre, n'est pas venu d'abord à sa perfection. [...] Il faut rendre justice à M. Newton (à qui la Géométrie, l'Optique, et l'Astronomie ont de grandes obligations) qu'encore en ceci il a eu quelque chose de semblable de son chef, suivant ce qu'on en a sçu depuis.

Gottfried Wilhelm Leibniz,

Considérations sur la différence qu'il y a entre l'analyse ordinaire et le nouveau calcul des transcendantes,

Journal des Sçavans de l'an 1694.

1.1 NOTIONS DE BASE

Ce chapitre est consacré à la notion de différentiabilité et aux théorèmes fondamentaux qui lui sont attachés. Avant de parler de différentiabilité, il n'est peut-être pas superflu de rappeler ce qu'est la *dérivabilité* d'une fonction d'une variable réelle. Prenons le cas le plus simple d'une fonction *scalaire* $g : I \subset \mathbb{R} \to \mathbb{R}$ sur un intervalle ouvert I. On dit qu'elle est *dérivable* en un point a de I si la fonction *taux d'accroissement*

$$t \in I \backslash \{a\} \mapsto \frac{g(t) - g(a)}{t - a}$$

a une limite $\ell \in \mathbb{R}$ au point a. Si c'est le cas, on définit la dérivée de g au point a comme le nombre réel ℓ. Ce nombre est en général noté $g'(a)$, de sorte que, par définition,

$$g'(a) = \lim_{\substack{\neq \\ t \to a}} \frac{g(t) - g(a)}{t - a}.$$

Il s'interprète graphiquement comme le *coefficient directeur* de la *tangente* à la courbe de g au point a, tandis que chaque taux d'accroissement correspond au *coef-*

ficient directeur d'une *corde* entre le point de coordonnées $(a, g(a))$ et un autre point de la courbe.

La notion de dérivée s'étend sans problème aux fonctions à valeurs vectorielles, pourvu que l'on dispose d'une notion de limite dans l'espace d'arrivée. Ainsi, une fonction $\mathbf{g} : I \subset \mathbb{R} \to \mathbb{R}^p$ est dérivable en $a \in I$ si la fonction vectorielle

$$t \in I \backslash \{a\} \mapsto \frac{1}{t-a}(\mathbf{g}(t) - \mathbf{g}(a))$$

a une limite, qui est alors forcément un élément de $\mathbb{R}^p$ $(p \geqslant 2)$. Si c'est le cas, on définit

$$\mathbf{g}'(a) = \lim_{\substack{\neq \\ t \to a}} \frac{1}{t-a}(\mathbf{g}(t) - \mathbf{g}(a)) . \tag{1.1}$$

Si la fonction $\mathbf{g}$ a pour *composantes* $g_1, \ldots, g_p$, le vecteur $\mathbf{g}'(a)$ a pour composantes $g_1'(a), \ldots, g_p'(a)$.

Plus généralement, si E est un $\mathbb{R}$-espace vectoriel normé quelconque, une fonction $\mathbf{g} : I \subset \mathbb{R} \to E$ est dérivable en $a \in I$ si la fonction

$$\begin{array}{ccc} I \backslash \{a\} & \to & E \\ t & \mapsto & \frac{1}{t-a}(\mathbf{g}(t) - \mathbf{g}(a)) \end{array}$$

a une limite (dans E). Si c'est le cas on définit encore $\mathbf{g}'(a) \in E$ par la formule (1.1) ci-dessus.

Lorsqu'une fonction $\mathbf{g} : I \subset \mathbb{R} \to E$ est dérivable en tout point de I, on lui associe une autre fonction, qu'on appelle sa *dérivée* et qui est définie par

$$\begin{array}{cccl} \mathbf{g}' : I & \to & E & \\ t & \mapsto & \mathbf{g}'(t) = \lim\limits_{\substack{\neq \\ k \to 0}} \frac{1}{k}(\mathbf{g}(t+k) - \mathbf{g}(t)) . \end{array} \tag{1.2}$$

(Attention, la lettre t ci-dessus joue le rôle qu'avait a dans (1.1). Noter également que t est une « variable muette » dans (1.1), tout comme k ci-dessus.)

Il n'y a pas beaucoup plus à dire sur les dérivées de fonctions d'une variable à valeurs vectorielles. En revanche, pour les fonctions de plusieurs variables, qu'elles soient scalaires ou vectorielles, l'extension de la notion de dérivée est beaucoup plus délicate. Rappelons en effet qu'il est formellement interdit de diviser par un vecteur, et qu'il n'y a donc pas de notion naturelle de taux d'accroissement pour une fonction de plusieurs variables. C'est pourquoi d'ailleurs il est préférable de voir la définition de $\mathbf{g}'(t)$ dans (1.2) comme la relation d'*approximation*

$$\mathbf{g}(t+k) - \mathbf{g}(t) \underset{k \to 0}{=} k\,\mathbf{g}'(t) + o(k) , \tag{1.3}$$

où o est la notation de *Landau* indiquant qu'une fonction (en l'occurrence ici la fonction $k \mapsto \mathbf{g}(t+k) - \mathbf{g}(t) - k\,\mathbf{g}'(t)$, à t *fixé*) est *négligeable* devant une autre (ici l'identité, $k \mapsto k$). La notion de différentielle fournira un substitut au terme principal $k\,\mathbf{g}'(t)$ dans cette relation.

1.1.1 Dérivées partielles

Une façon élémentaire de faire du calcul différentiel avec une fonction de plusieurs variables consiste à considérer les variables séparément. Par exemple, pour une fonction de deux variables $f : (x,t) \mapsto f(x,t)$, on peut fixer x et considérer $t \mapsto f(x,t)$. Si cette dernière est dérivable, on dira que f admet une *dérivée partielle* par rapport à t,

$$\frac{\partial f}{\partial t}(x,t) = \lim_{\substack{\neq \\ k\to 0}} \frac{f(x,t+k) - f(x,t)}{k}\,.$$

Cette notation de la dérivée partielle recèle des pièges. D'abord le trait de fraction ne signifie pas que l'on puisse faire une quelconque simplification entre ce qui semble être un numérateur (∂f) et ce qui semble être un dénominateur (∂t). Cela n'aurait pas plus de sens que dans l'expression $\frac{\mathrm{d}g}{\mathrm{d}t}$, *notation de Leibniz* pour la dérivée d'une fonction d'une variable $g : t \mapsto g(t)$. En outre, la lettre t joue deux rôles différents : elle est « muette » dans ∂t, qui signifie juste ici que l'on dérive f par rapport à sa « deuxième » variable, tandis qu'elle sert à préciser le point où on évalue cette dérivée partielle dans la parenthèse (x,t). Ainsi, on pourrait très bien choisir un autre point, (x,s) par exemple, et calculer

$$\frac{\partial f}{\partial t}(x,s) = \lim_{\substack{\neq \\ k\to 0}} \frac{f(x,s+k) - f(x,s)}{k}\,.$$

Bien entendu, on peut aussi fixer t et considérer

$$\frac{\partial f}{\partial x}(x,t) = \lim_{\substack{\neq \\ h\to 0}} \frac{f(x+h,t) - f(x,t)}{h}$$

pourvu que cette limite existe. Là encore, on peut très bien changer de point et calculer

$$\frac{\partial f}{\partial x}(y,t) = \lim_{\substack{\neq \\ h\to 0}} \frac{f(y+h,t) - f(y,t)}{h}$$

si elle existe. Les notations $\frac{\partial f}{\partial t}$ et $\frac{\partial f}{\partial x}$ font référence aux notations « génériques » pour les variables t et x dont dépend f : il est formellement déconseillé d'y toucher en cours de calcul !

Plus généralement, soit une fonction

$$\begin{array}{rcl} \mathbf{f} : U & \to & \mathbb{R}^p \\ \mathbf{x} = (x_1,\dots,x_d) & \mapsto & \mathbf{f}(x) = \mathbf{f}(x_1,\dots,x_d)\,, \end{array}$$

où U est un ouvert de $\mathbb{R}^d$, $d \geqslant 2$. Pour tout $\mathbf{x} = (x_1,\ldots,x_d) \in U$, l'ensemble

$$V_i(\mathbf{x}) := \{t \in \mathbb{R}\,;\ (x_1,\ldots,x_{i-1},t,x_{i+1},\ldots,x_d) \in U\}$$

est un voisinage ouvert de x_i dans $\mathbb{R}$. Considérons alors l'*application partielle*

$$\begin{array}{rccl} \mathbf{g}_i \,: & V_i(\mathbf{x}) & \to & \mathbb{R}^p \\ & t & \mapsto & \mathbf{f}(x_1,\ldots,x_{i-1},t,x_{i+1},\ldots,x_d)\,. \end{array}$$

Si elle est dérivable au point x_i, on dit que $\mathbf{f}$ admet une *dérivée partielle* par rapport à x_i au point $\mathbf{x}$ et on la note

$$\frac{\partial \mathbf{f}}{\partial x_i}(\mathbf{x})\,,\quad \text{ou } \partial_{x_i}\mathbf{f}(\mathbf{x})\,,\quad \text{voire simplement } \partial_i\mathbf{f}(\mathbf{x})\,.$$

(Noter que seule cette dernière notation permet d'éviter les ambigüités signalées ci-dessus, tant qu'on ne change pas l'ordre des variables bien sûr.) Par définition,

$$\frac{\partial \mathbf{f}}{\partial x_i}(\mathbf{x}) = \lim_{\substack{\neq \\ h\to 0}} \frac{\mathbf{f}(x_1,\ldots,x_{i-1},x_i+h,x_{i+1},\ldots,x_d) - \mathbf{f}(x_1,\ldots,x_d)}{h}$$

pourvu que cette limite existe.

Matrice jacobienne

Si une fonction $f : U \subset \mathbb{R}^d \to \mathbb{R}^p$, de composantes $(f_1,\ldots,f_p)$, admet une dérivée partielle par rapport à chacune de ses variables au point x, on définit sa *matrice jacobienne* au point x par

$$\mathrm{D}f(x) = \begin{pmatrix} \partial_1 f_1(x) & \cdots & \partial_d f_1(x) \\ \vdots & & \vdots \\ \partial_1 f_p(x) & \cdots & \partial_d f_p(x) \end{pmatrix} \in \mathcal{M}_{p,d}(\mathbb{R})\,.$$

Autrement dit, le coefficient de la matrice jacobienne de f d'indice $i \in \{1,\cdots,p\}$ en ligne et $j \in \{1,\cdots,d\}$ en colonne est

$$(\mathrm{D}f(x))_{i,j} = \partial_j f_i(x)\,.$$

En particulier pour une fonction scalaire, c'est-à-dire si $p = 1$, $\mathrm{D}f(x)$ est une matrice ligne.

Opérateur « nabla » On note $\nabla f(x)$ (qui se lit « nabla f de x ») la matrice transposée de $\mathrm{D}f(x)$, de sorte que :

$$(\nabla f(x))_{i,j} = \partial_i f_j(x)\,.$$

Cette notation est souvent utilisée lorsque $p = 1$, auquel cas $\nabla f(x)$ est une matrice colonne, que l'on identifie à un vecteur de $\mathbb{R}^d$ appelé *gradient* de f au point x.

Opérateurs différentiels classiques

Comme on vient de le voir, pour une fonction à *valeurs scalaires* $\varphi : U \subset \mathbb{R}^d \to \mathbb{R}$ admettant des dérivées partielles en tout point de U on définit son *gradient* par :

$$\begin{array}{rcl} \operatorname{grad}\varphi : U \subset \mathbb{R}^d & \to & \mathbb{R}^d \\ x & \mapsto & (\operatorname{grad}\varphi)(x) := \big(\partial_1\varphi(x), \ldots, \partial_d\varphi(x)\big)^{\mathrm{t}}. \end{array}$$

On écrit indifféremment $\operatorname{grad}\varphi$ ou $\nabla\varphi$.

Par ailleurs, pour une fonction $f : U \subset \mathbb{R}^d \to \mathbb{R}^d$ (noter l'égalité des dimensions au départ et à l'arrivée), de composantes $(f_1, \ldots, f_d)$, admettant des dérivées partielles, on définit la *divergence* par

$$\begin{array}{rcl} \operatorname{div} f : U \subset \mathbb{R}^d & \to & \mathbb{R} \\ x & \mapsto & (\operatorname{div} f)(x) := \operatorname{tr}(\mathrm{D}f(x)) = \displaystyle\sum_{i=1}^{d} \partial_i f_i(x). \end{array}$$

Il est parfois commode d'écrire $\operatorname{div} f = \nabla \cdot f$, où ∇ est l'opérateur nabla défini ci-dessus, dont les « composantes » sont les dérivées partielles ∂_i, la notation $\cdot$ se rapportant ici au produit scalaire canonique sur $\mathbb{R}^d$, défini par

$$x \cdot y = \sum_{i=1}^{d} x_i y_i .$$

Lorsque $d = 3$, on définit aussi le *rotationnel* de f

$$\begin{array}{rcl} \operatorname{rot} f : U \subset \mathbb{R}^3 & \to & \mathbb{R}^3 \\ x & \mapsto & (\operatorname{rot} f)(x) \end{array}$$

par

$$(\operatorname{rot} f)(x) := \big(\partial_2 f_3(x) - \partial_3 f_2(x), \partial_3 f_1(x) - \partial_1 f_3(x), \partial_1 f_2(x) - \partial_2 f_1(x)\big)^{\mathrm{t}}.$$

Si $\times$ désigne le *produit vectoriel* dans $\mathbb{R}^3$, il est parfois commode de voir le rotationnel comme $\operatorname{rot} f = \nabla \times f$. Il faut toutefois garder à l'esprit que cette notation est formelle, et qu'elle peut conduire à des erreurs, notamment lorsqu'on cherche à calculer $\operatorname{rot}(f \times g)$ (voir l'exercice 4.2).

On peut aussi définir le rotationnel d'une fonction de deux variables. C'est alors une fonction scalaire, parfois appelée *tourbillon* : si $f : U \subset \mathbb{R}^2 \to \mathbb{R}^2$ admet des dérivées partielles, on note

$$\begin{array}{rcl} \operatorname{rot} f : U \subset \mathbb{R}^2 & \to & \mathbb{R}^2 \\ x & \mapsto & (\operatorname{rot} f)(x) := \partial_1 f_2(x) - \partial_2 f_1(x). \end{array}$$

Ce n'est rien d'autre que la troisième composante du rotationnel de f vue comme une fonction de (x, y, z) ne dépendant en fait pas de z.

Ce sont en tous cas des définitions purement techniques, dont il est difficile à première vue de comprendre la signification. On renvoie aux exercices 1.2, 1.3, 1.4, 1.5, 1.6 et 1.8 pour une mise en perspective de ces opérateurs différentiels.

1.1.2 Dérivées directionnelles

Les dérivées partielles sont en fait des cas particuliers de dérivées directionnelles, ou dérivées suivant un vecteur. Si E et F sont deux $\mathbb{R}$-espaces vectoriels normés et U est un ouvert de E, on dit qu'une fonction $f : U \to F$ admet une *dérivée suivant un vecteur* $h \in E$ en $x \in U$ si la fonction d'une variable $g : t \mapsto g(t) := f(x + th)$ est dérivable en zéro. (Noter qu'il existe un voisinage I de zéro dans $\mathbb{R}$ tel que $x + th \in U$ pour tout $t \in I$.) Si c'est le cas, on notera

$$D_h f(x) = \lim_{\substack{\neq \\ t \to 0}} \frac{f(x + th) - f(x)}{t}$$

cette dérivée (attention, c'est une notation loin d'être universelle). Si $E = \mathbb{R}^d$ et $h = \mathrm{e}_i$, le i-ème vecteur de la *base canonique* de $\mathbb{R}^d$, dont toutes les composantes sont nulles sauf la i-ème qui vaut 1, on constate que $f(x + th) = f(x_1, \ldots, x_{i-1}, x_i + t, x_{i+1}, \ldots, x_d)$, d'où

$$D_{\mathrm{e}_i} f(x) = \frac{\partial f}{\partial x_i}(x)\,.$$

Une dérivée partielle est donc une dérivée suivant un vecteur de base.

Les dérivées directionnelles jouent un rôle très important du point de vue pratique, car elles constituent un pont entre les dérivées de fonctions d'une variable et les différentielles de fonctions de plusieurs variables.

1.1.3 Fonctions différentiables, fonctions de classe $\mathcal{C}^1$

Nous arrivons maintenant à la notion centrale du chapitre. On suppose que U est un ouvert non vide d'un $\mathbb{R}$-espace vectoriel normé E, et l'on considère une fonction

$$f : U \to F\,,$$

où F est un autre espace vectoriel normé. Le fait que U soit ouvert permettra de considérer les valeurs de f au voisinage de tout point[1] de U. Si cela n'était pas le

1. Même si les éléments de E sont des vecteurs, on parlera souvent de points de E, par abus de langage.

cas, il faudrait restreindre la définition qui suit aux points *intérieurs*[2] à U. On note $\mathcal{L}(E; F)$ désigne l'espace des applications *linéaires continues* de E dans F.

Définition 1.1

La fonction f est *différentiable* en un point $x \in U$ s'il existe $\ell \in \mathcal{L}(E; F)$ tel que

$$\lim_{h \stackrel{\neq}{\to} 0_E} \frac{\|f(x+h) - f(x) - \ell(h)\|_F}{\|h\|_E} = 0. \tag{1.4}$$

Autrement dit, f est différentiable en x s'il existe une application linéaire continue $\ell \in \mathcal{L}(E; F)$, $R > 0$ et une application $\tau : B(0_E; R) \to \mathbb{R}^+$ tendant vers 0 en 0_E telles que pour tout $h \in B(0_E; R)$,

$$\|f(x+h) - f(x) - \ell(h)\|_F = \tau(h)\, \|h\|_E\,.$$

Il suffit en effet de poser $\tau(0_E) = 0$ et, si $R > 0$ est choisi de sorte que la boule $B(0_E; R)$ (de centre 0_E de rayon R) soit incluse dans U, $\tau(h) := \|f(x+h) - f(x) - \ell(h)\|_F / \|h\|_E$ pour $0 < \|h\|_E < R$. Cela signifie que $\ell(h)$ « approche » la différence $f(x+h) - f(x)$ lorsque h tend vers 0_E, au sens où

$$f(x+h) \underset{h \to 0_E}{=} f(x) + \ell(h) + o(h)\,,$$

en utilisant à nouveau la notation de Landau o pour « négligeable ».

Proposition 1.1

Une fonction $f : U \to F$ différentiable en un point $x \in U$ (au sens de la définition 1.1) est nécessairement continue au point x.

DÉMONSTRATION. En introduisant la fonction τ comme ci-dessus, on a par l'inégalité triangulaire

$$\|f(x+h) - f(x)\|_F \leqslant \tau(h)\, \|h\|_E + \|\ell(h)\|_F\,,$$

où le membre de droite tend vers 0 lorsque h tend vers 0_E grâce à (1.4) et à la continuité de ℓ en 0_E. □

Remarque 1.1

Par un argument analogue, on obtient la continuité de ℓ si l'on a celle de f. En effet, si f est continue en x et s'il existe ℓ (*a priori* seulement) linéaire telle que l'on ait (1.4), alors cette application est nécessairement continue, car par l'inégalité triangulaire

2. C'est-à-dire les $x \in U$ pour lesquels il existe $R > 0$ tel que $B(x; R) \subset U$.

$$\|\ell(h)\|_F \leqslant \tau(h)\ \|h\|_E + \|f(x+h) - f(x)\|$$

tend vers 0 lorsque h tend vers 0_E. (On rappelle que la continuité d'une application *linéaire* équivaut à sa continuité en 0.) On montre de plus que ℓ est unique.

Notation. Bien sûr, l'application ℓ dans la définition 1.1 dépend du point x. Il faut donc adopter une notation faisant apparaître x. Afin de bien voir la différentielle d'une fonction (dans la définition ci-après) comme une nouvelle fonction, nous choisissons de noter $\ell = \mathrm{d}f(x)$. La difficulté tient ici au fait que $\mathrm{d}f(x)$ est elle-même une application. Cependant, comme elle est linéaire, nous noterons simplement (pour éviter la juxtaposition de parenthèses) $\mathrm{d}f(x) \cdot h$ la valeur prise par cette application au vecteur $h \in E$. Ainsi, (1.4) se réécrit

$$\lim_{\substack{\neq \\ h \to 0_E}} \frac{\|f(x+h) - f(x) - \mathrm{d}f(x) \cdot h\|_F}{\|h\|_E} = 0,$$

que l'on peut aussi voir comme la généralisation de (1.3),

$$f(x+h) - f(x) \underset{h \to 0_E}{=} \mathrm{d}f(x) \cdot h + o(h). \tag{1.5}$$

L'application linéaire $\mathrm{d}f(x)$ est appelée *différentielle* de f au point x.

Proposition 1.2

Une fonction $f : U \to F$ différentiable en un point $x \in U$ admet une dérivée suivant n'importe quel vecteur $h \in E$ en x et

$$D_h f(x) = \mathrm{d}f(x) \cdot h.$$

Démonstration. D'après (1.5), la différentiabilité de f en x implique, à $h \in E$ fixé,

$$f(x+th) - f(x) \underset{t \to 0}{=} \mathrm{d}f(x) \cdot (th) + o(th).$$

Or $\mathrm{d}f(x) \cdot (th) = t\,\mathrm{d}f(x) \cdot h$ par linéarité de $\mathrm{d}f(x)$. On en déduit que la fonction $t \neq 0 \mapsto (f(x+th) - f(x))/t$ a pour limite $\mathrm{d}f(x) \cdot h$ quand t tend vers zéro. □

Cet énoncé fournit une interprétation très importante de la différentielle. D'un point de vue pratique, pour calculer $\mathrm{d}f(x) \cdot h$ il « suffit » de dériver la fonction d'une variable $t \mapsto f(x+th)$ en 0. D'un point de vue plus théorique, une condition nécessaire pour qu'une fonction soit différentiable est qu'elle soit dérivable dans toutes les directions. Cependant cette condition n'est *pas suffisante*, elle correspond « seulement » à ce que l'on appelle la *Gâteaux-différentiabilité*. Si l'on considère par exemple la fonction

$$\begin{array}{rcl} f : \mathbb{R}^2 & \to & \mathbb{R} \\ (x,y) & \mapsto & f(x,y) := \begin{cases} x^3/(x^2+y^2) & \text{si } (x,y) \neq (0,0), \\ 0 & \text{si } (x,y) = (0,0), \end{cases} \end{array}$$

elle est dérivable suivant tout vecteur $(h,k) \in \mathbb{R}^2$, avec en particulier

$$D_{(h,k)}f(0,0) = h^3/(h^2+k^2)$$

si $(h, k) \neq (0, 0)$. Cependant, l'application $(h, k) \mapsto D_{(h,k)}f(0, 0)$ n'étant pas linéaire, la fonction f ne peut pas être différentiable en $(0, 0)$, précisément à cause de la proposition 1.2.

Définition 1.2

On dit qu'une fonction $f : U \to F$ est *différentiable* sur U si elle est différentiable en tout point $x \in U$. Dans ce cas, on appelle *différentielle* de f la fonction

$$\begin{array}{rcl} \mathrm{d}f : U & \to & \mathcal{L}(E; F) \\ x & \mapsto & \mathrm{d}f(x) . \end{array}$$

Si de plus $\mathrm{d}f$ est continue, on dit que f est *continûment différentiable*, ou de façon équivalente que f est de *classe* $\mathcal{C}^1$.

Remarque 1.2

Une erreur fréquente est de confondre $\mathrm{d}f$ et sa valeur en x, $\mathrm{d}f(x)$. En particulier, la continuité de $\mathrm{d}f$ n'a rien à voir avec la continuité de $\mathrm{d}f(x)$, cette dernière étant *par définition* linéaire continue. (Notons au passage que $\mathrm{d}f$ n'a aucune raison d'être linéaire en général.) Ainsi, une fonction différentiable n'est pas nécessairement de classe $\mathcal{C}^1$, pas plus qu'une fonction dérivable n'est nécessairement de classe $\mathcal{C}^1$: un contre-exemple classique est la fonction

$$\begin{array}{rcl} f : \mathbb{R} & \to & \mathbb{R} \\ x & \mapsto & f(x) := \begin{cases} x^2 \sin(1/x) & \text{si } x \neq 0, \\ 0 & \text{si } x = 0, \end{cases} \end{array}$$

qui est dérivable y compris en 0 (de dérivée nulle) mais dont la dérivée n'a pas de limite en 0. Or on va voir ci-après que les notions de dérivabilité et de différentiabilité coïncident pour les fonctions d'une variable réelle.

1.1.4 Cas particuliers importants de fonctions différentiables

• Une fonction d'une variable réelle est *différentiable* si et seulement si elle est *dérivable* : la différentielle d'une fonction dérivable $g : U \subset \mathbb{R} \to F$ est donnée par

$$\mathrm{d}g(t) \cdot k = k\, g'(t) \quad \text{quels que soient } t \in U \text{ et } k \in \mathbb{R} .$$

(Notons que $k \in \mathbb{R}$ est un scalaire et $g'(t) \in F$ est un vecteur en général, c'est pourquoi on les a écrits dans cet ordre.) En effet, si g est dérivable en t alors

$$g'(t) = \lim_{\substack{\neq \\ k \to 0}} \frac{g(t+k) - g(t)}{k}$$

et

$$\frac{\|g(t+k) - g(t) - k\, g'(t)\|_F}{|k|} = \left\| \frac{g(t+k) - g(t)}{k} - g'(t) \right\|_F$$

tend vers 0 lorsque k tend vers 0, ce qui montre que g est différentiable en t avec $\mathrm{d}g(t) \cdot k = k\, g'(t)$. Réciproquement, si g est différentiable en t alors (par linéarité de $\mathrm{d}g(t)$)

$$\left\| \frac{g(t+k) - g(t)}{k} - \mathrm{d}g(t) \cdot 1 \right\|_F = \frac{\|g(t+k) - g(t) - \mathrm{d}g(t) \cdot k\|_F}{|k|}$$

tend vers 0 lorsque k tend vers 0, ce qui montre que g est dérivable en t avec $g'(t) = \mathrm{d}g(t) \cdot 1$.

• Toute application *constante* est continûment différentiable, de *différentielle nulle*. En effet, pour une fonction constante f, on a pour tout $(x,h) \in U \times E$ (avec $\|h\|$ assez petit pour que $x + h \in U$), $f(x+h) - f(x) = 0$.

• Toute application *linéaire continue* ℓ est continûment différentiable, et sa *différentielle* est *constante*, égale à ℓ en tout point :

$$\mathrm{d}\ell(x) \cdot h = \ell(h) \quad \text{quels que soient } x \text{ et } h \in E\,.$$

En effet, par linéarité de ℓ, on a pour tout $(x,h) \in E \times E$,

$$\ell(x+h) - \ell(x) - \ell(h) = 0\,.$$

• Plus généralement, toute application *multi-linéaire continue* est continûment différentiable. Si $\phi \in \mathcal{L}(E_1,\ldots,E_n;\, F)$ alors sa différentielle est donnée par

$$\mathrm{d}\phi(x_1,\ldots,x_n) \cdot (h_1,\ldots,h_n) = \sum_{j=1}^{n} \phi(x_1,\ldots,x_{j-1},h_j,x_{j+1},\ldots,x_n)\,. \quad (1.6)$$

Dans cette écriture légèrement abusive, le premier terme de la somme est $\phi(h_1,x_2,\ldots,x_n)$ et le dernier $\phi(x_1,\ldots,x_{n-1},h_n)$.

Le cas $n = 1$ vient d'être vu, car c'est simplement celui des applications linéaires continues. Voyons le cas $n = 2$. Pour une application ϕ bilinéaire :

$$\phi(x_1 + h_1, x_2 + h_2) - \phi(x_1,x_2) - \phi(h_1,x_2) - \phi(x_1,h_2) = \phi(h_1,h_2)\,.$$

Si de plus ϕ est continue, il existe $C > 0$ tel que

$$\|\phi(h_1,h_2)\|_F \leqslant C\, \|h_1\|_{E_1} \|h_2\|_{E_2} \leqslant \frac{C}{2} \|(h_1,h_2)\|_E^2\,.$$

(On a utilisé ici l'inégalité $2ab \leqslant a^2 + b^2$, se déduisant de l'identité remarquable $(a-b)^2 = a^2 + b^2 - 2ab$, et la norme 2 sur $E = E_1 \times E_2$.) On en déduit que

$$\frac{\| \phi(x_1 + h_1, x_2 + h_2) - \phi(x_1, x_2) - \phi(h_1, x_2) - \phi(x_1, h_2) \|_F}{\|(h_1, h_2)\|_E}$$

tend vers 0 lorsque (h_1,h_2) tend vers $(0_{E_1},0_{E_2})$. De plus, la différentielle de ϕ,

$$\begin{array}{rcl} \mathrm{d}\phi : E_1 \times E_2 & \to & \mathcal{L}(E_1 \times E_2; F) \\ (x_1, x_2) & \mapsto & \mathrm{d}\phi(x_1, x_2) : (h_1, h_2) \mapsto \phi(h_1, x_2) + \phi(x_1, h_2) \end{array}$$

est continue : c'est même une application linéaire continue, de norme inférieure ou égale à $2\|\phi\|$.

Le cas général se traite par récurrence sur n et fait l'objet de l'exercice 1.1.

• **Fonctions à valeurs dans un espace produit :** une fonction

$$\begin{array}{rcl} f : U & \to & F = F_1 \times \cdots \times F_n \\ x & \mapsto & f(x) = (f_1(x), \ldots, f_n(x)) \end{array}$$

est différentiable (en x) si et seulement si les fonctions $f_1, \ldots, f_n$ le sont. Si c'est le cas, sa différentielle est donnée par

$$\mathrm{d}f(x) \cdot h = (\mathrm{d}f_1(x) \cdot h, \ldots, \mathrm{d}f_n(x) \cdot h) .$$

(La vérification découle directement de la définition.)

• **Fonctions définies sur un espace produit :** comme on peut s'en douter, la situation est beaucoup plus subtile. Si

$$\begin{array}{rcl} f : U \subset E_1 \times \cdots \times E_n & \to & F \\ x = (x_1, \ldots, x_n) & \mapsto & f(x) \end{array}$$

est différentiable, alors les *applications partielles*

$$x_i \mapsto f(x_1, \ldots, x_{i-1}, x_i, x_{i+1}, \ldots, x_n)$$

sont différentiables, et si l'on note $\mathrm{d}_i f(x_1, \ldots, x_n)$ leurs différentielles en x_i, appelées *différentielles partielles* de f, on a

$$\mathrm{d}f(x_1, \ldots, x_n) \cdot (h_1, \ldots, h_n) = \sum_{i=1}^{n} \mathrm{d}_i f(x_1, \ldots, x_n) \cdot h_i . \qquad (1.7)$$

En effet, la définition de la différentiabilité de f implique que

$$\frac{\| f(x_1, \ldots, x_i + h_i, \ldots, x_n) - f(x_1, \ldots, x_n) - \mathrm{d}f(x) \cdot (0, \ldots, h_i, \ldots, 0) \|_F}{\|h_i\|_{E_i}}$$

tend vers 0 lorsque h_i tend vers 0, d'où la différentiabilité de la i-ème application partielle et la valeur de sa différentielle au point x_i appliquée au vecteur h_i :

$$\mathrm{d}_i f(x_1,\ldots,x_n) \cdot (h_i) = \mathrm{d}f(x) \cdot (0,\ldots,h_i,\ldots,0)\,.$$

On en déduit la formule (1.7) par linéarité de $\mathrm{d}f(x)$.

Cependant, la différentiabilité des applications partielles n'implique pas nécessairement la différentiabilité de f. De façon plus élémentaire, lorsque $E_1 = \cdots E_n = \mathbb{R}$, la différentiabilité des applications partielles revient à l'existence de dérivées partielles, ce qui ne suffit pas à la différentiabilité de f. (En reprenant par exemple $f : \mathbb{R}^2 \to \mathbb{R}$ définie par $f(0,0) = 0$ et $f(x,y) = x^3/(x^2 + y^2)$ pour $(x,y) \neq (0,0)$, le lecteur est invité à vérifier qu'elle admet des dérivées partielles et n'est pas différentiable en (0,0).) On verra au paragraphe 1.2.3 une condition suffisante pour qu'une fonction définie sur un produit soit différentiable, à savoir que ses applications partielles soient *continûment* différentiables.

1.1.5 Propriétés fondamentales de la différentielle

Proposition 1.3

Si $f : U \subset E \to F$ et $g : V \subset E \to F$ sont différentiables respectivement sur des ouverts U et V d'un même espace E, alors leur somme $f + g$ est différentiable sur $U \cap V$ et

$$\mathrm{d}(f + g) = \mathrm{d}f + \mathrm{d}g\,,$$

c'est-à-dire que pour tout $x \in U \cap V$ et pour tout $h \in E$,

$$\mathrm{d}(f + g)(x) \cdot h = \mathrm{d}f(x) \cdot h + \mathrm{d}g(x) \cdot h\,.$$

De plus, quel que soit $\lambda \in \mathbb{R}$, la fonction λf est différentiable et

$$\mathrm{d}(\lambda f) = \lambda \mathrm{d}f\,.$$

La démonstration découle directement de la définition (et de l'inégalité triangulaire pour ce qui est de la somme). Cette proposition signifie que

• l'ensemble des fonctions différentiables sur U et à valeurs dans F est un espace vectoriel,

• la différentiation d est une application linéaire de cet espace vectoriel dans l'ensemble des fonctions de U dans $\mathcal{L}(E; F)$.

Le résultat suivant est extrêmement important : on le désigne souvent par *règle de dérivation des fonctions composées* (*chain rule* en anglais). Dans l'énoncé, V est un ouvert de F contenant $f(U)$ et G est un $\mathbb{R}$-espace vectoriel normé.

Théorème 1.1

Si $f : U \subset E \to F$ est différentiable en un point $x \in U$ et si $g : V \subset F \to G$ est différentiable en $f(x) \in V$, alors la fonction composée $g \circ f : U \subset E \to G$ est différentiable en x et

$$\mathrm{d}(g \circ f)(x) \cdot h = \mathrm{d}g(f(x)) \cdot \big(\mathrm{d}f(x) \cdot h\big) \quad \text{quels que soient } x \in U \text{ et } h \in E\,.$$

Autrement dit,

$$\mathrm{d}(g \circ f)(x) = \mathrm{d}g(f(x)) \circ \mathrm{d}f(x) \quad \text{quel que soit } x \in U\,. \qquad (1.8)$$

Démonstration. Notons $y = f(x)$,

$$\varphi(h) = f(x+h) - f(x) - \mathrm{d}f(x) \cdot h \quad \text{pour tout } h \in E \text{ tel que } x+h \in U\,,$$

$$\gamma(k) = g(y+k) - g(y) - \mathrm{d}g(y) \cdot k \quad \text{pour tout } k \in F \text{ tel que } y+k \in V\,.$$

Par définition de la différentiabilité de f et de g,

$$\lim_{\substack{\neq \\ h \to 0_E}} \frac{\|\varphi(h)\|_F}{\|h\|_E} = 0 \quad \text{et} \quad \lim_{\substack{\neq \\ k \to 0_F}} \frac{\|\gamma(k)\|_G}{\|k\|_F} = 0\,,$$

ce que l'on peut aussi exprimer sous la forme

$$\|\gamma(k)\|_G = \tau(k)\,\|k\|_F \quad \text{avec } \lim_{k \to 0_F} \tau(k) = 0\,.$$

On a

$$g(f(x+h)) - g(f(x)) = g\big(f(x) + \mathrm{d}f(x) \cdot h + \varphi(h)\big) - g(f(x)) =$$
$$= \mathrm{d}g(y) \cdot \big(\mathrm{d}f(x) \cdot h + \varphi(h)\big) + \gamma\big(\mathrm{d}f(x) \cdot h + \varphi(h)\big)\,.$$

Par conséquent, pour $h \neq 0_E$,

$$\frac{\|g(f(x+h)) - g(f(x)) - \mathrm{d}g(y) \cdot \big(\mathrm{d}f(x) \cdot h\big)\|_G}{\|h\|_E} = \frac{\|\mathrm{d}g(y) \cdot \varphi(h) + \gamma\big(\mathrm{d}f(x) \cdot h + \varphi(h)\big)\|_G}{\|h\|_E}$$

$$\leqslant |||\mathrm{d}g(y)||| \frac{\|\varphi(h)\|_F}{\|h\|_E} + \left(|||\mathrm{d}f(x)||| + \frac{\|\varphi(h)\|_F}{\|h\|_E}\right) \tau\big(\mathrm{d}f(x) \cdot h + \varphi(h)\big)\,.$$

Les deux morceaux ci-dessus tendent bien vers 0 lorsque h tend vers 0_E puisque c'est le cas de $\|\varphi(h)\|_F / \|h\|_E$, que $\mathrm{d}f(x) \cdot h + \varphi(h)$ tend vers 0_F et que $\tau(k)$ tend vers 0 lorsque k tend vers 0_F. □

Les cas particuliers considérés au paragraphe précédent et les propriétés énoncées dans la proposition et le théorème ci-dessus permettent de *calculer* de nombreuses différentielles. Une démarche générale pour montrer qu'une fonction est différentiable consiste à : 1) supposer que sa différentielle existe et calculer un candidat pour cette différentielle ; 2) vérifier que la fonction est différentiable en injectant ce candidat dans la définition.

Voyons un exemple de tel calcul. Soient X et Y des $\mathbb{R}$-espaces de Banach. Considérons l'espace $E := \mathcal{L}(X;Y)$ et l'ensemble $U = \mathrm{Isom}(X;Y) \subset E$ des isomorphismes de X sur Y. (On rappelle que U est ouvert.) Soit alors la fonction

$$\begin{array}{rcl} f : U & \to & F := \mathcal{L}(Y;X) \\ u & \mapsto & u^{-1}. \end{array}$$

L'application

$$\begin{array}{rcl} \phi : E \times F & \to & \mathcal{L}(X;X) \\ (u,v) & \mapsto & v \circ u \end{array}$$

est bilinéaire continue, et l'on a par définition $\phi(u, f(u)) = \mathrm{Id}_X$ (l'application identité sur X). Par suite, en supposant *a priori* que f est différentiable, on a pour tout $u \in U$ et $h \in E$,

$$\phi(h, f(u)) + \phi(u, \mathrm{d}f(u) \cdot h) = 0\,.$$

Autrement dit, $u^{-1} \circ h = -(\mathrm{d}f(u) \cdot h) \circ u$, d'où $\mathrm{d}f(u) \cdot h = -u^{-1} \circ h \circ u^{-1}$. Ceci fournit le candidat cherché. L'étape de vérification fait l'objet de l'exercice 1.13.

Un exemple plus immédiat et néanmoins important consiste à différentier les *formes quadratiques*. Si $q : X \to \mathbb{R}$ est une forme quadratique définie par $q(x) = \phi(x,x)$ où ϕ est une *forme bilinéaire* continue sur X, alors d'après le théorème 1.1, q est différentiable comme composée de l'application linéaire continue $x \mapsto (x,x)$ et de l'application bilinéaire continue ϕ, et l'on a

$$\mathrm{d}q(x) \cdot h = \phi(x,h) + \phi(h,x)\,,\ \forall x \in X\,,\ \forall h \in X\,.$$

1.1.6 Différentielles en dimension finie

On suppose dans ce paragraphe que $E = \mathbb{R}^d$ et $F = \mathbb{R}^p$, avec $d, p \in \mathbb{N}^*$, et U est toujours un ouvert non vide de E. Les composantes d'un vecteur $x \in \mathbb{R}^d$ sont notées $(x_1, \ldots, x_d)$. (Attention à ne pas confondre avec les n-uplets de vecteurs considérés au paragraphe 1.1.4.) Ce sont ses *coordonnées* dans la base canonique $\mathrm{e}_1, \ldots, \mathrm{e}_d$, de $\mathbb{R}^d$:

$$x = \sum_{i=1}^{d} x_i \mathrm{e}_i\,.$$

De même, les composantes de $y \in \mathbb{R}^p$ seront notées $(y_1, \ldots, y_p)$.

Si $f : U \to F$ est différentiable en x, par linéarité de $\mathrm{d}f(x)$, on voit que pour tout $h \in \mathbb{R}^d$ de composantes $(h_1,\ldots,h_d)$,

$$\mathrm{d}f(x)\cdot h = \mathrm{d}f(x)\cdot\Big(\sum_{i=1}^{d} h_i\,\mathrm{e}_i\Big) = \sum_{i=1}^{d} h_i\,\mathrm{d}f(x)\cdot\mathrm{e}_i = \sum_{i=1}^{d} h_i\,\frac{\partial f}{\partial x_i}(x)$$

d'après la proposition 1.2 (qui implique $\mathrm{d}f(x)\cdot\mathrm{e}_i = D_{\mathrm{e}_i}f(x)$) et le fait que

$$D_{\mathrm{e}_i}f(x) = \frac{\partial f}{\partial x_i}(x)\,.$$

Remarque 1.3

Quel que soit $i \in \{1,\ldots,d\}$, l'application $h \in \mathbb{R}^d \mapsto h_i \in \mathbb{R}$ est une forme linéaire continue (c'est-à-dire un élément de $\mathcal{L}(\mathbb{R}^d;\mathbb{R})$). Si on la note $\mathrm{d}x_i$, la différentielle de f au point x s'écrit donc d'après ce qui précède

$$\mathrm{d}f(x) = \sum_{i=1}^{d}\frac{\partial f}{\partial x_i}(x)\,\mathrm{d}x_i\,.$$

Ce point de vue sera poussé plus avant au chapitre 4 sur les formes différentielles.

D'un point de vue plus élémentaire, il est important de noter que la matrice jacobienne, que l'on a notée $\mathrm{D}f(x)$, est la matrice de l'application linéaire $\mathrm{d}f(x)$ dans les bases canoniques de $\mathbb{R}^d$ et $\mathbb{R}^p$. En effet,

$$\mathrm{d}f(x)\cdot\mathrm{e}_j = \frac{\partial f}{\partial x_j}(x) = \sum_{i=1}^{d}\frac{\partial f_i}{\partial x_j}(x)\,\varepsilon_i$$

si $(\varepsilon_1,\ldots,\varepsilon_p)$ est la base canonique de $\mathbb{R}^p$. Autrement dit, l'égalité $y = \mathrm{d}f(x)\cdot h$ s'écrit sous forme matricielle $Y = \mathrm{D}f(x)H$, où H et Y sont les matrices colonnes :

$$H = \begin{pmatrix} h_1\\ \vdots\\ h_d\end{pmatrix} \in \mathcal{M}_{d,1}(\mathbb{R})\,,\; Y = \begin{pmatrix} y_1\\ \vdots\\ y_p\end{pmatrix} \in \mathcal{M}_{p,1}(\mathbb{R})\,.$$

Par ailleurs, la formule (1.8) du théorème 1.1 de différentiation des fonctions composées se traduit par l'identité matricielle suivante :

$$\mathrm{D}(g\circ f)(x) = \mathrm{D}g(f(x))\,\mathrm{D}f(x)\,.$$

Autrement dit, la matrice jacobienne en x d'une fonction composée $g\circ f$ est le produit des matrices jacobiennes de g en $f(x)$ et de f en x. Bien sûr, le produit matriciel n'étant pas commutatif, il faut prendre garde à respecter l'ordre dans lequel on effectue de ce produit. En pratique, il vaut mieux procéder « à vue ». Prenons par exemple

$$\begin{array}{rcl} f :]0,+\infty[\times]0,2\pi[& \to & \mathbb{R}^2\backslash(\mathbb{R}^+ \times \{0\}) \\ (r,\theta) & \mapsto & (x,y) = (r\cos\theta,\, r\sin\theta), \end{array}$$

dont la réciproque fournit les *coordonnées polaires* pour tout $(x,y) \in \mathbb{R}^2\backslash(\mathbb{R}^+ \times \{0\})$. On a

$$\mathrm{D}f(r,\theta) = \begin{pmatrix} \cos\theta & -r\sin\theta \\ \sin\theta & r\cos\theta \end{pmatrix},$$

et pour toute fonction différentiable $g : (x,y) \mapsto g(x,y)$ on peut calculer la matrice jacobienne de $G : (r,\theta) \mapsto g(f(r,\theta))$ comme le produit $\mathrm{D}G(r,\theta) = \mathrm{D}g(r\cos\theta, r\sin\theta)\,\mathrm{D}f(r,\theta)$. Cependant on peut, avec un peu d'entraînement, limiter le risque d'erreur de calcul (matriciel) en « dérivant à vue » dans la relation

$$G(r,\theta) = g(r\cos\theta, r\sin\theta),$$

d'où il vient

$$\left\{\begin{array}{rcl} \dfrac{\partial G}{\partial r}(r,\theta) & = & \cos\theta \times \dfrac{\partial g}{\partial x}(r\cos\theta, r\sin\theta) \quad + \quad \sin\theta \times \dfrac{\partial g}{\partial y}(r\cos\theta, r\sin\theta), \\ \dfrac{\partial G}{\partial \theta}(r,\theta) & = & -r\sin\theta \times \dfrac{\partial g}{\partial x}(r\cos\theta, r\sin\theta) \quad + \quad r\cos\theta \times \dfrac{\partial g}{\partial y}(r\cos\theta, r\sin\theta). \end{array}\right.$$

En outre, ce système s'inverse très facilement pour donner :

$$\left\{\begin{array}{rcl} \dfrac{\partial g}{\partial x}(r\cos\theta, r\sin\theta) & = & \cos\theta \times \dfrac{\partial G}{\partial r}(r,\theta) \quad - \quad \dfrac{1}{r}\sin\theta \times \dfrac{\partial G}{\partial \theta}(r,\theta), \\ \dfrac{\partial g}{\partial y}(r\cos\theta, r\sin\theta) & = & \sin\theta \times \dfrac{\partial G}{\partial r}(r,\theta) \quad + \quad \dfrac{1}{r}\cos\theta \times \dfrac{\partial G}{\partial \theta}(r,\theta). \end{array}\right.$$

Le calcul analogue avec les coordonnées sphériques fait l'objet de l'exercice 1.8.

Enfin, comme on l'a déjà signalé à propos des différentielles partielles, la seule existence de dérivées partielles n'est pas suffisante en général pour qu'une fonction soit différentiable. Plus précisément, on a la caractérisation suivante.

Théorème 1.2

Une application $f : U \subset \mathbb{R}^d \to F = \mathbb{R}^p$ est *continûment différentiable* si et seulement si ses p *dérivées partielles* existent et sont *continues* sur U.

Ce résultat est un cas particulier du théorème 1.7 (page 32), que l'on verra comme conséquence du théorème des accroissements finis au paragraphe 1.2.3.

1.2 Théorème des accroissements finis

Nous arrivons maintenant à l'un des résultats fondamentaux du calcul différentiel.

Pour une fonction de *variable réelle* et à *valeurs réelles*, on connaît la *formule des accroissements finis* (conséquence du *théorème de Rolle*, voir l'appendice) : si $\varphi : I \subset \mathbb{R} \to \mathbb{R}$ est dérivable sur l'intervalle I, alors pour tout $(x,y) \in I \times I$ (avec $x < y$), il existe $t \in]x,y[$ tel que

$$\varphi(x) - \varphi(y) = \varphi'(t)\,(x - y)\,.$$

Par suite, si $|\varphi'|$ est majorée par une constante $k > 0$ sur l'intervallle I, on a l'*inégalité des accroissement finis* :

$$|\,\varphi(x) - \varphi(y)\,| \leqslant k\,|\,x - y\,| \quad \text{quel que soit } (x,y) \in I \times I\,.$$

En revanche, pour une fonction g à valeurs dans un espace autre que $\mathbb{R}$, il n'y a *pas de formule* des accroissements finis : par exemple, la fonction $g : x \mapsto \mathrm{e}^{i\,x}$ est dérivable, et sa dérivée $x \mapsto i\,\mathrm{e}^{i\,x}$ ne s'annule pas, bien qu'il existe des points (nombreux) x et y distincts où $g(x) = g(y)$. Il reste malgré tout quelque chose, à savoir l'*inégalité* des accroissements finis.

1.2.1 Cas des fonctions d'une variable réelle

Théorème 1.3

Soit $g : I \subset \mathbb{R} \to F$ une fonction dérivable sur un intervalle ouvert I et à valeurs dans un $\mathbb{R}$-espace vectoriel normé F. On suppose qu'il existe $k > 0$ tel que

$$\|\,g'(t)\,\|_F \leqslant k \quad \text{quel que soit } t \in I\,.$$

Alors

$$\|\,g(x) - g(y)\,\|_F \leqslant k\,|\,x - y\,| \quad \text{quel que soit } (x,y) \in I \times I\,. \tag{1.9}$$

Démonstration. Sans perte de généralité, on prend $(x,y) \in I \times I$ avec $x < y$. On ne va pas montrer directement (1.9), mais le résultat intermédiaire suivant : pour tout $\varepsilon > 0$ et pour tout $t \in [x,y]$,

$$\|\,g(t) - g(x)\,\|_F \leqslant (k + \varepsilon)\,(t - x) + \varepsilon\,. \tag{1.10}$$

En l'appliquant à $t = y$ puis en faisant tendre ε vers 0, on en déduit en effet (1.9). Pour démontrer (1.10), nous allons faire appel à l'axiome fondamental de $\mathbb{R}$, à savoir l'existence d'une borne inférieure pour tout ensemble non vide et minoré. Considérons l'ensemble :

$$\mathcal{O} := \{t \in [x,y]\,;\ \| g(t) - g(x) \|_F > (k + \varepsilon)(t - x) + \varepsilon\}.$$

C'est un ensemble ouvert (car g est continue) dans $[x,y]$, dont on veut montrer qu'il est vide.
Supposons que $\mathcal{O}$ ne soit pas vide, et soit alors $\underline{t}$ sa borne inférieure. Comme l'inégalité (1.10) est vraie au voisinage de x (par continuité de l'application

$$t \mapsto \| g(t) - g(x) \|_F - (k + \varepsilon)(t - x),$$

qui vaut évidemment 0 en $t = x$), on a $\underline{t} > x$, et donc $\underline{t} = \inf \mathcal{O}$ ne peut pas être dans l'ouvert $\mathcal{O}$ (si $\tau > x$ et si τ appartient à $\mathcal{O}$, $[x,\tau[\cap\mathcal{O}$ est non vide, donc τ ne minore pas $\mathcal{O}$ et ne peut par conséquent pas être la borne inférieure de $\mathcal{O}$). Donc

$$\left\| g(\underline{t}) - g(x) \right\|_F \leqslant (k + \varepsilon)(\underline{t} - x) + \varepsilon.$$

D'autre part, d'après la dérivabilité de g en $\underline{t}$, il existe $\eta > 0$ tel que pour tout $t \in]\underline{t}\,, \underline{t} + \eta]$,

$$k \geqslant \|g'(\underline{t})\|_F \geqslant \frac{\left\| g(t) - g(\underline{t}) \right\|_F}{|t - \underline{t}|} - \varepsilon,$$

d'où

$$\left\| g(t) - g(\underline{t}) \right\|_F \leqslant (k + \varepsilon)(t - \underline{t}).$$

Par l'inégalité triangulaire, on en déduit

$$\| g(t) - g(x) \|_F \leqslant (k + \varepsilon)(t - x) + \varepsilon$$

pour $t \in [\underline{t}\,, \underline{t} + \eta]$, c'est-à-dire que $[\underline{t}\,, \underline{t} + \eta] \cap \mathcal{O}$ est vide. Or $\underline{t} < y$ (si ce n'était pas le cas, $\mathcal{O}$ serait réduit au singleton $\{y\}$, qui n'est pas ouvert dans $[x,y]$) donc pour η assez petit, $\underline{t} + \eta < y$. Par conséquent, $[\underline{t}\,, \underline{t} + \eta] \cap \mathcal{O} = \emptyset$ montre que $\underline{t} + \eta$ est un minorant de $\mathcal{O}$ strictement plus grand que $\underline{t}$: ceci contredit le fait que $\underline{t}$ soit la borne inférieure de $\mathcal{O}$. □

Remarque 1.4

Le résultat s'applique même pour x et y au bord de l'intervalle I, à condition que g soit *continue sur l'intervalle fermé* $\overline{I}$ et qu'on ait une estimation de g' sur l'intervalle ouvert I. En effet, dans la démonstration, l'ensemble $\mathcal{O}$ reste un ouvert dont la borne inférieure, s'il est non vide, appartient à l'intervalle ouvert $]x\,, y[$.

La même méthode de démonstration permet de montrer le résultat plus général suivant.

Théorème 1.4

Soit $g : I \subset \mathbb{R} \to F$ une fonction dérivable sur un intervalle ouvert I et à valeurs dans un $\mathbb{R}$-espace vectoriel normé F. On suppose qu'il existe une fonction $\varphi : I \to \mathbb{R}$ dérivable telle que

$$\| g'(t) \|_F \leqslant \varphi'(t) \quad \text{quel que soit } t \in I\,.$$

Alors

$$\| g(x) - g(y) \|_F \leqslant | \varphi(x) - \varphi(y) | \quad \text{quel que soit } (x,y) \in I \times I\,. \quad (1.11)$$

1.2.2 Cas général

Comme précédemment, E et F désignent des $\mathbb{R}$-espaces vectoriels normés.

Théorème 1.5

Soit $f : U \subset E \to F$ une fonction différentiable sur un ouvert *convexe* U. On suppose qu'il existe $k > 0$ tel que $|||\, \mathrm{d}f(u)\, ||| \leqslant k$ quel que soit $u \in U$. Alors

$$\| f(x) - f(y) \|_F \leqslant k \| x - y \|_E \quad \text{quel que soit } (x,y) \in U \times U\,. \quad (1.12)$$

DÉMONSTRATION. Fixons $(x,y) \in U \times U$. La convexité de U assure que le segment d'extrémités x et y est inclus dans U (au besoin voir la définition 3.3 p. 107), et d'après les hypothèses sur f, la fonction d'une variable réelle

$$\begin{array}{rccl} g : & [0,1] & \to & F \\ & t & \mapsto & f(x + t(y-x)) \end{array}$$

est dérivable, de dérivée

$$g'(t) = \mathrm{d}f(x + t(y-x)) \cdot (y-x)\,,$$

satisfaisant la majoration $\|g'(t)\|_F \leqslant k \| y - x \|_E$ pour tout $t \in [0,1]$. D'après le théorème 1.3, on en déduit

$$\| f(y) - f(x) \|_F = \| g(1) - g(0) \|_F \leqslant k \| y - x \|_E\,.$$

□

Remarque 1.5

La démonstration donne en fait l'inégalité plus fine

$$\| f(y) - f(x) \|_F \leqslant \sup_{t \in [0,1]} |||\mathrm{d}f(x + t(y-x))||| \; \| y - x \|_E\,.$$

1.2.3 Conséquences

Le théorème des accroissements finis a de nombreuses applications. Nous nous limiterons ici aux applications fondamentales que sont

- la caractérisation des fonctions de différentielle nulle sur les ouverts *connexes*,
- la caractérisation des fonctions de classe $\mathcal{C}^1$ sur un produit cartésien.

La connexité est une notion topologique qui peut se définir comme suit.

Définition 1.3

Un sous-ensemble d'un espace vectoriel normé est *connexe* s'il n'admet pas de sous-ensemble à la fois ouvert et fermé autre que l'ensemble vide et lui-même.

Intuitivement, un connexe est un ensemble « en un seul morceau », encore faudrait-il s'entendre sur ce que l'on appelle un morceau. En particulier, tout ensemble *convexe* est connexe. Mathématiquement, la connexité sert souvent pour faire un « passage du local au global », comme c'est le cas dans le résultat suivant.

Théorème 1.6

Soit $f : U \subset E \to F$ une fonction différentiable sur un ouvert *connexe* U, telle que $\mathrm{d}f(x) \equiv 0$ pour tout $x \in U$. Alors f est *constante*.

Démonstration. Quel que soit $x \in U$, il existe $r > 0$ tel que la boule ouverte de centre x et de rayon r, $B(x; r)$ soit incluse dans U. Cette boule est convexe (cela se vérifie grâce à l'inégalité triangulaire), et puisque $\mathrm{d}f \equiv 0$, le théorème des accroissements finis montre que $f(y) = f(x)$ quel que soit $y \in B(x; r)$: cela signifie que f est *localement constante*. Comme U est connexe, cela implique que f est constante. En effet, fixons $x \in U$. L'ensemble $f^{-1}(\{f(x)\}) \subset U$ est non vide puisqu'il contient x, et fermé par continuité de f (le singleton $\{f(x)\}$ étant fermé). D'après ce qui précède, cet ensemble est aussi ouvert. Puisque U est connexe, on a donc $f^{-1}(\{f(x)\}) = U$. Autrement dit, $f(y) = f(x)$ pour tout $y \in U$. □

Théorème 1.7

Soient $E_1, \ldots, E_n$ des espaces vectoriels normés, et $E = E_1 \times \cdots \times E_n$. Une fonction

$$\begin{array}{rcl} f : U \subset E & \to & F \\ x = (x_1, \ldots, x_n) & \mapsto & f(x) \end{array}$$

est continûment différentiable si et seulement si pour tout $i \in \{1, \ldots, n\}$ et pour tout $x = (x_1, \ldots, x_n) \in U$, l'*application partielle*

$$y_i \mapsto (x_1, \ldots, x_{i-1}, y_i, x_{i+1}, \ldots, x_n)$$

est différentiable en $y_i = x_i$ et sa différentielle définit une fonction (appelée *différentielle partielle*) continue de U dans $\mathcal{L}(E_i; F)$.

DÉMONSTRATION. Commençons par le sens facile, qui complète ce que l'on a vu auparavant sur les différentielles partielles. Si f est continûment différentiable, quels que soient $i \in \{1,\ldots,n\}$ et $x = (x_1,\ldots,x_n) \in U$, l'application partielle $g : y_i \mapsto (x_1,\ldots,x_{i-1},y_i,x_{i+1},\ldots,x_n)$ est différentiable en $y_i = x_i$, de différentielle définie par

$$\mathrm{d}g(x_i) \cdot h_i = \mathrm{d}f(x) \cdot (0,\ldots, 0, h_i, 0,\ldots, 0)$$

pour tout $h_i \in E_i$. Notons $\mathrm{d}_i f(x) \in \mathcal{L}(E_i; F)$ l'application définie comme ci-dessus par $\mathrm{d}_i f(x) \cdot h_i = \mathrm{d}f(x)(0,\ldots, 0, h_i, 0,\ldots, 0)$, et

$$\begin{array}{rccc} \mathrm{d}_i f : & U & \to & \mathcal{L}(E_i; F) \\ & x & \mapsto & \mathrm{d}_i f(x) \end{array}$$

la i-ème différentielle partielle de f. Alors $\mathrm{d}_i f$ est continue sur U, comme composée des fonctions continues

$$\begin{array}{rcl} \mathrm{d}f : U & \to & \mathcal{L}(E; F) \\ x & \mapsto & \mathrm{d}f(x) \end{array} \quad \text{et} \quad \begin{array}{ccl} \mathcal{L}(E; F) & \to & \mathcal{L}(E_i; F) \\ \ell & \mapsto & (h_i \mapsto \ell(0,., 0, h_i, 0,., 0))\,. \end{array}$$

C'est la réciproque qui fait appel au théorème des accroissements finis. Supposons que pour tout $i \in \{1,\ldots,n\}$ la différentielle partielle $\mathrm{d}_i f$ existe et soit continue. Alors l'application

$$\begin{array}{ccl} U & \to & \mathcal{L}(E; F) \\ x & \mapsto & \left((h_1,\ldots,h_n) \mapsto \displaystyle\sum_{i=1}^{n} \mathrm{d}_i f(x) \cdot h_i\right) \end{array}$$

est bien continue comme composée des fonctions continues

$$\begin{array}{ccc} U & \to & \mathcal{L}(E_1; F) \times \cdots \times \mathcal{L}(E_n; F) \\ x & \mapsto & (\mathrm{d}_1 f(x),\ldots,\mathrm{d}_n f(x)) \end{array}$$

(fonction à valeurs dans un produit dont chaque composante est continue) et

$$\begin{array}{ccl} \mathcal{L}(E_1; F) \times \cdots \times \mathcal{L}(E_n; F) & \to & \mathcal{L}(E; F) \\ (\ell^1,\ldots,\ell^n) & \mapsto & \left((h_1,\ldots,h_n) \mapsto \displaystyle\sum_{i=1}^{n} \ell^i(h_i)\right) \end{array}$$

(application linéaire continue). Il s'agit de montrer que f est différentiable, de différentielle précisément définie par

$$\mathrm{d}f(x) \cdot h = \sum_{i=1}^{n} \mathrm{d}_i f(x) \cdot h_i$$

pour tout $x \in U$ et pour tout $h = (h_1,\ldots,h_n) \in E$. Raisonnons par récurrence sur n. Le cas $n = 1$ est évident : si $E = E_1$, $\mathrm{d}f(x) \cdot h = \mathrm{d}_1 f(x) \cdot h_1$ pour tout $x \in U$

et pour tout $h = h_1 \in E$. Supposons $n \geqslant 2$ et le résultat démontré pour les fonctions définies sur un ouvert d'espace produit de $(n-1)$ espaces. Soient $x \in U$ et $r > 0$ tels que

$$\max_{i\in\{1,\dots,n\}} \|(y-x)_i\|_{E_i} \leqslant r \quad \Rightarrow \quad y = (y_1,\dots,y_n) \in U\,.$$

Pour tout $h = (h_1,\dots,h_n) \in E$ tel que $\max_{i\in\{1,\dots,n\}} \|h_i\|_{E_i} \leqslant r$, on a

$$f(x+h) - f(x) - \sum_{i=1}^{n} \mathrm{d}_i f(x)\cdot h_i =$$

$$f(x_1+h_1,.,x_{n-1}+h_{n-1},x_n+h_n) - f(x_1+h_1,.,x_{n-1}+h_{n-1},x_n) - \mathrm{d}_n f(x)\cdot h_n$$

$$+ f(x_1+h_1,.,x_{n-1}+h_{n-1},x_n) - f(x_1,.,x_{n-1},x_n) - \sum_{i=1}^{n-1} \mathrm{d}_i f(x)\cdot h_i\,.$$

Lorsqu'on divise cette égalité par $\|(h_1,\dots,h_n)\|$, le second morceau tend vers 0 avec h d'après l'hypothèse de récurrence. Il reste à montrer que le premier morceau tend aussi vers 0. C'est ici que va intervenir le *théorème des accroissements finis*. Par hypothèse, la fonction

$$g\ :\ y_n \mapsto f(x_1+h_1,\dots,x_{n-1}+h_{n-1},y_n) - \mathrm{d}_n f(x)\cdot(y_n-x_n)$$

est différentiable dans la boule ouverte de rayon r, centrée en x_n dans l'espace E_n, de différentielle définie par

$$\mathrm{d}g(y_n)\cdot h_n = \mathrm{d}_n f(x_1+h_1,\dots,x_{n-1}+h_{n-1},y_n)\cdot h_n - \mathrm{d}_n f(x)\cdot h_n$$

et donc de norme

$$|||\mathrm{d}g(y_n)||| \leqslant |||\mathrm{d}_n f(x_1+h_1,\dots,x_{n-1}+h_{n-1},y_n) - \mathrm{d}_n f(x)|||\,.$$

Or, par hypothèse, la différentielle partielle $\mathrm{d}_n f$ est continue au point $x = (x_1,\dots,x_n)$. Soit donc $\varepsilon > 0$. Il existe $\eta \in]0,r]$ tel que

$$\max_{i\in\{1,\dots,n\}} \|(y-x)_i\|_{E_i} \leqslant \eta \Rightarrow |||\mathrm{d}_n f(y_1,.,y_n) - \mathrm{d}_n f(x_1,.,x_n)||| \leqslant \varepsilon\,.$$

Par conséquent, si $\max_{i\in\{1,\dots,n\}} \|h_i\|_{E_i} \leqslant \eta$,

$$|||\mathrm{d}g(y_n)||| \leqslant \varepsilon \quad \text{pour} \quad \|y_n - x_n\|_{E_n} \leqslant \eta,$$

et le théorème des accroissements finis (appliqué à g dans la boule de centre x_n et de rayon η, qui est bien convexe) implique

$$\|g(x_n+h_n) - g(x_n)\|_F \leqslant \varepsilon\,\|h_n\|_{E_n}\,.$$

Grâce à l'inégalité triangulaire, on en déduit qu'il existe $\eta_1 \leqslant \eta$ tel que $\max_{i\in\{1,\ldots,n\}} \|h_i\|_{E_i} \leqslant \eta_1$ implique

$$\left\| f(x+h) - f(x) - \sum_{i=1}^{n} \mathrm{d}_i f(x) \cdot (h_i) \right\|_F \leqslant \varepsilon\,(\,\|h_1\|_{E_1} + \cdots + \|h_n\|_{E_n}\,)\,.$$

□

1.3 Théorème d'inversion locale

Commençons par introduire la notion fondamentale de difféomorphisme (en fait de $\mathcal{C}^1$-difféomorphisme, mais on omettra systématiquement le « préfixe » $\mathcal{C}^1$). Dans tout ce qui suit, E et F désignent des $\mathbb{R}$-espaces de Banach, c'est-à-dire des espaces vectoriels normés dans lesquels toute suite de Cauchy est convergente.

Définition 1.4

Soient U et V des ouverts (non vides) de E et F respectivement. On dit qu'une application $f : U \to V$ est un *difféomorphisme* (de U sur V) si et seulement si

i). f est une *bijection*,

ii). f est de classe $\mathcal{C}^1$, c'est-à-dire *continûment différentiable* sur U,

iii). f^{-1} est de classe $\mathcal{C}^1$ sur V.

Exemple

La fonction trigonométrique tan est un difféomorphisme de $]-\pi/2, \pi/2[$ sur $\mathbb{R}$.

Contre-exemple La fonction polynômiale $x \mapsto x^3$ n'est *pas* un difféomorphisme de $\mathbb{R}$ dans $\mathbb{R}$, bien que ce soit une bijection continûment différentiable : sa réciproque n'est en effet pas différentiable en $y = 0$.

Proposition 1.4

Si $f : U \to V$ est un difféomorphisme, sa différentielle est en tout point de U un isomorphisme de E sur F, et la différentielle de la fonction réciproque f^{-1} est liée à celle de f par la formule :

$$\mathrm{d}(f^{-1})(y) = \left(\mathrm{d}f(f^{-1}(y))\right)^{-1} \quad \text{pour tout } y \in V\,.$$

Démonstration. Pour simplifier l'écriture, notons $g = f^{-1}$. Par définition, on a

$$g \circ f = \mathrm{Id}_U \quad \text{et} \quad f \circ g = \mathrm{Id}_V\,,$$

d'où en appliquant la règle de dérivation des fonctions composées (théorème 1.1) $\mathrm{d}g(y) \circ \mathrm{d}f(x) = \mathrm{Id}_E$ et $\mathrm{d}f(x) \circ \mathrm{d}g(y) = \mathrm{Id}_F$ pour tout $x \in U$ et $y = f(x)$. □

Corollaire 1.1

S'il existe un difféormorphisme d'un ouvert de E sur un ouvert de F, les deux espaces sont *isomorphes*. En particulier, si l'un d'eux est de dimension finie, l'autre aussi et sa dimension est la même.

Le théorème d'inversion locale fournit une sorte de réciproque de la proposition 1.4.

Théorème 1.8

Si $f : U \to V$ est de classe $\mathcal{C}^1$, si $a \in U$ est tel que que $\mathrm{d}f(a)$ soit un isomorphisme de E sur F, il existe un voisinage ouvert U_a de a dans U et un voisinage ouvert V_b de $b = f(a)$ dans V tel que la restriction de f à U_a soit un difféomorphisme de U_a sur V_b.

La démonstration utilise essentiellement trois ingrédients :

1) le fait que l'ensemble $\mathrm{Isom}(E; F)$ des isomorphismes de E sur F soit un ouvert et que l'application $u \in \mathrm{Isom}(E; F) \mapsto u^{-1} \in \mathrm{Isom}(F; E)$ soit continue,
2) le théorème des accroissements finis,
3) le théorème du point fixe de Banach-Picard.

Le point 1) a été partiellement abordé en préambule. Il est démontré en particulier dans l'exercice 1.13. Le point 2) a fait l'objet du paragraphe 1.2.3. Pour le point 3), rappelons le

Théorème 1.9 ***Théorème de Banach-Picard***

Si C est un *fermé* non vide d'un espace de *Banach* E et si $h : C \to C$ est *contractante*, c'est-à-dire qu'il existe $k \in]0, 1[$ tel que

$$\| h(x) - h(x') \|_E \leqslant k \| x - x' \|_E \quad \text{quels que soient } x \text{ et } x' \in C,$$

alors il existe un unique $x \in C$ tel que $h(x) = x$.

DÉMONSTRATION. L'unicité du point fixe, s'il existe, résulte immédiatement du fait que h est contractante, car si x_0 et x_1 étaient deux points fixes distincts on aurait

$$\|x_0 - x_1\|_E = \| h(x_0) - h(x_1) \|_E \leqslant k \| x_0 - x_1\|_E < \|x_0 - x_1\|_E ,$$

d'où une contradiction. Le point fixe s'obtient comme limite de la suite des itérés $x_{n+1} = h(x_n)$ obtenue à partir d'un point quelconque x_0 de C. Cette méthode est attribuée à *Picard*. La formule de récurrence $x_{n+1} = h(x_n)$ définit en effet une suite d'éléments de C (et de terme général $x_n = h^n(x_0)$) car C est stable par h. C'est en outre une suite de Cauchy : pour tout $n \geqslant 1$,

$$\|x_{n+1} - x_n\|_E = \|h(x_n) - h(x_{n-1})\|_E \leqslant k\,\|x_n - x_{n-1}\|_E\,,$$

d'où l'on tire par une récurrence immédiate l'inégalité

$$\|x_{n+1} - x_n\|_E \leqslant k^n\,\|x_1 - x_0\|_E\,,$$

qui implique que la suite (x_n) est de Cauchy car la série de terme général k^n est convergente (puisque $0 < k < 1$). L'ensemble C étant complet (comme sous-ensemble fermé d'un espace complet), la suite (x_n) est donc convergente dans C. Soit alors x sa limite. Comme h est Lipschitzienne (de rapport k) elle est *a fortiori* continue et par conséquent, en passant à la limite dans la formule $x_{n+1} = h(x_n)$, on obtient $x = h(x)$.

DÉMONSTRATION DU THÉORÈME 1.8. On procède en quatre étapes :
(0) Réduction du problème. Pour simplifier les calculs, on peut sans perte de généralité se ramener au cas où

$$E = F\,,\ a = b = 0 \quad \text{et} \quad \mathrm{d}f(a) = \mathrm{Id}_E\,. \tag{1.13}$$

C'est possible en remplaçant l'ouvert U par l'ensemble $\widetilde{U}$ des x tels que $a + x$ appartient à U, et f par $\widetilde{f}$ définie par

$$\widetilde{f}(x) = (\mathrm{d}f(a))^{-1}\,(f(a + x) - f(a))\,.$$

Si l'on démontre le résultat pour $\widetilde{f}$, on en déduira immédiatement le résultat pour f. Désormais, on enlève les tildas et l'on se place dans le cas (1.13).
(1) Existence de la fonction réciproque locale. Considérons l'application

$$g\,:\,x \in U \mapsto g(x) := x - f(x)\,.$$

D'après les hypothèses et (1.13), g est de classe $\mathcal{C}^1$ et telle que

$$g(0) = 0\,,\quad \mathrm{d}g(0) = 0\,.$$

Donc il existe $r > 0$ tel que pour $\|x\| \leqslant 2r$, $x \in U$ et

$$|||\mathrm{d}g(x)||| \leqslant 1/2\,.$$

D'après le théorème des accroissements finis appliqué à g dans la boule $B(0; 2r)$ de centre 0 et de rayon $2r$,

$$\|g(x)\| = \|g(x) - g(0)\| \leqslant \frac{1}{2}\,\|x\| < r$$

pour tout $x \in B(0; 2r)$. Ceci signifie que $g(B(0; 2r)) \subset B(0; r)$. Par continuité de g, on a aussi l'inclusion avec les boules fermées : $g(\overline{B}(0; 2r)) \subset \overline{B}(0; r)$.

Nous allons montrer que pour tout $y \in B(0;r)$, il existe un unique $x \in B(0;2r)$ tel que $y = f(x)$. Pour cela, fixons $y \in B(0;r)$ et considérons l'application

$$h : x \in \overline{B}(0;2r) \mapsto h(x) := y + g(x).$$

On aura $y = f(x)$ si et seulement si $h(x) = x$. C'est ici bien sûr qu'intervient le théorème du point fixe. Vérifions d'abord que la boule fermée $\overline{B}(0;2r)$ est stable par h :

$$\text{si } x \in \overline{B}(0;2r),\ \|h(x)\| \leqslant \|y\| + \|g(x)\| < r + r = 2r.$$

Vérifions ensuite que h est contractante :

$$\text{si } x \text{ et } x' \in B(0;2r),\ \|h(x) - h(x')\| = \|g(x) - g(x')\| \leqslant \frac{1}{2}\|x - x'\|$$

en appliquant une nouvelle fois le théorème des accroissements finis à g dans $B(0;2r)$. Par continuité de g (et donc de h) à nouveau, l'inégalité ci-dessus est même vraie dans la boule fermée $\overline{B}(0;2r)$. Donc le théorème 1.9 s'applique bien à h dans $\overline{B}(0;2r)$. On observe de plus que son point fixe x appartient en fait à la boule ouverte $B(0;2r)$: puisque $y \in B(0;r)$,

$$\|x\| = \|h(x)\| \leqslant \|y\| + \|g(x)\| < r + \|g(x)\| \leqslant 2r.$$

Par conséquent, la restriction de f à $U_0 := B(0;2r) \cap f^{-1}(B(0;r))$, qui est un voisinage ouvert de 0, est une bijection de U_0 sur $B(0;r)$. Par abus de notation, on note simplement f^{-1} sa réciproque.

(2) La fonction f^{-1} est Lipschitzienne : Soient $y = f(x)$ et $y' = f(x') \in B(0;r)$, avec $x,\ x' \in B(0;2r)$. Alors

$$\|x - x'\| = \|y + g(x) - y' - g(x')\| \leqslant \|y - y'\| + \frac{1}{2}\|x - x'\|,$$

d'où $\|x - x'\| \leqslant 2\|y - y'\|$.

(3) La fonction f^{-1} est de classe $\mathcal{C}^1$: Par continuité de $\mathrm{d}f$ et puisque $\mathrm{Isom}(E;E)$ est un ouvert, pour r assez petit, $\mathrm{d}f(x) \in \mathrm{Isom}(E;E)$ pour tout $x \in B(0;2r)$; de plus, par continuité de $u \in \mathrm{Isom}(E;E) \mapsto u^{-1}$, l'application

$$\begin{array}{ccc} B(0;2r) & \to & \mathrm{Isom}(E;E) \\ x & \mapsto & (\mathrm{d}f(x))^{-1} \end{array}$$

est continue. Comme $\mathrm{d}f(0) = \mathrm{Id}E$, quitte à diminuer encore r on peut supposer $|||(\mathrm{d}f(x))^{-1}||| \leqslant 2$ pour tout $x \in B(0;2r)$. Cette estimation et la constante de Lipschitz obtenue au **(2)** permettent de montrer que le candidat $(\mathrm{d}f(x))^{-1}$ est effectivement la différentielle de f^{-1} au point $y = f(x)$, quel que soit $x \in B(0;2r)$. On revient pour cela à la définition de la différentielle. Il faut montrer que le rapport

$$\frac{\|f^{-1}(y+k) - f^{-1}(y) - (\mathrm{d}f(x))^{-1}(k)\|}{\|k\|}$$

tend vers 0 avec k. Pour cela on écrit $x + h = f^{-1}(y + k)$ (pour $k \in B(0; r - \|y\|)$). D'où

$$\begin{aligned} &\|f^{-1}(y+k) - f^{-1}(y) - (\mathrm{d}f(x))^{-1} \cdot k\| = \\ &\|x + h - x - (\mathrm{d}f(x))^{-1} \cdot (f(x+h) - f(x))\| \\ &\leqslant |||(\mathrm{d}f(x))^{-1}||| \, \| f(x+h) - f(x) - \mathrm{d}f(x) \cdot h \|, \end{aligned}$$

d'où encore

$$\begin{aligned} &\frac{\|f^{-1}(y+k) - f^{-1}(y) - (\mathrm{d}f(x))^{-1} \cdot k\|}{\|k\|} \leqslant \\ &2 \frac{\| f(x+h) - f(x) - \mathrm{d}f(x) \cdot h \|}{\|h\|} \frac{\|h\|}{\|k\|}. \end{aligned}$$

Or d'après le **(2)**, $\|h\|/\|k\| \leqslant 2$. On conclut en appliquant la définition de la différentiabilité à f. □

Le théorème d'inversion locale est fondamental en analyse. Le corollaire qui suit, parfois appelé théorème d'inversion globale, caractérise complètement les difféomorphismes.

Corollaire 1.2

Soit $f : U \to F$ une application de classe $\mathcal{C}^1$ avec U un ouvert non vide. C'est un difféomorphisme (de U sur $f(U)$) si et seulement si elle est injective et sa différentielle est en tout point de U un isomorphisme de E sur F.

DÉMONSTRATION. La partie directe découle de la définition et de la proposition 1.4. Réciproquement, supposons f injective et telle que $\mathrm{d}f(x) \in \mathrm{Isom}(E; F)$ pour tout $x \in U$. Alors f est bien sûr bijective de U sur $f(U)$. De plus, le théorème d'inversion locale montre que $f(U)$ est un *ouvert*. En effet, pour tout $y = f(x) \in f(U)$, il existe un voisinage ouvert de y qui s'écrit $V_y = f(U_x)$, où U_x est un voisinage ouvert de x dans U, et qui est par conséquent inclus dans $f(U)$. En fait, on montre de la même façon que l'image par f de tout ouvert inclus dans U est un ouvert. (On dit alors que f est une application *ouverte*.) Par suite, l'application réciproque $f^{-1} : f(U) \to U$ est continue. De plus, l'application

$$\begin{array}{ccc} f(U) & \to & \mathcal{L}(F; E) \\ y & \mapsto & (\mathrm{d}f(f^{-1}(y)))^{-1} \end{array}$$

est continue comme composée d'applications continues, et l'on sait d'après l'étape **(3)** de la démonstration du théorème d'inversion locale que c'est (localement) la différentielle de f^{-1}. Donc f^{-1} est continûment différentiable. □

En dimension finie, le résultat peut s'énoncer ainsi :

Corollaire 1.3

Soit U un ouvert de $\mathbb{R}^p$ et $f : U \to \mathbb{R}^p$ *injective* et de classe $\mathcal{C}^1$. Alors f est un difféomorphisme si et seulement si le déterminant de sa matrice jacobienne (que l'on appelle simplement le *jacobien* de f) ne s'annule pas sur U.

1.4 Théorème des fonctions implicites

Parmi les conséquences fondamentales du théorème d'inversion locale, on trouve un résultat tout aussi important, connu sous le nom de théorème des fonctions implicites (en fait ces deux théorèmes sont équivalents, car on peut aussi déduire le premier du second). Il concerne la résolution d'équations non-linéaires de la forme :

$$f(x,y) = 0,$$

et doit son nom au fait que, sous les hypothèses que l'on va préciser, on peut en tirer y comme fonction de x : on dit alors que $f(x,y) = 0$ définit *implicitement* y, ou encore y comme *fonction implicite* de x.

Dans l'énoncé qui suit, E, F et G sont trois espaces de Banach.

Théorème 1.10

Soit U un ouvert de $E \times F$ et $f : U \to G$ une fonction de classe $\mathcal{C}^1$. On suppose qu'il existe $(a,b) \in U$ tel que $f(a,b) = 0_G$ et la différentielle partielle de f par rapport à y, $\mathrm{d}_2 f$ est telle que $\mathrm{d}_2 f(a,b)$ soit un isomorphisme de F sur G. Alors il existe un voisinage ouvert $U_{(a,b)}$ de (a,b) dans U, un voisinage ouvert W_a de a dans E et une fonction $\varphi \in \mathcal{C}^1(W_a; F)$ telle que :

$$(\,(x,y) \in U_{(a,b)} \text{ et } f(x,y) = 0_G\,) \quad \Leftrightarrow \quad (\,x \in W_a \text{ et } y = \varphi(x)\,).$$

Démonstration. Comme annoncé, on va appliquer le théorème d'inversion locale. Pour cela, on considère la fonction

$$\begin{aligned} g : U &\to E \times G \\ (x,y) &\mapsto (x\,,\,f(x,y))\,. \end{aligned}$$

Elle est de classe $\mathcal{C}^1$, et pour tout $(x,y) \in U$, pour tout $(h,k) \in E \times F$, on a

$$\mathrm{d}g(x,y) \cdot (h,k) = (h\,,\,\mathrm{d}_1 f(x,y) \cdot h + \mathrm{d}_2 f(x,y) \cdot k)\,,$$

où $d_1 f$ désigne la différentielle partielle de f par rapport à x. Vérifions que $dg(a, b)$ est un isomorphisme de $E \times F$ sur $E \times G$: d'après l'hypothèse sur la différentielle partielle $d_2 f$, on a pour tout $(h', k') \in E \times G$,

$$(h, k) \in E \times F \quad \text{et} \quad dg(a, b) \cdot (h, k) = (h', k')$$

équivaut à

$$h = h' \quad \text{et} \quad k = (d_2 f(a, b))^{-1} \, (k' - d_1 f(a, b) \cdot h') \, .$$

Donc $dg(a,b)$ est bien un isomorphisme, d'inverse

$$\begin{array}{rccl} (dg(a, b))^{-1} : & E \times G & \to & E \times F \\ & (h', k') & \mapsto & (h', (d_2 f(a, b))^{-1} \, (k' - d_1 f(a, b) \cdot h')) \, . \end{array}$$

Par conséquent, g est un difféomorphisme d'un voisinage ouvert $U_{(a,b)}$ de (a, b) sur voisinage ouvert de $(a, 0)$, que l'on peut supposer de la forme $W_a \times Z_0$ où W_a est un voisinage ouvert de a et Z_0 est un voisinage ouvert de 0_G. La réciproque de g est nécessairement de la forme

$$g^{-1}(x, z) = (x \, , \phi(x, z)) \, ,$$

avec ϕ de classe $\mathcal{C}^1$ sur $W_a \times Z_0$. Autrement dit, on a

$$(\, (x, y) \in U_{(a,b)} \, \text{et} \, f(x, y) = z \,) \Leftrightarrow (\, (x, z) \in W_a \times Z_0 \, \text{et} \, y = \phi(x, z) \,) \, .$$

En particulier,

$$(\, (x, y) \in U_{(a,b)} \, \text{et} \, f(x, y) = 0_G \,) \Leftrightarrow (\, x \in W_a \, \text{et} \, y = \varphi(x) \,) \, ,$$

où l'on a noté $\varphi(x) = \phi(x, 0_F)$. □

Proposition 1.5

Sous les hypothèses du théorème 1.10, quitte à réduire W_a, on a

$$d\varphi(x) \cdot h = -(d_2 f(x,\varphi(x)))^{-1} \, d_1 f(x,\varphi(x)) \cdot h$$

pour tout $x \in W_a$ et pour tout $h \in E$.

DÉMONSTRATION. L'image réciproque de l'ouvert $\mathrm{Isom}(F; G)$ par l'application continue $d_2 f$ est un ouvert et il contient (a, b). Donc, quitte à réduire $U_{(a,b)}$ et donc aussi W_a, on peut supposer

$$d_2 f(x,\varphi(x)) \in \mathrm{Isom}(F; G) \quad \text{pour tout } x \in W_a \, .$$

On obtient le résultat en différentiant la fonction $x \mapsto f(x, \varphi(x))$, identiquement nulle dans W_a.

Signalons au passage que le théorème de Banach cité en préambule (théorème 0.1) permet de simplifier la vérification des hypothèses des théorèmes d'inversion locale ou des fonctions implicites, la continuité des applications linéaires réciproques étant automatiquement satisfaite.

Exercices

1.1 Soient $n \geqslant 2$ un entier et $\phi \in \mathcal{L}(E_1,\ldots,E_n; F)$ une application n-linéaire continue sur $E_1 \times \cdots E_n$, où E_1, ..., E_n, F sont des espaces vectoriels normés. Démontrer que ϕ est différentiable en tout point et que sa différentielle est donnée par

$$\mathrm{d}\phi(x_1,\ldots,x_n)\cdot(h_1,\ldots,h_n) = \sum_{j=1}^{n} \phi(x_1,\ldots,x_{j-1},h_j,x_{j+1},\ldots,x_n)\,.$$

1.2 On munit $\mathbb{R}^n$ du produit scalaire habituel $\langle .,.\rangle$ et de la norme euclidienne associée $\|.\|$.

i) Déterminer l'ensemble Ω des points de $\mathbb{R}^n$ où l'application $N : \mathbb{R}^n \to \mathbb{R}$ définie par $N(x) = \|x\|$ est différentiable et calculer $\mathrm{d}N(x)\cdot h$, pour $x \in \Omega$, $h \in \mathbb{R}^n$.

ii) Montrer que l'application $\mathrm{e}_r : \mathbb{R}^n \to \mathbb{R}^n$ définie par $\mathrm{e}_r(x) = x/\|x\|$ est différentiable sur Ω et calculer $\mathrm{de}_r(x)\cdot h$, pour $x \in \Omega$, $h \in \mathbb{R}^n$.

iii) Soit $f : \mathbb{R}^n \to \mathbb{R}$ une fonction radiale, c'est-à-dire telle que $f(x) = \varphi(\|x\|)$ pour tout x. En supposant φ dérivable sur $\mathbb{R}^{+*}$, montrer que f est différentiable sur Ω et exprimer son gradient à l'aide de la dérivée de φ et de e_r.

iv) Soit $u : \mathbb{R}^n \to \mathbb{R}^n$ une fonction radiale, c'est-à-dire telle que $u(x) = U(\|x\|)\,x/\|x\|$ pour tout x, où $U : \mathbb{R}^{+*} \mapsto \mathbb{R}$ est supposée dérivable. Déduire de ce qui précède que u est différentiable sur $\mathbb{R}^n\backslash\{0\}$ et calculer sa divergence.

1.3 On munit le plan $\mathbb{R}^2$ d'un repère orthonormé $(O,\vec{\imath},\vec{\jmath})$.

i) Si $(ABCD)$ est un parallélogramme (orienté dans le sens trigonométrique), vérifier que $\det_{(\vec{\imath},\vec{\jmath})}(\overrightarrow{AB},\overrightarrow{AD})$ est l'aire de ce parallélogramme.

ii) Si $(\vec{x},\vec{y}) \in \mathcal{C}^1(\mathbb{R};\mathbb{R}^2)$, montrer que l'application $t \mapsto \det_{(\vec{\imath},\vec{\jmath})}(\vec{x}(t),\vec{y}(t))$ est de classe $\mathcal{C}^1$ et exprimer sa dérivée à l'aide de $\vec{x},\vec{y}$, et leurs dérivées.

iii) Soient $\vec{u} \in \mathcal{C}^1(\mathbb{R}^2;\mathbb{R}^2)$ et $A,B,D \in \mathcal{C}^1(\mathbb{R};\mathbb{R}^2)$ telles que $A'(t) = \vec{u}(A(t))$, $B'(t) = \vec{u}(B(t))$, $D'(t) = \vec{u}(D(t))$ pour tout $t \in \mathbb{R}$. Montrer l'application

$$\Delta : t \mapsto \mathrm{dét}_{(\vec{\imath},\vec{\jmath})}(\overrightarrow{A(t)B(t)},\overrightarrow{A(t)D(t)})$$

est de classe $\mathcal{C}^1$ et exprimer sa dérivée à l'aide de $\vec{u}$.

iv) Si $A(0) = O$, $\overrightarrow{A(0)B(0)} = \varepsilon\vec{\imath}$, $\overrightarrow{A(0)D(0)} = \varepsilon\vec{\jmath}$, calculer $\Delta'(0)/\Delta(0)$ en fonction de ε.
v) En notant τ_ε le résultat de la question précédente, montrer que τ_ε tend vers $(\text{div}\,\vec{u})(O)$ quand ε tend vers zéro.

1.4 Soit $u : \mathbb{R}^n \to \mathbb{R}^n$ de classe $\mathcal{C}^1$. On admet (voir le théorème 5.6 p. 190) l'existence d'un intervalle ouvert I contenant 0, d'un voisinage ouvert V de 0 dans $\mathbb{R}^n$, et d'une fonction $\phi \in \mathcal{C}^1(I \times V; \mathbb{R}^n)$ tels que

$$\begin{cases} \partial_t\phi(t,v) = u(\phi(t,v))\,,\ t \in I\,,\ v \in V\,, \\ \phi(0,v) = v\,, \end{cases}$$

et la différentielle partielle $\mathrm{d}_v\phi$ est de classe $\mathcal{C}^1$ par rapport à t et vérifie

$$\begin{cases} \partial_t(\mathrm{d}_v\phi)(t,v) = \mathrm{d}u(\phi(t,v)) \circ \mathrm{d}_v\phi(t,v)\,,\ t \in I\,,\ v \in V\,, \\ \mathrm{d}_v\phi(0,v) = \mathrm{Id}_n\,. \end{cases}$$

L'application ϕ s'appelle le *flot* de u. Une interprétation physique est la suivante : avec $n = 3$, si $\mathbb{R}^3$ représente l'atmosphère et $u(x)$ la vitesse du vent au point $x \in \mathbb{R}^3$, une particule de pollen située initialement au point v et portée par le vent se retrouverait au point $\phi(t,v)$ à l'instant t.
i) Voyez vous d'où vient le membre de droite dans l'expression

$$\partial_t(\mathrm{d}_v\phi)(t,v) = \mathrm{d}u(\phi(t,v)) \circ \mathrm{d}_v\phi(t,v)?$$

ii) On pose $J(t,v) = \text{dét}(\mathrm{d}_v\phi(t,v))$ et l'on admet que J ne s'annule pas. Montrer que J est de classe $\mathcal{C}^1$ par rapport à t et vérifie

$$\partial_t J(t,v) = (\text{div}\,u)(\phi(t,v))\,J(t,v)\,, t \in I\,,\ v \in V\,.$$

On utilisera pour cela le fait (démontré p. 215) que l'application δét est de classe $\mathcal{C}^1$ sur $\mathcal{M}_n(\mathbb{R})$ et que pour toute matrice $M \in \mathcal{M}_n(\mathbb{R})$ inversible,

$$\mathrm{d}(\delta\text{ét})(M)\cdot H \;=\; \text{tr}(HM^{-1})\,\delta\text{ét}(M)\,,\quad \forall H \in \mathcal{M}_n(\mathbb{R})\,.$$

iii) Pouvez vous justifier que J est à valeurs dans $\mathbb{R}^{+*}$?
iv) Si Ω est un ouvert borné de $\mathbb{R}^n$ et $\mathrm{d}x_1 \cdots \mathrm{d}x_n$ désigne la mesure de Lebesgue sur $\mathbb{R}^n$, l'intégrale multiple $v(\Omega) := \int_\Omega \mathrm{d}x_1 \cdots \mathrm{d}x_n$ représente le « volume » de Ω (qui est en fait une aire, si $n = 2$!). Pour tout $t \in I$ on note $\Omega_t = \{\phi(t,v)\,;\ v \in \Omega\}$. Exprimer le volume de Ω_t à l'aide de Ω et de la fonction J.
v) Montrer que si $\text{div}\,u = 0$ alors $v(\Omega_t) = v(\Omega)$ pour tout $t \in I$.

1.5 On munit l'espace $\mathbb{R}^3$ d'un repère orthonormé $(O,\vec{\imath},\vec{\jmath},\vec{k})$.
i) On fait tourner (comme un manège) le plan $\vec{k}^\perp$ avec une *vitesse angulaire* (en radians par unité de temps) uniforme $\omega > 0$. Soit $t \mapsto M(t)$ la trajectoire d'un point

de ce plan. Vérifier que la vitesse $\vec{v}(M(t)) := \overrightarrow{OM}'(t)$ est donnée par

$$\vec{v}(M) = \overrightarrow{\Omega} \wedge \overrightarrow{OM}(t),$$

où $\wedge$ désigne le produit vectoriel et $\Omega := \omega\vec{k}$ est ce que l'on appelle le vecteur rotation du mouvement.

ii) On définit $\overrightarrow{V} : \mathbb{R}^3 \to \mathbb{R}^3$ par $\overrightarrow{V}(\overrightarrow{X}) = \overrightarrow{\Omega} \wedge \overrightarrow{X}$. Montrer que $\overrightarrow{V}$ est différentiable et calculer son rotationnel. Voyez vous maintenant pourquoi on l'appelle ainsi ?

1.6 Soit $\mathbf{v} : \mathbb{R}^3\backslash(\{(0,0)\} \times \mathbb{R}) \to \mathbb{R}^3$ définie par

$$\mathbf{v}(x,y,z) = \Big(- \frac{y}{x^2+y^2}, \frac{x}{x^2+y^2}, 0\Big).$$

i) Montrer que $\mathbf{v}$ est de classe $\mathcal{C}^1$.

ii) Si $f : U \subset \mathbb{R}^3 \to \mathbb{R}$ et $\mathbf{u} : U \subset \mathbb{R}^3 \to \mathbb{R}^3$ sont de classe $\mathcal{C}^1$ sur l'ouvert U, montrer que

$$\mathrm{rot}(f\,\mathbf{u}) = \nabla f \wedge \mathbf{u} + f\,\mathrm{rot}\,\mathbf{u}.$$

iii) Calculer $\mathrm{rot}\,\mathbf{u}$ lorsque $\mathbf{u}(x,y,z) = \big(-y, x, 0\big)$, ∇f pour $f(x,y,z) = 1/(x^2+y^2)$ et en déduire que $\mathrm{rot}\,\mathbf{v} = 0$.

1.7 Soit u une application linéaire de $\mathbb{R}^3$ dans $\mathbb{R}^3$. On note A sa matrice dans la base canonique.

i) Exprimer $\mathrm{rot} u$ à l'aide des coefficients A.

ii) En déduire une condition nécessaire et suffisante pour que u soit irrotationnel, c'est-à-dire que $\mathrm{rot}\,u = 0$.

1.8 Soit

$$\begin{array}{rcl} f :]0,+\infty[\times]0,2\pi[\times]0,\pi[& \to & \mathbb{R}^2\backslash(\mathbb{R}^+ \times \{0\} \times \mathbb{R}) \\ (r,\varphi,\theta) & \mapsto & (x,y,z) = (r\cos\varphi\sin\theta,\ r\sin\varphi\sin\theta,\ r\cos\theta). \end{array}$$

Étant donnée une fonction différentiable $g : (x,y,z) \mapsto g(x,y,z)$, on note $G = g \circ f$.

i) Exprimer les dérivées partielles de G à l'aide de celles de g, puis celles de g à l'aide de celles de G.

ii) Pour tout $(\varphi,\theta) \in]0,2\pi[\times]0,\pi[$ on note

$$\begin{aligned} \mathrm{e}_r &= (\cos\varphi\sin\theta,\ \sin\varphi\sin\theta,\ \cos\theta),\\ \mathrm{e}_\theta &= (\cos\varphi\cos\theta,\ \sin\varphi\cos\theta,\ -\sin\theta),\\ \mathrm{e}_\varphi &= (-\sin\varphi,\ \cos\varphi,\ 0). \end{aligned}$$

Si g est à valeurs scalaires, décomposer ∇g sur la base $(\mathrm{e}_r,\mathrm{e}_\theta,\mathrm{e}_\varphi)$ à l'aide des dérivées partielles de G.

iii) Si g est à valeurs dans $\mathbb{R}^3$, montrer que

$$\operatorname{div} g = \frac{1}{r^2}\frac{\partial}{\partial r}(r^2\,\partial G_r) + \frac{1}{r\sin\theta}\frac{\partial}{\partial\theta}(\sin\theta\, G_\theta) + \frac{1}{r\sin\theta}\frac{\partial G_\varphi}{\partial\varphi},$$

où $G_r := \langle \mathrm{e}_r, G\rangle$, $G_\theta := \langle \mathrm{e}_\theta, G\rangle$, $G_\varphi := \langle \mathrm{e}_\varphi, G\rangle$.

1.9 Soient f et g deux fonctions de classe $\mathcal{C}^1$ sur $\mathbb{R}$ et à valeurs dans $\mathbb{R}$. On suppose que pour tout $(x,y)\in\mathbb{R}^2$, $f'(x)\neq g'(y)$. Montrer que la fonction

$$\begin{array}{rcl} F:\mathbb{R}^2 & \to & \mathbb{R}^2 \\ (x,y) & \mapsto & F(x,y) := (x+y, f(x)+g(y)) \end{array}$$

est un ($\mathcal{C}^1$) difféomorphisme de $\mathbb{R}^2$ sur son image.

1.10 Soient φ une application continue de $\mathbb{R}$ dans $\mathbb{R}$, et f, $g:\mathbb{R}^2\to\mathbb{R}$ définies par

$$f(x,y) := \int_0^{x+y}\varphi(t)\,\mathrm{d}t \quad \text{et} \quad g(x,y) := \int_0^{xy}\varphi(t)\,\mathrm{d}t\,.$$

i) Montrer que f et g sont de classe $\mathcal{C}^1$ sur $\mathbb{R}^2$ et calculer leurs différentielles.

ii) On définit

$$\begin{array}{rcl} F:\mathbb{R}^2 & \to & \mathbb{R}^2 \\ (x,y) & \mapsto & F(x,y) := (f(x,y),g(x,y))\,. \end{array}$$

(a) On note $B :=]-1,1[\times]-1,1[$, et pour fixer les idées, on munit $\mathbb{R}^2$ de la norme $\|\cdot\|_\infty$. Montrer que F est Lipschitzienne sur B.

(b) En supposant $\varphi(0)\neq 0$ et $\varphi(1)\neq 0$, montrer que F est un difféomorphisme local au point $(0,1)$. Dire pourquoi il en est de même au point $(1,\,0)$.

(c) En supposant que $\varphi(t)>0$ pour tout $t\in\mathbb{R}$, montrer que la restriction de F à

$$D := \{(x,y)\,;\ x<y\}$$

est un difféomorphisme de D sur $F(D)$.

1.11 Soit $f:\mathbb{R}\to\mathbb{R}$ une application de classe $\mathcal{C}^1$. On suppose qu'il existe $\alpha\in[0,\,1[$ tel que, pour tout $x\in\mathbb{R}$, $|f'(x)|\leqslant\alpha$. Soit

$$\begin{array}{rcl} F:\mathbb{R}^2 & \to & \mathbb{R}^2 \\ (x,y) & \mapsto & F(x,y) := (x+f(y), y+f(x))\,. \end{array}$$

i) Montrer que F est de classe $\mathcal{C}^1$ sur $\mathbb{R}^2$.

ii) Montrer que pour tout $(x,y) \in \mathbb{R}^2$, $\mathrm{d}F(x,y)$ est un isomorphisme de $\mathbb{R}^2$ sur lui-même.

iii) On fixe $(a, b) \in \mathbb{R}^2$. Soit $\begin{array}{rcl} g : \mathbb{R}^2 & \to & \mathbb{R}^2 \\ (x,y) & \mapsto & g(x,y) := (a - f(y), b - f(x)) \,. \end{array}$

Montrer que g est contractante sur $\mathbb{R}^2$, c'est-à-dire qu'il existe $k \in [0,1[$ tel que pour tous (x_1,y_1) et (x_2,y_2) dans $\mathbb{R}^2$,

$$\|g(x_1,y_1) - g(x_2,y_2)\| \leqslant k \, \|(x_1,y_1) - (x_2,y_2)\| \,.$$

iv) Déduire de ce qui précède que F est un ($\mathcal{C}^1$-)difféomorphisme de $\mathbb{R}^2$ sur $\mathbb{R}^2$.

1.12 Soient p une fonction de classe $\mathcal{C}^1$ sur $\mathbb{R}^{+*} \times \mathbb{R}$, $(x_0,y_0) \in \mathbb{R}^{+*} \times \mathbb{R}$, $p_0 := p(x_0,y_0)$ et $F : \mathbb{R}^{+*} \times \mathbb{R} \to \mathbb{R}$ définie par

$$F(x,y) := y - y_0 + \frac{1}{2}\,(\,p(x,y) + p_0\,)\left(\frac{1}{x} - \frac{1}{x_0}\right).$$

i) Montrer qu'au voisinage de (x_0,y_0), $F(x,y) = 0$ équivaut à $y = \phi(x)$, où ϕ est une fonction de classe $\mathcal{C}^1$.

ii) Exprimer ϕ' à l'aide de p et de ses dérivées partielles.

iii) On suppose ici que $p(x,y) = \alpha\, x\, y$ avec $\alpha > 0$. Montrer que

$$\frac{p(x,\phi(x)) - p_0}{x - x_0}$$

a une limite lorsque x tend vers x_0 et la calculer.

1.13 Soient X, Y des $\mathbb{R}$-espaces de Banach, $E := \mathcal{L}(X;Y)$, $U = \mathrm{Isom}(X;Y) \subset E$, et

$$\begin{array}{rcl} f : U & \to & F := \mathcal{L}(Y;X) \\ u & \mapsto & u^{-1} \,. \end{array}$$

Démontrer que f est différentiable et $\mathrm{d}f(u) \cdot h = -u^{-1} \circ h \circ u^{-1}$ pour tout $(u,h) \in U \times E$.

1.14 Soit E un espace de Banach. On notera $\mathrm{I}_E : x \in E \mapsto x$, et $\mathrm{I} : u \in \mathcal{L}(E) \mapsto u$. Soit $\begin{array}{rcl} f : \mathcal{L}(E) & \to & \mathcal{L}(E) \\ u & \mapsto & f(u) := u^3 = u \circ u \circ u \,. \end{array}$

i) Montrer que f est de classe $\mathcal{C}^1$ sur $\mathcal{L}(E)$ et calculer sa différentielle.

ii) Démontrer l'inégalité :

$$\|\mathrm{d}f(u) - 3\mathrm{I}\|_{\mathcal{L}(\mathcal{L}(E))} \leqslant 6\,\|u - \mathrm{I}_E\|_{\mathcal{L}(E)} + 3\,\|u - \mathrm{I}_E\|^2_{\mathcal{L}(E)} \text{ pour tout } u \in \mathcal{L}(E)\,.$$

iii) Soit B la boule ouverte dans $\mathcal{L}(E)$, de centre I_E et de rayon $1/3$. Montrer que pour tout $u \in B$, $\frac{1}{3}\mathrm{d}f(u)$ est un isomorphisme de $\mathcal{L}(E)$ dans $\mathcal{L}(E)$.

iv) (a) Pour $u \in B$, on pose $g(u) = f(u) - 3u$. Montrer que pour tout $(u,v) \in B \times B$,

$$\|g(u) - g(v)\| \leqslant \frac{7}{3}\,\|u - v\|\,.$$

(b) En déduire que f est injective sur B.

v) Montrer que f est un ($\mathcal{C}^1$) difféomorphisme de B sur $f(B)$.

1.15 Soit E un espace de Banach. On note $I_E : x \mapsto x$ l'application identité sur E. Soit $\Theta : \begin{array}{ccl} \mathcal{L}(E) & \to & \mathcal{L}(E) \\ u & \mapsto & \Theta(u) := u \circ u\,. \end{array}$

i) Montrer que Θ est de classe $\mathcal{C}^1$ sur $\mathcal{L}(E)$ et calculer sa différentielle.

ii) Montrer qu'il existe $\varepsilon > 0$ tel que, pour tout $v \in \mathcal{L}(E)$ vérifiant $\|\,v - I_E\,\| < \varepsilon$, l'équation $u \circ u = v$ possède une solution dans $\mathcal{L}(E)$.

iii) On suppose ici $E = \mathbb{R}^2$, et l'on considère les éléments u et h de $\mathcal{L}(E)$ dont les matrices dans la base canonique de $\mathbb{R}^2$ sont respectivement

$$U := \begin{pmatrix} -1 & 0 \\ 0 & 1 \end{pmatrix} \quad \text{et} \quad H := \begin{pmatrix} 0 & 1 \\ 0 & 0 \end{pmatrix}.$$

Calculer $\mathrm{d}\Theta(u) \cdot h$. En déduire qu'il n'existe pas de fonction différentiable Ψ définie sur un voisinage $\mathcal{W}$ de I_E et à valeurs dans un voisinage de u dans $\mathcal{L}(E)$, telle que $\Psi(I_E) = u$ et $\Psi(w) \circ \Psi(w) = w$ pour tout $w \in \mathcal{W}$.

1.16 Soit E un espace de Banach. On fixe u un isomorphisme de E sur lui-même, et l'on considère

$$f : \begin{array}{ccl} \mathcal{L}(E) & \to & \mathcal{L}(E) \\ v & \mapsto & f(v) := 2v - v \circ u \circ v\,. \end{array}$$

i) Montrer que f est de classe $\mathcal{C}^1$ et calculer sa différentielle. Que valent $f(u^{-1})$ et $\mathrm{d}f(u^{-1})$?

ii) Montrer qu'il existe $\alpha > 0$ tel que, pour tout $v \in \mathcal{L}(E)$,

$$\|v - u^{-1}\| \leqslant \alpha \quad \Longrightarrow \quad \|\mathrm{d}f(v)\| \leqslant \frac{1}{2}\,.$$

iii) On fixe $v_0 \in \mathcal{L}(E)$ tel que $\|v_0 - u^{-1}\| \leqslant \alpha$, et l'on définit par récurrence $v_{p+1} = f(v_p)$ pour tout $p \in \mathbb{N}$. Montrer que pour tout $p \in \mathbb{N}$, $\|v_p - u^{-1}\| \leqslant \alpha$. En déduire que la suite $(v_p)_{p\in\mathbb{N}}$ converge vers u^{-1} dans $\mathcal{L}(E)$.

1.17 Soient E et F des espaces de Banach et

$$f : \begin{array}{ccc} F \times E & \to & E \\ (\lambda, x) & \mapsto & f(\lambda, x) \end{array}$$

une application de classe $\mathcal{C}^1$. On suppose qu'il existe $k \in [0, 1[$ tel que, pour tout $(\lambda, x) \in F \times E$, $\|\mathrm{d}_2 f(\lambda, x)\| \leqslant k$ (où $\mathrm{d}_2 f$ désigne la différentielle partielle de f par rapport à x).

i) Montrer que pour tout $\lambda \in F$, il existe un unique $x = x(\lambda) \in E$ tel que $f(\lambda, x) = x$. Le but de ce qui suit est de montrer que l'application

$$\varphi : \begin{array}{ccc} F & \to & E \\ \lambda & \mapsto & x(\lambda) \end{array}$$

est de classe $\mathcal{C}^1$.

ii) Soit

$$g : \begin{array}{ccc} F \times E & \to & E \\ (\lambda, x) & \mapsto & g(\lambda, x) := x - f(\lambda, x)\,. \end{array}$$

Justifier que g est de classe $\mathcal{C}^1$, et montrer que pour tout $(\lambda, x) \in F \times E$, $\mathrm{d}_2 g(\lambda, x)$ est un isomorphisme de E sur lui-même.

iii) On fixe $\lambda_0 \in F$, et l'on note $x_0 = \varphi(\lambda_0)$. Montrer qu'il existe un voisinage V de λ_0 dans F et $\psi : V \to E$ une application de classe $\mathcal{C}^1$ telle que, pour tout $\lambda \in V$, $f(\lambda, \psi(\lambda)) = \psi(\lambda)$.

iii) Déduire que φ est de classe $\mathcal{C}^1$ et calculer sa différentielle.

iv) Application. Montrer que le système

$$\begin{cases} x = \frac{1}{2}\sin(x + y) + t - 1\,, \\ y = \frac{1}{2}\cos(x - y) - t + \frac{1}{2}\,, \end{cases}$$

admet, pour tout $t \in \mathbb{R}$, une unique solution $(x,y) = (x(t),y(t))$, et que l'application $t \mapsto (x(t),y(t))$ est de classe $\mathcal{C}^1$ sur $\mathbb{R}$. Montrer que $x(t) = y(t) = 0$ si et seulement si $t = 1$. Calculer $x'(1)$ et $y'(1)$.

1.18 Soient $E = \mathcal{M}_n(\mathbb{R})$, $G = \mathcal{A}_n(\mathbb{R})$ le sous-espace des matrices antisymétriques, et $F = \mathcal{S}_n(\mathbb{R})$ le sous-espace des matrices symétriques. On rappelle que, par définition, une matrice A est antisymétrique si $A^{\mathrm{t}} = -A$, et qu'une matrice S est symétrique si $S^{\mathrm{t}} = S$. On notera $\mathbf{I}_n$ la matrice identité et $\mathbf{0}_n$ la matrice nulle. On considère l'application

$$\begin{array}{rcl} f : G \times F & \to & F \\ (A,S) & \mapsto & f(A,S) := (S+A)(S-A) - \mathbf{I}_n \,. \end{array}$$

i) Montrer que f est de classe $\mathcal{C}^1$ et calculer $\mathrm{d}f_{(A,S)}$ pour tout $(A,S) \in G \times F$.
ii) Montrer que la différentielle partielle de f par rapport à S, $\mathrm{d}_2 f$ est telle que $\mathrm{d}_2 f(\mathbf{0}_n, \mathbf{I}_n)$ est un isomorphisme de F.
iii) Déduire de ce qui précède qu'il existe un voisinage $\mathcal{V}$ de $\mathbf{0}_n$ dans G, un voisinage $\mathcal{W}$ de $\mathbf{I}_n$ dans F, et une application $\varphi : \mathcal{V} \to \mathcal{W}$ de classe $\mathcal{C}^1$ tels que, pour tout $(A,S) \in \mathcal{V} \times \mathcal{W}$, $f(A,S) = \mathbf{0}_n$ équivaut à $S = \varphi(A)$.
iv) Calculer $\mathrm{d}\varphi(\mathbf{0}_n)$.
v) Démontrer que $E = F \oplus G$: pour toute matrice M, on calculera $S \in F$ et $A \in G$ en fonction de M et M^{t} tels que $M = S + A$.
vi) Déduire de ce qui précède qu'il existe un voisinage $\mathcal{U}$ de $\mathbf{I}_n$ dans $\mathcal{M}_n(\mathbb{R})$, et une application $\psi : \mathcal{V} \to F$ de classe $\mathcal{C}^1$ tels que, $\psi(\mathbf{0}_n) = \mathbf{I}_n$, $\mathrm{d}\psi(\mathbf{0}_n) \equiv 0$, et pour tout $M \in \mathcal{U}$, $M\,M^{\mathrm{t}} = \mathbf{I}_n$ équivaut à

$$M = \frac{M - M^{\mathrm{t}}}{2} + \psi\left(\frac{M - M^{\mathrm{t}}}{2}\right) .$$

1.19 Soit E l'ensemble des fonctions $f : \mathbb{R} \to \mathbb{R}$, de classe $\mathcal{C}^1$ et 1-périodiques (c'est-à-dire telles que $f(x+1) = f(x)$ pour tout $x \in \mathbb{R}$).
On munit E de la norme définie par

$$\|f\|_E = \max(\|f\|_\infty, \|f'\|_\infty) \quad \text{où} \quad \|g\|_\infty := \max_{x \in [0,1]} |g(x)| ,$$

qui en fait un espace de Banach. Pour tout $f \in E$ et pour tout $s \in \mathbb{R}$, on note f_s la fonction $x \mapsto f_s(x) := f(x+s)$.
Soit $g \in E$, non constante, et

$$\begin{array}{rcl} F : E \times \mathbb{R} & \to & \mathbb{R} \\ (f,s) & \mapsto & F(f,s) := \displaystyle\int_0^1 f_s(x)\, g'(x)\, \mathrm{d}x \,. \end{array}$$

i) Montrer que F est de classe $\mathcal{C}^1$ et calculer sa différentielle $\mathrm{d}F(f, s)$ en tout point $(f, s) \in E \times \mathbb{R}$.
ii) Montrer que, au voisinage de $(g, 0)$, l'égalité $F(f, s) = 0$ équivaut à $s = \sigma(f)$, où σ est une fonction de classe $\mathcal{C}^1$.

1.20 Soit $f \in \mathcal{C}^1(U; \mathbb{R})$, où U est un ouvert de $\mathbb{R}^n$, telle que $\mathrm{d}f$ ne s'annule pas.
i) Montrer que ses *ensembles de niveau* $\mathcal{F}_a := \{y \in U \,;\; f(y) = a\}$ sont des *hypersurfaces*, c'est-à-dire que pour tout $x \in U$ pour tout a voisin de $f(x)$, il existe un

voisinage $\mathcal{V}_x$ de x, un ouvert $\mathcal{O}$ de $\mathbb{R}^{n-1}$ et $\Phi \in \mathcal{C}^1(\mathcal{V}_x; \mathbb{R}^n)$ tels que $\mathcal{F}_a \cap \mathcal{V}_x = \{y = \Phi(\xi) \,;\, \xi \in \mathcal{O}\}$.

ii) Si $n = 2$, les ensembles $\mathcal{F}_a$ sont des courbes planes. Montrer que pour tout $y \in \mathcal{F}_a$, $\nabla f(y)$ est un vecteur *normal* à $\mathcal{F}_a$ au point y.

1.21 Soit $f \in \mathcal{C}^1(U; \mathbb{R})$ où U est un ouvert (non vide) d'un espace de Hilbert H. On note $\langle \cdot, \cdot \rangle$ son produit scalaire et pour tout $u \in U$ on définit $\nabla f(u) \in H$ par

$$\mathrm{d}f(u) \cdot h = \langle \nabla f(u), h \rangle\,, \quad \forall h \in H\,.$$

On suppose la fonction $\nabla f : U \to H$ elle-même de classe $\mathcal{C}^1$. Soit $v \in H$ tel que $\nabla f(v) \neq 0$.

i) Montrer qu'il existe un voisinage ouvert connexe V de v, un intervalle ouvert I contenant 0 et un intervalle ouvert J contenant $f(v)$ tels que l'application

$$\begin{array}{ccc} V \times I & \to & V \times J \\ (u, \lambda) & \mapsto & (u, f(u + \lambda \nabla f(u))) \end{array}$$

soit un difféomorphisme, et que le difféomorphisme réciproque est de la forme $(u,y) \in V \times J \mapsto (u, \Lambda(u,y)) \in V \times I$. (On utilisera le fait que l'image d'un connexe par une application continue est un connexe, et que les connexes de $\mathbb{R}$ sont les intervalles.)

ii) Quitte à réduire V, montrer que ∇f est bornée sur V et, en utilisant le théorème des accroissements finis, qu'il existe $C > 0$ tel que $|\Lambda(u, f(v))| \leqslant C\,|f(u) - f(v)|$ pour tout $u \in V$.

iii) Soit (u_n) une suite d'éléments de V. Justifier que pour tout $n \in \mathbb{N}$, le vecteur $w_n := u_n + \Lambda(u_n, f(v)) \nabla f(u_n)$ appartient à U et vérifier que $f(w_n) = f(v)$.

iv) En supposant de plus que $(f(u_n))$ converge vers $f(v)$, montrer que la suite $(w_n - u_n)$ converge vers zéro.

1.22 Soit $f : U \to \mathbb{R}^m$, de classe $\mathcal{C}^1$ sur un ouvert U (non vide) d'un espace de Banach E. On suppose qu'il existe $v \in U$ tel que $\mathrm{d}f(v)$ soit *surjective* (on dit alors que f est une *submersion* locale en v). On notera $F = \ker \mathrm{d}f(v)$.

i) Montrer qu'il existe un difféomorphisme *linéaire* entre E et $\mathbb{R}^m \times F$. On notera P la projection de ce difféomorphisme sur F.

ii) Montrer que l'application

$$\begin{array}{rcl} g : U & \to & \mathbb{R}^m \times F \\ u & \mapsto & (f(u), P(u)) \end{array}$$

est un difféomorphisme local en v.

iii) Montrer qu'il existe un voisinage V de v tel que, pour toute suite (u_n) d'éléments de V pour laquelle $(f(u_n))$ converge vers $f(v)$, il existe une suite (w_n) d'éléments de V telle que $f(w_n) = f(v)$ et $(w_n - u_n)$ converge vers zéro.

Solutions

1.1 Faisons une démonstration par récurrence sur n. On a vu dans le cours qu'une application 2-linéaire (c'est-à-dire bilinéaire) continue était différentiable et que sa différentielle vérifiait la formule attendue. Soit $n \geqslant 2$. Admettons le résultat pour les applications n-linéaires, et considérons une application $(n+1)$-linéaire ϕ.
Alors

$$\phi(x_1 + h_1,.,x_{n+1} + h_{n+1}) - \phi(x_1,.,x_{n+1}) - \sum_{j=1}^{n+1} \phi(x_1,.,x_{j-1},h_j,x_{j+1},.,x_{n+1}) =$$

$$\phi(x_1 + h_1,.,x_n + h_n,x_{n+1} + h_{n+1}) - \phi(x_1 + h_1,.,x_n + h_n,x_{n+1}) - \phi(x_1,.,x_n,h_{n+1})$$

$$+\phi(x_1 + h_1,.,x_n + h_n,x_{n+1}) - \phi(x_1,.,x_{n+1}) - \sum_{j=1}^{n} \phi(x_1,.,x_{j-1},h_j,x_{j+1},.,x_{n+1}).$$

Lorsqu'on divise cette égalité par $\|(h_1,\ldots,h_n,h_{n+1})\|_{E_1\times\cdots\times E_{n+1}}$, qui par définition est supérieur à $\|(h_1,\ldots,h_n)\|_{E_1\times\cdots\times E_n}$, la deuxième ligne du membre de droite tend clairement vers 0, grâce à l'hypothèse de récurrence appliquée à l'application n-linéaire $(x_1,\ldots,x_n) \mapsto \phi(x_1,\ldots,x_n,x_{n+1})$. La première ligne se réduit par multi-linéarité à :

$$\phi(x_1 + h_1,\ldots,x_n + h_n,h_{n+1}) - \phi(x_1,\ldots,x_n,h_{n+1}).$$

Or l'application

$$\begin{array}{ccc} E_1 \times \cdots \times E_n & \to & \mathcal{L}(E_{n+1};F) \\ (y_1,\ldots,y_n) & \mapsto & \phi(y_1,\ldots,y_n,\cdot) \end{array}$$

(où $\phi(y_1,\ldots,y_n,\cdot)$ désigne l'application linéaire $h_{n+1} \mapsto \phi(y_1,\ldots,y_n,h_{n+1})$) est n-linéaire continue (de norme inférieure ou égale à celle de ϕ). Donc pour tout $\varepsilon > 0$, il existe $\eta > 0$ tel que $\max_{j\in\{1,\cdots,n\}} \|h_j\|_{E_j} \leqslant \eta$ entraîne

$$\|\phi(x_1 + h_1,\ldots,x_n + h_n,h_{n+1}) - \phi(x_1,\ldots,x_n,h_{n+1})\|_F \leqslant \varepsilon \|h_{n+1}\|_{E_{n+1}}.$$

Finalement, on conclut par l'inégalité triangulaire que le rapport

$$\frac{1}{\|(h_1,\ldots,h_{n+1})\|_E}\Big\|\phi(x_1 + h_1,\ldots,x_{n+1} + h_{n+1}) - \phi(x_1,\ldots,x_{n+1}) - \sum_{j=1}^{n+1} \phi(x_1,\ldots,x_{j-1},h_j,x_{j+1},\ldots,x_{n+1})\Big\|_F$$

tend bien vers 0 lorsque $(h_1,\ldots,h_{n+1})$ tend vers $(0_{E_1},\ldots,0_{E_{n+1}})$.

1.2 **i)** On remarque que N est la fonction composée de la fonction quadratique $q : x \mapsto \langle x,x\rangle$, différentiable sur $\mathbb{R}^n$ et de la fonction $r : t \mapsto \sqrt{t}$, dérivable sur l'ouvert $\Omega = \mathbb{R}^{+*}$. Donc d'après le théorème 1.1, $N = r \circ q$ est différentiable sur $\mathbb{R}^n \backslash \{0\}$ et

$$\mathrm{d}N(x) \cdot h = r'(q(x))\,\mathrm{d}q(x) \cdot h = \frac{\langle x, h\rangle}{\|x\|}.$$

ii) L'application e_r est différentiable sur Ω comme quotient de l'application identité I de $\mathbb{R}^n$ et de N. Sa différentielle est donnée par

$$\mathrm{de}_r(x) \cdot h = \frac{\mathrm{d}I(x) \cdot h}{\|x\|} - \frac{\mathrm{d}N(x) \cdot h}{\|x\|^2}\,x = \frac{h}{\|x\|} - \frac{\langle x, h\rangle\, x}{\|x\|^3}.$$

(Notons que $\langle \mathrm{de}_r(x) \cdot h, \mathrm{e}_r(x)\rangle = 0$, ce qui est dû au fait que $\|\mathrm{e}_r(x)\|$ est constante.)

iii) Comme $f = \varphi \circ N$, elle est différentiable sur Ω et

$$\mathrm{d}f(x) \cdot h = \varphi'(\|x\|)\,\mathrm{d}N(x) \cdot h = \varphi'(\|x\|)\,\frac{\langle x, h\rangle}{\|x\|} = \big\langle \varphi'(\|x\|)\,\mathrm{e}_r(x), h\big\rangle$$

par bilinéarité du produit scalaire. Autrement dit, $\nabla f(x) = \varphi'(\|x\|)\,\mathrm{e}_r(x)$.

iv) On a $u = (U \circ N) \times \mathrm{e}_r$, donc elle est différentiable sur Ω et d'après ce qui précède

$$\mathrm{d}u(x) \cdot h = \langle U'(\|x\|)\,\mathrm{e}_r(x)\,, h\rangle\, \mathrm{e}_r(x) + U(\|x\|)\ \mathrm{de}_r(x) \cdot h =$$

$$\langle U'(\|x\|)\,\mathrm{e}_r(x)\,, h\rangle\, \mathrm{e}_r(x) + \frac{U(\|x\|)}{\|x\|}\Big(h - \langle \mathrm{e}_r(x), h\rangle\, \mathrm{e}_r(x)\Big).$$

Autrement dit, la matrice jacobienne de u est

$$\mathrm{D}u(x) = \frac{U(\|x\|)}{\|x\|}\,\mathbf{I}_n + \left(U'(\|x\|) - \frac{U(\|x\|)}{\|x\|}\right)\mathrm{e}_r(x)\,\mathrm{e}_r(x)^{\mathrm{t}}.$$

Par suite, la matrice $\mathbf{I}_n$ étant de trace n et $\mathrm{e}_r(x)\,\mathrm{e}_r(x)^{\mathrm{t}}$ (de rang 1) étant de trace 1,

$$(\mathrm{div}\, u)(x) = \mathrm{tr}(\mathrm{D}u(x)) = U'(\|x\|) + \frac{n-1}{\|x\|}\,U(\|x\|).$$

Cette formule (divergence d'un champ de vecteurs à symétrie sphérique) est couramment utilisée en physique sous la forme

$$\mathrm{div}\, u = U'(r) + \frac{n-1}{r}\,U(r).$$

1.3 **i)** L'aire d'un parallélogramme est le produit de « sa » base par « sa » hauteur. L'aire de $(ABCD)$ est donc $\|\overrightarrow{AB}\| \times \|\vec{h}\|$ où $\vec{h}$ est la projection orthogonale de $\overrightarrow{AD}$ sur $\overrightarrow{AB}^{\perp}$. Comme par définition $\vec{h}$ est orthogonal à $\overrightarrow{AB}$,

$$\|\overrightarrow{AB}\| \times \|\vec{h}\| = \|\overrightarrow{AB} \wedge \vec{h}\|$$

où $\wedge$ désigne le produit vectoriel. Et $\overrightarrow{AB} \wedge \vec{h} = \overrightarrow{AB} \wedge \overrightarrow{AD}$ puisque le produit vectoriel est *alterné* ($\vec{x} \wedge \vec{x} = 0$ quel que soit le vecteur $\vec{x}$, en particulier pour $\vec{x} = \overrightarrow{AB}$). Donc l'aire du parallélogramme est

$$\|\overrightarrow{AB}\| \times \|\vec{h}\| = \|\overrightarrow{AB} \wedge \overrightarrow{AD}\| = \text{dét}_{(\vec{\imath},\vec{\jmath})}(\overrightarrow{AB},\overrightarrow{AD}) \,.$$

ii) L'application $t \mapsto \text{dét}_{(\vec{\imath},\vec{\jmath})}(\vec{x}(t),\vec{y}(t))$ est de classe $\mathcal{C}^1$ comme composée de $t \mapsto (\vec{x}(t),\vec{y}(t))$, de classe $\mathcal{C}^1$ car ses composantes le sont, et de l'application $\delta\text{ét}_{(\vec{\imath},\vec{\jmath})}$, de classe $\mathcal{C}^1$ car bilinéaire. Par différentiation de fonctions composées, on a

$$\frac{\mathrm{d}}{\mathrm{d}t}\text{dét}_{(\vec{\imath},\vec{\jmath})}(\vec{x},\vec{y}) = \text{dét}_{(\vec{\imath},\vec{\jmath})}\left(\frac{\mathrm{d}\vec{x}}{\mathrm{d}t},\vec{y}\right) + \text{dét}_{(\vec{\imath},\vec{\jmath})}\left(\vec{x},\frac{\mathrm{d}\vec{y}}{\mathrm{d}t}\right).$$

iii) Les applications $t \mapsto \overrightarrow{A(t)B(t)} = B(t) - A(t)$ et $t \mapsto \overrightarrow{A(t)D(t)} = D(t) - A(t)$ sont de $\mathcal{C}^1$ puisque A, B, D le sont, et donc Δ est de classe $\mathcal{C}^1$ par composition avec l'application de la question précédente. De plus on a

$$\begin{aligned}\Delta' &= \text{dét}_{(\vec{\imath},\vec{\jmath})}\Big(B' - A',D - A\Big) + \text{dét}_{(\vec{\imath},\vec{\jmath})}\Big(B - A,D' - A'\Big)\\ &= \text{dét}_{(\vec{\imath},\vec{\jmath})}\Big(\vec{u}(B) - \vec{u}(A),D - A\Big) + \text{dét}_{(\vec{\imath},\vec{\jmath})}\Big(B - A,\vec{u}(B) - \vec{u}(A)\Big).\end{aligned}$$

iv) Par définition $\Delta(0) = \text{dét}(\varepsilon\vec{\imath}, \varepsilon\vec{\jmath}) = \varepsilon^2$, et d'après ce qui précède

$$\begin{aligned}\Delta'(0) &= \text{dét}_{(\vec{\imath},\vec{\jmath})}\Big(\vec{u}(O + \varepsilon\vec{\imath}) - \vec{u}(O),\varepsilon\vec{\jmath}\Big) + \text{dét}_{(\vec{\imath},\vec{\jmath})}\Big(\varepsilon\vec{\imath},\vec{u}(O + \varepsilon\vec{\jmath}) - \vec{u}(O)\Big)\\ &= \varepsilon\ (u_1(O + \varepsilon\vec{\imath}) - u_1(O) + u_2(O + \varepsilon\vec{\imath}) - u_2(O))\,,\end{aligned}$$

où u_1 et u_2 désignent les coordonnées de $\vec{u}$ dans la base $(\vec{\imath},\vec{\jmath})$.
v) On a

$$\tau_\varepsilon = \frac{u_1(O + \varepsilon\vec{\imath}) - u_1(O)}{\varepsilon} + \frac{u_2(O + \varepsilon\vec{\imath}) - u_2(O)}{\varepsilon},$$

donc τ_ε tend vers $D_{\vec{\imath}}u_1(O) + D_{\vec{\jmath}}u_2(O) = \mathrm{d}u_1(O)\cdot\vec{\imath} + \mathrm{d}u_2(O)\cdot\vec{\jmath}$. Ce nombre n'est autre que la trace de la matrice de $\mathrm{d}\vec{u}(O)$ dans la base $(\vec{\imath},\vec{\jmath})$: c'est donc

$(\operatorname{div} \vec{u})(O)$ par définition de la divergence (rappelons que la trace d'un endomorphisme est intrinsèque: elle ne dépend pas de la base dans laquelle on écrit sa matrice).

1.4 **i)** L'expression $\mathrm{d}u(\phi(t,v)) \circ \mathrm{d}_v\phi(t,v)$ vient de la différentiation (par composition) de $u(\phi(t,v))$ par rapport à v. Elle est bien égale à $\partial_t(\mathrm{d}_v\phi)(t,v)$ si $\partial_t\phi$ est différentiable par rapport à v et si l'on peut intervertir l'ordre des dérivations, c'est-à-dire si $\partial_t(\mathrm{d}_v\phi) = \mathrm{d}_v(\partial_t\phi)$. Ceci est justifié dans la démonstration du théorème 5.6 (p. 190 et suivantes).
ii) Par différentiation de fonctions composées,

$$\begin{aligned}\partial_t J(t,\, v) &= \mathrm{d}(\text{dét})(\mathrm{d}_v\phi(t,\, v)) \cdot \partial_t(\mathrm{d}_v\phi)(t,\, v)\\ &= \operatorname{tr}(\partial_t(\mathrm{d}_v\phi)(t,\, v) \circ (\mathrm{d}_v\phi(t,\, v))^{-1})\, \text{dét}(\mathrm{d}_v\phi(t,\, v))\\ &= \operatorname{tr}(\mathrm{d}u(\phi(t,\, v)))\, J(t,\, v) \;=\; (\operatorname{div} u)(\phi(t,\, v))\, J(t,\, v)\,.\end{aligned}$$

Le fait d'admettre que J ne s'annule pas nous a autorisé à utiliser $(\mathrm{d}_v\phi(t,\, v))^{-1})$. Cependant on aurait pu utiliser la formule de différentiation $\mathrm{d}(\text{dét})(M) \cdot H = \operatorname{tr}(H(\operatorname{com} M)^{\mathrm{t}})$, valable même lorsque M n'est pas inversible et on aurait encore obtenu $\partial_t J = (\operatorname{div} u)\, J$: ceci étant une équation différentielle linéaire du premier ordre sur J, on en aurait déduit que J ne peut s'annuler puisqu'il n'est pas nul initialement ($J(0,\, v) = 1$).
iii) On sait que $J(0,\, v) = 1$, et en intégrant l'équation différentielle satisfaite par J (voir p. 177), on obtient :

$$J(t,v) = \mathrm{e}^{\int_0^t (\operatorname{div}\, u)(\phi(s,v))\, \mathrm{d}s} > 0\,, \quad \forall t\,, \forall v\,.$$

iv) Par définition, $v(\Omega_t) = \int_{\Omega_t} \mathrm{d}x_1 \cdots \mathrm{d}x_n$. En faisant le changement de variables $x = \phi(t,\, v)$, où t joue simplement le rôle d'un paramètre, on obtient (voir par exemple [32, p. 166])

$$v(\Omega_t) = \int_\Omega J(t,\, v)\, \mathrm{d}v_1 \cdots \mathrm{d}v_n\,.$$

(On a utilisé le fait que J est à valeurs strictement positives.)
v) L'ouvert Ω étant borné, la fonction J étant continue sur $\mathbb{R} \times \mathbb{R}^n$ et de classe $\mathcal{C}^1$ par rapport à t, on peut dériver sous le signe $\int$ et l'on obtient

$$\begin{aligned}\frac{\mathrm{d}}{\mathrm{d}t}\left(\int_\Omega J(t,v)\, \mathrm{d}v_1 \cdots \mathrm{d}v_n\right) &= \int_\Omega (\operatorname{div}\, u)(\phi(t,v))\, J(t,v)\, \mathrm{d}v_1 \cdots \mathrm{d}v_n\\ &= \int_{\Omega_t} (\operatorname{div}\, u)(x)\, \mathrm{d}x_1 \cdots \mathrm{d}x_n\end{aligned}$$

par le changement de variables inverse. En particulier, si div $u = 0$ on en déduit que $v(\Omega_t)$ est indépendant de t. (Un exemple concret de flot pour un champ à divergence nulle est donné dans l'exercice 7.1)

1.5 **i)** Dans la rotation autour de l'axe $(O\vec{k})$, le point M reste à distance constante $r = \|\overrightarrow{OM}(t)\|$ du point O. Par suite, en écrivant

$$0 = \frac{\mathrm{d}}{\mathrm{d}t}\|\overrightarrow{OM}\|^2 = 2\,\overrightarrow{OM}\cdot\vec{v}(M)\,,$$

on en déduit que $\vec{v}(M)$ est orthogonal à $\overrightarrow{OM}$. On a bien sûr aussi

$$0 = \frac{\mathrm{d}}{\mathrm{d}t}(\vec{k}\cdot\overrightarrow{OM}) = \vec{k}\cdot\vec{v}(M)\,.$$

Donc $\vec{v}(M)$ est orthogonal à $\vec{k}$ et à $\overrightarrow{OM}$, et par conséquent colinéaire à $\vec{k}\wedge\overrightarrow{OM}$, c'est-à-dire aussi à $\vec{\Omega}\wedge\overrightarrow{OM}$. On peut supposer sans perte de généralité supposer que la base orthogonale $(\overrightarrow{OM},\vec{v}(M),\vec{\Omega})$ est directe, de sorte que $\vec{v}(M)$ et $\vec{\Omega}\wedge\overrightarrow{OM}$ sont colinéaires et de même sens. Il ne reste plus qu'à vérifier qu'ils ont la même norme. Or $\vec{v}(M)$ est la distance parcourue par M par unité de temps, qui vaut $r\,\omega$ (la longueur de l'arc de cercle de rayon r et d'angle ω), et

$$r\,\omega = \|\overrightarrow{OM}\|\times\|\vec{\Omega}\| = \|\vec{\Omega}\wedge\overrightarrow{OM}\|$$

(puisque ces deux vecteurs sont orthogonaux). Ceci prouve que $\vec{v}(M) = \vec{\Omega}\wedge\overrightarrow{OM}$.

ii) L'application $\vec{V} : \vec{X} \mapsto \vec{V}(\vec{X}) = \vec{\Omega}\wedge\vec{X}$ est *linéaire* donc de classe $\mathcal{C}^1$, et sa différentielle est constante. Son rotationnel est donc constant aussi, et plus précisément :

$$\mathrm{rot}\,\vec{V} = \nabla\wedge\begin{pmatrix}-\omega X_2\\ \omega X_1\\ 0\end{pmatrix} = \omega\begin{pmatrix}0\\ 0\\ \partial_1 X_1 + \partial_2 X_2\end{pmatrix} = 2\,\vec{\Omega}\,.$$

Ainsi le rotationnel du champ de vitesses sur un plan en rotation uniforme est égal, en tout point, au double du vecteur rotation. Si l'on regarde rot $\vec{V}$ comme un *champ de vecteurs* sur le plan $(O,\vec{\imath},\vec{\jmath})$, il est ici simple à visualiser car il est constant (comme les épis d'un champ de blé en l'absence de vent !). Quant au champ de vitesses $\vec{V}$, il est vraiment variable et ce sont les trajectoires (circulaires) des points du plan (par définition tangentes à $\vec{V}$ en tout point) qui permettent de le « visualiser » : l'ensemble de ces trajectoires forme ce que l'on appelle le *portrait de phase* de $\vec{V}$.

1.6 **i)** La fonction $\mathbf{v}$ est de classe $\mathcal{C}^1$ comme produit de

$$f : (x,y,z) \in \mathbb{R}^3 \backslash (\{(0,0)\} \times \mathbb{R}) \mapsto 1/(x^2 + y^2)$$

et de l'application linéaire $\mathbf{u} : (x,y,z) \mapsto (-y,x,0)$ (la rotation de centre $(0,0)$ et d'angle $\pi/2$ dans le plan (xy)). La fonction f est bien de classe $\mathcal{C}^1$ comme fonction rationnelle dont le dénominateur ne s'annule pas sur le domaine $\mathbb{R}^3 \backslash (\{(0,0)\} \times \mathbb{R})$.
ii) La démonstration de la formule $\text{rot}(f\,\mathbf{u}) = \nabla f \wedge \mathbf{u} + f\,\text{rot}\,\mathbf{u}$ est laissée ici à la dextérité du lecteur, qui se laissera peut-être convaincre de l'intérêt de passer par les formes différentielles (voir l'exercice 4.1).
iii) On trouve $\text{rot}\,\mathbf{u} = (0,0,2)^{\text{t}}$ (*cf* exercice 1.5, avec $\omega = 1$!), $\nabla f = -(0,0,2f)^{\text{t}}$, d'où $\text{rot}\,\mathbf{v} = 0$ grâce à la formule précédente. Ce résultat peut surprendre à première vue, car le champ de vecteurs $\mathbf{v}$ « tourne » bel et bien. Cependant, contrairement à $\mathbf{u}$ dont le rotationnel est constant, tout le rotationnel de $\mathbf{v}$ est comme « concentré » aux points où $\mathbf{v}$ a une singularité, c'est-à-dire aux points de la forme $(x,y,0)$. (Pour préciser cette affirmation, il faudrait définir $\text{rot}\,\mathbf{v}$ en un sens généralisé, en ayant recours à la théorie des *distributions*.)

1.7 **i)** On trouve

$$\text{rot}\,u = \begin{pmatrix} a_{21} - a_{12} \\ a_{32} - a_{23} \\ a_{13} - a_{31} \end{pmatrix}.$$

(Pour un calcul rapide grâce aux formes différentielles, voir l'exercice 4.1.)
ii) Par suite, $\text{rot}u = 0$ équivaut au fait que A est symétrique ($a_{21} - a_{12} = 0$, $a_{32} - a_{23} = 0$, $a_{13} - a_{31} = 0$).

1.8 **i)** On « dérive à vue » dans l'expression

$$G(r,\, \varphi,\, \theta) = g(r\cos\varphi\sin\theta,\ r\sin\varphi\sin\theta,\ r\cos\theta)\,,$$

et l'on obtient

$$\left\{\begin{array}{lcl} \dfrac{\partial G}{\partial r} &=& \cos\varphi\sin\theta \times \dfrac{\partial g}{\partial x} + \sin\varphi\sin\theta \times \dfrac{\partial g}{\partial y} + \cos\theta \times \dfrac{\partial g}{\partial z}\,, \\ \dfrac{\partial G}{\partial \varphi} &=& -r\sin\varphi\sin\theta \times \dfrac{\partial g}{\partial x} + r\cos\varphi\sin\theta \times \dfrac{\partial g}{\partial y}\,, \\ \dfrac{\partial G}{\partial \theta} &=& r\cos\varphi\cos\theta \times \dfrac{\partial g}{\partial x} + r\sin\varphi\cos\theta \times \dfrac{\partial g}{\partial y} - r\sin\theta \times \dfrac{\partial g}{\partial z}\,, \end{array}\right.$$

où les dérivées partielles de g sont évaluées en $(r\cos\varphi\sin\theta,\ r\sin\varphi\sin\theta,\ r\cos\theta)$, et celles de G en $(r,\, \varphi,\, \theta)$. Ce système équivaut à

$$\left\{\begin{array}{rrcrr} r\cos\varphi\times\dfrac{\partial g}{\partial x} & +r\sin\varphi\times\dfrac{\partial g}{\partial y} & = & r\sin\theta\times\dfrac{\partial G}{\partial r} & +\cos\theta\times\dfrac{\partial G}{\partial\theta}\,, \\ -r\sin\varphi\sin\theta\times\dfrac{\partial g}{\partial x} & +r\cos\varphi\sin\theta\times\dfrac{\partial g}{\partial y} & = & \dfrac{\partial G}{\partial\varphi}\,, & \\ & \dfrac{\partial g}{\partial z} & = & \cos\theta\times\dfrac{\partial G}{\partial r} & -\dfrac{1}{r}\sin\theta\times\dfrac{\partial G}{\partial\theta}\,, \end{array}\right.$$

c'est-à-dire encore à

$$\left\{\begin{array}{rcrrr} \dfrac{\partial g}{\partial x} & = & \cos\varphi\sin\theta\times\dfrac{\partial G}{\partial r} & -\dfrac{1}{r\sin\theta}\sin\varphi\dfrac{\partial G}{\partial\varphi} & +\dfrac{1}{r}\cos\varphi\cos\theta\times\dfrac{\partial G}{\partial\theta}\,, \\ \dfrac{\partial g}{\partial y} & = & \sin\varphi\sin\theta\times\dfrac{\partial G}{\partial r} & +\dfrac{1}{r\sin\theta}\cos\varphi\dfrac{\partial G}{\partial\varphi} & +\dfrac{1}{r}\sin\varphi\cos\theta\times\dfrac{\partial G}{\partial\theta} \\ \dfrac{\partial g}{\partial z} & = & \cos\theta\times\dfrac{\partial G}{\partial r} & & -\dfrac{1}{r}\sin\theta\times\dfrac{\partial G}{\partial\theta}\,. \end{array}\right.$$

ii) Si g est à valeurs scalaires, on lit sur le système précédent que

$$\nabla g = \frac{\partial G}{\partial r}\mathrm{e}_r + \frac{1}{r}\frac{\partial G}{\partial\theta}\,\mathrm{e}_\theta + \frac{1}{r\sin\theta}\frac{\partial G}{\partial\varphi}\,\mathrm{e}_\varphi\,.$$

iii) Si g est à valeurs dans $\mathbb{R}^3$, on a

$$\left\{\begin{array}{rcrrr} \dfrac{\partial g_1}{\partial x} & = & \cos\varphi\sin\theta\times\dfrac{\partial G_1}{\partial r} & -\dfrac{1}{r\sin\theta}\sin\varphi\dfrac{\partial G_1}{\partial\varphi} & +\dfrac{1}{r}\cos\varphi\cos\theta\times\dfrac{\partial G_1}{\partial\theta}\,, \\ \dfrac{\partial g_2}{\partial y} & = & \sin\varphi\sin\theta\times\dfrac{\partial G_2}{\partial r} & +\dfrac{1}{r\sin\theta}\cos\varphi\dfrac{\partial G_2}{\partial\varphi} & +\dfrac{1}{r}\sin\varphi\cos\theta\times\dfrac{\partial G_2}{\partial\theta} \\ \dfrac{\partial g_3}{\partial z} & = & \cos\theta\times\dfrac{\partial G_3}{\partial r} & & -\dfrac{1}{r}\sin\theta\times\dfrac{\partial G_3}{\partial\theta}\,, \end{array}\right.$$

d'où en faisant la somme :

$$\operatorname{div} g = \langle \mathrm{e}_r, \frac{\partial G}{\partial r}\rangle + \frac{1}{r}\,\langle \mathrm{e}_\theta, \frac{\partial G}{\partial\theta}\rangle + \frac{1}{r\sin\theta}\,\langle \mathrm{e}_\varphi, \frac{\partial G}{\partial\varphi}\rangle\,.$$

Or, par définition de G_r, G_θ et G_φ, on a

$$\frac{\partial G_r}{\partial r} = \langle \mathrm{e}_r, \frac{\partial G}{\partial r}\rangle\,,\ \frac{\partial G_\theta}{\partial\theta} = \langle \mathrm{e}_\theta\cdot\frac{\partial G}{\partial\theta}\rangle - \langle \mathrm{e}_r, G\rangle,\ \frac{\partial G_\varphi}{\partial\varphi}$$

$$= \langle \mathrm{e}_\varphi, \frac{\partial G}{\partial\varphi}\rangle - \langle(\sin\theta\,\mathrm{e}_r + \cos\theta\,\mathrm{e}_\theta), G\rangle\,.$$

(On a utilisé ici que $\partial_r \mathrm{e}_r = 0$, $\partial_\theta \mathrm{e}_\theta = -\mathrm{e}_r$ et $\partial_\varphi \mathrm{e}_\varphi = -(\sin\theta\, \mathrm{e}_r + \cos\theta\, \mathrm{e}_\theta)$.) Donc

$$\operatorname{div} g = \frac{\partial G_r}{\partial r} + \frac{1}{r} G_r + \frac{1}{r}\frac{\partial G_\theta}{\partial \theta} + \frac{1}{r\sin\theta}\frac{\partial G_\varphi}{\partial \varphi} + \frac{1}{r\sin\theta}(\sin\theta\, G_r + \cos\theta\, G_\theta).$$

En rassemblant les termes, on en déduit effectivement la formule

$$\operatorname{div} g = \frac{1}{r^2}\frac{\partial}{\partial r}(r^2\, \partial G_r) + \frac{1}{r\sin\theta}\frac{\partial}{\partial \theta}(\sin\theta\, G_\theta) + \frac{1}{r\sin\theta}\frac{\partial G_\varphi}{\partial \varphi}.$$

1.9 **i)** La fonction F est de classe $\mathcal{C}^1$ car ses composantes le sont (la première est linéaire sur $\mathbb{R}^2$ et la deuxième est la somme de $(x,y) \mapsto f(x)$ et $(x,y) \mapsto g(y)$, composées respectivement de $(x,y) \mapsto x$ et f, et de $(x,y) \mapsto y$ et g). Pour tous $(x,y) \in \mathbb{R}^2$ et $(h,k) \in \mathbb{R}^2$,

$$\mathrm{d}F(x,y)\cdot(h,k) = (h+k, f'(x)h + g'(y)k).$$

On vérifie que $\mathrm{d}F(x,y)$ est injective car $\mathrm{d}F(x,y)\cdot(h,k) = 0$ équivaut à $h+k=0$ et $f'(x)h + g'(y)k = 0$; comme par hypothèse $f'(x) \neq g'(y)$, ceci implique $h = k = 0$. Donc $\mathrm{d}F(x,y)$ est un isomorphisme de $\mathbb{R}^2$. En outre, F elle-même est injective car si $F(x_1,y_1) = F(x_2,y_2)$, on a $x_1 - x_2 = y_2 - y_1$ et $f(x_1) - f(x_2) = g(y_2) - g(y_1)$. Or d'après la formule des accroissements finis, il existe x et y tels que

$$f(x_1) - f(x_2) = f'(x)\,(x_1 - x_2), \quad g(y_2) - g(y_1) = g'(y)\,(y_2 - y_1).$$

Comme par hypothèse $f'(x) \neq g'(y)$, on en déduit $x_1 = x_2$ et $y_1 = y_2$. Donc d'après le théorème d'inversion globale (corollaire 1.2), F est un difféorpmorphisme de $\mathbb{R}^2$ sur son image.

1.10 **i)** La fonction f, resp. g, est de classe $\mathcal{C}^1$ comme composée de l'application linéaire $(x,y) \mapsto x+y$, resp. l'application bilinéaire $(x,y) \mapsto xy$, avec $t \mapsto \int_0^t \varphi(\theta)\,\mathrm{d}\theta$, dont la dérivée φ est continue par hypothèse. Leurs différentielles s'obtiennent par la formule (1.8) :

$$\mathrm{d}f(x,y)\cdot(h,k) = \varphi(x+y)\,(h+k), \quad \mathrm{d}g(x,y)\cdot(h,k) = \varphi(xy)\,(xk+yh)$$

quels que soient $(x,y) \in \mathbb{R}^2$ et $(h,k) \in \mathbb{R}^2$.

ii) (a) Comme φ est continue sur $\mathbb{R}$, elle est bornée sur $[-2, 2]$. Soit $M = \max_{[-2,2]}|\varphi|$. Pout tout $(x,y) \in B$, $x+y \in [-2, 2]$ et $xy \in [-2, 2]$, on a

$$|df(x,y)\cdot(h,k)| \leqslant M\,\|(h,k)\|_1\,, \quad |dg(x,y)\cdot(h,k)| \leqslant M\,\|(h,k)\|_1\,.$$

Donc d'après le théorème des accroissements finis (théorème 1.5), les composantes f et g de F, et donc également F, sont Lipschitziennes de rapport M dans B.

(b) D'après la première question,

$$dF(0,1)\cdot(h,k) = (\varphi(1)\,(h+k), \varphi(0)\,h)\,.$$

Si $dF(0,1)\cdot(h,k) = 0$ alors $h = 0$ puisque $\varphi(0) \neq 0$, et par suite $k = 0$ puisque $\varphi(1) \neq /0$. Donc $dF(0,1)$ est un isomorphisme de $\mathbb{R}^2$, et d'après le théorème 1.8, F est un difféomorphisme local au point $(0,1)$. Comme $F(x,y)$ est symétrique en (x,y), il en est de même pour F au point $(1,0)$.

(c) Il suffit de vérifier que F est injective sur D. Notons que si $\varphi(t) > 0$ pour tout $t \in \mathbb{R}$, sa primitive $t \mapsto \int_0^t \varphi(\theta)\,d\theta$ est strictement croissante. Par conséquent, si $F(x_1,y_1) = F(x_2,y_2)$, nécessairement $x_1 + y_1 = x_2 + y_2$ et $x_1y_1 = x_2y_2$. Autrement dit, (x_1,y_1) et (x_2,y_2) sont deux couples de racines de $X^2 - sX + p$, avec $s := x_1 + y_1 = x_2 + y_2$ et $p := x_1y_1 = x_2y_2$. Un polynôme du second degré ayant au plus deux racines, on a donc $(x_1,y_1) = (x_2,y_2)$ ou $(x_1,y_1) = (y_2,x_2)$. Si en outre (x_1,y_1) et (x_2,y_2) appartiennent à D, la deuxième possibilité est exclue.

1.11 **i)** La fonction F est de classe $\mathcal{C}^1$ sur $\mathbb{R}^2$ car ses composantes le sont (mêmes raisons que dans l'exercice 1.9).

ii) Pour tous $(x,y) \in \mathbb{R}^2$ et $(h,k) \in \mathbb{R}^2$,

$$dF(x,y)\cdot(h,k) = (h + f'(y)k, k + f'(x)h)\,.$$

Si $dF(x,y)\cdot(h,k) = 0$, alors $(1 - f'(x)f'(y))h = (1 - f'(x)f'(y))k = 0$. Comme par hypothèse $|f'(x)f'(y)| \leqslant \alpha^2 < 1$, on a $f'(x)f'(y) \neq 1$ et donc $h = k = 0$. Ceci montre que $dF(x,y)$ est injective. C'est par conséquent un isomorphisme de $\mathbb{R}^2$.

iii) D'après le théorème des accroissements finis, f est Lipschitzienne de rapport α. Donc par définition de g on a pour tous (x_1,y_1) et (x_2,y_2) dans $\mathbb{R}^2$,

$$\|g(x_1,y_1) - g(x_2,y_2)\|_\infty \leqslant \alpha\,\|(x_1,y_1) - (x_2,y_2)\|_\infty\,.$$

iv) D'après le théorème de Banach-Picard (théorème 1.9), l'application g a un point fixe unique. Autrement dit, quel que soit $(a,b) \in \mathbb{R}^2$ il existe un unique couple $(x,y) \in \mathbb{R}^2$ tel que

$$(x + f(y), y + f(x)) = (a,b)\,.$$

Cela montre précisément que F est une bijection de $\mathbb{R}^2$ sur $\mathbb{R}^2$. Comme (d'après la seconde question) c'est un difféomorphisme local en tout point, F est un difféomorphisme global.

1.12 **i)** Le théorème des fonctions implicites s'applique car F est de classe $\mathcal{C}^1$ et $\frac{\partial F}{\partial y}(x_0,y_0) = 1 \neq 0$. (Si x représente la densité d'un gaz, y son énergie interne par unité de volume et p sa pression, l'ensemble des zéros de F fait partie de ce que l'on appelle l'ensemble de Hugoniot à l'état de référence (x_0,y_0).)
ii) Le calcul montre que

$$\phi'(x) + \frac{1}{2}\Big(\frac{\partial p}{\partial x}(x,\phi(x)) + \phi'(x)\frac{\partial p}{\partial y}(x,\phi(x))\Big)\Big(\frac{1}{x} - \frac{1}{x_0}\Big)$$
$$- \frac{1}{2x^2}\,(\,p(x,\phi(x)) + p_0\,)$$

est identiquement nul, d'où en particulier $\phi'(x_0) = p_0/x_0^2$.
iii) On reconnaît le taux d'accroissement de la fonction $x \mapsto p(x,\phi(x))$ entre les points x_0 et x. Par suite

$$\lim_{x\to x_0} \frac{p(x,\phi(x)) - p_0}{x - x_0} = \frac{\mathrm{d}}{\mathrm{d}x}p(x,\phi(x))_{|x=x_0} = \frac{\partial p}{\partial x}(x_0,y_0) + \phi'(x_0)\,\frac{\partial p}{\partial y}(x_0,y_0).$$

Pour $p(x,y) = \alpha\, x\, y$, ceci donne

$$\lim_{x\to x_0} \frac{p(x,\phi(x)) - p_0}{x - x_0} = (1+\alpha)\,\frac{p_0}{x_0}\,.$$

(Cela représente le carré de la vitesse du son dans un gaz parfait de coefficient adiabatique $\gamma = 1+\alpha$.)

1.13 Connaissant le « candidat » pour la différentielle de f, à savoir que

$$\mathrm{d}f(u)\cdot h = -u^{-1}\circ h \circ u^{-1}\,,$$

il reste à vérifier que c'est effectivement la différentielle de f en revenant à la définition. On a besoin pour cela de savoir que $f : u \mapsto u^{-1}$ est localement bornée. Or, si $u \in \mathrm{Isom}(X;\,Y)$, et $h \in \mathcal{L}(X;Y)$ est de norme strictement inférieure à $\|u^{-1}\|^{-1}$, $u+h \in \mathrm{Isom}(X;\,Y)$ et son inverse est donné par

$$(u+h)^{-1} = (\mathrm{Id}X + u^{-1}\circ h)^{-1}\circ u^{-1} = \sum_{n=0}^{+\infty}(-u^{-1}\circ h)^n\circ u^{-1}\,.$$

Donc

$$\|(u+h)^{-1} - u^{-1}\| = \left\|\sum_{n=1}^{+\infty}(-u^{-1}\circ h)^n\circ u^{-1}\right\| \leqslant \frac{\|u^{-1}\|^{-1}\|h\|}{1-\|u^{-1}\|^{-1}\|h\|}\,,$$

ce qui tend vers zéro lorsque $\|h\|$ tend vers zéro. Ceci montre que f est continue, et en particulier localement bornée. Maintenant on observe que pour $u \in \mathrm{Isom}(X; Y)$ et $\|h\| \leqslant R < \|u^{-1}\|^{-1}$,

$$(u+h)^{-1} - u^{-1} + u^{-1} \circ h \circ u^{-1} = (u^{-1} \circ h)^2 \circ (u+h)^{-1},$$

donc

$$\|(u+h)^{-1} - u^{-1} + u^{-1} \circ h \circ u^{-1}\| \leqslant C_R \|u^{-1}\|^2 \|h\|^2,$$

où C_R désigne un majorant de $\|(u+h)^{-1}\|$ pour $\|h\| \leqslant R$. Par conséquent,

$$\lim_{h\to 0} \frac{1}{\|h\|} \|(u+h)^{-1} - u^{-1} + u^{-1} \circ h \circ u^{-1}\| = 0.$$

1.14 **i)** L'application f est de classe $\mathcal{C}^1$ comme composée de l'application linéaire $u \mapsto (u,u,u)$ et de l'application trilinéaire $(u,v,w) \mapsto u \circ v \circ w$. Quels que soient $u \in \mathcal{L}(E)$ et $h \in \mathcal{L}(E)$,

$$\mathrm{d}f(u) \cdot h = u \circ u \circ h + u \circ h \circ u + h \circ u \circ u.$$

ii) Soient $u \in \mathcal{L}(E)$ et $h \in \mathcal{L}(E)$. Pour alléger les écritures, on introduit $v := u - \mathrm{I}_E$. On a

$$\begin{gathered}\mathrm{d}f(u) \cdot h - 3h = \\ (v+\mathrm{I}_E)^2 \circ h + (v+\mathrm{I}_E) \circ h \circ (v+\mathrm{I}_E) + h \circ (v+\mathrm{I}_E)^2 - 3h = \\ v^2 \circ h + h \circ v^2 + v \circ h \circ v + 3v \circ h + 3h \circ v\end{gathered}$$

après développement (en prenant garde au fait que les produits de composition ne commutent pas) et simplification. En utilisant le fait que $\|u \circ w\| \leqslant \|u\|\|w\|$, on en déduit

$$\|\mathrm{d}f(u) \cdot h - 3h\| \leqslant (3\|v\|^2 + 6\|v\|)\|h\|,$$

ce qui donne la majoration demandée.

iii) D'après la question précédente,

$$\|\frac{1}{3}\mathrm{d}f(u) - \mathrm{I}\|_{\mathcal{L}(\mathcal{L}(E))} \leqslant 2\|u - \mathrm{I}_E\|_{\mathcal{L}(E)} + \|u - \mathrm{I}_E\|^2_{\mathcal{L}(E)} < 1$$

si $\|u - \mathrm{I}_E\| < 1/3$. Comme la boule ouverte de centre I et rayon 1 est incluse dans l'ensemble des isomorphismes de $\mathcal{L}(E)$ (cela est vrai dans toute *algèbre de Banach* ; il suffit de noter que pour $\|A\| < 1$, la série de terme général A^n converge, et l'on a alors $(A - \mathrm{I})^{-1} = -\sum_{n=0}^{+\infty} A^n$; c'est l'argument que l'on a déjà utilisé dans l'exercice 1.13), on en déduit que $\frac{1}{3}\mathrm{d}f(u)$, et donc aussi $\mathrm{d}f(u)$ est un isomorphisme de $\mathcal{L}(E)$.

(a) On a $\mathrm{d}g(u) = \mathrm{d}f(u) - 3\mathrm{I}$, donc d'après la seconde question,

$$\|\mathrm{d}g(u) - \mathrm{I}\|_{\mathcal{L}(\mathcal{L}(E))} \leqslant 6 \times \frac{1}{3} + 3 \times \frac{1}{3^2} = \frac{7}{3}$$

pour $u \in B$. On en déduit la majoration demandée par le théorème des accroissements finis (théorème 1.5).

(b) Si $f(u) = f(v)$ alors $g(u) - g(v) = 3(v - u)$ donc $3\|u - v\| \leqslant \frac{7}{3}\|u - v\|$: comme $3 > \frac{7}{3}$, cela implique $u = v$.

iv) Le théorème d'inversion globale (corollaire 1.2) s'applique à f dans B d'après ce qui précède.

1.15 **i)** L'application Θ est de classe $\mathcal{C}^1$ sur $\mathcal{L}(E)$ comme composée de $u \mapsto (u,u)$ (dont les composantes sont $I_{\mathcal{L}(E)}$, de classe $\mathcal{C}^\infty$ et *a fortiori* $\mathcal{C}^1$) et de $(u,v) \mapsto u \circ v$ (bilinéaire continue sur $\mathcal{L}(E)$). D'après la formule de différentiation des fonctions composées,

$$\mathrm{d}\Theta(u) \cdot h = u \circ h + h \circ u$$

pour tout $u \in \mathcal{L}(E)$ et pour tout $h \in \mathcal{L}(E)$.

ii) D'après la formule ci-dessus, $\mathrm{d}\Theta(I_E) \cdot h = 2h$, c'est-à-dire que $\mathrm{d}\Theta(I_E) = I_{\mathcal{L}(E)}$. Donc d'après le théorème d'inversion locale, Θ est un difféomorphisme local en I_E : il existe un voisinage $\mathcal{U}$ de I_E et un voisinage $\mathcal{V}$ de $I_E = \Theta(I_E)$ tels que, pour tout $v \in \mathcal{V}$, il existe un unique $u \in \mathcal{U}$ pour lequel $v = \Theta(u)$. En prenant $\varepsilon > 0$ tel que la boule de centre I_E et de rayon ε soit incluse dans $\mathcal{V}$, on en déduit que pour tout $v \in \mathcal{L}(E)$ vérifiant $\| v - I_E \| < \varepsilon$, l'équation $u \circ u = v$ possède au moins une solution dans $\mathcal{L}(E)$ (et en fait une seule dans $\mathcal{U}$).

iii) Les matrices

$$U := \begin{pmatrix} -1 & 0 \\ 0 & 1 \end{pmatrix} \quad \text{et} \quad H := \begin{pmatrix} 0 & 1 \\ 0 & 0 \end{pmatrix}$$

sont telles que $UH + HU = 0$. Par conséquent, d'après la formule donnant la différentielle de Θ, $\mathrm{d}\Theta(u) \cdot h = 0$. S'il existait une fonction différentiable Ψ définie sur un voisinage $\mathcal{W}$ de I_E et à valeurs dans un voisinage de u dans $\mathcal{L}(E)$, telle que $\Psi(I_E) = u$ et $\Theta(\Psi(w)) = w$ pour tout $w \in \mathcal{W}$, on aurait par différentiation de la fonction $w \mapsto \Theta(\Psi(w)) - w$,

$$\mathrm{d}\Theta(u)(\mathrm{d}\Psi(I_E) \cdot k) = k$$

quel que soit $k \in \mathcal{L}(E)$. Donc $\mathrm{d}\Psi(I_E)$ serait injective (la relation ci-dessus montrant que $\mathrm{d}\Psi(I_E) \cdot k = 0 \quad \Rightarrow k = 0$) et par conséquent aussi surjective, puisque $\mathcal{L}(E)$

est de dimension finie dans cette question : on choisissant k tel que $d\Psi(I_E) \cdot k = h$ on en déduirait (grâce à l'égalité $d\Theta(u) \cdot h = 0$) que $k = 0$, et donc $h = 0$, ce qui est évidemment faux.

1.16 **i)** L'application f est de classe $\mathcal{C}^1$ comme différence de $2\mathrm{Id}_{\mathcal{L}(E)}$ et de l'application quadratique $v \mapsto v \circ u \circ v$. Quels que soient $v \in \mathcal{L}(E)$ et $h \in \mathcal{L}(E)$,

$$df(v) \cdot h = 2h - v \circ u \circ h - h \circ u \circ v .$$

Par définition, $f(u^{-1}) = u^{-1}$, et d'après la formule ci-dessus, $df(u^{-1}) \equiv 0$.

ii) Puisque $df(u^{-1}) \equiv 0$ et df est continue, il existe une boule fermée B centrée en u^{-1} telle que $\|df(v)\| \leqslant \frac{1}{2}$ pour tout $v \in B$.

iii) La boule B est stable par f car $f(u^{-1}) = u^{-1}$ et d'après le théorème des accroissements finis,

$$\|f(v) - f(u^{-1})\| \leqslant \frac{1}{2}\|v - u^{-1}\|$$

pour tout $v \in B$. La série de terme général 2^{-p} étant convergente, on en déduit par le critère de Cauchy que, si $v_0 \in B$, la suite des itérés $(v_p)_{p\in\mathbb{N}}$ converge vers u^{-1} dans $\mathcal{L}(E)$.

1.17 **i)** À λ fixé, le théorème de Banach-Picard (théorème 1.9) s'applique à la fonction $x \mapsto f(\lambda, x)$ d'après l'hypothèse $\|d_2 f(\lambda, x)\| \leqslant k < 1$ et le théorème des accroissements finis (théorème 1.5).

ii) L'application g est de classe $\mathcal{C}^1$ comme différence de l'application linéaire $(\lambda, x) \mapsto x$ et de f. Pour tout $(\lambda, x) \in F \times E$, $d_2 g(\lambda, x) = \mathrm{Id}_E - d_2 f(\lambda, x)$. Comme $\|d_2 f(\lambda, x)\| < 1$, on en déduit que $d_2 g(\lambda, x)$ est un isomorphisme de E (selon l'argument utilisé dans l'exercice 1.14).

iii) On applique le théorème des fonctions implicites (théorème 1.10) à g.

iv) Au voisinage de (λ_0, x_0), φ coïncide avec la fonction ψ de la question précédente. Elle est donc de classe $\mathcal{C}^1$, et l'on a, pour tout $(\mu, h) \in F \times E$,

$$d\varphi(\lambda) \cdot \mu = d_2 g(\lambda, x)^{-1}(d_1 f(\lambda, x) \cdot \mu) .$$

v) Le résultat ci-dessus s'applique à $F = \mathbb{R}$, $E = \mathbb{R}^2$ et

$$\begin{array}{rcl} f : F \times E & \to & E \\ (t,x,y) & \mapsto & f(t,x,y) = \left(\frac{1}{2}\sin(x+y) + t - 1, \frac{1}{2}\cos(x-y) - t + \frac{1}{2}\right) . \end{array}$$

En effet, f est une fonction de classe $\mathcal{C}^1$ (et même analytique), de matrice jacobienne

$$\mathrm{D}f(x,y) = \begin{pmatrix} \frac{1}{2}\cos(x+y) & \frac{1}{2}\cos(x+y) \\ -\frac{1}{2}\sin(x-y) & \frac{1}{2}\sin(x-y) \end{pmatrix},$$

et l'on a $\|\mathrm{D}f(x,y)\|_2 = \sqrt{\varrho(A)}$ avec

$$A = \mathrm{D}f(x,y)^{\mathrm{t}}\mathrm{D}f(x,y) = \begin{pmatrix} \frac{1}{2}\cos^2(x+y) & 0 \\ 0 & \frac{1}{2}\sin^2(x-y) \end{pmatrix},$$

d'où $\|\mathrm{D}f(x,y)\|_2 \leqslant 1/\sqrt{2} < 1$. On a clairement $f(t,0,0) = (0,0)$ si seulement si $t = 1$. Donc $(x(1),y(1)) = (0,0)$, et l'on a par dérivation de f,

$$x'(1) = \frac{1}{2}(x'(1) + y'(1)) + 1\,, \quad y'(1) = -1\,,$$

d'où $x'(1) = 1$.

1.18 **i)** L'application f est de classe $\mathcal{C}^1$ comme composée de $(A,\, S) \mapsto (S + A,\, S - A)$ (linéaire continue) et de $(M,\, N) \mapsto MN - \mathbf{I}_n$ (somme d'une application bilinéaire continue et d'une application constante). D'après la formule de différentiation des fonctions composées,

$$\mathrm{d}f_{(A,S)}(H,K) = (K + H)(S - A) + (S + A)(K - H)$$

pour tout $(A,S) \in G \times F$ et pour tout $(H,K) \in G \times F$.

ii) D'après la formule ci-dessus, la différentielle partielle de f par rapport à S, est donnée par

$$\mathrm{d}_2 f(\mathbf{0}_n,\mathbf{I}_n) \cdot K = 2\,K$$

quel que soit K, c'est-à-dire que $\mathrm{d}_2 f(\mathbf{0}_n,\mathbf{I}_n) = 2\,I_F$: c'est donc clairement un isomorphisme de F.

iii) Puisque f est de classe $\mathcal{C}^1$, $f(\mathbf{0}_n,\mathbf{I}_n) = \mathbf{0}_n$, et $\mathrm{d}_2 f(\mathbf{0}_n,\mathbf{I}_n)$ est un isomorphisme, d'après le théorème des fonctions implicites, il existe un voisinage $\mathcal{V}$ de $\mathbf{0}_n$ dans G, un voisinage $\mathcal{W}$ de $\mathbf{I}_n$ dans F, et une application $\varphi : \mathcal{V} \to \mathcal{W}$ de classe $\mathcal{C}^1$ tels que, pour tout $(A,\, S) \in \mathcal{V} \times \mathcal{W}$, $f(A,\, S) = \mathbf{0}_n$ équivaut à $S = \varphi(A)$.

iv) D'après les formules des questions 1 et 2, on voit que $\mathrm{d}\varphi(\mathbf{0}_n) \cdot H = \mathbf{0}_n$ quel que soit $H \in G$.

v) Quel que soit $M \in E$,

$$M = \frac{M - M^{\mathrm{t}}}{2} + \frac{M + M^{\mathrm{t}}}{2}\,,$$

ce qui montre que $E = F + G$. Et on a clairement $F \cap G = \{\mathbf{0}_n\}$. Donc $E = F \oplus G$.

vi) Soit $\mathcal{U} = \{M = S + A\,;\, A \in \mathcal{V},\, S \in \mathcal{W}\}$. C'est un voisinage de $\mathbf{I}_n$ dans E et pour tout $M \in \mathcal{U}$, $M\,M^{\mathrm{t}} = \mathbf{I}_n$ équivaut à

$$f\left(\frac{M - M^{\mathrm{t}}}{2}, \frac{M + M^{\mathrm{t}}}{2}\right) = \mathbf{I}_n$$

avec $\frac{M-M^{\mathrm{t}}}{2} \in \mathcal{V}$ et $\frac{M+M^{\mathrm{t}}}{2} \in \mathcal{W}$. D'après la question 3, $M\,M^{\mathrm{t}} = \mathbf{I}_n$ équivaut donc à

$$M = \frac{M - M^{\mathrm{t}}}{2} + \varphi\left(\frac{M - M^{\mathrm{t}}}{2}\right).$$

1.19 **i)** On considère d'abord l'application

$$\begin{array}{rcl} T : E \times \mathbb{R} & \to & E_0 \\ (f,s) & \mapsto & f_s\,, \end{array}$$

où E_0 désigne l'espace des applications continues 1-périodiques muni de la norme $\|\cdot\|_\infty$. Elle est de classe $\mathcal{C}^1$ car elle est continûment différentiable par rapport à f (les applications partielles $f \mapsto f_s$ étant linéaires continues, de norme 1) et continûment dérivable par rapport à s, de dérivée f_s' au point (f,s). Puis on observe que l'application

$$\begin{array}{rcl} I : E_0 & \to & \mathbb{R} \\ f & \mapsto & \int_0^1 f(x)\,g'(x)\,\mathrm{d}x\,, \end{array}$$

est linéaire continue (de norme au plus égale à $\int_0^1 |g'(x)|\,\mathrm{d}x$), donc de classe $\mathcal{C}^1$. On en déduit que $F = I \circ T$ est classe $\mathcal{C}^1$. Sa différentielle est donnée par

$$\mathrm{d}F(f,s)\cdot(h,k) = I(\mathrm{d}T(f,s)\cdot(h,k)) = \int_0^1 (h_s(x) + k\,f_s'(x))\,g'(x)\,\mathrm{d}x\,.$$

En particulier

$$\mathrm{d}F(g,0)\cdot(h,k) = \int_0^1 (h(x) + k\,g'(x))\,g'(x)\,\mathrm{d}x\,.$$

ii) On a $F(g,0) = \int_0^1 g(x)\,g'(x)\,\mathrm{d}x = \frac{1}{2}(g(1)^2 - g(0)^2)$ car g est 1-périodique, et d'après la question précédente,

$$\frac{\partial F}{\partial s}(g,0) = \int_0^1 g'(x)^2\,\mathrm{d}x > 0$$

puisque g est non constante (et $(g')^2$ n'est donc pas identiquement nulle). Donc le théorème des fonctions implicites s'applique : $T(f, s) = 0$ équivaut au voisinage de $(g, 0)$ à $s = \sigma(f)$, où

$$\mathrm{d}\sigma(f) \cdot h = -\frac{\int_0^1 h(x)g'(x)\mathrm{d}x}{\int_0^1 g'(x)^2\mathrm{d}x}.$$

1.20 **i)** C'est une application du théorème des fonctions implicites, prétexte à l'introduction des notions d'ensembles de niveau (généralisant les lignes de niveau bien connues des géographes) et d'hypersurfaces (généralisant les surfaces). Soient $e_n \in \mathbb{R}^n$ tel que $\mathrm{d}f(x) \cdot e_n = 1$, et $(e_1,\ldots,e_{n-1})$ une base de l'hyperplan $\mathrm{d}F(x)^\perp$. Alors $(e_1,\ldots,e_n)$ est une base de $\mathbb{R}^n$. Considérons alors $F : (\xi_1,\ldots,\xi_n) \mapsto f\big(x + \sum_{i=1}^n \xi_i e_i\big) \in \mathbb{R}$. On a $\partial_n F(0,\ldots,0) = \mathrm{d}f(x) \cdot e_n = 1$. Donc d'après le théorème des fonctions implicites, il existe un voisinage $\mathcal{O}$ de zéro dans $\mathbb{R}^{n-1}$, un intervalle I contenant 0, et $\varphi \in \mathcal{C}^1(\mathcal{O}; I)$ tels que pour $(\xi_1,\ldots,\xi_n) \in \mathcal{O} \times I, f\big(x + \sum_{i=1}^n \xi_i e_i\big) = a$ équivaut à $\xi_n = \varphi(\xi_1,\ldots,\xi_{n-1})$. Il suffit alors de définir Φ par $\Phi(\xi_1,\ldots,\xi_{n-1}) = x + \sum_{i=1}^{n-1} \xi_i e_i + \varphi(\xi_1,\ldots,\xi_{n-1})e_n$ et $\mathcal{V}_x = \{x + \sum_{i=1}^{n-1} \xi_i e_n \,;\; (\xi_1,\ldots,\xi_n) \in \mathcal{O} \times I\}$.

ii) Considérons une courbe $\mathcal{F}_a$, d'équation cartésienne $f(x) = a$. D'après le point précédent, elle est localement le graphe d'une fonction φ. Un vecteur tangent en $x = \varphi(t)$ est donc $\varphi'(t)$. Pour montrer que $\nabla f(x)$ est un vecteur normal, il suffit de vérifier que $\mathrm{d}f(\varphi(t)) \cdot \varphi'(t) = 0$. Cette relation s'obtient par la règle de différentiation des fonctions composées appliquée à $f \circ \varphi$.

1.21 **i)** L'application $F : (u, \lambda) \in U \times \mathbb{R} \mapsto u + \lambda \nabla f(u)$ étant continue, l'ensemble $O := \{(u, \lambda) \in U \times \mathbb{R} \,;\; u + \lambda \nabla f(u) \in U\}$ est un ouvert, et il contient $(v, 0)$ puisque $F(v, 0) = v$. L'application $G : (u, \lambda) \mapsto (u, f(u + \lambda \nabla f(u)))$ est donc bien définie sur O, et puisque f est de classe $\mathcal{C}^2$, G est de classe $\mathcal{C}^1$ par composition. C'est un difféomorphisme local en $(v,0)$ car sa différentielle est définie par

$$\mathrm{d}G(u, \lambda) \cdot (h, k) = (h, \mathrm{d}f(u + \lambda \nabla f(u)) \cdot (h + k \nabla f(u) + \lambda \mathrm{d}(\nabla f)(u) \cdot h)),$$

et en particulier

$$\mathrm{d}G(v, 0) \cdot (h, k) = (x, s) \quad \Leftrightarrow \quad (h, k) = (x, (s - \mathrm{d}f(v) \cdot x)/\|\nabla f(v)\|^2).$$

Donc $\mathrm{d}G(v,0)$ est un isomorphisme de $H \times \mathbb{R}$ et l'on peut appliquer le théorème d'inversion locale. Il existe par conséquent une boule ouverte V centrée en v et un intervalle ouvert contenant 0 tels que $G_{|V\times I}$ soit un difféomorphisme de l'ouvert $V \times I$ sur l'ouvert $G(V \times I)$. Or $G(V \times I) = V \times J$ avec $J := f \circ F(V \times I)$ par définition de G et de F. Comme $f \circ F$ est continue et $V \times I$ est connexe, J est connexe. C'est donc un intervalle de $\mathbb{R}$, ouvert puisque $G(V \times I)$ est ouvert, et il contient $f(v)$ car $G(v,0) = (v, f(v))$. Si on note Λ la deuxième composante du difféomorphisme réciproque, pour $(x,y) \in V \times J$ et $(u, \lambda) \in V \times I$ on a

$$(x,y) = G(u, \lambda) \quad \Leftrightarrow \quad (u, \lambda) = (x, \Lambda(x,y))\,.$$

ii) Quitte à réduire le rayon de la boule V, on peut supposer que $f(V) \subset J$ (car f est continue en v), que ∇f est bornée sur V et que $\mathrm{d}\Lambda$ est bornée sur $V \times J$ (car ∇f et $\mathrm{d}\Lambda$ sont continues et donc localement bornée). Par suite, pour tout $u \in V$, $\Lambda(u, f(v))$ est bien défini, de même que $\Lambda(u, f(u))$, qui vaut en fait 0, et par le théorème des accroissements finis,

$$|\Lambda(u, f(v))| = |\Lambda(u, f(v)) - \Lambda(u, f(u))| \leqslant C|f(u) - f(v)|$$

où C est un majorant de $|\partial_y \Lambda|$ sur $V \times J$.

iii) Pour tout $n \in \mathbb{N}$, $(u_n, f(v)) \in V \times J$, donc $(u_n, \lambda_n := \Lambda(u_n, f(v))) \in V \times I \subset O$ (par construction de V et I) et donc $w_n = u_n + \lambda_n \nabla f(u_n) \in U$ (par définition de O). De plus, l'identité $G(u, u + \Lambda(u, f(v))\nabla f(u)) = (u, f(v))$, valable pour tout $u \in V$, montre que $f(w_n) = f(v)$.

iv) Si $(f(u_n))$ converge vers $f(v)$ alors d'après la question **ii)**, λ_n tend vers zéro. Puisque $(\nabla f(u_n))$ est bornée (toujours d'après la question **ii)**), on en déduit que $w_n - u_n = \lambda_n \nabla f(u_n)$ converge vers zéro.

1.22 **i)** Notons $(\mathrm{e}_1, \ldots, \mathrm{e}_m)$ la base canonique de $\mathbb{R}^m$. Puisque $\mathrm{d}f(v)$ est surjective, pour tout $i \in \{1, \ldots, m\}$ il existe $h_i \in E$ tel que $\mathrm{d}f(v) \cdot h_i = \mathrm{e}_i$. Par suite, si l'on définit P par

$$P(h) = h - \sum_{i=1}^{m} (\mathrm{d}f_i(v) \cdot h)\, h_i\,,$$

où $f_1, \ldots f_m$ désignent les composantes de f, on a

$$\mathrm{d}f_j(v) \cdot P(h) = \mathrm{d}f_j(v) \cdot h - \sum_{i=1}^{m} (\mathrm{d}f_i(v) \cdot h)\, \mathrm{d}f_j(v) \cdot h_i = 0$$

puisque $\mathrm{d}f_j(v) \cdot h_i = \delta_{ij}$ (c'est-à-dire 0 si $i \neq j$ et 1 si $i = j$). Soit maintenant

$$\begin{array}{rcl} \psi : E & \to & \mathbb{R}^m \times F \\ h & \mapsto & (\mathrm{d}f_1(v) \cdot h, \ldots, \mathrm{d}f_m(v) \cdot h, P(h))\,. \end{array}$$

C'est bien sûr une application linéaire, qui est donc de classe $\mathcal{C}^1$. Elle est bijective car, quels que soient $h \in E$, $(\lambda_1, \ldots, \lambda_m) \in \mathbb{R}^m$, $k \in F$, $\psi(h) = (\lambda_1, \ldots, \lambda_m, k)$ équivaut à $h = k + \sum_{i=1}^m \lambda_i h_i$. Sa réciproque est automatiquement de classe $\mathcal{C}^1$ (théorème 0.1).

ii) L'application g est de classe $\mathcal{C}^1$ car ses composantes f et P (dans le produit $\mathbb{R}^m \times F$) le sont. On a de plus $dg(v) = \psi$, donc $dg(v)$ est un isomorphisme (d'après la question précédente). Ceci montre que par le théorème d'inversion locale que g est un difféomorphisme local en v.

iii) Soient $R > 0$ et $W := g^{-1}(B(v; R))$ tels que g soit un difféomorphisme de W sur la boule $B(v; R)$. Soit aussi $V := g^{-1}(B(v; R/2))$. Si (u_n) est une suite d'éléments de V telle que $(f(u_n))$ tende vers zéro, alors $(f(u_n), P(u_n)) \in B(v; R/2)$, et il existe N tel que pour $n \geqslant \mathbb{N}$, $|f(u_n) - f(v)| < R/2$, donc $(f(v), P(u_n)) \in B(v; R)$. On pose alors, pour tout $n \geqslant \mathbb{N}$, $w_n = g^{-1}(f(v), P(u_n))$. Par définition de g on a $f(w_n) = f(v)$, et $w_n - u_n = g^{-1}(f(u_n), P(u_n)) - g^{-1}(f(v), P(u_n))$ tend vers zéro d'après le théorème des accroissements finis car $(f(u_n), P(u_n)) - (f(v), P(u_n))$ tend vers zéro.

DIFFÉRENTIELLES D'ORDRE SUPÉRIEUR

2

Les principes du calcul différentiel,
et ses applications les plus importantes, peuvent être facilement exposés,
sans l'intervention des séries.

Augustin Cauchy,
Résumé des leçons données à l'école royale polytechnique
sur le calcul infinitésimal,
extrait des œuvres complètes publiées en 1899.

On a vu au chapitre précédent la notion de différentiabilité, sous-entendue d'ordre un, qui généralise la dérivation aux fonctions de plusieurs variables et même aux fonctions d'un espace vectoriel normé quelconque dans un autre. On va ici répéter l'opération et s'intéresser aux différentielles d'ordre aussi grand que possible.

2.1 DÉRIVÉES PARTIELLES D'ORDRE SUPÉRIEUR

Si une fonction d'une variable réelle $g : I \subset \mathbb{R} \to E$ (où E est un $\mathbb{R}$-espace vectoriel normé) est dérivable sur l'intervalle ouvert I, sa dérivée (voir p. 14) est aussi une fonction, $g' : I \to E$. Si cette dernière est dérivable, on dit que g est deux fois dérivable et sa dérivée seconde est alors $g'' = (g')'$. On peut continuer le processus tant que les dérivées successives de g sont dérivables. La notation standard pour les dérivées successives consiste à aligner les « primes » tant qu'il n'y en a pas trop, ou à noter l'ordre de dérivation entre parenthèses: si g est cinq fois dérivable on notera plutôt $g^{(5)}$ que g''''' sa dérivée cinquième. La notion de fonction n fois dérivable, pour n un entier quelconque, se définit rigoureusement par récurrence. On dit qu'une fonction $g : I \to E$ est n fois dérivable, avec n un entier au moins égal à 2, si elle $(n-1)$ fois dérivable et si sa dérivée $(n-1)$ème est dérivable. Si c'est le cas, la dérivée n-ème de g est la dérivée de sa dérivée $(n-1)$ème, ce qui s'écrit $g^{(n)} = (g^{(n-1)})'$.

Bien entendu, il n'y a aucune raison de se limiter aux fonctions d'une variable. Si une fonction

$$\begin{array}{rcl} f : U \subset \mathbb{R}^d & \to & E \\ x = (x_1, \ldots, x_d) & \mapsto & f(x)\,, \end{array}$$

admet une dérivée partielle $\dfrac{\partial f}{\partial x_j} : U \to E$ par rapport à x_j, $j \in \{1, \ldots, d\}$, avec U un ouvert, celle-ci peut admettre une dérivée partielle par rapport à x_i, $i \in \{1, \ldots, d\}$. Dans ce cas, on notera

$$\frac{\partial^2 f}{\partial x_i \partial x_j} = \frac{\partial}{\partial x_i}\left(\frac{\partial f}{\partial x_j}\right),$$

qu'on appelle une *dérivée partielle seconde*. En particulier, si $E = \mathbb{R}$ et toutes les dérivées partielles (premières) de f admettent des dérivées partielles par rapport à toutes les variables, on définit la *matrice hessienne* de f en chaque point $x \in U$ par

$$\operatorname{Hess} f(x) := \left(\frac{\partial^2 f}{\partial x_i\, \partial x_j}(x)\right)_{1 \leqslant i, j \leqslant n}.$$

Plus généralement, on définit les *dérivées partielles d'ordre n* par récurrence, tant qu'elles existent : si $j_1, \ldots j_n \in \{1, \ldots, d\}$ sont tels que la fonction $\dfrac{\partial^n f}{\partial x_{j_n} \ldots \partial x_{j_1}}$ admet une dérivée partielle par rapport à $x_{j_{n+1}}$ pour un certain $j_{n+1} \in \{1, \ldots, d\}$, on note $\dfrac{\partial^{n+1} f}{\partial x_{j_{n+1}} x_{j_n} \ldots \partial x_{j_1}}$ cette dérivée partielle. On verra plus loin une notation un peu plus compacte, qui se justifie lorsque l'ordre de dérivation est indifférent : c'est en particulier à cela que revient l'intérêt de la notion de différentielle d'ordre n. Commençons par le cas $n = 2$.

2.2 Différentielle seconde

Définition 2.1

Une fontion f définie sur un ouvert (non vide) U d'un $\mathbb{R}$-espace vectoriel normé E et à valeurs dans un $\mathbb{R}$-espace vectoriel normé F est dite *deux fois différentiable* en $x \in U$ si elle est différentiable dans un voisinage ouvert U_x de x et si sa différentielle $\mathrm{d}f : U_x \to \mathcal{L}(E; F)$ est différentiable en x. On dit que f est deux fois différentiable dans U si elle est deux fois différentiable en tout point de U.

Par définition, la différentielle de $\mathrm{d}f$ en x, $\mathrm{d}(\mathrm{d}f)(x)$ est une application linéaire continue de E dans $\mathcal{L}(E; F)$. Elle s'identifie naturellement avec une application bilinéaire continue sur $E \times E$, en vertu de la

Proposition 2.1

Soient E, F et G des espaces vectoriels normés. Alors les espaces $\mathcal{L}(E;\mathcal{L}(F;G))$ et $\mathcal{L}(E,F;G)$ munis des normes usuelles :

$$\|\ell\|_{\mathcal{L}(E;\mathcal{L}(F;G))} = \sup\{\, \|\ell(h)\|_{\mathcal{L}(F;G)} \,,\; \|h\|_E \leqslant 1\,\},$$

$$\|\phi\|_{\mathcal{L}(E,F;G)} = \sup\{\|\phi(h,k)\|_G \,;\; \|h\|_E \leqslant 1 \,,\; \|k\|_F \leqslant 1\}$$

sont isométriques.

Démonstration. L'isométrie « naturelle » est définie comme suit. À $\phi \in \mathcal{L}(E,F;G)$, on associe ℓ définie par

$$\ell(h) \,:\, k \mapsto \phi(h,k)\,.$$

Pour tout $h \in E$, on a $\ell(h) \in \mathcal{L}(F;G)$ avec

$$\|\ell(h)\|_{\mathcal{L}(F;G)} = \sup_{k \in F\setminus\{0\}} \frac{\|\phi(h,k)\|_G}{\|k\|_F} \leqslant \|\phi\|_{\mathcal{L}(E,F;G)}\,\|h\|_E\,,$$

et de plus $\ell \in \mathcal{L}(E;\mathcal{L}(F;G))$ avec

$$\|\ell\|_{\mathcal{L}(E;\mathcal{L}(F;G))} = \sup_{h\in E\setminus\{0\}}\ \sup_{k \in F\setminus\{0\}} \frac{\|\phi(h,k)\|_G}{\|h\|_E\|k\|_F} = \|\phi\|_{\mathcal{L}(E,F;G)}\,.$$

Inversement, à $\ell \in \mathcal{L}(E;\mathcal{L}(F;G))$ on associe

$$\phi \,:\, (h,k) \mapsto \ell(h)(k)\,.$$

C'est une application bilinéaire continue, de norme égale à celle de ℓ. On obtient bien ainsi une bijection linéaire et préservant la norme de $\mathcal{L}(E,F;G)$ sur $\mathcal{L}(E;\mathcal{L}(F;G))$ □

Définition 2.2

La *différentielle seconde* d'une fonction $f \,:\, U \subset E \to F$ deux fois différentiable est l'application

$$\begin{array}{rccc} \mathrm{d}^2 f \,: & U & \to & \mathcal{L}(E,E;F) \\ & x & \mapsto & \mathrm{d}^2 f(x) \end{array}$$

définie par $\mathrm{d}^2 f(x)\cdot(h,k) = \mathrm{d}(\mathrm{d}f)(x)\cdot h \cdot k$ pour tout $(h,k) \in E \times E$.

On peut interpréter cette définition de la façon suivante, qu'on utilise en pratique pour calculer $\mathrm{d}^2 f$. Si f est deux fois différentiable sur U, alors quel que soit $k \in E$, l'application

$$\begin{array}{rcl} g : U & \to & F \\ x & \mapsto & \mathrm{d}f(x)\cdot k \end{array}$$

est différentiable et

$$\mathrm{d}g(x)\cdot h = \mathrm{d}^2 f(x)\cdot(h,k)\,.$$

En effet, g est la composée de $\mathrm{d}f$ et de l'application linéaire continue

$$\begin{array}{rcl} \mathcal{L}(E;F) & \to & F \\ \ell & \mapsto & \ell(k)\,. \end{array}$$

Une autre interprétation utilise ce que l'on a vu sur la différentielle (première). Comme

$$\mathrm{d}(\mathrm{d}f)(x)\cdot h = \left.\frac{\mathrm{d}(\mathrm{d}f(x+th))}{\mathrm{d}t}\right|_{t=0}$$

et

$$\mathrm{d}f(x+th)\cdot k = \left.\frac{\mathrm{d}f(x+th+sk)}{\mathrm{d}s}\right|_{s=0},$$

on a

$$\mathrm{d}^2 f(x)\cdot(h,k) = \left.\left.\frac{\mathrm{d}}{\mathrm{d}t}\frac{\mathrm{d}}{\mathrm{d}s}f(x+th+sk)\right|_{s=0}\right|_{t=0}.$$

Théorème 2.1 ***Théorème de Schwarz***

Si $f : U \subset E \to F$ est deux fois différentiable en $x \in U$ alors $\mathrm{d}^2 f(x)$ est une application bilinéaire *symétrique*.

La démonstration de ce théorème repose sur le

Lemme 2.1

À une fonction $f : U \subset E \to F$ et à un point $x \in U$ on associe la fonction (définie sur un voisinage ouvert de $(0, 0)$) :

$$A : (h,k) \mapsto A(h,k) := f(x+h+k) - f(x+h) - f(x+k) + f(x)\,.$$

Si f est deux fois différentiable en x alors on a

$$\lim_{(h,k)\to(0,0)} \frac{\| A(h,k) - \mathrm{d}^2 f(x)\cdot(h,k)\|}{\|h\|^2 + \|k\|^2} = 0\,.$$

Admettons provisoirement ce lemme, et démontrons le théorème 2.1. La fonction A est clairement symétrique : $A(h,k) = A(k,h)$. Par suite, pour tout $(h,k) \in E \times E$,

$$\begin{aligned} &\mathrm{d}^2 f(x)\cdot(h,k) - \mathrm{d}^2 f(x)\cdot(k,h) \\ &\qquad = \mathrm{d}^2 f(x)\cdot(h,k) - A(h,k) + A(k,h) - \mathrm{d}^2 f(x)\cdot(k,h). \end{aligned}$$

Soit $\varepsilon > 0$. Le lemme 2.1 montre donc qu'il existe $\eta > 0$ tel que $\|h\| \leqslant \eta$ et $\|k\| \leqslant \eta$ entraîne

$$\|\mathrm{d}^2 f(x)\cdot(h,k) - \mathrm{d}^2 f(x)\cdot(k,h)\| \leqslant 2\varepsilon\,(\|h\|^2 + \|k\|^2).$$

Ceci implique, par la bilinéarité de $\mathrm{d}^2 f(x)$,

$$\mathrm{d}^2 f(x)\cdot(h,k) = \mathrm{d}^2 f(x)\cdot(k,h) \quad \text{pour tout } (h,k) \in E \times E.$$

En effet, pour tout $(h, k) \in E \times E$, il existe $\lambda > 0$ tel que $\|\lambda h\| \leqslant \eta$ et $\|\lambda k\| \leqslant \eta$, d'où

$$\|\mathrm{d}^2 f(x)\cdot(\lambda h,\lambda k) - \mathrm{d}^2 f(x)\cdot(\lambda k,\lambda h)\| \leqslant 2\varepsilon\,\lambda^2\,(\|h\|^2 + \|k\|^2)$$

et donc, en simplifiant par λ^2,

$$\|\mathrm{d}^2 f(x)\cdot(h,k) - \mathrm{d}^2 f(x)\cdot(k,h)\| \leqslant 2\varepsilon\,(\|h\|^2 + \|k\|^2).$$

Cette inégalité étant vraie quel que soit $\varepsilon > 0$, on en déduit

$$\|\mathrm{d}^2 f(x)\cdot(h,k) - \mathrm{d}^2 f(x)\cdot(k,h)\| = 0.$$

DÉMONSTRATION DU LEMME 2.1. L'ingrédient essentiel est le théorème des accroissements finis. Notons

$$\begin{gathered} B(h,k) = A(h,k) - \mathrm{d}^2 f(x)\cdot(h,k) = \\ f(x+h+k) - f(x+h) - f(x+k) + f(x) - \mathrm{d}^2 f(x)\cdot(h,k). \end{gathered}$$

La fonction B ainsi définie est différentiable par rapport à sa seconde variable au voisinage de $(0, 0)$, et pour tout $k' \in E$,

$$\begin{aligned} \mathrm{d}_2 B(h,k)\cdot k' &= \mathrm{d}f(x+h+k)\cdot k' - \mathrm{d}f(x+k)\cdot k' - \mathrm{d}^2 f(x)\cdot(h,k') = \\ &\quad \mathrm{d}f(x+h+k)\cdot k - \mathrm{d}f(x)\cdot k - \mathrm{d}^2 f(x)\cdot(h+k,k) \\ &\quad + \mathrm{d}f(x)\cdot k - \mathrm{d}f(x+k)\cdot k + \mathrm{d}^2 f(x)\cdot(k,k). \end{aligned}$$

Soit $\varepsilon > 0$. Par définition de $\mathrm{d}^2 f$, il existe $\eta > 0$ tel que pour tout $h' \in E$ tel que $\|h'\| \leqslant \eta$ et pour tout $k' \in E$,

$$\|\,\mathrm{d}f(x+h')\cdot k' - \mathrm{d}f(x)\cdot k' - \mathrm{d}^2 f(x)\cdot(h',k')\,\| \leqslant \varepsilon\|h'\|\,\|k'\|.$$

Pour tout $(h, k) \in E \times E$ tel que $\|h\| \leqslant \eta/2$ et $\|k\| \leqslant \eta/2$, on peut appliquer cette inégalité à $h' = h + k$ et à $h' = k$. On en déduit par l'inégalité triangulaire que

$$\| \mathrm{d}_2 B(h,k) \cdot k' \| \leqslant 2\,\varepsilon\,(\|h\| + \|k\|)\,\|k\| \quad \text{pour tout } k' \in E\,,$$

c'est-à-dire

$$|||\mathrm{d}_2 B(h,k)||| \leqslant 2\,\varepsilon\,(\|h\| + \|k\|)\,.$$

Le théorème des accroissements finis appliqué à $y \mapsto B(h,y)$ sur le segment $[0,k]$ montre alors (d'après la remarque p. 31) que

$$\|B(h,k)\| = \|B(h,k) - B(h,0)\| \leqslant 2\,\varepsilon\,(\|h\| + \|k\|)\,\|k\|$$

si $\|h\| \leqslant \eta/2$ et $\|k\| \leqslant \eta/2$. On conclut en majorant (grossièrement) $(\|h\| + \|k\|)\,\|k\|$ par $2(\|h\|^2 + \|k\|^2)$. □

Exemples de différentielles secondes

- Une application *affine* $f : x \mapsto \ell(x) + b$ avec $\ell \in \mathcal{L}(E; F)$ et $b \in F$ est deux fois différentiable et sa différentielle seconde est identiquement nulle.
- Une application *quadratique* $f : x \mapsto \phi(x,x)$ avec $\phi \in \mathcal{L}(E,E; F)$ est deux fois différentiable et sa différentielle seconde est constante (égale à 2ϕ si ϕ est symétrique).

En dimension finie

Supposons ici que $E = \mathbb{R}^d$ et soit $(\mathrm{e}_1, \ldots, \mathrm{e}_d)$ la base « canonique ». Si f est deux fois différentiable sur un ouvert $U \subset \mathbb{R}^d$, alors on a pour tout $x \in U$, pour tous i, $j \in \{1, \ldots, d\}$,

$$\mathrm{d}^2 f(x) \cdot (\mathrm{e}_i, \mathrm{e}_j) = \frac{\partial^2 f}{\partial x_i x_j}(x)\,.$$

Le théorème de Schwarz montre que « les dérivées partielles croisées sont égales », c'est-à-dire

$$\frac{\partial^2 f}{\partial x_i \partial x_j} = \frac{\partial^2 f}{\partial x_j \partial x_i}$$

pour tous $i, j \in \{1, \ldots, d\}$.

En particulier, si f est à valeurs scalaires, sa matrice hessienne est symétrique. De plus, $\mathrm{d}^2 f(x)$ étant dans ce cas une *forme bilinéaire*, $\mathrm{Hess} f(x)$ n'est autre que sa matrice (au sens des formes bilinéaires donc!). En effet, que f soit scalaire ou pas, si h et k sont deux vecteurs de $\mathbb{R}^d$ de composantes $(h_1, \ldots, h_d)$ et $(k_1, \ldots, k_d)$ respectivement, on a par bilinéarité,

$$\mathrm{d}^2 f(x) \cdot (h,k) = \sum_{i=1}^{d} \sum_{j=1}^{d} h_i\, k_j\, \frac{\partial^2 f}{\partial x_i\, \partial x_j}(x)\,.$$

Si f est scalaire, ceci s'écrit aussi :

$$\mathrm{d}^2 f(x) \cdot (h,k) = \langle h, \operatorname{Hess} f(x)\, k\rangle ,$$

où $\langle\cdot,\cdot\rangle$ désigne le produit scalaire « canonique » de $\mathbb{R}^d$.

Le plus souvent (par exemple dans les formules de Taylor que l'on verra dans la partie 2.4), on considère surtout $\mathrm{d}^2 f(x) \cdot (h,h)$. Grâce à l'égalité des dérivées croisées, on peut alors regrouper les termes et écrire de façon équivalente

$$\mathrm{d}^2 f(x) \cdot (h,h) = \sum_{i=1}^{d} h_i^2 \frac{\partial^2 f}{\partial x_i^2}(x) + 2 \sum_{1\leqslant i<j\leqslant d} h_i\, h_j \frac{\partial^2 f}{\partial x_i\, \partial x_j}(x) ,$$

où

$$\frac{\partial^2 f}{\partial x_i^2} := \frac{\partial^2 f}{\partial x_i \partial x_i} .$$

2.3 Différentielle d'ordre *n*

Pour les entiers $n \geqslant 2$, on définit par récurrence les notions suivantes, qui généralisent de façon évidente le cas $n = 2$.

Définition 2.3

Soit une fonction f définie sur un ouvert (non vide) U d'un $\mathbb{R}$-espace vectoriel normé E et à valeurs dans un $\mathbb{R}$-espace vectoriel normé F, et n un entier au moins égal à 2. On dit qu'elle est

- n *fois différentiable* en $x \in U$ si elle est différentiable dans un voisinage ouvert U_x de x et si sa différentielle $\mathrm{d}f : U_x \to \mathcal{L}(E; F)$ est $(n-1)$ fois différentiable en x,
- n fois différentiable dans U si elle est n fois différentiable en tout point de U,
- de classe $\mathcal{C}^n$ si sa différentielle est de classe $\mathcal{C}^{n-1}$,
- de classe $\mathcal{C}^\infty$ si elle est de classe $\mathcal{C}^n$ pour tout $n \geqslant 1$.

Exemple

Les applications linéaires continues et plus généralement les applications k-linéaires continues sont de classe $\mathcal{C}^\infty$.

En effet, le cas $k = 1$ est clair : si $u \in \mathcal{L}(E; F)$, elle est de classe $\mathcal{C}^1$ et sa différentielle est constante (partout égale à u), donc de classe $\mathcal{C}^\infty$ (les différentielles successives sont toutes identiquement nulles). Voyons le cas $k = 2$. Si $\phi \in \mathcal{L}(E_1,E_2; F)$ alors

$$\mathrm{d}\phi(x_1,x_2) \cdot (h_1,h_2) = \phi(x_1,h_2) + \phi(h_1,x_2) ,$$
$$\mathrm{d}(\mathrm{d}\phi)(x_1,x_2) \cdot (h_1,h_2) \cdot (k_1,k_2) = \phi(k_1,h_2) + \phi(h_1,k_2) ,$$

c'est-à-dire que $\mathrm{d}(\mathrm{d}\phi)$ est constante. Donc les différentielles suivantes sont toutes identiquement nulles. Le cas général se traite par récurrence; il est laissé en exercice.

Remarque 2.1

Comme on peut s'y attendre, la notion de fonction n fois différentiable est plus forte que celle de fonction $(n-1)$ fois différentiable, et la notion de fonction de classe $\mathcal{C}^n$ est plus forte que celle de fonction de classe $\mathcal{C}^{n-1}$. Autrement dit, si f est n fois différentiable, elle est *a fortiori* $(n-1)$ fois différentiable; si f est de classe $\mathcal{C}^n$, elle est *a fortiori* de classe $\mathcal{C}^{n-1}$. La preuve repose sur une récurrence facile.

Dans l'énoncé suivant, E, F et G sont des espaces de Banach, U est un ouvert de E et V est un ouvert de F contenant $f(U)$.

Théorème 2.2

Si $f : U \subset E \to F$ est n fois différentiable en $x \in U$ et $g : V \subset F \to G$ est n fois différentiable en $y = f(x) \in V$, alors $g \circ f$ est n fois différentiable en x. Si f est de classe $\mathcal{C}^n$ sur U et g est de classe $\mathcal{C}^n$ sur V alors $g \circ f$ est de classe $\mathcal{C}^n$.

DÉMONSTRATION. Le cas $n = 1$ résulte du théorème 1.1 (page 25) et du fait que l'application

$$\mathrm{d}(g \circ f) : x \mapsto \mathrm{d}g(f(x)) \circ \mathrm{d}f(x)\cdot$$

est continue si $\mathrm{d}f$ et $\mathrm{d}g$ sont continues, comme composée de

$$x \mapsto (\mathrm{d}g(f(x)), \mathrm{d}f(x)) \in \mathcal{L}(F; G) \times \mathcal{L}(E; F) \quad \text{et} \quad (v,u) \mapsto v \circ u\,.$$

(Notons que la seconde application est bilinéaire continue.)

Le cas général se traite par récurrence sur n. Supposons les propriétés démontrées jusqu'à l'entier $n-1$. Si f et g sont n fois différentiables en x et $f(x)$ respectivement, alors $\mathrm{d}f$ est $(n-1)$ fois différentiable en x, de même que $x \mapsto \mathrm{d}g(f(x))$ comme composée de $\mathrm{d}g$ et f (en appliquant l'hypothèse de récurrence). En observant que l'application bilinéaire continue

$$(v,u) \in \mathcal{L}(F; G) \times \mathcal{L}(E; F) \mapsto v \circ u$$

est de classe $\mathcal{C}^\infty$ et en appliquant à nouveau l'hypothèse de récurrence, on en déduit que $\mathrm{d}(g \circ f)$ est $(n-1)$ fois différentiable en x. Cela signifie précisément que $g \circ f$ est n fois différentiable en x. Le raisonnement est identique pour montrer que $g \circ f$ est de classe $\mathcal{C}^n$ si f et g le sont. □

Théorème 2.3

Si f est un difféomorphisme de U sur V et si f est de classe $\mathcal{C}^n$ alors f^{-1} est aussi de classe $\mathcal{C}^n$.

DÉMONSTRATION. Au vu de la définition 1.4 il n'y a rien à démontrer dans le cas $n = 1$. Le cas $n \geqslant 2$ se traite par récurrence, en utilisant la formule

$$\mathrm{d}(f^{-1})(y) = \big(\mathrm{d}f(f^{-1}(y))\big)^{-1}$$

et le

Lemme 2.2

L'application

$$\begin{array}{ccc} \mathrm{Isom}(E;F) & \to & \mathrm{Isom}(F;E) \\ u & \mapsto & u^{-1} \end{array}$$

est de classe $\mathcal{C}^\infty$.

Admettons provisoirement ce lemme et supposons démontré que la réciproque de tout difféomorphisme de classe $\mathcal{C}^{n-1}$ est de classe $\mathcal{C}^{n-1}$. Soit f un difféomorphisme de classe $\mathcal{C}^n$. Alors par définition, $\mathrm{d}f$ est de classe $\mathcal{C}^{n-1}$, et d'après l'hypothèse de récurrence f^{-1} est de classe $\mathcal{C}^{n-1}$ (au moins). Donc le théorème 2.2 montre que l'application $y \mapsto \mathrm{d}f(f^{-1}(y))$ est de classe $\mathcal{C}^{n-1}$, et grâce au lemme 2.2, le même théorème montre que $y \mapsto \big(\mathrm{d}f(f^{-1}(y))\big)^{-1}$ est de classe $\mathcal{C}^{n-1}$. □

DÉMONSTRATION DU LEMME 2.2. On sait déjà (voir l'exercice 1.13) que l'application $\Theta : u \mapsto u^{-1}$ est différentiable et $\mathrm{d}\Theta(u)\cdot h = -\Theta(u)\circ h\circ\Theta(u)$, c'est-à-dire que $\mathrm{d}\Theta(u) = \phi(\Theta(u),\Theta(u))$, où ϕ est l'application bilinéaire continue, et donc de classe $\mathcal{C}^\infty$,

$$\begin{array}{cccc} \phi : & \mathcal{L}(F;E)\times\mathcal{L}(F;E) & \to & \mathcal{L}(\mathcal{L}(E;F);\mathcal{L}(F;E)) \\ & (v,w) & \mapsto & (h \mapsto -v\circ h\circ w) \end{array}.$$

On en déduit par récurrence en faisant appel au théorème 2.2 que Θ est de classe $\mathcal{C}^\infty$. □

On va maintenant définir la différentielle d'ordre n de façon à généraliser la notion de différentielle seconde. Si f est n fois différentiable en x, sa différentielle d'ordre n au point x sera une application n-linéaire symétrique.

Définition

Soient E et F des $\mathbb{R}$-espaces vectoriels normés, et $\mathcal{L}_n(E;F)$ l'espace des applications n-linéaires continues sur E^n. Une application $\phi \in \mathcal{L}_n(E;F)$ est dite *symétrique* si pour toute permutation σ de l'ensemble $\{1,\ldots,n\}$ et pour tout n-uplet $(x_1,\ldots,x_n) \in E^n$,

$$\phi(x_{\sigma(1)},\ldots,x_{\sigma(n)}) = \phi(x_1,\ldots,x_n)\,.$$

Comme signalé en préambule, on notera $\mathcal{L}_n^s(E;F)$ l'espace des applications n-linéaires continues et symétriques sur E^n.

Remarque 2.2

Pour vérifier qu'une application n-linéaire est symétrique, il suffit de vérifier son invariance par les *transpositions* qui échangent i et $i+1$ avec $i \leqslant n-1$ et par celle qui échange 1 et n.

Théorème 2.4

Une fonction $f : U \subset E \to F$ est n fois différentiable au point $x \in U$ si et seulement s'il existe un voisinage ouvert U_x de x dans U, des fonctions $\mathrm{d}^p f : U_x \to \mathcal{L}^s_p(E; F)$ pour $p \leqslant n-1$ et $\mathrm{d}^n f(x) \in \mathcal{L}^s_n(E; F)$ telles que $\mathrm{d}^1 f = \mathrm{d}f$ dans U_x, pour tout $p \leqslant n-2$, $\mathrm{d}^p f$ est différentiable sur U_x, avec pour tout $y \in U_x$ et pour tout $(h_1,\ldots,h_{p+1}) \in E^{p+1}$:

$$\mathrm{d}^{p+1} f(y) \cdot (h_1,\ldots,h_{p+1}) = \mathrm{d}_{p+1} g^{[p]}(h_1,\ldots,h_p,y) \cdot h_{p+1}$$

où

$$g^{[p]}(h_1,\ldots,h_p,y) := \mathrm{d}^p f(y) \cdot (h_1,\ldots,h_p),$$

et enfin $\mathrm{d}^{n-1} f$ est différentiable en x et

$$\mathrm{d}^n f(x) \cdot (h_1,\ldots,h_n) = \mathrm{d}_n g^{[n-1]}(h_1,\ldots,h_{n-1},x) \cdot h_n$$

où

$$g^{[n-1]}(h_1,\ldots,h_{n-1},y) := \mathrm{d}^{n-1} f(y) \cdot (h_1,\ldots,h_{n-1}).$$

Démonstration. Le cas $n = 1$ est évident. Le cas $n = 2$ résulte de la définition 2.2 de la différentielle seconde et du théorème de Schwarz (théorème 2.1). Le reste de la démonstration se fait bien sûr par récurrence.

Par souci de clarté, voyons le cas $n = 3$. Il y a deux sens à démontrer. Supposons que f soit 3 fois différentiable en x : d'après la définition 2.3, il existe un voisinage ouvert U_x de x telle que $\mathrm{d}f$ soit définie sur U_x et deux fois différentiable en x.

En particulier, $\mathrm{d}f$ est différentiable sur U_x, ce qui montre que f est deux fois différentiable sur U_x (d'après la définition 2.2), et sa différentielle seconde $\mathrm{d}^2 f$ est une application de U_x dans $\mathcal{L}^s_2(E; F)$ d'après le théorème de Schwarz, telle que

$$\mathrm{d}^2 f(y) \cdot (h_1,h_2) = \mathrm{d}_2 g^{[1]}(h_1,y) \cdot h_2 \quad \text{où } g^{[1]}(h_1,y) = \mathrm{d}f(y) \cdot h_1 .$$

On aura montré les propriétés voulues pour $n = 3$ si l'on prouve que $\mathrm{d}^2 f$ est différentiable en x et que $\mathrm{d}^3 f(x) \cdot (h_1,h_2,h_3) = \mathrm{d}_3 g^{[2]}(h_1,h_2,x) \cdot h_3$, avec $g^{[2]}(h_1,h_2,y) := \mathrm{d}^2 f(y) \cdot (h_1,h_2)$, définit bien $\mathrm{d}^3 f(x) \in \mathcal{L}^s_3(E; F)$.

Or, pour tout $y \in U_x$, on a $\mathrm{d}^2 f(y) = \mathfrak{I}\big(\mathrm{d}(\mathrm{d}f)(y)\big)$ où $\mathfrak{I}$ désigne l'isomorphisme naturel :

$$\begin{array}{rcl} \mathfrak{I} : \mathcal{L}(E; \mathcal{L}(E; F)) & \to & \mathcal{L}_2(E; F) \\ \ell & \mapsto & \big((h,k) \mapsto \ell(h)(k)\big). \end{array}$$

Comme $\mathrm{d}f$ est deux fois différentiable en x (par hypothèse), on en déduit par composition que $\mathrm{d}^2 f$ est différentiable en x et (en se rappelant que $\mathcal{I}$ est linéaire donc de différentielle constamment égale à $\mathcal{I}$) :

$$\mathrm{d}(\mathrm{d}^2 f)(x) = \mathcal{I} \circ \mathrm{d}(\mathrm{d}(\mathrm{d}f))(x).$$

D'un point de vue un peu différent, on a pour tout $y \in U_x$:

$$g^{[2]}(h_1,h_2,y) = \mathrm{d}^2 f(y) \cdot (h_1,h_2) = \mathcal{E}_{(h_1,h_2)}\big(\mathrm{d}(\mathrm{d}f)(y)\big),$$

où

$$\begin{array}{rccl} \mathcal{E}_{(h_1,h_2)} : & \mathcal{L}(E;\mathcal{L}(E;F)) & \to & F \\ & \ell & \mapsto & \ell(h_1)(h_2). \end{array}$$

Par dérivation de fonctions composées on a donc

$$\mathrm{d}_3 g^{[2]}(h_1,h_2,x) \cdot h_3 = (\mathrm{d}(\mathrm{d}(\mathrm{d}f)))(x) \cdot h_3 \cdot h_1 \cdot h_2.$$

Dans cette dernière expression, on peut échanger h_1 et h_2 d'après le théorème de Schwarz appliqué à f (et qui montre que $g(y) = \mathcal{E}_{(h_2,h_1)}(\mathrm{d}(\mathrm{d}f)(y))$), et on peut échanger h_3 et h_1 d'après le théorème de Schwarz appliqué à $\mathrm{d}f$.

Inversement, si f satisfait les propriétés énoncées pour $n = 3$, alors f est deux fois différentiable, $\mathrm{d}f$ est différentiable sur U_x, et $\mathrm{d}^2 f$ est différentiable en x. Ceci implique que $\mathrm{d}f$ est deux fois différentiable en x, car en notant $\mathcal{J} = \mathcal{I}^{-1}$ l'isomorphisme :

$$\begin{array}{rccl} \mathcal{J} : & \mathcal{L}_2(E;F) & \to & \mathcal{L}(E;\mathcal{L}(E;F)) \\ & \phi & \mapsto & (h \mapsto \phi(h,\cdot)). \end{array}$$

on a $\mathrm{d}(\mathrm{d}f)(y) = \mathcal{J}(\mathrm{d}^2 f(y))$ pour tout $y \in U_x$ et donc $\mathrm{d}(\mathrm{d}f)$ est différentiable comme fonction composée de fonctions différentiables.

Ceci termine le cas $n = 3$. Le passage de n à $n+1$ se traite de façon analogue, il est laissé en exercice. □

En dimension finie

Si f est n fois différentiable sur un ouvert $U \subset \mathbb{R}^d$ alors elle admet des dérivées partielles jusqu'à l'ordre n, et si $j_1,\dots j_n \in \{1,\dots,d\}$,

$$\mathrm{d}^n f(x) \cdot (\mathrm{e}_{j_1},\dots,\mathrm{e}_{j_n}) = \frac{\partial^n f}{\partial x_{j_n} \dots \partial x_{j_1}},$$

où $(\mathrm{e}_1,\dots,\mathrm{e}_d)$ est toujours la base canonique de $\mathbb{R}^d$. L'ordre de dérivation est indifférent puisque $\mathrm{d}^n f(x)$ est symétrique. C'est pourquoi il est d'usage de regrouper les indices $j_1,\dots j_n$ égaux. On écrit alors

$$\frac{\partial^n f}{\partial x_{j_n} \dots \partial x_{j_1}} = \frac{\partial^n f}{\partial x_1^{\alpha_1} \dots \partial x_d^{\alpha_d}},$$

où α_i est le nombre d'indices j_k valant i, pour tout $i \in \{1,\dots,d\}$. Si α_i est nul on omet d'écrire ∂x_i. Noter que par définition, $\alpha_1 + \dots + \alpha_d = n$. Par multilinéarité et symétrie on a pour tout $h \in \mathbb{R}^d$ de composantes $(h_1,\ldots,h_d)$,

$$\mathrm{d}^n f(x)\cdot(h,\ldots,h) = \sum_{j_1=1}^{d}\cdots\sum_{j_n=1}^{d} h_{j_1}\cdots h_{j_n}\,\frac{\partial^n f}{\partial x_{j_n}\ldots\partial x_{j_1}}$$
$$= \sum_{\alpha_1+\cdots+\alpha_d=n} \frac{n!}{\alpha_1!\cdots\alpha_d!}\,h_1^{\alpha_1}\cdots h_d^{\alpha_d}\,\frac{\partial^n f}{\partial x_1^{\alpha_1}\ldots\partial x_d^{\alpha_d}}$$

Les coefficients en facteur ci-dessus sont le résultat d'un dénombrement. Ce sont les mêmes que dans la *formule du multinôme*

$$(X_1+\cdots+X_d)^n = \sum_{\substack{1\leqslant\alpha_1,\ldots,\alpha_d\leqslant n\\ \alpha_1+\cdots+\alpha_d=n}} \frac{n!}{\alpha_1!\cdots\alpha_d!}\,X_1^{\alpha_1}\cdots X_d^{\alpha_d}\,,$$

qui généralise la *formule du binôme*

$$(X+Y)^n = \sum_{\substack{1\leqslant\alpha,\beta\leqslant n\\ \alpha+\beta=n}} \frac{n!}{\alpha!\,\beta!}\,X^{\alpha}Y^{\beta}\,.$$

2.4 Formules de Taylor

2.4.1 Formule de Taylor avec reste intégral

Les formules de Taylor de type *global* (avec reste intégral ou de Lagrange) sont fondées sur un calcul simple concernant les fonctions d'une variable réelle.

Lemme 2.3

Soit I un intervalle ouvert de $\mathbb{R}$, F un espace de Banach et $g : I \to F$ une fonction $(n+1)$ fois dérivable. On note $g^{(p)}$ ses dérivées successives, $p \in \{1,\ldots,n+1\}$. Alors pour tout $t \in I$ on a :

$$\frac{\mathrm{d}}{\mathrm{d}t}\left(g(t) + \sum_{p=1}^{n}\frac{(1-t)^p}{p!}\,g^{(p)}(t)\right) = \frac{(1-t)^n}{n!}\,g^{(n+1)}(t)\,.$$

Démonstration. En dérivant terme à terme, on trouve :

$$\frac{\mathrm{d}}{\mathrm{d}t}\left(g'(t) + \sum_{p=1}^{n}\frac{(1-t)^p}{p!}\,g^{(p+1)}(t) - \sum_{p=1}^{n}\frac{(1-t)^{p-1}}{(p-1)!}\,g^{(p)}(t)\right)$$
$$= \sum_{p=0}^{n}\frac{(1-t)^p}{p!}\,g^{(p+1)}(t) - \sum_{p=0}^{n-1}\frac{(1-t)^p}{p!}\,g^{(p+1)}(t)$$

par un simple changement d'indice. Tous les termes se compensent deux à deux sauf le dernier de la première somme. □

En fait, on va obtenir la formule de Taylor avec reste intégral grâce à une « version intégrale » du lemme 2.3. Avant cela, il faut s'accorder sur la notion d'intégrale pour les fonctions à valeurs dans F. Comme on n'intégrera que des fonctions continues, la notion d'intégrale au sens de Riemann nous suffira. Résumons-en les propriétés importantes, qu'on laisse au lecteur le soin de vérifier.

Proposition 2.2

Soient $a,b \in \mathbb{R}$, $a \leqslant b$, et F un espace de Banach. Alors l'*intégrale de Riemann* sur le segment $[a, b]$ définit une application linéaire continue sur l'espace $\mathcal{C}([a, b]; F)$ des fonctions continues sur $[a, b]$ et à valeurs dans F, muni de la norme sup. Pour tout $g \in \mathcal{C}([a, b]; F)$, l'intégrale de Riemann de g sur le segment $[a, b]$, notée $\int_a^b g(t)\,\mathrm{d}t$, vérifie l'inégalité :

$$\left\| \int_a^b g(t)\,\mathrm{d}t \right\| \leqslant \int_a^b \|g(t)\|\,\mathrm{d}t \leqslant (b-a) \max_{t\in[a,b]} \|g(t)\|\,.$$

Quels que soient $x,y \in [a,b]$, on a par définition

$$\int_x^y g(t)\,\mathrm{d}t = -\int_y^x g(t)\,\mathrm{d}t$$

(et donc $\int_x^x g(t)\,\mathrm{d}t = 0$), et l'on a la *relation de Chasles* :

$$\int_x^y g(t)\,\mathrm{d}t = \int_x^z g(t)\,\mathrm{d}t + \int_z^y g(t)\,\mathrm{d}t$$

pour tout $z \in [a, b]$. De plus, l'application $y \mapsto \int_x^y g(t)\,\mathrm{d}t$ est dérivable et sa dérivée est g. Inversement, pour toute primitive G de g, on a

$$G(y) - G(x) = \int_x^y g(t)\,\mathrm{d}t\,.$$

Si F est de dimension finie, $F = \mathbb{R}^q$ pour simplifier, $\int_a^b g(t)\,\mathrm{d}t$ est simplement le vecteur dont les composantes sont $\int_a^b g_i(t)\,\mathrm{d}t$ où les g_i pour $i \in \{1,\ldots,q\}$ sont les composantes de g dans la base « canonique ».

On a ainsi une conséquence immédiate du lemme 2.3 :

Corollaire 2.1

Si I est un intervalle ouvert de $\mathbb{R}$ contenant $[0, 1]$, F un espace de Banach et $g : I \to F$ une fonction de classe $\mathcal{C}^{n+1}$, alors

$$g(1) - g(0) - \sum_{p=1}^{n} \frac{1}{p!}\, g^{(p)}(0) = \int_0^1 \frac{(1-t)^n}{n!}\, g^{(n+1)}(t)\,\mathrm{d}t\,. \qquad (2.1)$$

Le corollaire 2.1 a lui-même un corollaire pour les fonctions de classe $\mathcal{C}^{n+1}$ sur un ouvert d'un espace de Banach.

Notation

Pour tout $h \in E$ et $n \in \mathbb{N}^*$, on désigne simplement par $h^{[n]}$ le n-uplet de vecteurs tous égaux à h. (Ceci permet de lever l'ambigüité quand au nombre de répétitions dans la notation $(h,\ldots,h)$.)

Théorème 2.5

Si U est un ouvert d'un espace de Banach E, si F est un espace de Banach et $f : U \to F$ est une fonction de classe $\mathcal{C}^{n+1}$, alors, pour tout $(x,h) \in U \times E$ tel que le segment $[x,x+h]$ soit inclus dans U,

$$f(x+h) = f(x) + \sum_{p=1}^{n} \frac{1}{p!} \, \mathrm{d}^p f(x) \cdot h^{[p]} + \int_0^1 \frac{(1-t)^n}{n!} \, \mathrm{d}^{n+1} f(x+th) \cdot h^{[n+1]} \, \mathrm{d}t \, . \qquad (2.2)$$

Démonstration. On applique la formule (2.1) à la fonction

$$g : t \mapsto g(t) := f(x + t\,h) \, .$$

□

La formule (2.2) est ce qu'on appelle la *formule de Taylor avec reste intégral* à l'ordre $n+1$. En particulier, on a à l'ordre 1 :

$$f(x+h) = f(x) + \int_0^1 \mathrm{d}f(x+th) \cdot h \, \mathrm{d}t \, .$$

On peut remarquer que cette formule implique l'inégalité des acroissements finis, sous une hypothèse cependant plus forte (f de classe $\mathcal{C}^1$) que dans le théorème des acroissements finis vu au chapitre 1.2. (On verra ci-après une généralisation à l'ordre $n+1$ de l'inégalité des acroissements finis, connue sous le nom de formule de Taylor-Lagrange, qui demande seulement à f d'être $(n+1)$ fois différentiable.) La formule à l'ordre 2 (c'est-à-dire (2.2) avec $n = 1$) s'écrit quant à elle :

$$f(x+h) = f(x) + \mathrm{d}f(x) \cdot h + \int_0^1 (1-t) \, \mathrm{d}^2 f(x+th) \cdot (h,h) \, \mathrm{d}t \, .$$

2.4.2 Formule de Taylor-Lagrange

Une autre façon d'exploiter le lemme 2.3 est contenue dans la

Proposition 2.3

Si I est un intervalle ouvert de $\mathbb{R}$ contenant [0, 1], F un espace de Banach et $g : I \to F$ une fonction $(n+1)$ fois différentiable telle que

$$\|g^{(n+1)}(t)\| \leqslant M\,, \quad \text{pour tout } t \in [0,1]\,,$$

alors

$$\left\| g(1) - g(0) - \sum_{p=1}^{n} \frac{1}{p!}\, g^{(p)}(0) \right\| \leqslant \frac{M}{(n+1)!}\,.$$

DÉMONSTRATION. On applique le théorème 1.4 (page 31, version raffinée du théorème des accroissements finis) à

$$f(t) := g(t) + \sum_{p=1}^{n} \frac{(1-t)^p}{p!}\, g^{(p)}(t) \quad \text{et} \quad \varphi(t) := -M\,\frac{(1-t)^{n+1}}{(n+1)!}\,.$$

Le lemme 2.3 montre en effet que

$$\|f'(t)\| \leqslant \varphi'(t) \quad \text{pour tout } t\,.$$

□

Cette proposition se traduit pour les fonctions $(n+1)$ fois différentiables sur un ouvert d'espace de Banach par le

Théorème 2.6

Si U est un ouvert d'un espace de Banach E, si F est un espace de Banach, si $(x,h) \in U \times E$ est tel que le segment $[x, x+h]$ soit inclus dans U, et si $f : U \to F$ est une fonction $(n+1)$ fois différentiable telle que

$$\max_{y \in [x,x+h]} \|\mathrm{d}^{n+1} f(y)\|_{\mathcal{L}_{n+1}(E;F)} \leqslant M\,,$$

alors

$$\left\| f(x+h) - f(x) - \sum_{p=1}^{n} \frac{1}{p!}\, \mathrm{d}^p f(x) \cdot h^{[p]} \right\| \leqslant \frac{M}{(n+1)!}\, \|h\|^{n+1}\,. \quad (2.4)$$

DÉMONSTRATION. On applique la proposition 2.3 à la fonction

$$g : t \mapsto g(t) := f(x + t\,h)\,.$$

□

L'inégalité (2.4), qui généralise l'inégalité des acroissements finis, est connue sous le nom de formule de *Taylor avec reste de Lagrange*, le reste en question étant seulement connu à travers une majoration, contrairement au reste intégral, qui est *exact*. Lorsque f est de classe $\mathcal{C}^{n+1}$, (2.4) est une conséquence immédiate de la formule de Taylor avec reste intégral (2.2).

2.4.3 Formule de Taylor-Young

Voyons une dernière version de la formule de Taylor, valable sous des hypothèses encore moins fortes, et qui pour cette raison donne un résultat *local* seulement.

Théorème 2.7

Si U est un ouvert d'un espace de Banach E, si F est un espace de Banach, si $f : U \to F$ est une fonction n fois différentiable en $x \in U$ alors

$$\left\| f(x+h) - f(x) - \sum_{p=1}^{n} \frac{1}{p!} \, \mathrm{d}^p f(x) \cdot h^{[p]} \right\| = o(\|h\|^n) \, .$$

Dans cet énoncé la *notation de Landau o* (qu'on lit « petit o de ») signifie que le membre de gauche divisé par $\|h\|^n$ tend vers 0 lorsque h tend vers 0. Il s'agit donc d'un résultat *local*, qui donne des renseignements sur le comportement de f au voisinage de x seulement.

Démonstration. Il n'y a rien à faire dans le cas $n = 1$: c'est la définition de la différentiabilité, reformulée à l'aide de o. On procède ensuite par récurrence. Soit $n \geqslant 2$. On suppose le théorème démontré pour les fonctions $(n-1)$ fois différentiables en un point. Si f est n fois différentiable en x, considérons la fonction

$$F : h \mapsto f(x+h) - f(x) - \sum_{p=1}^{n} \frac{1}{p!} \, \mathrm{d}^p f(x) \cdot (h^{[p]}) \, .$$

Alors F est différentiable au voisinage de 0_E et

$$\begin{aligned} \mathrm{d}F(h) \cdot k &= \mathrm{d}f(x+h) \cdot k - \mathrm{d}f(x) \cdot k - \sum_{p=2}^{n} \frac{p}{p!} \, \mathrm{d}^p f(x) \cdot (h^{[p-1]}, k) \\ &= \mathrm{d}f(x+h) \cdot k - \mathrm{d}f(x) \cdot k - \sum_{p=1}^{n-1} \frac{1}{p!} \, \mathrm{d}^p (\mathrm{d}f)(x) \cdot h^{[p]} \cdot k \end{aligned}$$

quel que soit $k \in E$. L'hypothèse de récurrence appliquée à la différentielle de f montre que

$$|||\mathrm{d}F(h)||| = o(\|h\|^{n-1}) \, .$$

Cela signifie que pour tout $\varepsilon > 0$, il existe $\eta > 0$ tel que $\|h\| \leqslant \eta$ implique

$$|||\mathrm{d}F(h)||| \leqslant \varepsilon \|h\|^{n-1}.$$

Ainsi $|||\mathrm{d}F(y)||| \leqslant \varepsilon \|h\|^{n-1}$ pour tout y appartenant au segment $[0, h]$. Grâce au théorème des acroissements finis on en déduit :

$$\|F(h)\| = \|F(h) - F(0)\| \leqslant \varepsilon \|h\| \, \|h\|^{n-1},$$

c'est-à-dire $\|F(h)\| = o(\|h\|^n)$. □

Lorsque f a un cran de plus de régularité, et plus exactement lorsqu'elle est de classe $\mathcal{C}^{n+1}$, la formule de Taylor-Young (2.5) est une conséquence immédiate de la formule de Taylor-Lagrange (2.4) ; dans ce cas le $o(\|h\|^n)$ est même un $O(\|h\|^{n+1})$ (qu'on lit « grand o de » ...).

La série (formelle)

$$\sum_p \frac{1}{p!} \mathrm{d}^p f(x) \cdot h^{[p]}$$

est appelée *série de Taylor* de f au point x. Attention, rien ne dit qu'elle converge *a priori*, « et nous ajouterons que, dans plusieurs cas, le théorème de TAYLOR semble fournir le développement d'une fonction en série convergente, quoique la somme de la série diffère essentiellement de la fonction proposée» (Cauchy, trente-huitième leçon de calcul infinitésimal). Pour s'en convaincre, il suffit de considérer l'exemple donné par Cauchy lui-même : en langage moderne, la fonction $x \mapsto \mathrm{e}^{-1/x^2}$ admet un prolongement de classe $\mathcal{C}^\infty$, dont tous les coefficients de la série de Taylor en zéro sont nuls (« s'évanouissent l'un après l'autre », disait Cauchy), et pour autant cette fonction n'est pas nulle. Aujourd'hui, une fonction dont la série de Taylor converge et coïncide avec la somme de cette série est dite *analytique* [12, chap. VI]. Par exemple, les fonctions polynomiales et la fonction exponentielle sont analytiques.

Toutes les fonctions $\mathcal{C}^\infty$ ne sont pas analytiques, comme on vient de le voir. En revanche, il est juste de dire qu'une fonction de classe $\mathcal{C}^\infty$ admet un *développement limité* à tout ordre, fourni par les sommes partielles de sa série de Taylor. En effet, la formule d'approximation de Taylor-Young (2.5),

$$f(x+h) = f(x) + \sum_{p=1}^{n} \frac{1}{p!} \mathrm{d}^p f(x) \cdot h^{[p]} + o(\|h\|^n),$$

signifie précisément que la somme finie

$$f(x) + \sum_{p=1}^{n} \frac{1}{p!} \mathrm{d}^p f(x) \cdot h^{[p]}$$

est un, et en fait l'unique, *développement limité* de f au point x à l'ordre n.

Exercices

2.1 « Dérivées discrètes »

Soient $u \in \mathcal{C}^\infty(\mathbb{R}; F)$, où F un espace de Banach et $\Delta x > 0$. On appelle *dérivée discrète* p-ième au point $x \in \mathbb{R}$ une approximation $\delta^{(p)}u(x; \Delta x)$ de $u^{(p)}(x)$ telle que

$$\|\delta^{(p)}u(x; \Delta x) - u^{(p)}(x)\|_F \leqslant C_1\, \Delta x\,.$$

avec $C_1 > 0$ indépendant de Δx. On dit que c'est une approximation à l'ordre r s'il existe $C_r > 0$ tel que

$$\|\delta^{(p)}u(x; \Delta x) - u^{(p)}(x)\|_F \leqslant C_r\, (\Delta x)^r\,.$$

Trouver des dérivées discrètes premières et secondes à l'ordre 2.

2.2 Approximations d'intégrales

Soit $f : [a, b] \to F$ (un espace de Banach) de classe $\mathcal{C}^2$, avec $a < b$.

i) Méthode des trapèzes

Montrer qu'il existe $C > 0$ tel que

$$\left\| \int_a^b f(x)\,\mathrm{d}x - (b-a)\,\frac{f(a)+f(b)}{2} \right\| \leqslant C \max_{\xi\in[a,b]} \|f''(\xi)\|\,(b-a)^3\,.$$

ii) Méthode du point milieu

Montrer que

$$\left\| \int_a^b f(x)\,\mathrm{d}x - (b-a)\,f\Big(\frac{a+b}{2}\Big) \right\| \leqslant \frac{1}{24} \max_{\xi\in[a,b]} \|f''(\xi)\|\,(b-a)^3\,,$$

et que cette inégalité est optimale.

iii) Méthode de Simpson

Si de plus f est de classe $\mathcal{C}^4$, montrer que

$$\left\| \int_a^b f(x)\,\mathrm{d}x - (b-a)\left(\frac{f(a)+f(b)}{6} + \frac{2}{3} f\Big(\frac{a+b}{2}\Big)\right) \right\| \leqslant \frac{1}{2880} \max_{\xi\in[a,b]} \|f^{(4)}(\xi)\|\,(b-a)^5\,,$$

et que cette inégalité est optimale.

2.3 Soit $f : \mathbb{R}^3 \to \mathbb{R}$ deux fois différentiable. Montrer que $\mathrm{rot}(\nabla f) = 0$. De façon analogue, montrer que pour une fonction $g : \mathbb{R}^3 \to \mathbb{R}^3$ deux fois différentiable on a $\mathrm{div}(\mathrm{rot} f) = 0$.

2.4 Soient I un intervalle ouvert non vide de $\mathbb{R}$, E un espace de Banach et $f : I \to E$ une application de classe $\mathcal{C}^1$.

i) Soit $a \in I$. Montrer que pour tout $(x,y) \in I \times I$ avec $x \neq y$,

$$\left\| \frac{1}{x-y}(f(x) - f(y)) - f'(a) \right\| \leqslant \sup_{z \in]x,y[} |||\mathrm{d}f(z) - \mathrm{d}f(a)|||.$$

ii) Soit

$$\begin{array}{rcl} g : I \times I & \to & E \\ (x,y) & \mapsto & \begin{cases} \dfrac{1}{x-y}(f(x) - f(y)) & \text{si } x \neq y \\ f'(x) & \text{si } x = y \end{cases} \end{array}$$

(a) Montrer que g est continue sur $I \times I$.
(b) Montrer que g est de classe $\mathcal{C}^1$ sur $(I \times I)\backslash\Delta$, où $\Delta := \{(x,x)\,;\ x \in I\}$.

iii) Soit $a \in I$. On suppose que f est deux fois différentiable en a, et l'on veut montrer que g est différentiable en (a, a).
(a) Quelle est la relation entre $f''(a)$ (dérivée seconde de f au point a) et $\mathrm{d}^2 f(a)$ (différentielle seconde de f au point a) ?
(b) En supposant que g est différentiable en (a, a), calculer un candidat pour $\mathrm{d}g(a, a)$ à l'aide de $f''(a)$.
(c) Démontrer que g est différentiable en (a, a).

2.5 Identité de Jacobi
Soient $v, w \in \mathcal{C}^2(\Omega; E)$, où Ω est un ouvert d'un espace de Banach E.

i) Montrer que l'application $x \mapsto \mathrm{d}w(x) \cdot v(x) - \mathrm{d}v(x) \cdot w(x)$ est de classe $\mathcal{C}^1$ sur Ω. Dans la suite on la note $[v,w]$ (c'est le *crochet de Lie* de v et w).

ii) Si $u \in \mathcal{C}^2(\Omega; E)$, on définit $\phi(u,v,w)$ par $\phi(u,v,w)(x) =$

$$\mathrm{d}^2u(x) \cdot (w(x),v(x)) - \mathrm{d}v(x) \cdot (\mathrm{d}u(x) \cdot w(x)) - \mathrm{d}w(x) \cdot (\mathrm{d}u(x) \cdot v(x)).$$

Montrer que ceci définit ϕ comme application tri-linéaire sur l'espace $\mathcal{C}^2(\Omega; E)$, symétrique en (v,w).

iii) Exprimer $[[u,v],w]$ à l'aide de $\phi(u,v,w)$ et $\phi(v,u,w)$, et en déduire l'identité de Jacobi :

$$[[u,v],w] + [[v,w],u] + [[w,u],v] \equiv 0.$$

2.6 Soit $\phi \in \mathcal{L}_2^s(\mathbb{R}^n; \mathbb{R})$ tel que

$$\forall x \in \mathbb{R}^n,\ \forall y \in \mathbb{R}^n,\quad \phi(x,y) = \phi(y,x),\ \text{et } \phi(x,x) \neq 0 \text{ si } x \neq 0.$$

Soit $f : \mathbb{R}^n \to \mathbb{R}^n$ une application deux fois différentiable telle que

$$\forall x \in \mathbb{R}^n,\ \forall h \in \mathbb{R}^n,\ \phi(\mathrm{d}f(x) \cdot h, \mathrm{d}f(x) \cdot h) = \phi(h,h).$$

i) Montrer que pour tout $x \in \mathbb{R}^n$, pour tous $h, k \in \mathbb{R}^n$,

$$\phi(\mathrm{d}f(x)\cdot h, \mathrm{d}f(x)\cdot k) = \phi(h,k).$$

ii) Montrer que $\mathrm{d}^2 f$ est identiquement nulle.

iii) En déduire qu'il existe $\ell \in \mathcal{L}(\mathbb{R}^n)$ et $b \in \mathbb{R}^n$ tels que $f(x) = \ell(x) + b$ pour tout $x \in \mathbb{R}^n$.

iv) Montrer que f est un difféormorphisme de classe $\mathcal{C}^\infty$ de $\mathbb{R}^n$ sur $\mathbb{R}^n$.

2.7 **i)** Soit $\phi \in \mathcal{L}_2^s(\mathbb{R}^n;\mathbb{R})$, et $q : \mathbb{R}^n \to \mathbb{R}$ la forme quadratique associée, définie par $q(x) := \phi(x,x)$.

(a) Montrer que s'il existe un ouvert Ω non vide tel que la restriction de q à Ω soit constante, alors q est nulle.

(b) On suppose q non nulle. Soient g_1 et g_2 deux fonctions continues de $\mathbb{R}^n$ dans $\mathbb{R}$ telles que $g_1(x)\,q(x) = g_2(x)\,q(x)$ pour tout $x \in \mathbb{R}^n$. Montrer que $g_1 = g_2$.

ii) Soit $f \in \mathcal{C}^2(\mathbb{R}^n;\mathbb{R})$, telle que $f(0) = 0$, $\mathrm{d}f(0) = 0$, $\mathrm{d}^2 f(0) \neq 0$. On suppose de plus qu'il existe une fonction $g \in \mathcal{C}^p(\mathbb{R}^n;\mathbb{R}^{+*})$ (avec $p \geqslant 2$) telle que $\mathrm{d}^2 f(x)\cdot(x,x) = g(x)\,\mathrm{d}^2 f(0)\cdot(x,x)$ pour tout $x \in \mathbb{R}^n$.

(a) Vérifier que la fonction $f : (x_1,x_2) \mapsto x_1^2 - x_2^2 - x_1^2 x_2^2 + x_1^4$ satisfait à ces conditions (dans le cas $n = 2$).

(b) On revient au cas général. Montrer que $\mathrm{d}^2 f(tx)\cdot(x,x) = g(tx)\,\mathrm{d}^2 f(0)\cdot(x,x)$ quels que soient $x \in \mathbb{R}^n$ et $t \in \mathbb{R}$. Que vaut donc $g(0)$?

iii) On pose, pour tout $x \in \mathbb{R}^n$, $h(x) = \int_0^1 (1-t)\,g(tx)\,\mathrm{d}t$. Montrer que $f(x) = h(x)\,\mathrm{d}^2 f(0)\cdot(x,x)$ pour tout $x \in \mathbb{R}^n$. En déduire que f est de classe C^p.

iv) En calculant $\mathrm{d}f(x)\cdot x$ de deux manières différentes, montrer que $\mathrm{d}h(x)\cdot x + 2h(x) = \int_0^1 g(tx)\,\mathrm{d}t$ pour tout $x \in \mathbb{R}^n$.

v) Montrer que pour tout $x \in \mathbb{R}^n$, l'application $\psi_x : \lambda \mapsto \lambda^2 h(\lambda x)$ est une bijection strictement croissante de $\mathbb{R}^+$ sur $\mathbb{R}^+$.

vi) Montrer que l'application $\zeta : \mathbb{R}^n \to \mathbb{R}^n$ définie par $\zeta(x) = \sqrt{h(x)}\,x$ est une bijection de classe $\mathcal{C}^p$ de $\mathbb{R}^n$ sur $\mathbb{R}^n$.

vii) Montrer que pour tout $x \in \mathbb{R}^n$, $f(x) = \mathrm{d}^2 f(0)\cdot(\zeta(x),\zeta(x))$.

Solutions

2.1 D'après la formule de Taylor avec reste intégral on a

$$u(x \pm \Delta x) = u(x) \pm \Delta x\,\partial_x u(x) + \frac{1}{2}(\Delta x)^2\,\partial_{xx}^2 u(x) \pm \frac{1}{6}(\Delta x)^3\,\partial_{xxx}^3 u(x) + \frac{1}{6}(\Delta x)^4 \int_0^1 (1-\theta)^3\,\partial_{xxxx}^4 u(x+\theta\Delta x)\,\mathrm{d}\theta.$$

On peut donc prendre

$$\delta^{(1)}(x;\Delta x) := \frac{u(x+\Delta x)-u(x-\Delta x)}{2\Delta x},$$
$$\delta^{(2)}(x;\Delta x) := \frac{u(x+\Delta x)-2u(x)+u(x-\Delta x)}{(\Delta x)^2}.$$

Notons que les dérivées discrètes décentrées

$$\delta_+^{(1)}(x;\Delta x) := \frac{u(x+\Delta x)-u(x)}{\Delta x} \quad \text{et} \quad \delta_-^{(1)}(x;\Delta x) := \frac{u(x)-u(x-\Delta x)}{\Delta x}$$

sont seulement précises à l'ordre 1. Ces dérivées discrètes sont à la base de ce que l'on appelle les *schémas aux différences finies*, permettant de calculer des solutions approchées d'équations différentielles ou aux dérivées partielles.

2.2 Toutes ces méthodes sont des « briques » de base pour l'approximation numérique d'intégrales : pour obtenir une valeur approchée de $\int_A^B f(t)\,\mathrm{d}t$ si f est continue sur un segment fixé $[A,B]$, on subdivise le segment $[A,B]$ en n morceaux (ou « mailles ») dans lesquels on remplace l'intégrale de f par ce que donne la méthode choisie (trapèzes, point milieu, Simpson, etc.). Les inégalités demandées permettent de montrer que, si f est suffisamment régulière, ces méthodes convergent, c'est-à-dire que les valeurs approchées obtenues tendent bel et bien vers $\int_A^B f(t)\,\mathrm{d}t$ lorsque n tend vers l'infini. Plus précisément, les inégalités en question impliquent une borne d'erreur en $O(((B-A)/n)^r)$: lorsqu'il est optimal, l'exposant r s'appelle l'ordre de la méthode.

i) On parle de méthode des trapèzes car elle approche l'intégrale de f par celle de la fonction affine p définie par $p(x) := f(a) + \frac{f(b)-f(a)}{b-a}(x-a)$. On a en effet

$$\int_a^b f(x)\,\mathrm{d}x - (b-a)\frac{f(a)+f(b)}{2} = \int_a^b (f(x)-p(x))\,\mathrm{d}x.$$

Si l'on note $c=(a+b)/2$, la formule de Taylor avec reste intégral appliquée à $f-p$ s'écrit

$$f(x)-p(x) = f(c)-p(c) + (f'(c)-p'(c))(x-c) + \int_0^1 (1-\theta)\, f''(c+\theta(x-c))\,(x-c)^2\,\mathrm{d}\theta.$$

Notons $r(x) := \int_0^1 (1-\theta)\, f''(c+\theta(x-c))\,(x-c)^2\,\mathrm{d}\theta$. En appliquant la formule ci-dessus à $x=a$ et $x=b$ en particulier, on en déduit (puisque $f(a)=p(a)$, $f(b)=p(b)$, et $a-c+b-c=0$)

$$f(c)-p(c) = -\frac{r(a)+r(b)}{2}.$$

Par suite,

$$f(x)-p(x) = r(x) - \frac{r(a)+r(b)}{2},$$

d'où

$$\int_a^b (f(x) - p(x))\,\mathrm{d}x = \int_a^b r(x)\,\mathrm{d}x - (b-a)\,\frac{r(a)+r(b)}{2}.$$

Si l'on note $k := \max\limits_{\xi\in[a,b]} \|f''(\xi)\|$, on a $\|r(x)\| \leqslant k(x-c)^2/2$ et donc par l'inégalité triangulaire

$$\left\|\int_a^b r(x)\mathrm{d}x - (b-a)\frac{r(a)+r(b)}{2}\right\| \leqslant \frac{k}{2}\int_a^b (x-c)^2\mathrm{d}x + \frac{k}{8}(b-a)^3$$
$$= k\frac{(b-a)^3}{6}.$$

Par suite, on a le résultat demandé avec $C = 1/6$. Lorsque $F = \mathbb{R}$ on peut l'améliorer en $C = 1/12$ par application du théorème de Rolle, pour chaque point $x \in [a, b]$, à la dérivée seconde de $f - p_x$, où p_x est le polynôme du second degré coïncidant avec f en a, b et x. Vérifions que la constante $C = 1/12$ est optimale : si f est une fonction polynomiale de degré deux, $f'' = k$ constant et on a donc

$$f(x) - p(x) = r(x) - \frac{r(a)+r(b)}{2}\,,\; r(x) = \frac{k}{2}\,(x-c)^2$$

pour tout $x \in [a, b]$; par intégration on obtient dans ce cas

$$\int_a^b (f(x) - p(x))\,\mathrm{d}x = -k\frac{(b-a)^3}{12}.$$

ii) La méthode du point milieu semble plus grossière à première vue, car elle approche l'intégrale de f par celle d'une fonction constante (on parle aussi de méthode des rectangles médians). Cependant elle s'avère un peu meilleure, étant du même ordre (2) que la méthode des trapèzes mais avec une constante $1/24 < C$. On observe que, précisément parce que $c := (a+b)/2$ est le milieu de $[a, b]$,

$$\int_a^b f(x)\,\mathrm{d}x - (b-a)\,f(c) = \int_a^b \big(f(x) - f(c) - (x-c)f'(c)\big)\,\mathrm{d}x.$$

Or, d'après la formule de Taylor-Lagrange, on a

$$\big|f(x) - f(c) - (x-c)f'(c)\big| \leqslant \frac{1}{2}\max_{\xi\in[c,x]}\|f''(\xi)\|\,(x-c)^2.$$

On en déduit

$$\left|\int_a^b f(x)\,\mathrm{d}x - (b-a)\,f(c)\right| \leqslant \frac{1}{12}\max_{\xi\in[a,b]}\|f''(\xi)\|\,(b-a)^2.$$

par intégration. Si f est une fonction polynomiale de degré deux, $f'' = k$ constant, on a

$$f(x) - f(c) - (x-c)f'(c) = \frac{k}{2}(x-c)^2$$

et

$$\int_a^b f(x)\,\mathrm{d}x - (b-a)\,f(c) = \frac{k}{24}(b-a)^2\,,$$

donc l'inégalité est une égalité dans ce cas.

iii) La méthode de Simpson revient à une moyenne pondérée entre celle des trapèzes et celle du point milieu. Elle est pourtant d'ordre plus élevé. En effet, si l'on note encore $c := (a+b)/2$, et $h = (b-a)/2$, on a

$$\int_a^b f(x)\,\mathrm{d}x - (b-a)\left(\frac{f(a)+f(b)}{6} + \frac{2}{3}f\left(\frac{a+b}{2}\right)\right) =$$

$$F(c+h) - F(c-h) - \frac{h}{3}(F'(c+h) + F'(c-h) + 4F'(c))$$

avec $F(x) := \int_c^x f(t)\,\mathrm{d}t$.

En notant $\varphi(t) = F(c+t) - F(c-t) - \frac{t}{3}(F'(c+t) + F'(c-t) + 4F'(c))$, on vérifie que $\varphi(0) = 0$, $\varphi'(0) = 0$, $\varphi''(0) = 0$, et

$$\varphi'''(t) = -\frac{t}{3}(f'''(c+t) - f'''(c-t))\,.$$

Par l'inégalité des accroissements finis, on a donc

$$\|\varphi'''(t)\| \leqslant \frac{2}{3}t^2 \max_{\xi\in[a,b]} \|f^{(4)}(\xi)\|\,,$$

d'où par la formule de Taylor avec reste intégral,

$$\begin{aligned}\|\varphi(h)\| &= \left\|\int_0^1 \frac{(1-\theta)^2}{2}\varphi'''(\theta h)\,h^3\,\mathrm{d}\theta\right\| \\ &\leqslant \frac{1}{3}h^5 \max_{\xi\in[a,b]}\|f^{(4)}(\xi)\| \int_0^1 \theta^2(1-\theta)^2\,\mathrm{d}\theta \\ &= \frac{1}{90}h^5 \max_{\xi\in[a,b]}\|f^{(4)}(\xi)\|\,.\end{aligned}$$

Ceci démontre l'inégalité voulue (car $2880 = 90 \times 2^5$). On constate qu'elle est optimale car c'est une égalité pour les fonctions polynomiales de degré 4.
La méthode des trapèzes et celle du point milieu sont d'ordre 2 (contre seulement 1 pour les méthodes des rectangles, qui consistent à approcher $\int_a^b f(x)\,\mathrm{d}x$ par $(b-a)f(b)$ ou $(b-a)f(a)$), et la méthode de Simpson est d'ordre 4. La différence entre l'ordre des méthodes et l'exposant de $(b-a)$ dans les inégalités démontrées ci-dessus vient du fait qu'on doit sommer sur la subdivision: sommer n erreurs en $O((B-A)/n)^s$ donne une erreur totale en $O((B-A)^s/n^{s-1})$.

2.3 Puisque f est deux fois différentiable, ses dérivées croisées sont égales d'après le théorème de Schwarz (théorème 2.1). Or les composantes de $\mathrm{rot}(\nabla f)$ sont

$$(\partial_2(\partial_3 f) - \partial_3(\partial_1 f), \partial_3(\partial_1 f) - \partial_1(\partial_3 f), \partial_1(\partial_2 f) - \partial_2(\partial_1 f)).$$

Elles sont donc nulles. Les dérivées croisées de g sont égales aussi, et l'on a donc :

$$\mathrm{div}(\mathrm{rot} g) = \partial_1(\partial_2 g_3 - \partial_3 g_2) + \partial_2(\partial_3 g_1 - \partial_1 g_3) + \partial_3(\partial_1 g_2 - \partial_2 g_1) = 0.$$

(Le fait que le rotationnel d'un gradient est nul, et que la divergence d'un rotationnel est nulle, est dû à une propriété que l'on verra au chapitre 4, proposition 4.4, sur les formes différentielles. Voir p. 149 pour l'interprétation de la divergence et du rotationnel en terme de formes différentielles.)

2.4 **i)** Comme $f : I \to E$ est de classe $\mathcal{C}^1$, pour tout $a \in I$, pour tout $(x,y) \in I \times I$ avec $x \neq y$, l'application $F : z \mapsto (f(z) - f(y) - (z-y)f'(a)) /(x-y)$ est aussi de classe $\mathcal{C}^1$, et sa différentielle est donnée par

$$\mathrm{d}F(z) \cdot h = \frac{1}{x-y}(\mathrm{d}f(z) \cdot h - h\, f(a)) = \frac{1}{x-y}(\mathrm{d}f(z) - \mathrm{d}f(a)) \cdot h.$$

Donc d'après le théorème des accroissements finis (version « raffinée »),

$$\|F(x) - F(y)\| \leqslant |x-y| \sup_{z \in]x,y[} \left\| \frac{1}{x-y}(\mathrm{d}f(z) - \mathrm{d}f(a)) \right\|,$$

ce qui donne

$$\left\| \frac{1}{x-y}(f(x) - f(y)) - f'(a) \right\| \leqslant \sup_{z \in]x,y[} \|\mathrm{d}f(z) - \mathrm{d}f(a)\|.$$

ii) L'application

$$\begin{array}{rcl} g : I \times I & \to & E \\ (x,y) & \mapsto & \begin{cases} \dfrac{1}{x-y}(f(x) - f(y)) & \text{si } x \neq y \\ f'(x) & \text{si } x = y \end{cases} \end{array}$$

(a) est continue sur l'ouvert $(I \times I)\backslash\Delta$ comme composée de $(x,y) \mapsto (f(x) - f(y), x-y)$ et de $(u,s) \in E \times \mathbb{R}^* \mapsto \frac{1}{s}u$. De plus, d'après la question 1),

$$\|g(x,y) - g(a,a)\| \leqslant \sup_{z \in]x,y[} \|\mathrm{d}f(z) - \mathrm{d}f(a)\|,$$

ce qui tend vers 0 lorsque (x, y) tend vers (a, a), par continuité de $\mathrm{d}f$ au point a. (On peut aussi remarquer que

$$g(x,y) = \int_0^1 f'(x + t(y-x))\,\mathrm{d}t$$

pour tout $(x,y) \in I \times I$, et appliquer le théorème de Lebesgue.)

(b) Par la même décomposition que ci-dessus, on voit que g est de classe $\mathcal{C}^1$ sur l'ouvert $(I \times I)\backslash\Delta$.

iii) Soit $a \in I$. On suppose que f est deux fois différentiable en a, et l'on veut montrer que g est différentiable en (a, a).

(a) Comme on l'a déjà utilisé, on a $\mathrm{d}f(a) \cdot h = h\, f'(a)$, d'où encore $\mathrm{d}^2 f(a) \cdot (h,h) = h^2 f''(a)$ quel que soit $h \in \mathbb{R}$. Par suite, on a tout simplement $f''(a) = \mathrm{d}^2 f(a) \cdot (1,1)$.

(b) Si g est différentiable en (a, a), alors en différentiant l'application $x \mapsto g(x,x) = f'(x)$ au point a, on obtient

$$\mathrm{d}_1 g(a, a) \cdot h + \mathrm{d}_2 g(a, a) \cdot h = hf''(a)\,.$$

De plus, g étant symétrique, ses différentielles partielles $\mathrm{d}_1 g$ et $\mathrm{d}_2 g$ coïncident. Par conséquent, $\mathrm{d}_1 g(a, a) \cdot h = \mathrm{d}_2 g(a, a) \cdot h = \frac{h}{2} f''(a)$, d'où

$$\mathrm{d}g(a, a) \cdot (h,k) = \mathrm{d}_1 g(a, a) \cdot h + \mathrm{d}_2 g(a, a) \cdot k = \frac{h+k}{2} f''(a)\,.$$

(c) On a $g(x,y) - g(a, a) - \frac{x-a+y-a}{2} f''(a) =$

$$= \int_0^1 \big(f'(x + t(y-x)) - f'(a) - (x + t(y-x) - a)\, f''(a) \big)\, \mathrm{d}t\,.$$

Or, comme f' est différentiable en a, il existe une fonction φ tendant vers 0 au point a telle que pour tout $x \in I$,

$$f'(z) - f'(a) - (z-a)\, f''(a) = (z-a)\, \varphi(z)\,.$$

Soit donc $\varepsilon > 0$, et $\eta > 0$ tel que $|z-a| \leqslant \eta$ implique $|\varphi(z)| \leqslant \varepsilon$. Alors, pour tout $(x, y) \in I \times I$ tel que $|x-a| \leqslant \eta$ et $|y-a| \leqslant \eta$,

$$\left| g(x,y) - g(a, a) - \frac{x-a+y-a}{2} f''(a) \right| \leqslant \frac{\varepsilon}{2} \left(|x-a| + |y-a|\right).$$

Cela montre que g est différentiable en (a, a), de différentielle donnée (comme prévu) par $\mathrm{d}g(a, a) \cdot (h,k) = \frac{h+k}{2} f''(a)$.

2.5 **i)** Les applications $x \mapsto (\mathrm{d}w(x), v(x)) \in \mathcal{L}(E) \times E$ et $x \mapsto (\mathrm{d}v(x), w(x)) \in \mathcal{L}(E) \times E$ sont de classe $\mathcal{C}^1$ sur Ω car $\mathrm{d}w$ et $\mathrm{d}v$ le sont, et l'application bilinéaire continue $(\ell, y) \in \mathcal{L}(E) \times E \mapsto \ell(y)$ également. Donc par composition et addition, l'application

$$[v,w] : x \mapsto \mathrm{d}w(x) \cdot v(x) - \mathrm{d}v(x) \cdot w(x)$$

est de classe $\mathcal{C}^1$ sur Ω.

ii) La trilinéarité de ϕ provient de la bilinéarité de $\mathrm{d}^2 u(x)$, de la linéarité de $\mathrm{d}u(x)$, $\mathrm{d}v(x)$, $\mathrm{d}w(x)$, ainsi que de la linéarité des opérateurs d, d^2. La symétrie de ϕ en (v, w) provient du théorème de Schwarz pour le premier terme, et est évidente pour la somme des deux autres.

iii) La différentielle de $[u, v]$ est donnée par

$$\begin{aligned}\mathrm{d}[u, v](x) \cdot h = {} & \mathrm{d}^2 v(x) \cdot (u(x),h) + \mathrm{d}v(x) \cdot (\mathrm{d}u(x) \cdot h) \\ & - \mathrm{d}^2 u(x) \cdot (v(x),h) + \mathrm{d}u(x) \cdot (\mathrm{d}v(x) \cdot h)\,.\end{aligned}$$

On en déduit en regroupant les termes trois par trois dans le développement de

$$[[u, v], w](x) = \mathrm{d}w(x) \cdot [u, v](x) - \mathrm{d}[u, v](x) \cdot w(x)$$

que $[[u, v], w] = \phi(u, w, v) - \phi(v, w, u)$. En faisant la somme des expressions obtenues par permutation circulaire sur (u, v, w) et en utilisant la symétrie de ϕ par rapport à ses deux dernières variables, on obtient

$$[[u, v],w] + [[v, w],u] + [[w, u],v] \equiv 0\,.$$

2.6 **i)** En appliquant l'hypothèse au vecteur $h + k$ on a l'égalité

$$\phi(\mathrm{d}f(x) \cdot (h + k),\mathrm{d}f(x) \cdot (h + k)) = \phi(h + k,h + k)\,,$$

qui se « développe » par bilinéarité et donne, en utilisant à nouveau l'hypothèse, pour les vecteurs h et k, ainsi que la symétrie de ϕ,

$$\phi(\mathrm{d}f(x) \cdot h,\mathrm{d}f(x) \cdot k) = \phi(h,k)\,.$$

ii) Par différentiation de la fonction identiquement nulle $x \mapsto \phi(\mathrm{d}f(x) \cdot h, \mathrm{d}f(x) \cdot k) - \phi(h,k)$ dans la direction y on obtient

$$\phi(\mathrm{d}^2 f(x) \cdot (h,y),\mathrm{d}f(x) \cdot k) + \phi(\mathrm{d}f(x) \cdot h,\mathrm{d}^2 f(x) \cdot (k,y)) = 0\,,$$

ou encore, par symétrie de ϕ,

$$\phi(\mathrm{d}^2 f(x) \cdot (h,y),\mathrm{d}f(x) \cdot k) = -\phi(\mathrm{d}^2 f(x) \cdot (k,y),\mathrm{d}f(x) \cdot h)\,.$$

Par suite, en échangeant les rôles de y et de h,

$$\phi(\mathrm{d}^2 f(x) \cdot (y,h),\mathrm{d}f(x) \cdot k) = -\phi(\mathrm{d}^2 f(x) \cdot (k,h),\mathrm{d}f(x) \cdot y)\,,$$

tandis qu'en échangeant les rôles de y et de k,

$$\phi(\mathrm{d}^2 f(x) \cdot (h,k),\mathrm{d}f(x) \cdot y) = -\phi(\mathrm{d}^2 f(x) \cdot (y,k),\mathrm{d}f(x) \cdot h)\,.$$

Enfin, par symétrie de $\mathrm{d}^2 f(x)$ (théorème de Schwarz) on déduit de ces trois égalités

$$\phi(\mathrm{d}^2 f(x) \cdot (h,k),\mathrm{d}f(x) \cdot y) = -\phi(\mathrm{d}^2 f(x) \cdot (h,k),\mathrm{d}f(x) \cdot y)\,,$$

d'où $\phi(\mathrm{d}^2 f(x) \cdot (h,k),\mathrm{d}f(x) \cdot y) = 0$. Or, ϕ n'ayant pas de vecteur isotrope on a $\phi(\mathrm{d}f(x) \cdot y,\mathrm{d}f(x) \cdot y) = \phi(y,y) \neq 0$ quel que soit $y \neq 0$, et donc $\mathrm{d}f(x) \cdot y \neq 0$. Cela montre que l'application linéaire $\mathrm{d}f(x)\cdot$ est injective sur $\mathbb{R}^n$, et donc bijective. Donc le résultat précédent implique $\phi(\mathrm{d}^2 f(x) \cdot (h,k),z) = 0$ quel que soit $z \in \mathbb{R}^n$, d'où $\mathrm{d}^2 f(x) \cdot (h,k) = 0$ en utilisant à nouveau le fait que ϕ soit sans vecteur isotrope.

iii) D'après ce qui précède, la différentielle de $\mathrm{d}f$ est identiquement nulle, et pour tout $x \in \mathbb{R}^n$, $\mathrm{d}f(x)$ est un isomorphisme de $\mathbb{R}^n$. Toute fonction de différentielle nulle sur un ouvert connexe étant constante, $\mathrm{d}f(x) =: \ell$ est donc un isormorphisme indépendant de x, et pour la même raison, la fonction $f - \ell$ est constante. Si l'on note $b \in \mathbb{R}^n$ sa valeur, on a par définition

$$f(x) = \ell(x) + b\,, \quad \forall x \in \mathbb{R}^n\,.$$

iv) L'application f est injective sur $\mathbb{R}^n$ car ℓ l'est : si $f(x) = f(y)$ alors $\ell(x) = \ell(y)$ et donc $x = y$. Elle est aussi surjective car ℓ l'est : pour tout $z \in \mathbb{R}^n$, il existe $x \in \mathbb{R}^n$ tel que $\ell(x) = z - b$, et donc $f(x) = z$. De plus, f est de classe $\mathcal{C}^\infty$ comme somme d'une application constante et d'une application linéaire continue, et pour tout $x \in \mathbb{R}^n$, $\mathrm{d}f(x) = \ell$ est un isomorphisme de $\mathbb{R}^n$. Donc d'après le théorème d'inversion globale, f est un difféomorphisme de classe $\mathcal{C}^\infty$ de $\mathbb{R}^n$ sur $\mathbb{R}^n$.

2.7 **i) (a)** Si $q \equiv 0$ dans un ouvert Ω, alors $2q = \mathrm{d}^2q(x) \equiv 0$.

(b) L'égalité $g_1(x)\, q(x) = g_2(x)\, q(x)$ implique $g_1(x) = g_2(x)$ pour tout x tel que $q(x) \neq 0$. Or d'après le **i)**, les zéros de q sont isolés. Donc par continuité de $g_1 - g_2$, on a $g_1(x) - g_2(x) = 0$ quel que soit x.

ii) (a) La fonction f étant polynômiale de valuation 2, elle s'annule en (0, 0) ainsi que sa différentielle. On a de plus $\mathrm{d}^2 f(x) \cdot (x,x) = (2 + 12x_1^2)\,(x_1^2 - x_2^2) = (1 + 6x_1^2)\mathrm{d}^2 f(0) \cdot (x, x)$.

(b) On a par hypothèse $\mathrm{d}^2 f(tx) \cdot (tx, tx) = g(tx)\, \mathrm{d}^2 f(0) \cdot (tx, tx)$, d'où en simplifiant par t^2 (par bilinéarité de $\mathrm{d}^2 f(0)$ et $\mathrm{d}^2 f(tx)$), $\mathrm{d}^2 f(tx) \cdot (x, x) = g(tx)\, \mathrm{d}^2 f(0) \cdot (x, x)$ quel que soit $t \neq 0$. Cette égalité est donc aussi valable en $t = 0$ par continuité de $\mathrm{d}^2 f$ et g. D'après le **i)** appliqué à $q = \mathrm{d}^2 f(0)$, on en déduit en particulier $g(0) = 1$.

iii) Par application répétée du théorème 1.7 (p. 32) et du théorème classique de dérivation sous le signe somme dans chaque direction x_i, la fonction h est de classe $\mathcal{C}^p$ car $(t,x) \mapsto (1 - t)\, g(tx)$ est de classe $\mathcal{C}^p$ et l'on intègre sur un compact. Par ailleurs, d'après la formule de Taylor avec reste intégral à l'ordre 2, puisque $f(0) = 0$ et $\mathrm{d}f(0) = 0$,

$$f(x) = \int_0^t (1 - t)\, \mathrm{d}^2 f(tx) \cdot (x, x)\mathrm{d}t \; = \; h(x)\, \mathrm{d}^2 f(0) \cdot (x, x)$$

grâce à la formule du **ii) b)**.

iv) En différentiant l'égalité précédente, on trouve

$$\mathrm{d}f(x) \cdot x \; = \; (\mathrm{d}h(x) \cdot x + 2h(x))\, \mathrm{d}^2 f(0) \cdot (x, x)\,.$$

D'autre part (d'après la formule de Taylor avec reste intégral à l'ordre 1)

$$\mathrm{d}f(x) \cdot x \; = \; \int_0^1 \mathrm{d}^2 f(tx) \cdot (x, x)\, \mathrm{d}t \; = \; \left(\int_0^1 g(tx)\, \mathrm{d}t\right) \mathrm{d}^2 f(0) \cdot (x, x)\,.$$

On en déduit l'égalité $\mathrm{d}h(x) \cdot x + 2h(x) = \int_0^1 g(tx)\, \mathrm{d}t$ en faisant à nouveau appel au **i)**.

v) La fonction ψ_x est dérivable et

$$\psi_x(\lambda) = \lambda\,(2\,h(\lambda x) + \mathrm{d}h(\lambda x)\cdot(\lambda x)) = \lambda \int_0^1 g(t\lambda x)\,\mathrm{d}t \geqslant 0$$

avec inégalité stricte sauf en $\lambda = 0$. Donc ψ_x est une bijection strictement croissante, valant 0 en 0 et tendant vers $+\infty$ en $+\infty$ (car $\psi_x'(\lambda) = \int_0^{\lambda} g(\theta x)\,\mathrm{d}\theta \geqslant \int_0^{\lambda_0} g(\theta x)\,\mathrm{d}\theta > 0$ si $\lambda \geqslant \lambda_0$).

vi) Bien sûr $0 = \zeta(0)$. Avec la notation précédente, pour tout $x \neq 0$ on a $\zeta(x) = \sqrt{\psi_y(\|x\|)}\,y$ avec $y = x/\|x\|$. Par suite, pour tout $z \neq 0$, $z = \zeta(x)$ équivaut à $x = \psi_y^{-1}(\|z\|^2)\,y$ avec $y = z/\|z\|$. Donc ζ est une bijection. Elle est de classe $\mathcal{C}^p$ car h l'est et ne s'annule pas (et la fonction $\sqrt{\ }$ est de classe $\mathcal{C}^\infty$ sur $\mathbb{R}^{+*}$).

vii) D'après le **iii)** et la définition de ζ, $f(x) = \mathrm{d}^2 f(0)\cdot(\zeta(x),\zeta(x))$ quel que soit x. (Ainsi la bijection ζ ramène f à une forme quadratique.)

EXTREMA

3

> « *Votre solution du problème des isopérimètres ne laisse rien à désirer, et je me réjouis que ce sujet, dont je m'étais presque seul occupé depuis les premières tentatives, ait été porté par vous au plus haut degré de perfection.* »
>
> Leonard Euler,
> lettre à Joseph-Louis Lagrange, 1759.

Les chapitres précédents fournissent des outils précieux pour aborder les problèmes d'*optimisation*, que l'on rencontre dans la vie courante (par exemple lorsqu'il s'agit de minimiser des coûts, de transport ou autres), et dans de nombreux domaines scientifiques ou technologiques. Dans tous les cas, on cherche à optimiser une fonction à *valeurs réelles*, c'est-à-dire à déterminer les éléments de son domaine de définition où elle atteint une valeur minimale ou maximale, au moins localement. Le problème est évidemment plus simple lorsque ce domaine de définition est inclus dans un espace de dimension finie. C'est le cas par exemple quand on joue sur un nombre fini de paramètres, comme dans la « méthode des moindres carrés ». Par ailleurs, il existe une branche entière des mathématiques dédiée à l'optimisation de *fonctionnelles*, c'est-à-dire de fonctions dont le domaine de définition est lui-même un ensemble de fonctions. Cette branche s'est développée à partir des travaux des mathématiciens Euler et Lagrange à la fin du XVIIIème siècle et s'appelle le *calcul des variations*. On peut voir le calcul des variations comme du calcul différentiel en dimension infinie (les espaces de fonctions étant en général de dimension infinie), dont l'objectif est de déterminer les minima d'intégrales dépendant de façon non linéaire de fonctions d'une ou plusieurs variables. Avec des fonctions d'une variable, il intervient notamment dans la recherche de trajectoires les plus « courtes ». Si l'on parle de minimiser leur longueur, ces trajectoires les plus courtes sont appelées des géodésiques. On peut également minimiser le temps de parcours, comme dans le problème de la brachistochrone[1] ou encore pour les

1. Posé par Galilée et résolu par Jean Bernoulli au XVIIème siècle, ce problème consiste à déterminer la forme d'un toboggan d'extrémités fixées pour que le temps de parcours entre le haut et le bas soit minimal, sous l'action de la gravité et en l'absence de frottement.

rayons lumineux, conformément au principe de Fermat. Le calcul des variations s'applique également en imagerie, avec des intégrales dépendant de fonctions de deux variables (pour des images « plates »), voire trois variables (pour des images 3D). Ce chapitre se termine par une introduction au calcul des variations, destinée à faciliter la lecture d'ouvrages plus avancés sur ce vaste sujet, qui ouvre lui-même sur d'autres (comme le *contrôle optimal* [36]). Cette mise en perspective est l'une des motivations pour traiter les problèmes d'extremum en dimension quelconque.

Par *extremum* d'une fonction f, on entend soit un *minimum* soit un *maximum*. On voit facilement qu'un maximum de f correspond à un minimum de $-f$. C'est pourquoi d'un point de vue théorique il n'est pas nécessaire de développer la théorie pour les deux types d'extremum. On fait le choix d'étudier les minima.

Définition 3.1

Si f est une fonction définie sur une partie D d'un espace vectoriel normé et à valeurs réelles, un point $a \in D$ est un *minimum local* de f s'il existe un voisinage V_a de a, ouvert dans D, tel que

$$f(x) \geqslant f(a) \quad \text{pour tout } x \in V_a .$$

On dira que a est un *minimum global* de f si

$$f(x) \geqslant f(a) \quad \text{pour tout } x \in D .$$

Un minimum est dit *strict* si l'inégalité est stricte, c'est-à-dire $f(x) > f(a)$, pour $x \neq a$.

Attention, le vocabulaire est trompeur. Il ne faut pas confondre le minimum a, qui appartient au domaine de définition de f, et la valeur de f en ce point, qui est le minimum de l'ensemble des valeurs de f. Parfois on introduit la notation $a = \text{argmin}_{x \in V} f(x)$ pour signifier que $f(a) = \min\{f(x)\,;\ x \in V\}$. Elle est en général ambigüe car la valeur minimale de f n'a pas de raison d'être atteinte en un seul point (si elle est atteinte). Pour corser le tout, on dit souvent que f atteint son minimum, et non pas sa valeur minimale. Gare aux confusions donc ! Un remède consisterait à préférer le terme *minimiseur* pour le point a. Il n'est toutefois guère employé en dehors du calcul des variations.

Par exemple, la fonction $x \in \mathbb{R} \mapsto (x^2 - 1)^2$ admet deux minima globaux (-1 et 1) et un maximum local (0). Sa valeur minimale est 0, et elle n'a pas de valeur maximale. Sa valeur maximale locale en 0 est 1.

Avant de chercher à localiser les minima d'une fonction f, une question naturelle est de savoir s'il y en a. C'est le cas si f est continue, sous une condition *topologique* supplémentaire: la compacité du domaine D. La phrase consacrée est alors que f est « bornée et atteint ses bornes ».

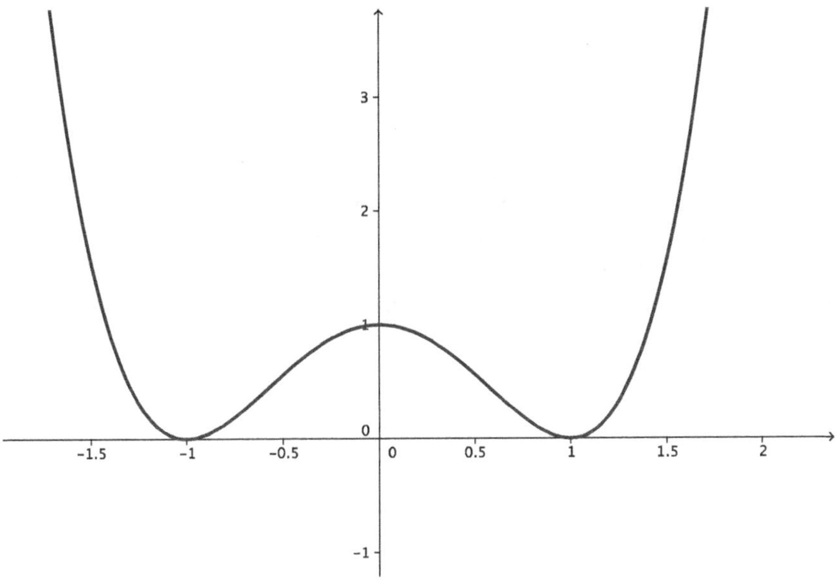

Figure 3.1 **Courbe représentative de la fonction** $x \in \mathbb{R} \mapsto (x^2 - 1)^2$.

Théorème 3.1

Soit une fonction $f : K \to \mathbb{R}$, *continue* sur une partie *compacte* K (non vide) d'un espace vectoriel normé. Alors f admet un minimum global sur K.

DÉMONSTRATION. L'ensemble $f(K)$ est compact, comme image d'un compact par une application continue, et tout compact non vide de $\mathbb{R}$ admet un plus petit élément. □

Si le domaine D n'est pas compact, rien n'assure en général l'existence d'un minimum global. Une façon d'attaquer le problème est de commencer par vérifier que f est minorée. Si c'est le cas, $f(D)$ admet une borne inférieure et il existe donc ce que l'on appelle une *suite minimisante* $(x_n)_{n\in\mathbb{N}} \in D^{\mathbb{N}}$, telle que la suite $(f(x_n))_{n\in\mathbb{N}}$ converge vers $\inf_{x\in D} f(x)$. Montrer que f admet un minimum global revient à trouver une suite minimisante qui converge, car la continuité de f implique alors que la limite de cette suite est un minimum global.

En dimension finie, on a par exemple le résultat suivant.

Théorème 3.2

Soit une fonction $f : D \to \mathbb{R}$, continue et minorée sur une partie D non vide d'un espace vectoriel normé de dimension finie. Si de plus $f(x)$ tend vers $+\infty$ quand $\|x\|$ tend vers $+\infty$, alors f admet un minimum global sur D.

DÉMONSTRATION. Puisque f est minorée, il existe une suite minimisante $(x_n)_{n\in\mathbb{N}} \in D^{\mathbb{N}}$, c'est-à-dire telle que

$$\lim_{n\to+\infty} f(x_n) = \inf_{x\in D} f(x) =: \ell\,.$$

Comme par ailleurs on a $\lim_{\|x\|\to+\infty} f(x) = +\infty$, il existe $R > 0$ tel que, pour $\|x\| > R, f(x) > \ell + 1$. Par conséquent, il existe $N \in \mathbb{N}$ tel que pour tout $n \geqslant N$, $\|x_n\| \leqslant R$. Autrement dit, la suite $(x_n)_{n\geqslant N}$ est bornée, et admet donc une sous-suite convergente d'après le théorème de Bolzano-Weierstrass. Si on note a sa limite, on en déduit que $\inf\limits_{x\in D} f(x) = f(a)$par continuité de f. □

En dimension infinie, la notion de compacité est plus délicate et il est plus compliqué de trouver des suites minimisantes convergentes. C'est néanmoins le point de départ de ce qu'on appelle les *méthodes directes* en calcul des variations [9].

3.1 Extrema libres

L'objectif ici est de dégager des conditions nécessaires et/ou suffisantes, selon le degré de différentiabilité de f, pour avoir un minimal local sur un *ouvert*.

Commençons par le cas le plus simple : les fonctions d'une variable ($E = \mathbb{R}$).

Proposition 3.1

Soit g une fonction définie sur un intervalle ouvert I de $\mathbb{R}$ et à valeurs dans $\mathbb{R}$, dérivable en $a \in I$. Si a est un minimum local de g alors $g'(a) = 0$. Si de plus g est deux fois dérivable en a, alors $g''(a) \geqslant 0$. « Inversement » si $b \in I$ est tel que $g'(b) = 0$ et $g''(b) > 0$ alors b est un minimum local strict de g.

DÉMONSTRATION. Par définition de la dérivabilité,

$$g(t) - g(a) - (t-a)\,g'(a) = \varepsilon(t)\,(t-a)$$

avec $\lim_{t\to a}\varepsilon(t) = 0$. Si $g'(a) \neq 0$, supposons par exemple $g'(a) > 0$, alors il existe $\eta > 0$ tel que pour $|t-a| \leqslant \eta$, $|\varepsilon(t)| \leqslant \frac{1}{2}g'(a)$, d'où

$$g(t) - g(a) = (g'(a) + \varepsilon(t))\,(t-a) \leqslant \tfrac{1}{2}g'(a)\,(t-a) < 0$$

pour $a - \eta \leqslant t < a$. Donc a ne peut pas être un minimum local.
Si g est deux fois dérivable, supposons que a soit un minumum local de g. Alors $g'(a) = 0$ d'après ce qui précède. Supposons $g''(a) < 0$. Comme d'après la formule de Taylor-Young

$$g(t) - g(a) - \tfrac{1}{2}(t-a)^2\,g''(a) = \varepsilon(t)\,(t-a)^2$$

avec $\lim_{t\to a}\varepsilon(t) = 0$, il existe $\eta > 0$ tel que pour $|t-a| \leqslant \eta$, $|\varepsilon(t)| \leqslant -\frac{1}{4}g''(a)$, d'où

$$g(t) - g(a) = (\tfrac{1}{2}g''(a) + \varepsilon(t))(t-a)^2 \leqslant \tfrac{1}{4}g''(a)(t-a)^2 < 0$$

pour $|t-a| \leqslant \eta, t \neq a$. Donc a ne peut pas être un minimum local.
Enfin, si $g'(b) = 0$ et $g''(b) > 0$ alors

$$g(t) - g(b) - \tfrac{1}{2}(t-b)^2 g''(b) = \varepsilon(t)(t-b)^2$$

avec $\lim_{t \to b} \varepsilon(t) = 0$, et donc il existe $\eta > 0$ tel que pour $|t-b| \leqslant \eta$, $|\varepsilon(t)| \leqslant \tfrac{1}{4}g''(b)$, d'où

$$g(t) - g(b) = (\tfrac{1}{2}g''(b) + \varepsilon(t))(t-b)^2 \geqslant \tfrac{1}{4}g''(b)(t-b)^2 > 0$$

pour $0 < |t-b| \leqslant \eta$. □

Remarque 3.1

La condition $g'(a) = 0$ serait grossièrement fausse si I n'était pas ouvert : par exemple, une fonction dont la dérivée est strictement positive sur un segment $[a, b]$ admet un minimum en a et un maximum en b sans que sa dérivée s'annule en ces points.

Remarque 3.2

Les conditions $g'(a) = 0$ et $g''(a) \geqslant 0$ ne sont pas suffisantes pour que a soit un minimum local de g (considérer par exemple $g(t) = t^3$ en $t = 0$) et la condition $g''(a) > 0$ n'est pas nécessaire (voir $g(t) = t^4$ en $t = 0$).

Les conditions de la proposition 3.1 s'étendent comme suit aux fonctions définies sur un ouvert d'espace de Banach.

Théorème 3.3

Soit f une fonction définie sur un ouvert U d'un espace de Banach E et à valeurs réelles, différentiable en $a \in U$. Si a est un minimum local de f alors $\mathrm{d}f(a) = 0$. Si de plus f est deux fois différentiable en a, alors $\mathrm{d}^2 f(a) \cdot (h, h) \geqslant 0$ pour tout $h \in E$. « Inversement » si $b \in U$ est tel que $\mathrm{d}f(b) = 0$ et il existe $C > 0$ avec $\mathrm{d}^2 f(b) \cdot (h, h) \geqslant C \|h\|^2$ pour tout $h \in E$ alors b est un minimum local strict de f.

DÉMONSTRATION. Les conditions nécessaires sont des conséquences immédiates de la proposition 3.1. En effet, si a est un minimum local de f alors, quel que soit $h \in E$, 0 est un minimum local de la fonction d'une variable réelle $g : t \mapsto g(t) := f(a + th)$. Or $g'(0) = \mathrm{d}f(a) \cdot h$ et $g''(0) = \mathrm{d}^2 f(a) \cdot (h, h)$. Pour les conditions suffisantes, on applique la formule de Taylor-Young à f. On a en effet

$$f(b+h) - f(b) - \tfrac{1}{2}\mathrm{d}^2 f(b) \cdot (h,h) = \tau(h)\, \|h\|^2$$

avec $\lim_{h\to 0}\tau(h) = 0$. Donc il existe $\eta > 0$ tel que pour $\|h\| \leqslant \eta$, $|\tau(h)| \leqslant \frac{C}{4}$, d'où

$$f(b+h) - f(b) \geqslant \frac{C}{4}\|h\|^2 > 0$$

pour $0 < \|h\| \leqslant \eta$. □

Ce théorème permet de savoir où chercher les minima de f (et donc aussi ses maxima, en l'appliquant à $-f$) : ils sont nécessairement parmi les zéros de $\mathrm{d}f$, que l'on appelle les *points critiques* de f. Pour déterminer si un point critique b est vraiment un minimum, local au moins, on est ensuite amené à étudier la *forme quadratique* q définie par

$$q(h) = \mathrm{d}^2 f(b)\cdot(h, h)\,,\ h \in E\,.$$

En dimension finie

Si E est un espace vectoriel de dimension finie, l'existence de $C > 0$ tel que $q(h) \geqslant C\,\|h\|^2$ pour tout vecteur $h \in E$ équivaut simplement à $q(h) > 0$ quel que soit $h \neq 0_E$ (auquel cas on dit que q est définie positive). En effet, q est continue et atteint donc son minimum sur la sphère unité (qui est bien compacte si E est de dimension finie), d'après le théorème 3.1. Puisque q est quadratique, on en déduit l'inégalité voulue avec $C := \min_{\|h\|=1} q(h)$.

Si $E = \mathbb{R}^d$, la forme quadratique q a pour matrice $\mathrm{Hess} f(b)$. On sait que celle-ci est symétrique d'après le théorème de Schwarz (théorème 2.1). Or toute matrice symétrique réelle est diagonalisable dans une base orthonormée sur $\mathbb{R}$: ceci peut justement se démontrer grâce au théorème des multiplicateurs de Lagrange que nous allons voir au prochain paragraphe (cf. l'exercice 3.5). Concernant la forme quadratique q, cela veut dire qu'il existe une base orthonormée $(\mathrm{e}_1,\ldots,\mathrm{e}_d)$ de $\mathbb{R}^d$ telle que

$$q(h) = \sum_{i=1}^{d} \lambda_i h_i^2\,,\ \forall h = \sum_{i=1}^{d} h_i\,\mathrm{e}_i\,,$$

où $\lambda_1, \ldots \lambda_d$ sont les valeurs propres (réelles) de $\mathrm{Hess} f(b)$. On constate donc que q est à valeurs strictement positives sur $\mathbb{R}^d\backslash\{0\}$ si et seulement si toutes les valeurs propres de $\mathrm{Hess} f(b)$ sont strictement positives.

Ne reste plus qu'à savoir déterminer si une matrice symétrique réelle a toutes ses valeurs propres strictement positives. C'est très facile pour les matrices 2×2 : si $A \in \mathcal{M}_2(\mathbb{R})$, le produit et la somme de ses valeurs propres sont respectivement $\mathrm{dét} A$ et $\mathrm{tr} A$; si de plus A est symétrique, on sait que ses valeurs propres sont réelles; une condition nécessaire et suffisante pour qu'elles soient toutes les deux strictement positives est donc ($\mathrm{dét} A > 0$ et $\mathrm{tr} A > 0$). Plus généralement, la loi d'inertie de Sylvester montre qu'une matrice symétrique $A \in \mathcal{M}_d(\mathbb{R})$ a toutes ses valeurs propres strictement positives si et seulement si tous ses mineurs diagonaux ($\mathrm{dét}(a_{ij})_{1\leqslant i,j\leqslant k}$ avec $1 \leqslant k \leqslant d$) sont strictement positifs : c'est le *critère de Sylvester*.

3.2 EXTREMA LIÉS

On a rencontré plus haut un problème d'extremum lié: il s'agissait de minimiser une fonction, en l'occurrence une forme quadratique notée q, non pas sur un ouvert mais sur la sphère unité de $\mathbb{R}^d$. Celle-ci est naturellement définie par son équation cartésienne : $\|x\| = 1$. On dit aussi que l'égalité $\|x\| = 1$ est une *contrainte* : elle restreint le domaine D sur lequel on cherche à minimiser la fonction q. Bien entendu, le théorème 3.3 ne s'applique pas dans ce cadre. En fait, le minimum de q sur la sphère (dont on sait qu'il existe) a peu de chance d'être un point critique de q. En effet,

$$\mathrm{d}q(h) \cdot k = 2\phi(h,k)\,,$$

où ϕ est la *forme polaire* de q, c'est-à-dire l'unique forme bilinéaire symétrique telle que $\phi(h, h) = q(h)$ (dans le cas considéré, $\phi = \mathrm{d}^2 f(b)$). Si q avait un point critique h avec $\|h\| = 1$ (et donc forcément $h \neq 0$), cela voudrait dire que la forme bilinéaire ϕ est *dégénérée*, et en particulier h serait un vecteur *isotrope* de q (*i.e.* $q(h) = 0$). Comme $\mathrm{d}^2q(h) = 2q$, $\mathrm{d}^2q(h)$ ne pourrait pas être définie positive : même si ce n'est pas rédhibitoire, c'est mauvais signe.

L'objectif de cette partie est de donner une caractérisation des extrema sous un nombre fini de contraintes prenant la forme d'égalités.

Définition 3.2

Si f et $g_1,\ldots,g_p$ sont des fonctions définies sur un ouvert U d'un espace de Banach E et à valeurs réelles, un point $a \in U$ tel que $g_1(a) = 0 \ldots g_p(a) = 0$ est un *minimum local* de f *sous les contraintes* $g_1,\ldots,g_p$ s'il existe un voisinage ouvert V_a de a tel que

$$f(x) \geqslant f(a) \quad \text{pour tout } x \in V_a \text{ tel que } g_1(x) = 0,\ldots, g_p(x) = 0\,.$$

Lorsque que les contraintes g_1, ..., g_p sont différentiables en a, on dit qu'elles sont *indépendantes* au point $a \in U$ si la famille de formes linéaires continues $\{\mathrm{d}g_1(a),\ldots,\mathrm{d}g_p(a)\}$ est libre.

Le résultat suivant est la base de l'*optimisation sous contraintes* : il fournit une condition nécessaire pour qu'un point soit un minimum local d'une fonction différentiable, sous contraintes elles-mêmes différentiables.

Théorème 3.4 ***Théorème des multiplicateurs de Lagrange***

Soient f et $g_1,\ldots,g_p$ des fonctions de classe $\mathcal{C}^1$ sur un ouvert U d'un espace de Banach E et à valeurs réelles. Soit $a \in U$ tel que $g_1(a) = 0,\ldots,g_p(a) = 0$ et les contraintes $g_1,\ldots,g_p$ soient indépendantes au point a. Si a est un minimum local de f sous les contraintes $g_1,\ldots,g_p$ alors il existe des réels $\lambda_1,\ldots,\lambda_p$ tels que $\mathrm{d}f(a) = \lambda_1\,\mathrm{d}g_1(a) + \cdots + \mathrm{d}g_p(a)$.

Dans cet énoncé les nombres $\lambda_1, \ldots, \lambda_p$ sont appelés des *multiplicateurs de Lagrange*.

Le cœur de la démonstration va consister à se ramener au cas d'un minimum libre, c'est-à-dire sans contraintes, sur un ouvert. C'est possible en examinant de près la nature de l'ensemble des points vérifiant les contraintes. S'il n'y avait qu'une contrainte (*i.e.* si $p = 1$) et si elle était linéaire, cet ensemble serait un *hyperplan*. Avec une seule contrainte mais pas forcément linéaire, l'ensemble en question est appelé une *hypersurface* (voir l'exercice 1.20) : une hypersurface dans un espace de dimension 3 est juste une *surface* ; une hypersurface dans un plan est ... une courbe ! Plus généralement, l'ensemble des points vérifiant p contraintes indépendantes est ce qu'on appelle une *variété* de co-dimension p : grâce au théorème des fonctions implicites, elle peut s'écrire localement comme le graphe d'une fonction définie sur un ouvert d'un sous-espace vectoriel de co-dimension p. La vérification de ce fait est, sans prononcer le terme de variété[2], la première étape de la démonstration que l'on donne ci-dessous du théorème des multiplicateurs de Lagrange.

Pour mieux comprendre ce théorème, considérons le cas où il y a une seule contrainte g et où $E = \mathbb{R}^2$, de sorte qu'on puisse faire un dessin. Si $\mathrm{d}f(a) \neq 0$ et $\mathrm{d}g(a) \neq 0$, les *ensembles de niveau* respectifs de f et de g sont des courbes, au voisinage de a. En chaque point x d'une telle courbe, par exemple $\mathcal{C}_\alpha := \{x \in \mathbb{R}^2, \text{ voisin de } a\,;\ f(x) = \alpha\}$, $\nabla f(x)$ est un vecteur normal à $\mathcal{C}_\alpha$ (voir l'exercice 1.20). Si $\mathrm{d}f(a)$ et $\mathrm{d}g(a)$ ne sont pas colinéaires, ou de façon équivalente, si $\nabla f(a)$ est $\nabla g(a)$ ne sont pas colinéaires, les courbes de niveau de f et de g sont transversales les unes aux autres.

On « voit » donc que f est strictement monotone le long de chaque courbe de niveau de g (au voisinage de a), et ne peut donc admettre de minimum (ou de maximum) local sur l'une quelconque de ces courbes.

Autrement dit, $\mathrm{d}f(a)$ et $\mathrm{d}g(a)$ se doivent d'être colinéaires pour que f admette un extremum local sous la contrainte g.

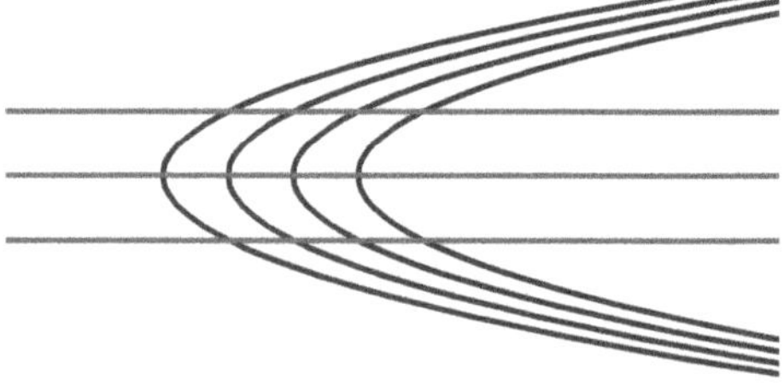

Figure 3.2 **Courbes de niveau transversales d'une fonction polynomiale de degré deux (paraboles) et d'une fonction affine (droites).**

2. Le concept date des travaux de Riemann dans les années 1850. En 1899, Poincaré écrivait : « Le mot *variété* est maintenant assez usité pour que je n'en aie pas cru nécessaire d'en rappeler la définition. On appelle ainsi tout ensemble continu de points (ou de systèmes de valeurs) : c'est ainsi que dans l'espace à trois dimensions, une surface quelconque est une variété à deux dimensions et une ligne quelconque, une variété à une dimension. »

DÉMONSTRATION DU THÉORÈME 3.4. On peut supposer sans perte de généralité $a = 0$. (Il suffit de considérer la fonction $x \mapsto f(x-a)$ au lieu de f.) Notons pour simplifier $\psi_i := \mathrm{d}g_i(0)$ pour tout $i \in \{1,\dots,p\}$. Soit

$$G = \left(\mathrm{Vect}(\psi_1,\dots,\psi_p)\right)^{\perp} := \{\, h \in E\,;\ \psi_i(h) = 0\,,\ i \in \{1,\dots,p\}\}\,.$$

Puisque la famille $(\psi_1,\dots,\psi_p)$ est libre, il existe une famille de p vecteurs $h_1,\dots,h_p \in E$ indépendants tels que $\psi_i(h_j) = \delta_i^j$ (symbole de Kronecker, valant 1 si $i = j$ et 0 sinon). Alors le sous-espace $F = \mathrm{Vect}(h_1,\dots,h_p)$ est tel que $G \oplus F = E$, c'est-à-dire que pour tout$x \in E$ il existe un unique couple $(z, y) \in G \times F$ tel que $x = z + y$. On a donc un isomorphisme

$$\begin{array}{rcl} \mathfrak{J} : G \times F & \to & E \\ (z, y) & \mapsto & x = z + y\,. \end{array}$$

La continuité de la réciproque découle du théorème de Banach (théorème 0.1), mais aussi de la formule explicite : $y = \sum_{i=1}^{p} \psi_i(x)\, h_i$. Considérons alors la fonction

$$\begin{array}{rcl} G \times F & \to & \mathbb{R}^p \\ (z, y) & \mapsto & (g_1(z+y),\dots, g_p(z+y))\,. \end{array}$$

C'est une fonction de classe $\mathcal{C}^1$ (comme fonction composée de fonctions de classe $\mathcal{C}^1$) et sa différentielle partielle par rapport à y au point $(0, 0)$ est un isomorphisme de F sur $\mathbb{R}^p$, par hypothèse sur les fonctions g_i : en effet, dans la base $(h_1,\dots,h_p)$ de F et la base canonique de $\mathbb{R}^p$, sa matrice jacobienne est la matrice de coefficients $\psi_i(h_j) = \delta_i^j$, c'est-à-dire la matrice identité.

Donc le théorème des fonctions implicites montre qu'il existe un voisinage V_0 de 0 dans U (image par $\mathfrak{J}$ d'un voisinage de $(0, 0)$ dans $G \times F$), et une application φ définie sur un voisinage W_0 de 0 dans G tels que

$$(g_1(x) = 0\,,\dots, g_p(x) = 0\,,\quad x \in V_0) \quad \Leftrightarrow \quad (x = z + \varphi(z), z \in W_0)\,.$$

Par conséquent, 0 est un minimum local de f sous les contraintes $g_1, \dots, g_p$ si et seulement si 0 est un minimum local de la fonction $g : z \mapsto g(z) = f(z + \varphi(z))$. Une condition nécessaire est donc $\mathrm{d}g(0) = 0$, c'est-à-dire

$$\mathrm{d}f(0)\cdot(k + \mathrm{d}\varphi(0)\cdot k) = 0 \quad \text{pour tout } k \in G\,.$$

Or par construction de φ on a précisément $\mathrm{d}\varphi(0)\cdot k = 0$ pour tout $k \in G$. En effet, comme φ est à valeurs dans l'espace vectoriel $F = \mathrm{Vect}(h_1, \dots, h_p)$, il suffit de montrer que $\psi_i(\mathrm{d}\varphi(0)\cdot k) = 0$ quel que soit $i \in \{1,\dots,p\}$: ceci s'obtient par différentiation de la fonction

$$z \mapsto g_i(z + \varphi(z))\,,$$

qui est identiquement nulle, en utilisant le fait que $\mathrm{d}g_i(0)\cdot k = \psi_i(k) = 0$ pour $k \in G$ (par définition de G).

On a donc montré que $\mathrm{d}f(0) \cdot k = 0$ pour tout $k \in G$. Autrement dit, en notant pour simplifier $\psi = \mathrm{d}f(0)$, on a

$$\Big(\mathrm{Vect}(\psi_1, \ldots, \psi_p)\Big)^{\perp} \subset \Big(\mathrm{Vect}(\psi)\Big)^{\perp}.$$

On en déduit, grâce au lemme algébrique classique rappelé ci-après :

$$\mathrm{Vect}(\psi) \subset \mathrm{Vect}(\psi_1, \ldots, \psi_p)$$

c'es-à-dire que ψ est effectivement une combinaison linéaire des ψ_i. □

Lemme 3.1

Soient ψ, ψ_1, …, ψ_p, des formes linéaires sur un espace vectoriel E. Si

$$\bigcap_{i=1}^{p} \mathrm{Ker}\,\psi_i \subset \mathrm{Ker}\,\psi$$

alors ψ est combinaison linéaire des ψ_i.

Démonstration. Soit F le sous-espace vectoriel de $\mathbb{R}^{p+1}$, image de E par l'application linéaire

$$x \mapsto (\psi(x), \psi_1(x), \ldots, \psi_p(x)).$$

D'après l'hypothèse, $\mathbf{a} := (1, 0, \ldots, 0)$ n'appartient pas à F (qui est donc de dimension au plus p). Par conséquent il existe un hyperplan H de $\mathbb{R}^{p+1}$ qui contienne F et pas $\mathbf{a}$ (si F est un hyperplan, il n'y a rien à faire ; sinon, on considère une base $(\mathbf{e}_1, \cdots, \mathbf{e}_q)$ de F : comme $\{\mathbf{a}, \mathbf{e}_1, \cdots, \mathbf{e}_q\}$ est une famille indépendante on peut la compléter en une base $(\mathbf{a}, \mathbf{e}_1, \cdots, \mathbf{e}_p)$ de $\mathbb{R}^{p+1}$, et ainsi définir H comme l'hyperplan engendré par $(\mathbf{e}_1, \cdots, \mathbf{e}_p)$). Soit alors une équation cartésienne de H :

$$\lambda y_0 + \sum_{j=1}^{p} \lambda_j y_j = 0.$$

On a $\lambda \neq 0$ puisque $\mathbf{a} \notin F$, et pour tout $x \in E$,

$$\lambda\psi(x) + \sum_{j=1}^{p} \lambda_j \psi_j(x) = 0.$$

Autrement dit, $\psi = -\frac{1}{\lambda}\sum_{j=1}^{p} \lambda_j \psi_j$. □

Jusqu'à présent, nous avons considéré des problèmes d'extremum sous des conditions *topologiques* (compacité ou caractère ouvert du domaine de définition de la fonction à minimiser). Insistons sur le fait que les conditions nécessaires d'extremum local de la proposition 3.1 et des théorèmes 3.3, 3.4 sont fausses lorsque U n'est pas un ouvert. (On le voit par exemple pour les fonctions $[a, b] \to \mathbb{R}$ à dérivée strictement positive.) Nous allons maintenant considérer des problèmes d'extremum sur des ensembles ayant la propriété *géométrique* d'être convexes (dont les segments $[a, b]$ sont des cas très particuliers).

3.3 Fonctions convexes

3.3.1 Convexité, différentiabilité et minimisation

Dans un $\mathbb{R}$-espace vectoriel E, un *segment* est la portion de droite fermée entre deux « points » : quels que soient $x, y \in E$ on notera

$$[x,y] := \{\theta x + (1-\theta)y\,;\ \theta \in [0,1]\}.$$

Ceci généralise la notion de segment que l'on connaît dans $\mathbb{R}$, à ceci près qu'il n'y pas d'ordre dans E, de sorte que la notation $[x, y]$ ne présage absolument rien de la position de x par rapport à y. On remarque même que $[x, y] = [y, x]$.

Définition 3.3

Un sous-ensemble C d'un $\mathbb{R}$-espace vectoriel E est dit *convexe* si, quels que soient $x, y \in C$, on a $[x, y] \subset C$.

Par exemple, les boules (ouvertes ou fermées) sont convexes. Ceci résulte de l'inégalité triangulaire car, si l'on considère pour fixer les idées la boule ouverte de centre a et de rayon R,

$$\begin{aligned}\|\theta x + (1-\theta)y - a\| &= \|\theta(x-a) + (1-\theta)(y-a)\| \\ &\leqslant \theta\|x-a\| + (1-\theta)\|y-a\| \\ &< R\end{aligned}$$

si $\theta \in [0, 1]$, $\|x-a\| < R$ et $\|y-a\| < R$ (noter l'importance du fait que $0 \leqslant \theta \leqslant 1$).

Définition 3.4

Une fonction f définie sur un convexe C et à valeurs dans $\mathbb{R}$ est dite *convexe* si pour tous $x, y \in C$, pour tout $\theta \in [0, 1]$,

$$f(\theta x + (1-\theta)y) \leqslant \theta f(x) + (1-\theta)f(y).$$

Elle est dite *strictement convexe* si l'inégalité ci-dessus est stricte lorsque $x \neq y$ et $\theta \in]0, 1[$.

L'interprétation géométrique de cette définition est que la courbe représentative de $f_{|[x,y]}$, vue comme la fonction d'une variable $\theta \mapsto f(\theta x + (1-\theta)y)$, est située en dessous de la *corde*, c'est-à-dire du segment $[(0, f(y)), (1, f(x))]$ dans le plan

$\{(\theta,z)\}$ où l'on trace cette courbe. Par « en dessous » on entend que pour chaque $\theta \in [0, 1]$, le point d'abscisse θ sur la courbe de $f_{|[x,y]}$ a une ordonnée $(f(\theta x + (1-\theta)y))$ plus petite que celui sur la corde (dont l'ordonnée est précisément $\theta f(x) + (1-\theta) f(y)$).

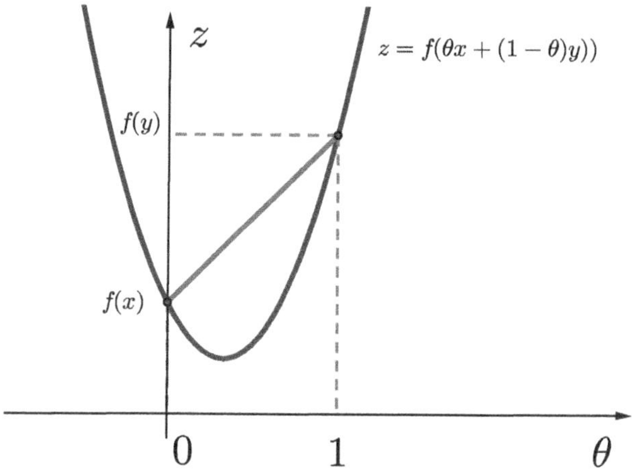

Figure 3.3 **Courbe représentative d'une fonction convexe et une corde entre deux points.**

Si de plus f est différentiable, on a une autre interprétation géométrique de sa convexité, en terme de *tangentes*. Pour une fonction convexe d'une variable, cette interprétation est que sa courbe est au dessus (c'est-à-dire avec des ordonnées plus grandes) de ses (droites) tangentes.

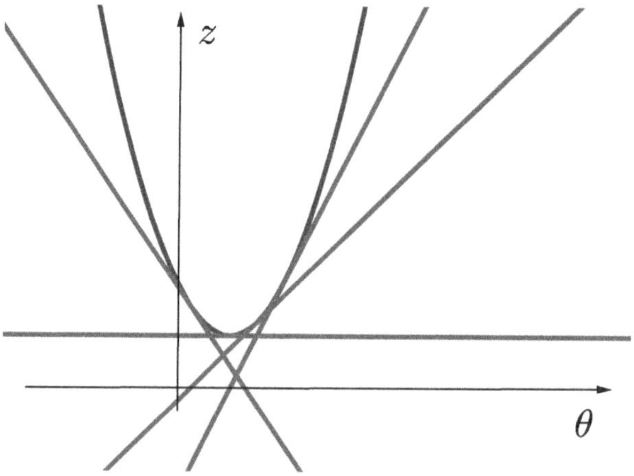

Figure 3.4 **Courbe représentative d'une fonction convexe et quelques tangentes.**

Plus généralement, le graphe d'une fonction convexe (qui est une hypersurface[3] dans $E \times \mathbb{R}$) est « au dessus » de ses hyperplans tangents. C'est ce que montre le résultat suivant.

Théorème 3.5

Soit $f : U \to \mathbb{R}$ une fonction différentiable sur un ouvert U d'un $\mathbb{R}$-espace de Banach E et soit C un sous-ensemble convexe de U. Alors $f_{|C}$ est convexe si et seulement si, pour tous $x, y \in C$,

$$f(y) \geqslant f(x) + \mathrm{d}f(x) \cdot (y - x) \,.$$

Elle est strictement convexe si l'inégalité ci-dessus est stricte pour $x \neq y$. En supposant en outre que f est deux fois différentiable, $f_{|C}$ est convexe si et seulement si pour tous $x, y \in C$,

$$\mathrm{d}^2 f(x) \cdot (y - x, y - x) \geqslant 0 \,.$$

Elle est strictement convexe si l'inégalité ci-dessus est stricte pour $x \neq y$.

DÉMONSTRATION. Supposons f convexe. Soient $x, y \in C$ et $\theta \in]0, 1]$. On a

$$\frac{f(x + \theta(y - x)) - f(x)}{\theta} \leqslant f(y) - f(x) \,,$$

d'où $\mathrm{d}f(x) \cdot (y - x) \leqslant f(y) - f(x)$ en faisant tendre θ vers 0. Si f est strictement convexe, on a une inégalité stricte pour $x \neq y$ et $\theta \in]0, 1[$, mais elle devient large dans le passage à la limite. Pour démontrer qu'effectivement $\mathrm{d}f(x) \cdot (y - x) < f(y) - f(x)$, on observe que pour tout $\omega > 0$,

$$x + \theta(y - x) = \frac{\omega - \theta}{\omega} x + \frac{\theta}{\omega}(x + \omega(y - x)) \,,$$

d'où, pour $0 < \theta < \omega < 1$,

$$\frac{f(x + \theta(y - x)) - f(x)}{\theta} < \frac{f(x + \omega(y - x)) - f(x)}{\omega} < f(y) - f(x) \,.$$

On obtient l'inégalité stricte souhaitée en gardant ω fixé et en faisant tendre θ vers 0. Réciproquement, si l'on a $f(y) \geqslant f(x) + \mathrm{d}f(x) \cdot (y - x)$ quels que soient x et $y \in C$, on obtient l'inégalité de convexité en prenant la combinaison convexe des inégalités

$$f(x) \geqslant f(x + \theta(y - x)) - \theta \, \mathrm{d}f(x + \theta(y - x)) \cdot (y - x) \,,$$

$$f(y) \geqslant f(x + \theta(y - x)) + (1 - \theta) \, \mathrm{d}f(x + \theta(y - x)) \cdot (y - x) \,.$$

3. Ce terme est expliqué p. 104.

Pour la caractérisation de la convexité en terme de différentielles secondes, on peut considérer, à x fixé, la fonction $g : y \mapsto f(y) - \mathrm{d}f(x) \cdot y$. La différence avec f étant une fonction affine, g est convexe si et seulement si f l'est, et $\mathrm{d}^2 f(x) = \mathrm{d}^2 g(x)$. Or, si f est convexe, la première partie montre que x est un minimum (global) de $g_{|C}$. En appliquant à $\theta \in [0,1] \mapsto g(x + \theta(y-x))$ la formule de Taylor-Young exactement comme dans la démonstration de la proposition 3.1, on en déduit que nécessairement $\mathrm{d}^2 f(x) \cdot (y-x, y-x) \geqslant 0$. Inversement, supposons que l'on ait cette inégalité quels que soient x et y dans C. Alors d'après la formule des accroissements finis (voir le théorème 8.14, p. 342 dans l'appendice) appliquée entre 0 et 1 à la fonction

$$\begin{array}{ccl} [0,1] & \to & \mathbb{R} \\ \theta & \mapsto & f(x+\theta(y-x)) + (1-\theta)\,\mathrm{d}f(x+\theta(y-x)) \cdot (y-x)\,, \end{array}$$

il existe $\theta \in]0,1[$ tel que

$$\begin{aligned} f(y) - f(x) - \mathrm{d}f(x)\cdot(y-x) &= (1-\theta)\,\mathrm{d}^2 f(x+\theta(y-x))\cdot(y-x,y-x) \\ &= \frac{1}{1-\theta}\mathrm{d}^2 f(x+\theta(y-x))\cdot(y-(x+\theta(y-x)), y-(x+\theta(y-x))) \geqslant 0\,. \end{aligned}$$

Donc f est convexe d'après la première partie. □

Ces observations étant faites, on peut s'intéresser à la minimisation des fonctions convexes. Notons que, bien sûr, il en irait différemment si l'on cherchait à maximiser une fonction convexe. Car l'astuce qui consiste à changer f en $-f$ ne préserve pas la convexité. Au contraire, elle change une fonction convexe en fonction *concave* (c'est-à-dire satisfaisant l'inégalité opposée à celle de la définition 3.4). Les résultats suivants, spécifiques à la minimisation des fonctions convexes, se traduisent donc également par des résultats sur la maximisation des fonctions concaves, mais certainement pas sur la maximisation de fonctions convexes ou la minimisation de fonctions concaves.

Théorème 3.6

Soit $f : U \to \mathbb{R}$ une fonction définie sur un ouvert U d'un $\mathbb{R}$-espace de Banach E et soit C un sous-ensemble convexe de U.

i) si $f_{|C}$ est convexe et admet un minimum local dans C, c'est un minimum global ;

ii) si $f_{|C}$ est strictement convexe alors elle admet au plus un minimum, et c'est un minimum strict ;

iii) si f est différentiable, une condition nécessaire pour qu'un point $a \in C$ soit un minimum de $f_{|C}$ est $\mathrm{d}f(a)\cdot(y-a) \geqslant 0$ pour tout $y \in C$. Si de plus $f_{|C}$ est convexe, cette condition est également suffisante.

Ce dernier énoncé a l'interprétation géométrique suivante, si $E = \mathbb{R}^d$ pour simplifier. L'inégalité $\mathrm{d}f(a)\cdot(y-a) \geqslant 0$ équivaut à $\langle \nabla f(a), y-a\rangle \geqslant 0$, où $\langle\cdot,\cdot\rangle$ est le produit scalaire canonique de$\mathbb{R}^d$, ce qui signifie que $y - a$ est dans le même demi-espace que $\nabla f(a)$ par rapport à l'hyperplan $\nabla f(a)^\perp$, orthogonal à $\nabla f(a)$. Autrement dit, une condition nécessaire et suffisante pour qu'une fonction convexe f atteigne son minimum en a sur un convexe C est que cet ensemble C soit entièrement inclus dans le demi-espace affine délimité par $a + \nabla f(a)^\perp$ et vers lequel pointe $\nabla f(a)$.

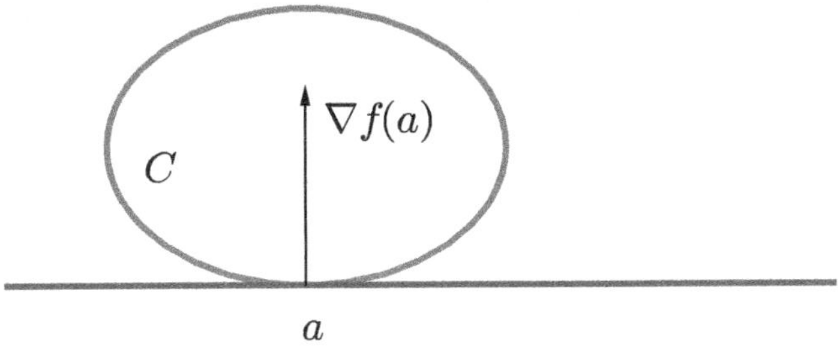

Figure 3.5 **Interprétation géométrique de la condition** $\mathrm{d}f(a) \cdot (y - a) \geqslant 0$, $\forall y \in C$.

DÉMONSTRATION DU THÉORÈME 3.6

i) Supposons $f_{|C}$ convexe et admettant un minimum local en $a \in C$, et soit $x \in C$. Pour tout $\theta \in [0, 1]$, $f(a + \theta(x - a)) - f(a) \leqslant \theta(f(x) - f(a))$ et le membre de gauche est positif ou nul pour $\theta > 0$ assez petit. Par conséquent, $f(x) - f(a) \geqslant 0$.

ii) si $f_{|C}$ est strictement convexe, on obtient comme ci-dessus l'inégalité stricte $f(x) - f(a) > 0$ pour $x \neq a$. Un minimum strict est toujours unique.

iii) Supposons f différentiable et admettant un minimum en $a \in C$. Soit $x \in C$: il existe une fonction $\tau : \theta \mapsto \tau(\theta)$ tendant vers 0 en 0, telle que

$$f(a + \theta(x - a)) - f(a) = \theta \mathrm{d}f(a) \cdot (x - a) + \theta\tau(\theta).$$

Si on avait $\mathrm{d}f(a) \cdot (x - a) < 0$, on aurait $f(a + \theta(x - a)) < f(a)$ pour $\theta > 0$ assez petit. Inversement, si $f_{|C}$ est convexe et si l'on a l'inégalité $\mathrm{d}f(a) \cdot (y - a) \geqslant 0$ pour tout $y \in C$, alors d'après la première partie du théorème 3.5, a est un minimum de f. □

Un exemple important de problème de minimisation sur un ensemble convexe est fourni par ce que l'on appelle des *contraintes-inégalités*

$$g_1(a) \leqslant 0, \ldots, g_p(a) \leqslant 0,$$

où les fonctions g_j sont convexes. Un exemple important de fonction convexe à minimiser est celui des fonction(elle)s *quadratiques*, ou un peu plus généralement de la forme

$$x \mapsto f(x) = \phi(x,x) + \ell(x),$$

où ϕ est une forme bilinéaire continue positive et ℓ est une forme linéaire continue.

Concernant la maximisation des fonctions convexes, mentionnons juste le « *principe du maximum* » suivant.

Théorème 3.7

Soit $f : C \to \mathbb{R}$ une fonction convexe continue sur C, convexe compact dans un espace vectoriel normé de dimension finie. Alors elle atteint son maximum en un *point extrémal* de C, c'est-à-dire un point $c \in C$ tel que $C \backslash \{c\}$ soit encore convexe.

Noter qu'un point extrémal appartient nécessairement à la frontière de C. En effet, pour un point c intérieur à C, il existe $r > 0$ tel que pour tout h de norme au plus r on ait $c + h \in C$ et $c - h \in C$. Si $h \neq 0$ on a alors $c = ((c+h) + (c-h))/2$ avec $c + h \in C \backslash \{c\}$ et $c - h \in C \backslash \{c\}$. Ceci montre que $C \backslash \{c\}$ n'est pas convexe. Les points intérieurs à C ne peuvent donc pas être des points extrémaux. Les points extrémaux d'un *simplexe* par exemple,

$$S := \left\{ x = \sum_{k=0}^{n} \theta_k s_k \,;\ \theta_k \in [0,1]\,,\ \sum_{k=0}^{n} \theta_k = 1 \right\} \subset \mathbb{R}^n ,$$

sont ses *sommets* s_k, $k \in \{0, \ldots, n\}$.

L'hypothèse de continuité de f peut être redondante : si f est convexe sur un *ouvert* convexe contenant C alors elle est automatiquement continue sur C (voir par exemple [19, p.174]).

Démonstration du théorème 3.7. Elle est facile moyennant le recours à deux théorèmes fondamentaux de l'analyse convexe, le théorème de *Carathéodory* [19, p. 98] et le théorème de *Minkowski* [19, p. 111], souvent appelé théorème de Krein-Milman, qui montrent que tout point c de C s'écrit comme une *combinaison convexe*

$$c = \sum_{k=0}^{n} \theta_k c_k \,,\ \theta_k \in [0,1]\,,\ \sum_{k=0}^{n} \theta_k = 1\,,$$

où n est la dimension de l'espace vectoriel contenant C (le plus petit, en fait, mais le nombre de points de la combinaison n'est pas important ici). C'est en particulier le cas pour tout point c où f atteint son maximum sur C. Rappelons qu'un tel point existe d'après le théorème 3.1. Par suite, on a

$$f(c) = f\Big(\sum_{k=0}^{n} \theta_k c_k \Big) \leqslant \sum_{k=0}^{n} \theta_k f(c_k) \leqslant \sum_{k=0}^{n} \theta_k f(c) = f(c)\,,$$

où la première inégalité provient de la convexité de f et la seconde du fait que $f(c)$ est la valeur maximale de f (et les θ_k sont positifs ou nuls). Ces inégalités sont par conséquent des égalités. Ceci montre que $f(c_k) = f(c)$ pour tout k. Il en suffirait d'un : f atteint son maximum par exemple en c_0, qui est par définition un point extrémal de f. □

3.3.2 Fonctions convexes conjuguées

Soit f une fonction strictement convexe sur un ouvert convexe U de l'espace E. Pour tout $q \in E^* = \mathcal{L}(E; \mathbb{R})$, on définit

$$f^*(q) = \sup_{u \in U} (q \cdot u - f(u)) .$$

La fonction $u \in U \mapsto f(u) - q \cdot u$ étant strictement convexe (comme f), la fonction $u \in U \mapsto q \cdot u - f(u)$ est strictement concave. Elle admet donc au plus un maximum local, et c'est un maximum global (d'après le théorème 3.5). Par suite on a soit $f^*(q) = +\infty$ soit $f^*(q) = q \cdot u^*(q) - f(u^*(q))$, où $u^*(q)$ est l'unique point critique (s'il existe) de la fonction $u \in U \mapsto q \cdot u - f(u)$, c'est-à-dire que

$$q = \mathrm{d}f(u^*(q)) .$$

La fonction $f^* : E^* \to]-\infty, +\infty]$ ainsi définie est convexe : c'est la *fonction convexe conjugée* de f, aussi appelée *transformée de Fenchel-Moreau* de f. Dans l'exemple très simple de la fonction d'une variable réelle $f : u \mapsto u^2/2$ on vérifie aisément que, moyennant l'identification de $\mathcal{L}(\mathbb{R}; \mathbb{R})$ avec $\mathbb{R}$, $f^* = f$.

3.4 Introduction au calcul des variations

Considérons l'espace $E = \mathcal{C}^1([0,1]; \mathbb{R}^n)$ muni de la norme définie par

$$\|u\| := \max(\|u\|_\infty, \|u'\|_\infty) , \quad \|u\|_\infty := \max_{t \in [0,1]} \|u(t)\|_{\mathbb{R}^n} .$$

Soient $a, b \in \mathbb{R}^n$. Considérons l'ensemble $C := \{u \in E ; u(0) = a , u(1) = b\}$, convexe, et une fonction(nelle) de la forme

$$\mathcal{A} : u \in E \mapsto \int_0^1 L(u(t), u'(t))\, \mathrm{d}t ,$$

où $L \in \mathcal{C}^2(\mathbb{R}^n \times \mathbb{R}^n; \mathbb{R})$ est ce que l'on appelle un *lagrangien* (et $\mathcal{A}$ est la *fonctionnelle d'action* associée). On montre sans peine que $\mathcal{A}$ est différentiable sur E. D'après le théorème 3.6, si $\mathcal{A}$ admet un minimum u sur C, alors $\mathrm{d}\mathcal{A}(u) \cdot h \geqslant 0$ pour tout $h \in C - u$, c'est-à-dire pour tout $h \in E$ tel que $h(0) = h(1) = 0$. Par suite, l'inégalité est en fait une égalité : une condition nécessaire pour que u soit un minimum de $\mathcal{A}$ sur C est par conséquent (en dérivant sous le signe $\int$, ce qui ne pose pas de problème sur le compact [0, 1]),

$$\int_0^1 \sum_{i=1}^n \frac{\partial L}{\partial q_i}(u(t), u'(t))\, h_i(t) + \int_0^1 \sum_{i=1}^n d\frac{\partial L}{\partial \dot{q}_i}(u(t), u'(t))\, h_i'(t)\, \mathrm{d}t = 0 ,$$

quel que soit $h \in E$ tel que $h(0) = h(1) = 0$, où l'on a noté (de façon standard) q_i et $\dot{q}_i$ les composantes des arguments de L. Si de plus u est de classe $\mathcal{C}^2$, en intégrant par parties le deuxième morceau, on peut réécrire l'égalité ci-dessus sous la forme

$$\int_0^1 \sum_{i=1}^{n} \left(\frac{\partial L}{\partial q_i}(u(t),u'(t)) - \frac{\mathrm{d}}{\mathrm{d}t} \left(\frac{\partial L}{\partial \dot{q}_i}(u(t),u'(t)) \right) \right) h_i(t)\, \mathrm{d}t = 0 .$$

Pour qu'elle soit satisfaite quelle que soit la fonction h, il faut et il suffit, d'après ce que l'on appelle parfois le *lemme fondamental du calcul intégral* (voir par exemple [2, Lemme IV.2]) que

$$\forall t \in [0, 1], \quad \frac{\partial L}{\partial q_i}(u(t), u'(t)) - \frac{\mathrm{d}}{\mathrm{d}t} \left(\frac{\partial L}{\partial \dot{q}_i}(u(t), u'(t)) \right) = 0,$$

c'est-à-dire que u soit solution de l'*équation différentielle*

$$\frac{\mathrm{d}}{\mathrm{d}t} \left(\frac{\partial L}{\partial \dot{q}_i}(u, u') \right) = \frac{\partial L}{\partial q_i}(u, u') . \tag{3.1}$$

C'est l'*équation d'Euler-Lagrange* associée à la fonction L. En abrégé elle s'écrit $\delta\mathcal{A}(u) = 0$, où $\delta\mathcal{A}$ désigne le *gradient variationnel* de $\mathcal{A}$, défini par

$$\begin{array}{rccc} \delta\mathcal{A} : & \mathcal{C}^2([0,1]; \mathbb{R}^n) & \to & \mathcal{C}^0([0,1]; \mathbb{R}^n) \\ & u & \mapsto & \delta\mathcal{A}(u) ; \end{array}$$

$$\delta\mathcal{A}(u)_i(t) = \frac{\partial L}{\partial q_i}(u(t),u'(t)) - \frac{\mathrm{d}}{\mathrm{d}t} \left(\frac{\partial L}{\partial \dot{q}_i}(u(t),u'(t)) \right), \quad i \in \{1,\ldots,n\} .$$

Si L est convexe, alors $\mathcal{A}$ aussi (par linéarité de l'intégrale), et par conséquent si $u \in C$ est solution de l'équation d'Euler-Lagrange (3.1), c'est un mimimum de $\mathcal{A}$. Lorsque L n'est pas convexe, l'équation d'Euler-Lagrange est loin d'être suffisante pour minimiser $\mathcal{A}$. On peut cependant obtenir des informations en étudiant la *hessienne* de $\mathcal{A}$, qui n'est pas une matrice puisque E est de dimension infinie, mais un opérateur différentiel à coefficients matriciels.

Proposition 3.2

Pour une fonctionnelle

$$\mathcal{A} : u \in \mathcal{C}^2([0,1]; \mathbb{R}^n) \mapsto \int_0^1 L(u(t),u'(t))\, \mathrm{d}t ,$$

où $L \in \mathcal{C}^2(\mathbb{R}^n \times \mathbb{R}^n; \mathbb{R})$, pour tout $u \in \mathcal{C}^2([0,1]; \mathbb{R}^n)$, pour tout $h \in \mathcal{C}^2([0,1]; \mathbb{R}^n)$ tel que $h(0) = h(1) = 0$, on a

$$\frac{\mathrm{d}}{\mathrm{d}\theta} \mathcal{A}(u + \theta h)_{|\theta=0} = \langle \delta\mathcal{A}(u), h \rangle ,$$

$$\frac{\mathrm{d}^2}{\mathrm{d}\theta^2}\mathcal{A}(u+\theta h)_{|\theta=0} = \langle h\,, \mathrm{Hess}\mathcal{A}(u)\,h\rangle\,,$$

où $\langle\cdot,\cdot\rangle$ désigne le produit scalaire défini sur $\mathcal{C}([0,1];\mathbb{R}^n)$ par

$$\langle u,v\rangle = \int_0^1 \sum_{i=1}^n u_i(t)\,v_i(t)\,\mathrm{d}t\,,$$

et $\mathrm{Hess}\mathcal{A}(u)$ est l'opérateur différentiel du second ordre défini par

$$\mathrm{Hess}\mathcal{A}(u)\,h := -\frac{\mathrm{d}}{\mathrm{d}t}\left(A(u)\,\frac{\mathrm{d}h}{\mathrm{d}t}\right) + B(u)\,\frac{\mathrm{d}h}{\mathrm{d}t} - \frac{\mathrm{d}}{\mathrm{d}t}\left(B(u)^{\mathrm{t}}h\right) + C(u)\,h\,,$$

$$A(u)_{i,j} = \frac{\partial^2 L}{\partial\dot{q}_i\partial\dot{q}_j}(u,u') \quad B(u)_{i,j} = \frac{\partial^2 L}{\partial q_i\partial\dot{q}_j}(u,u') \quad B(u)_{i,j} = \frac{\partial^2 L}{\partial q_i\partial q_j}(u,u')\,.$$

Des conditions nécessaires pour que $\mathcal{A}$ admette un minimum local en u dans l'ensemble

$$C := \{u \in E\,;\ u(0) = a\,,\, u(1) = b\}$$

sont $\delta\mathcal{A}(u) = 0$ et $\langle h\,, \mathrm{Hess}\mathcal{A}(u)\,h\rangle \geqslant 0$ quel que soit h.

DÉMONSTRATION. On a déjà vu que

$$\frac{\mathrm{d}}{\mathrm{d}\theta}\mathcal{A}(u+\theta h)_{|\theta=0} = \mathrm{d}\mathcal{A}(u)\cdot h = \langle\delta\mathcal{A}(u),h\rangle\,.$$

En dérivant une fois de plus sous le signe $\int$ (avant de faire $\theta = 0$!), on obtient

$$\frac{\mathrm{d}^2}{\mathrm{d}\theta^2}\mathcal{A}(u+\theta h)_{|\theta=0} = \int_0^1 \sum_{i,j=1}^n \left(\frac{\partial^2 L}{\partial q_i\partial q_j}(u(t),u'(t))\,h_i(t)\,h_j(t)\right.$$
$$+ \frac{\partial^2 L}{\partial q_i\partial\dot{q}_j}(u(t),u'(t))\,h_i(t)\,h_j'(t) + \frac{\partial^2 L}{\partial\dot{q}_i\partial q_j}(u(t),u'(t))\,h_i'(t)\,h_j(t)$$
$$\left.\frac{\partial^2 L}{\partial\dot{q}_i\partial\dot{q}_j}(u(t),u'(t))\,h_i'(t)\,h_j'(t)\right)\mathrm{d}t$$

d'où, en intégrant par parties les deux derniers morceaux, l'expression annoncée pour $\mathrm{Hess}\mathcal{A}(u)$. Si $\mathcal{A}$ a un minimum local en u dans C alors pour tout $h \in \mathcal{C}^2([0,1];\mathbb{R}^n)$ tel que $h(0) = h(1) = 0$,

$$\frac{\mathrm{d}}{\mathrm{d}\theta}\mathcal{A}(u+\theta h)_{|\theta=0} = 0 \quad \text{et} \quad \frac{\mathrm{d}^2}{\mathrm{d}\theta^2}\mathcal{A}(u+\theta h)_{|\theta=0} \geqslant 0\,,$$

ce qui implique $\delta\mathcal{A}(u) = 0$ (comme on l'a déjà vu plus haut) et

$$\langle h\,, \mathrm{Hess}\mathcal{A}(u)\,h\rangle \geqslant 0$$

quel que soit h. □

En particulier, lorsque $n = 1$, Hess$\mathcal{A}(u)$ se réduit à un opérateur différentiel de la forme

$$P := -\frac{\mathrm{d}}{\mathrm{d}t} a \frac{\mathrm{d}}{\mathrm{d}t} + c\,,$$

où a et c sont des fonctions de t, appelé *opérateur de Sturm-Liouville*. L'étude de ses propriétés de *monotonie* (on parle aussi de *coercivité*), c'est-à-dire du signe de $\langle h, Ph\rangle$ pour h appartenant à certains sous-espaces de $\mathcal{C}^2([0,1];\mathbb{R})$ (ou $L^2([0,1];\mathbb{R})$), est alors intimement liée à l'étude de ses propriétés spectrales, et fait partie de ce que l'on appelle la *théorie de Sturm-Liouville* (voir par exemple [31] ou encore [35, Chap. 5]).

Exercices

3.1 Soient des réels x_i, y_i, $\sigma_i > 0$ pour $i \in \{1,\ldots,N\}$. On suppose que les x_i ne sont pas tous égaux.

i) Montrer qu'il existe des réels a et b tels que (a, b) soit un minimum global de

$$f : (\alpha, \beta) \mapsto f(\alpha, \beta) = \sum_{i=1}^{N} \left(\frac{y_i - \alpha x_i - \beta}{\sigma_i}\right)^2 .$$

ii) Déterminer (a, b).

3.2 Soient des réels y_i, $\sigma_i > 0$ pour $i \in \{1,\ldots,N\}$ et une matrice $A \in \mathcal{M}_{N\times n}(\mathbb{R})$ de coefficients $a_{i,j}$.

i) Déterminer une condition sur A telle que la fonction

$$f : \theta \mapsto f(\theta) = \sum_{i=1}^{N} \frac{1}{\sigma_i^2}\left(y_i - \sum_{j=1}^{n} a_{ij}\theta_j\right)^2$$

admette un minimum global unique.

ii) Si cette condition est satisfaite, calculer ce minimum.

3.3 Le « problème du maître-nageur » consiste à déterminer la ligne brisée selon laquelle un maître-nageur atteindra le plus rapidement un nageur en détresse, sachant qu'il court plus vite sur la plage qu'il ne nage.
Sa solution est analogue à la loi de la *réfraction* en optique (l'une des lois de *Snell-Descartes*). On suppose le plan $\mathbb{R}^2$ coupé par une frontière Γ (qu'on prendra ensuite rectiligne ou circulaire) séparant $\mathbb{R}^2\backslash\Gamma$ en deux composantes connexes Ω_1 et Ω_2, dans lesquelles les rayons lumineux (ou le maître nageur donc) se déplacent en ligne droite avec des vitesses respectivement égales à c_1 et c_2, supposées distinctes.

L'objectif est de déterminer la trajectoire entre deux points $A_1 \in \Omega_1$ et $A_2 \in \Omega_2$ de telle façon que le temps de parcours soit minimal.

i) Dans le cas où Γ est une droite, montrer qu'il existe un unique $P \in \Gamma$ tel que la somme des temps de parcours entre A_1 et P et entre P et A_2 soit minimale, et qu'en ce point les angles θ_i entre $(A_i P)$ et la normale à Γ, pour $i = 1, 2$, vérifient

$$\frac{\sin\theta_1}{c_1} = \frac{\sin\theta_2}{c_2}.$$

ii) Démontrer le même résultat lorsque Γ est un cercle.

3.4 Soient f et g_j pour $j \in \{1,\dots,p\}$ des fonctions de classe $\mathcal{C}^2$ sur un ouvert U d'un espace de Banach E et à valeurs réelles.

i) Montrer que si $a \in U$ est un minimum local de f sous les contraintes g_j, supposées indépendantes, alors il existe des réels $\lambda_1,\dots,\lambda_p$ tels que $(a,\lambda_1,\dots,\lambda_p)$ soit un point critique de la fonction

$$\begin{array}{rcl} F : U \times \mathbb{R}^p & \to & \mathbb{R} \\ (x,\omega_1,\dots,\omega_p) & \mapsto & F(x,\omega_1,\dots,\omega_p) := f(x) - \displaystyle\sum_{j=1}^{p} \omega_j g_j(x). \end{array}$$

ii) Inversement, on suppose que $(a,\lambda_1,\dots,\lambda_p)$ est un point critique de F. Vérifier que $\mathrm{d}f(a) = \lambda_1\,\mathrm{d}g_1(a) + \cdots + \mathrm{d}g_p(a)$.

iii) On suppose désormais que cette relation est satisfaite. On note

$$G = \Big(\mathrm{Vect}(\mathrm{d}g_1(a),\dots,\mathrm{d}g_1(a))\Big)^{\perp} = \{h \in E\,;\ \mathrm{d}g_j(a)\cdot h = 0,\ i \in \{1,\dots,p\}\},$$

et $A := \mathrm{d}^2 f(a) - \displaystyle\sum_{j=1}^{p} \lambda_j \mathrm{d}^2 g_j(a)$. Montrer que, si A est définie positive sur G, et plus précisément s'il existe $C > 0$ tel que $A\cdot(h, h) \geqslant C\|h\|^2$ pour tout $h \in G$, alors a est un minimum local strict de f sous les contraintes g_j.

3.5 On munit $\mathbb{R}^n$ du produit scalaire usuel $\langle\cdot,\cdot\rangle$, et de la norme euclidienne associée, notée $\|\cdot\|$. Soit $A \in \mathcal{L}(\mathbb{R}^n)$ tel que

$$\langle A(x), y\rangle = \langle x, A(y)\rangle \quad \text{quels que soient } x \text{ et } y \in \mathbb{R}^n,$$

et soit la fonction

$$\begin{array}{rcl} f : \mathbb{R}^n & \to & \mathbb{R} \\ x & \mapsto & f(x) := \langle A(x), x\rangle. \end{array}$$

i) Montrer que f est de classe $\mathcal{C}^\infty$.

ii) Montrer qu'il existe $v \in \mathbb{R}^n$ tel que $\|v\| = 1$ et

$$f(v) = \inf_{\|x\|=1} f(x).$$

iii) Montrer que v est un vecteur propre de A, c'est-à-dire que $v \neq 0$ et il existe $\lambda \in \mathbb{R}$ tel que $A(v) = \lambda v$.

iv) Montrer que λ est la plus petite valeur propre de A.

3.6 On suppose ici $n \geqslant 2$. Soient a et b deux vecteurs distincts de $\mathbb{R}^n$, et soit

$$\begin{array}{rcl} f : \mathbb{R}^n & \to & \mathbb{R} \\ x & \mapsto & \|x-a\|^2 \, \|x-b\|^2 . \end{array}$$

i) Montrer que f est de classe $\mathcal{C}^\infty$ sur $\mathbb{R}^n$.

ii) Calculer la différentielle et la différentielle seconde de f.

iii) Trouver tous les points critiques de f, c'est-à-dire les vecteurs $x \in \mathbb{R}^n$ tels que $\mathrm{d}f(x) \equiv 0$.

iv) La fonction f possède-t-elle des extrema locaux dans $\mathbb{R}^n$? des extrema globaux dans $\mathbb{R}^n$?

3.7 Soient

$$\begin{array}{rcl} g : \mathbb{R}^+ & \to & \mathbb{R} \\ t & \mapsto & g(t) := (t-1)^2\,(t+1) , \end{array}$$

et

$$\begin{array}{rcl} \varphi : \quad \mathbb{R}^3 & \to & \mathbb{R} \\ (x,\, y,\, z) & \mapsto & \varphi(x,y,z) := x^2 + y^2 + z^2 + xy - xz . \end{array}$$

i) Montrer que g' s'annule seulement en $t = 1$.

ii) Montrer que φ est à valeurs positives, et s'annule seulement en $(0, 0, 0)$.

iii) Soit $f = g \circ \varphi$. Montrer que $a \in \mathbb{R}^3$ est un point critique de f si et seulement si $a = (0, 0, 0)$ ou $\varphi(a) = 1$.

iv) Déterminer la matrice hessienne de f en $(0, 0, 0)$. En déduire la nature de ce point critique.

v) Montrer que f est à valeurs positives. En déduire que tout point critique non nul de f est un minimum global de f.

3.8 Soient des nombres réels strictement positifs $\alpha_1,\ldots,\alpha_n$ tels que $\sum_{i=1}^n \alpha_i = 1$, et soit

$$\begin{array}{rcl} f : \quad (\mathbb{R}^+)^n & \to & \mathbb{R} \\ x = (x_1,\ldots,x_n) & \mapsto & x_1^{\alpha_1} \times \cdots \times x_n^{\alpha_n} . \end{array}$$

On notera $C := \{x = (x_1,\ldots,x_n) \in (\mathbb{R}^+)^n \,;\; \sum_{i=1}^n \alpha_i x_i = 1\}$.

i) Montrer qu'il existe $a = (a_1,\ldots,a_n) \in C$ tel que $f(a) = \sup\limits_{x\in C} f(x)$, et que $a_i > 0$ pour tout $i \in \{1,\ldots,n\}$.

ii) Trouver tous les points $a \in C$ tels que $f(a) = \sup\limits_{x\in C} f(x)$. En déduire que pour tout $x \in C$, $x_1^{\alpha_1} \cdots x_n^{\alpha_n} \leqslant 1$.

iii) Montrer que pour tout $x \in (\mathbb{R}^+)^n$, $x_1^{\alpha_1} \cdots x_n^{\alpha_n} \leqslant \sum_{i=1}^n \alpha_i x_i$. Dans quel(s) cas a-t-on égalité ?

iv) On considère dans $\mathbb{R}^3$ un parallélépipède rectangle dont les côtés ont respectivement pour longueur x, y, et z. On note V son volume et S l'aire de sa surface. En exprimant S et V en fonction de x, y, z, et en utilisant ce qui précède montrer que

$$V^{2/3} \leqslant S/6 .$$

Comment obtenir un parallélépipède rectangle de surface minimale à volume donné ?

3.9 Soient $U = \{x = (x_1,\dots,x_n) \in \mathbb{R}^n \,;\, x_i > 0 \quad \forall i \in \{1,\dots,n\}\}$, $\alpha \in \mathbb{R}^{+*}$, et

$$\begin{array}{rccl} f: & U & \to & \mathbb{R} \\ & x = (x_1,\dots,x_n) & \mapsto & f(x) := \displaystyle\prod_{k=1}^n x_k + \alpha^{n+1} \sum_{k=1}^n \frac{1}{x_k} . \end{array}$$

i) Montrer que f est de classe $\mathcal{C}^\infty$ sur U.

ii) Calculer $\mathrm{d}f(x)$ pour tout $x \in U$.

iii) Montrer que f admet un unique point critique $a \in U$ (c'est-à-dire tel que $\mathrm{d}f_a = 0$).

iv) Calculer $\mathrm{d}^2 f(x)$ pour tout $x \in U$.

v) Montrer que a est un minimum local strict pour f.

vi) Dans quel cas simple peut-on dire que a est un minimum global ?

3.10 Transformée de Legendre

Soit

$$\begin{array}{rccl} L: & \mathbb{R}^n \times \mathbb{R}^n & \to & \mathbb{R} \\ & (q,\dot{q}) & \mapsto & L(q,\dot{q}) \end{array}$$

de classe $\mathcal{C}^2$. On suppose que L est strictement convexe par rapport à $\dot{q}$, c'est-à-dire que la matrice de coefficients $\dfrac{\partial^2 L}{\partial \dot{q}_i \dot{q}_j}(q,\dot{q})$ est définie positive quel que soit $(q,\dot{q})$.

i) Montrer que l'application $(q,\dot{q}) \mapsto (q,p)$ avec

$$p := \nabla_{\dot{q}} L(q,\dot{q}), \quad \text{i.e. } p_j = \frac{\partial L}{\partial \dot{q}_j}, \ j \in \{1,\dots,n\},$$

est un difféomorphisme local en tout point de $\mathbb{R}^n \times \mathbb{R}^n$. Pour simplifier on suppose dans la suite que c'est un difféomorphisme global.

ii) Soient $r : \mathbb{R}^n \times \mathbb{R}^n \to \mathbb{R}^n$ tel que

$$r(q,\nabla_{\dot{q}} L(q,\dot{q})) = \dot{q}$$

pour tout $(q,\dot{q}) \in \mathbb{R}^n \times \mathbb{R}^n$, et

$$\begin{array}{rccl} H: & \mathbb{R}^n \times \mathbb{R}^n & \to & \mathbb{R} \\ & (q,p) & \mapsto & \sum_{j=1}^n p_j\, r_j(q,p) - L(q,r(q,p)), \end{array}$$

que l'on appelle *hamiltonien* associée au lagrangien L. Montrer que pour tout $j \in \{1,\dots,n\}$,

$$\frac{\partial H}{\partial q_j}(q,p) = -\frac{\partial L}{\partial q_j}(q,r(q,p)), \quad \frac{\partial H}{\partial p_j}(q,p) = r_j(q,p).$$

iii) En déduire que l'équation d'Euler-Lagrange pour L équivaut au *système hamiltonien* :

$$\begin{cases} \dfrac{\mathrm{d}q_j}{\mathrm{d}t} = \dfrac{\partial H}{\partial p_j}(q,p), \\ \dfrac{\mathrm{d}p_j}{\mathrm{d}t} = -\dfrac{\partial H}{\partial q_j}(q,p). \end{cases}$$

iv) Calculer le hamiltonien H associé à un lagrangien L de la forme

$$L(q,\dot{q}) = \frac{1}{2}\|\dot{q}\|^2 - U(q),$$

et écrire le système hamiltonien correspondant.

3.11 Formule de Lax

On considère une équation aux dérivées partielles non-linéaire, appelée *équation de Hamilton-Jacobi*, de la forme

$$\partial_t v + f(\partial_x v) = 0, \tag{3.2}$$

où l'inconnue v est à valeurs dans $\mathbb{R}$ et la fonction f (appelée fonction flux) est de classe $\mathcal{C}^\infty$ (pour simplifier) et *strictement convexe*, c'est-à-dire que $f''(u) > 0$ pour tout $u \in \mathbb{R}$. On note f^* sa fonction convexe conjuguée. On suppose en outre que f' est globalement Lipschitzienne. On se donne $v_0 \in \mathcal{C}_b^2(\mathbb{R})$ (c'est-à-dire que v_0, v_0' et v_0'' sont bornées). Montrer que, si $v \in \mathcal{C}_b^2(\mathbb{R} \times [0, T])$ est solution de (3.2) et $v(x,0) = v_0(x)$ pour tout $x \in \mathbb{R}$, alors pour tout $(x, t) \in \mathbb{R} \times [0, T]$,

$$v(x,t) = \inf_{y\in\mathbb{R}} \left(v_0(y) + t\, f^*\Big(\frac{x-y}{t}\Big) \right).$$

3.12 Soient U un ouvert convexe de $\mathbb{R}^n$, $f \in \mathcal{C}^\infty(U;\mathbb{R}^n)$, et pour tout $u \in U$, $A(u) = \mathrm{d}f(u)$ la matrice jacobienne de f. On suppose qu'il existe $E \in \mathcal{C}^\infty(U;\mathbb{R})$, strictement convexe, c'est-à-dire telle que $\mathrm{d}^2E(u) > 0$ pour tout $u \in U$, et $F \in \mathcal{C}^\infty(U;\mathbb{R})$ telles que

$$\mathrm{d}E(u) \circ \mathrm{d}f(u) = \mathrm{d}F(u)$$

pour tout $u \in U$. L'objectif est de montrer, en faisant le moins de calculs possible, que pour tout $u \in U$, la matrice $\mathrm{Hess}E(u)A(u)$ est symétrique. On va utiliser pour cela la fonction convexe conjuguée de E, notée E^*. Soient $\phi : q \mapsto \mathrm{d}E^*(q)$, et $g = f \circ \phi$.

i) Montrer que $g = \mathrm{d}G$ avec

$$G : q \mapsto \langle q\,, g(q)\rangle - (F \circ \phi)(q)\,.$$

ii) Exprimer $\mathrm{d}f$ à l'aide de d^2G et d^2E et conclure.

3.13 Problème de la chaînette

L'objectif est de trouver la forme que prend une « chaînette » suspendue entre deux points fixés, soumise à la seule gravité. On suppose d'entrée que cette forme est plane, et on munit le plan en question d'un repère orthonormé dont l'axe des ordonnées représente la verticale. Les extrémités ont pour abscisses respectives a et b. La courbe que l'on cherche est supposée paramétrée par $x \mapsto \varphi(x)$. La fonction φ, que l'on supposera de classe $\mathcal{C}^2$, est l'inconnue du problème, à laquelle on demande de vérifier la contrainte imposée par la longueur ℓ de la courbe :

$$\ell = \int_a^b \sqrt{1 + \varphi'(x)^2}\,\mathrm{d}x\,.$$

La position d'équilibre de la chaînette est supposée minimiser, sous la contrainte de longueur, son *énergie potentielle*[4] :

$$\mathcal{E}(\varphi) := \int_a^b g\,\rho\,\varphi(x)\,\sqrt{1 + \varphi'(x)^2}\,\mathrm{d}x\,,$$

où g est l'accélération de la gravité et ρ la masse par unité de longueur de la chaînette.

i) Calculer le gradient variationnel de $\mathcal{E}$, et aussi de la fonctionnelle $\mathcal{L}$ définie par

$$\mathcal{L}(\varphi) = \int_a^b \sqrt{1 + \varphi'(x)^2}\,\mathrm{d}x\,.$$

ii) Expliquer pourquoi on cherche (φ,λ) solution de

$$\delta\mathcal{E}(\varphi) = \lambda\,\delta\mathcal{L}(\varphi)\,.$$

iii) Vérifier que s'il existe des constantes α et $\beta \neq 0$ telles que $\varphi = \alpha + \beta\sqrt{1 + (\varphi')^2}$ alors on a $\delta\mathcal{E}(\varphi) = \lambda\,\delta\mathcal{L}(\varphi)$ avec $\lambda = g\,\rho\,\alpha$.

iv) Calculer la hessienne de $\mathcal{E} - \lambda\mathcal{L}$ en un tel φ, et vérifier que $\mathrm{Hess}(\mathcal{E} - \lambda\mathcal{L})(\varphi)\,\varphi' = 0$.

4. Son expression vient du fait que chaque portion infinitésimale de longueur $\mathrm{d}s = \sqrt{1 + \varphi'(x)^2}\,\mathrm{d}x$, située à une hauteur $\varphi(x)$ a une énergie potentielle égale à $g\varphi(x)\rho\mathrm{d}s$.

Solutions

3.1 **i)** On a

$$f(\alpha, \beta) = \|W(y - \beta z - \alpha x)\|^2,$$

où W est la matrice diagonale de coefficients $1/\sigma_i$, $y \in \mathbb{R}^N$ $z \in \mathbb{R}^N$ et $x \in \mathbb{R}^N$ sont respectivement de composantes $(y_1,\ldots,y_N)$, $(1,\ldots,1)$ et $(x_1,\ldots,x_N)$.
Donc, par composition de l'application linéaire $(\alpha, \beta) \mapsto W(y - \beta z - \alpha x)$ et de la forme quadratique $u \mapsto \|u\|^2$, f est deux fois différentiable et

$$\mathrm{d}f(\alpha, \beta) \cdot (h,k) = -2\langle W(y - \beta z - \alpha x), W(hz + kx)\rangle,$$

$$\mathrm{d}^2 f(\alpha, \beta) \cdot (h,k)^{[2]} = 2\|W(hz + kx)\|^2 \geqslant 0, \forall (h,k) \in \mathbb{R}^2.$$

Cette dernière inégalité est stricte pour $(h, k) \neq (0, 0)$ car W est inversible et on a supposé que les x_i n'étaient pas tous égaux, donc les vecteurs x et z ne sont pas colinéaires. Donc d'après le théorème 3.5, la fonction f est strictement convexe sur $\mathbb{R}^2$, et admet par conséquent au plus un minimum (théorème 3.6). Par ailleurs, comme f est continue et minorée par zéro, il suffit de vérifier qu'elle tend vers $+\infty$ quand $\|(\alpha,\beta)\|$ tend vers $+\infty$ pour assurer l'existence d'un minimum global sur $\mathbb{R}^2$ (par le théorème 3.2). Or par l'inégalité triangulaire,

$$f(\alpha,\beta) \geqslant (\|W(\beta z + \alpha x)\| - \|Wy\|)^2,$$

et la forme quadratique q définie par $q(\alpha, \beta) = \|W(\beta z + \alpha x)\|^2$ est définie positive car W est inversible et x et z ne sont pas colinéaires, donc $q(\alpha, \beta)$ tend vers $+\infty$ quand $\|(\alpha, \beta)\|$ tend vers $+\infty$, et par conséquent $f(\alpha, \beta)$ aussi.

ii) La fonction f atteint son minimum en l'unique point (a, b) de $\mathbb{R}^2$ tel que $\mathrm{d}f(a, b) = 0$, ce qui équivaut à

$$\begin{cases} \langle W(y - bz - ax), Wz\rangle = 0, \\ \langle W(y - bz - ax), Wx\rangle = 0, \end{cases}$$

ou encore à

$$\begin{cases} a\langle Wx, Wz\rangle + b\|Wz\|^2 = \langle Wy, Wz\rangle, \\ a\|Wx\|^2 + b\langle Wx, Wz\rangle = \langle Wx, Wz\rangle. \end{cases}$$

Noter que, puisque les vecteurs x et z ne sont pas colinéaires, et donc les vecteurs Wx et Wz non plus (car W est inversible), l'inégalité de Cauchy-Schwarz est stricte :

$$\langle Wx, Wz\rangle^2 < \|Wx\|^2 \|Wz\|^2.$$

Le système linéaire 2×2 ci-dessus a donc bien une unique solution, à savoir

$$\begin{cases} a = \dfrac{\|Wz\|^2\langle Wx, Wz\rangle - \langle Wy, Wz\rangle\langle Wx, Wz\rangle}{\|Wx\|^2\|Wz\|^2 - \langle Wx, Wz\rangle^2}, \\ b = \dfrac{\|Wx\|^2\langle Wy, Wz\rangle - \langle Wx, Wz\rangle\langle Wx, Wz\rangle}{\|Wx\|^2\|Wz\|^2 - \langle Wx, Wz\rangle^2}. \end{cases}$$

La droite d'équation $y = ax + b$ est appelée *droite de régression linéaire* : c'est celle qui est la « plus proche », au sens des *moindres carrés*, des N points de coordonnées (x_i, y_i). (Noter que si l'on avait pris des points tous de même abscisse $x_i = x_1$, le problème aurait eu une solution triviale, à savoir la droite verticale d'équation $x = x_1$.)

3.2 **i)** Si W est la matrice diagonale de coefficients $1/\sigma_i$ et y le vecteur de composantes $(y_1, \ldots, y_N)$, on a par définition

$$f(\theta) = \|W(y - A\theta)\|^2 .$$

La fonction f est de classe $\mathcal{C}^\infty$ (comme composée de l'application linéaire $\theta \mapsto W(y - A\theta)$ et de la forme quadratique $u \mapsto \|u\|^2$), minorée par zéro. De plus, par l'inégalité triangulaire,

$$f(\theta) \geqslant (\|WA\theta\| - \|Wy\|)^2 .$$

Donc $f(\theta)$ tend vers $+\infty$ quand $\|WA\theta\|$ tend vers $+\infty$. La matrice $WA \in \mathcal{M}_{N\times n}(\mathbb{R})$ n'est pas inversible en général (et en particulier si $n \neq N$). Cependant, si la matrice symétrique $A^t W^2 A \in \mathcal{M}_n(\mathbb{R})$ est définie positive alors il existe $\alpha > 0$ tel que pour tout $\theta \in \mathbb{R}^n$,

$$\|WA\theta\|^2 = \langle A^t W^2 A\theta, \theta\rangle \geqslant \alpha\|\theta\|^2 ,$$

et donc $\|WA\theta\|$ tend vers $+\infty$ quand $\|\theta\|$ tend vers $+\infty$. Dans ce cas, $f(\theta)$ tend vers $+\infty$ quand $\|\theta\|$ tend vers $+\infty$, et elle admet donc d'après le théorème 3.2 un minimum global sur $\mathbb{R}^n$. De plus, on a

$$\mathrm{d}f(\theta) \cdot h = -2\langle W(y - A\,\theta), WAh\rangle , \ \forall h \in \mathbb{R}^n ,$$

$$\mathrm{d}^2 f(\theta) \cdot (h,h) = 2\|WAh\|^2 = 2\langle A^t W^2 Ah, h\rangle > 0 , \ \forall h \in \mathbb{R}^n\backslash\{0\} ,$$

si $A^t W^2 A$ est définie positive. Donc f est strictement convexe et admet par conséquent un minimum unique (théorème 3.6).

ii) Un minimum $\omega \in \mathbb{R}^n$ de f est nécessairement un point critique. Or

$$\mathrm{d}f(\omega) \cdot h = -2\langle W(y - A\,\omega), WAh\rangle , \ \forall h \in \mathbb{R}^n .$$

Donc $\mathrm{d}f(\omega) = 0$ équivaut à

$$A^t W^2 A\,\omega = A^t W^2 y .$$

Ce système linéaire $n \times n$ admet bien une solution unique $\omega \in \mathbb{R}^n$ si $A^t W^2 A \in \mathcal{M}_n(\mathbb{R})$ est définie positive, car elle est alors nécessairement inversible.

3.3 **i)** On choisit un repère du plan dont Γ est l'axe des abscisses, on note (x_i, y_i) les coordonnées des points A_i et x l'abscisse du point P. Il s'agit de minimiser la fonction d'une variable

$$f : x \mapsto \frac{\|\overrightarrow{PA_1}\|}{c_1} + \frac{\|\overrightarrow{PA_2}\|}{c_2} = \frac{\sqrt{(x - x_1)^2 + y_1^2}}{c_1} + \frac{\sqrt{(x - x_2)^2 + y_2^2}}{c_2} .$$

Comme f est regulière (de classe $\mathcal{C}^\infty$ car $y_i \neq 0$), minorée par zéro et tend vers $+\infty$ quand $|x|$ tend vers $+\infty$, elle atteint son minimum en un point x_0 tel que $f'(x_0) = 0$, c'est-à-dire

$$\frac{x_0 - x_1}{c_1\sqrt{(x_0 - x_1)^2 + y_1^2}} + \frac{x_0 - x_2}{c_2\sqrt{(x_0 - x_2)^2 + y_2^2}} = 0,$$

ce qui revient exactement à

$$\frac{\sin\theta_1}{c_1} = \frac{\sin\theta_2}{c_2}.$$

D'après les théorèmes 3.5 et 3.6, le point x_0 est l'unique minimum de f car elle est strictement convexe :

$$f''(x) = \frac{y_1^2}{c_1((x_0 - x_1)^2 + y_1^2)^{3/2}} + \frac{y_2^2}{c_2((x_0 - x_2)^2 + y_2^2)^{3/2}} > 0\,\forall x \in \mathbb{R}.$$

ii) Lorsque Γ est un cercle, on peut le paramétrer en coordonnées polaires et se ramener comme précédemment à un problème de minimisation pour une fonction d'une variable (en l'occurrence, cette variable est l'angle du point P avec l'axe des abscisses, si l'on choisit le centre du cercle comme origine du plan). On peut également utiliser le théorème des multiplicateurs de Lagrange. En effet, il s'agit de minimiser $f(z) = \frac{\|z-a_1\|}{c_1} + \frac{\|z-a_2\|}{c_2}$ sous la contrainte $\|z\| = r$. L'existence d'un minimum vient du fait que f est continue et que le cercle Γ est compact. Si z_0 est un tel minimum, il doit exister $\lambda \in \mathbb{R}$ tel que

$$\frac{z_0 - a_1}{c_1\|z_0 - a_1\|} + \frac{z_0 - a_2}{c_2\|z_0 - a_2\|} = \lambda\, z_0.$$

En projetant cette relation sur $z_0^\perp$, qui est la normale à Γ en z_0, on obtient à nouveau la relation

$$\frac{\sin\theta_1}{c_1} = \frac{\sin\theta_2}{c_2}.$$

Cette loi bien connue en optique s'applique également aux ondes sismiques, qui sont réfractées à l'interface (approximativement sphérique) entre le manteau terrestre et le noyau de la Terre (c'est même grâce à la réfraction des ondes sismiques qu'en 1913 le sismologue Beno Gutenberg parvint à détecter cette interface, à environ 2890 km de profondeur).

3.4 **i)** D'après le théorème des multiplicateurs de Lagrange, si $a \in U$ est un minimum local de f sous les contraintes g_j alors il existe des réels $\lambda_1, \ldots, \lambda_p$ tels que $\mathrm{d}f(a) = \sum_{j=1}^{p} \lambda_j\, \mathrm{d}g_j(a)$. Or, la fonction F est de classe $\mathcal{C}^1$ comme f et les g_j, par différence de f avec la composée de $(x,\omega) \mapsto (g_1(x),\ldots,g_p(x),\omega)$ et de la forme bilinéaire $(y,\omega) \mapsto \sum_{j=1}^{p} \omega_j\, y_j$. De plus,

$$dF(x,\omega)\cdot(h,\delta) = df(x)\cdot h - \sum_{j=1}^{p}\omega_j dg_j(x)\cdot h - \sum_{j=1}^{p}\delta_j g_j(x),\ \forall h\in E,\ \forall\delta\in\mathbb{R}^p.$$

Donc $dF(a,\lambda)=0$, où $\lambda=(\lambda_1,\ldots,\lambda_p)$.

ii) Inversement, si $(a,\lambda_1,\ldots,\lambda_p)$ est un point critique de F, alors en prenant $h=0$ et $\delta_j=\delta_{ij}$ on voit que $g_i(a)=0$ pour tout i, et en prenant $\delta=0$ on obtient $df(a)=\sum_{j=1}^{p}\lambda_j\, dg_j(a)$.

iii) D'après la formule de Taylor-Young et la relation $df(a)=\sum_{j=1}^{p}\lambda_j\, dg_j(a)$, on a

$$\text{(T)}\qquad f(a+h) - \sum_{j=1}^{p}\lambda_j\, g_j(a+h) \;=\; f(a) + A\cdot(h,h) + o(\|h\|^2).$$

Or, la première étape de la démonstration du théorème des multiplicateurs de Lagrange montre qu'il existe une fonction φ définie au voisinage de zéro dans G, telle que $\varphi(0)=0$, $d\varphi(0)=0$, et

$$\begin{aligned}\mathcal{M}: &= \{x \text{ voisin de } a\,;\ g_j(x)=0,\ \forall j\in\{1,\ldots,p\}\}\\ &= \{a+z+\varphi(z)\,;\ z \text{ voisin de } 0_G\}.\end{aligned}$$

En particulier, il existe $\eta>0$ tel que pour $\|z\|\leqslant\eta$, $\|\varphi(z)\|\leqslant\min(\frac{1}{2},\frac{C}{8\|A\|})\,\|z\|$, d'où

$$\begin{aligned}A\cdot(z+\varphi(z),z+\varphi(z)) &= A\cdot(z,z) + 2A\cdot(\varphi(z),z) + A\cdot(\varphi(z),\varphi(z))\\ &\geqslant \frac{C}{2}\|z\|^2.\end{aligned}$$

Par suite, comme

$$\frac{1}{2}\|z\| \leqslant \|z+\varphi(z)\| \leqslant \frac{3}{2}\|z\|,$$

la relation (T) vue plus haut montre que, quitte à diminuer η, pour $x=a+z+\varphi(z)\in\mathcal{M}$ on a

$$f(x)\geqslant f(a)+\frac{C}{4}\|z\|^2.$$

Donc a est un minimum local strict de f sous les contraintes g_j.

3.5 **i)** La fonction f est de classe $\mathcal{C}^\infty$ comme composée de l'application linéaire (donc $\mathcal{C}^\infty$ sur $\mathbb{R}^n$) $x\mapsto(A(x),x)$ et du produit scalaire (bilinéaire et donc $\mathcal{C}^\infty$ sur $\mathbb{R}^n\times\mathbb{R}^n$).

ii) La sphère unité de $\mathbb{R}^n$ étant compacte, la fonction continue f atteint son minimum sur cette sphère.

iii) C'est un problème de minimisation sous la contrainte $g(u)=0$ avec $g(u):=\|u\|^2-1$. Donc d'après le théorème 3.4, il existe $\lambda\in\mathbb{R}$ tel que

$\mathrm{d}f(v) = \lambda \mathrm{d}g(v)$. Or $\mathrm{d}f(v) \cdot h = 2\langle A(v), h\rangle$ et $\mathrm{d}g(v) \cdot h = 2\langle v, h\rangle$ quel que soit $h \in \mathbb{R}^n$. Donc $A(v) = \lambda v$.

iv) Par définition, λ est une valeur propre de A (noter que $v \neq 0$ puisqu'il est unitaire). Si μ est une autre valeur propre, on peut lui associer un vecteur propre unitaire w, pour lequel on a $f(w) = \mu \geqslant \inf_{\|x\|=1} f(x) = \lambda$.

3.6 **i)** La fonction

$$f : \begin{array}{ccc} \mathbb{R}^n & \to & \mathbb{R} \\ x & \mapsto & \|x-a\|^2 \, \|x-b\|^2 \end{array}$$

est la composée de l'application affine $x \in \mathbb{R}^n \mapsto (x-a, x-a, x-b, x-b) \in (\mathbb{R}^n)^4$ et de la forme quadrilinéaire $(w, x, y, z) \in (\mathbb{R}^n)^4 \mapsto \langle w, x\rangle\langle y, z\rangle$, qui sont toutes deux de classe $\mathcal{C}^\infty$ d'après le cours (les applications affines étant elles-mêmes sommes d'applications linéaires et d'applications constantes).

ii) On différencie f grâce à cette décomposition :

$$\mathrm{d}f(x) \cdot h = 2\|x-b\|^2\langle x-a, h\rangle + 2\|x-a\|^2\langle x-b, h\rangle\,,$$

$$\mathrm{d}^2 f(x) \cdot (h,k) = 2\left(\|x-a\|^2 + \|x-b\|^2\right)\langle h,k\rangle + 4\langle x-a,h\rangle\langle x-b,k\rangle + 4\langle x-a,k\rangle\langle x-b,h\rangle\,.$$

iii) On peut réécrire par linéarité

$$\mathrm{d}f(x) \cdot h = 2\langle \|x-b\|^2(x-a) + \|x-a\|^2(x-b), h\rangle\,.$$

Par suite, si $\mathrm{d}f(x)$ est identiquement nulle on doit avoir

$$\|x-b\|^2(x-a) + \|x-a\|^2(x-b) = 0\,.$$

Des solutions évidentes sont $x = a$ et $x = b$. Si $x \neq a$ et $x \neq b$, l'égalité ci-dessus implique que les deux vecteurs$(x-a)$ et $(x-b)$ sont colinéaires : en posant par exemple $x - b = \alpha(x-a)$ on trouve de plus que $\alpha^2 + \alpha = 0$ et donc $\alpha = -1$, ce qui donne finalement $x = (a+b)/2$. Les points critiques de$f$ sont donc a, b et $(a+b)/2$.

iv) Les points a et b sont des minima globaux (et *a fortiori* locaux), puisque $f(a) = f(b) = 0$ et $f(x) \geqslant 0$ quel que soit $x \in \mathbb{R}^n$. Pour le point critique $c := (a+b)/2$ on a

$$\mathrm{d}^2 f(c) \cdot (h, h) = \|b-a\|^2 \, \|h\|^2 - 2\langle b-a, h\rangle^2\,.$$

On constate en particulier que $\mathrm{d}^2 f_c(b-a, b-a) = -\|b-a\|^4 < 0$, tandis que pour $h \neq 0$ orthogonal à $(b-a)$, on a $\mathrm{d}^2 f(c) \cdot (h, h) = \|b-a\|^2 \, \|h\|^2 > 0$. Donc $\mathrm{d}^2 f_c$ n'est ni définie positive ni définie négative et par conséquent c n'est pas un extremum local de f (ni *a fortiori* global).

3.7 **i)** On calcule $g'(t) = (t-1)(3t+1)$ et comme $-1/3 \notin \mathbb{R}^+$ (le domaine de définition de g et donc de g'), on en déduit que g' s'annule seulement en $t = 1$.

ii) On a $2\,\varphi(x, y, z) := (x+y)^2 + (x-y)^2 + y^2 + z^2 \geqslant 0$ comme somme de termes positifs ou nuls, et $\varphi(x, y, z) = 0$ si et seulement tous ces termes sont nuls, ce qui équivaut à $z = 0$, $y = 0$ et $x = 0$.

iii) Par la formule de différentiation des fonctions composées on a $\mathrm{d}f(a)\cdot h = g'(\varphi(a))\,\mathrm{d}\varphi(a)\cdot h$. Ainsi $\mathrm{d}f(a) \equiv 0$ si et seulement si $g'(\varphi(a)) = 0$ ou $\mathrm{d}\varphi_a \equiv 0$. Comme φ est à valeurs dans $\mathbb{R}^+$, $g'(\varphi(a)) = 0$ équivaut d'après le 1) à $\varphi(a) = 1$. D'autre part, pour $a = (a_1, a_2, a_3)$ et $h = (h_1, h_2, h_3)$ on a

$$\mathrm{d}\varphi_a(h) = (2a_1 + a_2 - a_3)h_1 + (2a_2 + a_1)h_2 + (2a_3 - a_1)h_3\,,$$

et par conséquent $\mathrm{d}\varphi_a \equiv 0$ équivaut à

$$\begin{cases} 2a_1 + a_2 - a_3 = 0\,, \\ 2a_2 + a_1 = 0\,, \\ 2a_3 - a_1 = 0\,, \end{cases}$$

système linéaire dont la seule solution est $a = (0, 0, 0)$.

iv) Par la formule de différentiation des fonctions composées, on a pour tout h, $k \in \mathbb{R}^3$,

$$\mathrm{d}^2 f(a)\cdot(h,k) = g''(\varphi(a))\,\mathrm{d}\varphi_a(k)\,\mathrm{d}\varphi(a)\cdot h + g'(\varphi(a))\,\mathrm{d}^2\varphi(a)\cdot(h,k)\,.$$

En particulier, pour $a = (0, 0, 0)$ le premier terme est nul et il reste

$$\mathrm{d}^2 f(0,0,0)\cdot(h,k) = g'(0)\,\mathrm{d}^2\varphi(0,0,0)\cdot(h,k) = -\,\mathrm{d}^2\varphi(0,0,0)\cdot(h,k)\,.$$

Par conséquent la matrice hessienne de f au point $(0, 0, 0)$ est l'opposé de la matrice hessienne de φ au même point. Elle s'écrit

$$\mathrm{d}^2 f(0,0,0) = \begin{pmatrix} -2 & -1 & 1 \\ -1 & -2 & 0 \\ 1 & 0 & -2 \end{pmatrix}.$$

Comme φ est quadratique définie positive d'après le 2), sa hessienne $\mathrm{d}^2\varphi(0,0,0)$ est aussi définie positive (on a $\mathrm{d}^2\varphi(a)\cdot(h,h) = 2\varphi(h)$ pour tout $h \in \mathbb{R}^3$) et $(0, 0, 0)$ est donc *maximum* local de f.

v) Le point $t = 1$ est un minimum global de la fonction g (qui est décroissante sur $[0, 1]$ et croissante sur $[1, +\infty[$), donc g est à valeurs positives, et par conséquent f aussi. Si $a \neq (0, 0, 0)$ est un point critique de f, alors d'après le 3) on a $\varphi(a) = 1$ et donc $f(a) = g(1) = 0$, ce qui montre que a est un minimum global puisqu'on vient de montrer que pour tout $b \in \mathbb{R}^3$, $f(b) \geqslant 0$.

3.8 **i)** L'ensemble C est fermé comme image réciproque du singleton $\{1\}$ par l'application

$$g:\quad \begin{array}{ccc} (\mathbb{R}^+)^n & \to & \mathbb{R} \\ x = (x_1,\ldots,x_n) & \mapsto & \sum_{i=1}^n \alpha_i x_i\,, \end{array}$$

restriction à $(\mathbb{R}^+)^n$ d'une forme linéaire sur $\mathbb{R}^n$, qui est donc continue. De plus C est borné : pour tout $x = (x_1, \ldots, x_n) \in C$, pour tout $i \in \{1, \ldots, n\}$, on a $0 \leqslant \alpha_i x_i \leqslant 1$ et donc $0 \leqslant x_i \leqslant 1/\alpha_i$ puisque $\alpha_i > 0$ par hypothèse. Donc C est un compact de $\mathbb{R}^n$, et comme f est continue (comme fonction polynômiale), elle atteint son maximum sur C : il existe $a \in C$ tel que $f(a) = \max_{x \in C} f(x)$. De plus, les composantes de a sont strictement positives car si l'une était nulle on aurait $f(a) = 0$. Or f prend des valeurs strictement positives (par exemple $f(1, \ldots, 1) = 1$), donc a ne pourrait pas être un maximum de f.

ii) D'après ce qui précède, les points $a \in C$ tels que $f(a) = \sup_{x \in C} f(x)$ sont dans l'ouvert $]0, +\infty[^n$. Ce sont en outre des extrema de f sous la contrainte $g(x) = 1$. Donc d'après le théorème des multiplicateurs de Lagrange, si a est l'un d'entre eux, il existe $\lambda \in \mathbb{R}$ tel que $\mathrm{d}f(a) = \lambda \mathrm{d}g(a)$. Or

$$\mathrm{d}f(a) \cdot h = \sum_{i=1}^{n} \alpha_i a_i^{\alpha_i - 1} h_i \prod_{j /= i} a_j^{\alpha_j}, \quad \mathrm{d}g(a) \cdot h = \sum_{i=1}^{n} \alpha_i h_i ,$$

donc pour tout $i \in \{1, \ldots, n\}$,

$$\alpha_i a_i^{\alpha_i - 1} \prod_{j /= i} a_j^{\alpha_j} = \lambda \alpha_i ,$$

ou encore

$$a_i = \frac{1}{\lambda} \prod_{j=1}^{n} a_j^{\alpha_j} .$$

Donc $a = (\xi, \ldots, \xi)$ et $\lambda = \xi^{n-1}$. Puisque $\sum_i \alpha_i = 1$, $a = (\xi, \ldots, \xi) \in C$ si et seulement si $\xi = 1$. Donc le seul point de C où f peut atteindre son maximum est $a = (1, \ldots, 1)$. Comme on sait que ce point existe, on en déduit que $f(1, \ldots, 1) = \sup_{x \in C} f(x)$. Enfin, comme $f(1, \ldots, 1) = 1$, on a donc $f(x) = x_1^{\alpha_1} \cdots x_n^{\alpha_n} \leqslant 1$ pour tout $x \in C$.

iii) Soit $x \in (\mathbb{R}^+)^n$. Si $x = (0, \ldots, 0)$ alors on a $x_1^{\alpha_1} \cdots x_n^{\alpha_n} = \sum_i \alpha_i x_i = 0$. Si $x \neq (0, \ldots, 0)$, on a nécessairement $s := \sum_{i=1}^{n} \alpha_i x_i \neq 0$. Soit alors $\widetilde{x} := x/s$. On a $\widetilde{x} \in C$ et donc $\widetilde{x}_1^{\alpha_1} \cdots \widetilde{x}_n^{\alpha_n} \leqslant 1$, d'où

$$x_1^{\alpha_1} \cdots x_n^{\alpha_n} \leqslant s^{\alpha_1 + \cdots + \alpha_n} = s .$$

On a égalité si $x = (0, \ldots, 0)$ ou bien $f(\widetilde{x}) = 1$, et donc $\widetilde{x} = (1, \ldots, 1)$, ce qui équivaut à $x = (\xi, \ldots, \xi)$ pour un $\xi \in \mathbb{R}^{+*}$. Les points où il y a égalité sont donc tous les points de la forme $x = (\xi, \ldots, \xi)$ avec $\xi \in \mathbb{R}^+$.

iv) Un parallélépipède rectangle de côtés x, y, et z a pour volume $V = xyz$ et pour surface $S = 2xy + 2yz + 2zx$. D'après ce qui précède appliqué à $\alpha_1 = \alpha_2 = \alpha_3 = 1/3$ et $x_1 = xy$, $x_2 = yz$, $x_3 = zx$, on a

$$V^{2/3} = (xy)^{1/3}(yz)^{1/3}(zx)^{1/3} \leqslant \frac{1}{3}(xy) + \frac{1}{3}(yz) + \frac{1}{3}(zx) = \frac{S}{6} ,$$

avec égalité si et seulement si $xy = yz = zx$. Pour $xyz \neq 0$ cela équivaut à $x = y = z$: à volume donné V, le parallélépipède rectangle de surface minimale est le cube de côté $x = \sqrt[3]{V}$.

3.9 **i)** L'application f est de classe $\mathcal{C}^\infty$, car c'est une fonction rationnelle dont le dénominateur ne s'annule pas dans U.

ii) Pour tout $x \in U$ et pour tout $h \in \mathbb{R}^n$ on a

$$\mathrm{d}f(x) \cdot h = \sum_{j=1}^{n} \left(\prod_{k/=j} x_k - \alpha^{n+1} \frac{1}{x_j^2} \right) h_j .$$

iii) Si $a = (a_1, \ldots, a_n) \in U$ est tel que $\mathrm{d}f_a = 0$ alors pour tout $j \in \{1, \ldots, n\}$,

$$\prod_{k \neq j} a_k = \alpha^{n+1} \frac{1}{a_j^2}, \quad \text{c'est-à-dire } a_j \prod_{k=1}^{n} a_k = \alpha^{n+1} .$$

Par conséquent les a_j sont tous égaux à α ; autrement dit $a = (\alpha, \ldots, \alpha)$. Inversement, ce point est évidemment un point critique.

iv) Pour tout $x \in U$ et pour tous $h, h' \in \mathbb{R}^n$ on a

$$\mathrm{d}^2 f(x) \cdot (h, h') = \sum_{j=1}^{n} \sum_{k \neq j} \prod_{m \neq j,k} x_m \, h_j \, h'_k + 2 \sum_{j=1}^{n} \frac{\alpha^{n+1}}{x_j^3} \, h_j \, h'_j .$$

v) En particulier on a,

$$\mathrm{d}^2 f_a(h,h) = \alpha^{n-2} \sum_{j=1}^{n} \sum_{k \neq j} h_j \, h_k + 2 \, \alpha^{n-2} \sum_{j=1}^{n} h_j^2 ,$$

soit encore

$$\alpha^{2-n} \, \mathrm{d}^2 f_a(h,h) = \sum_{j=1}^{n} h_j^2 + \left(\sum_{j=1}^{n} h_j \right)^2 \geqslant \sum_{j=1}^{n} h_j^2 = \|h\|^2$$

si $\| \cdot \|$ désigne la norme euclidienne dans $\mathbb{R}^n$. Donc (puisque $\alpha > 0$), d'après un théorème du cours, a est un minimum local strict pour f.

vi) Dans le cas $n = 1$, la fonction $f : x \mapsto x + \alpha^2 / x$ atteint son minimum sur $\mathbb{R}^{+*}$ (2α) au point $a = \alpha$ (d'après l'identité remarquable $x^2 + \alpha^2 - 2\alpha x = (x - \alpha)^2$).

3.10 **i)** La jacobienne de l'application $(q, \dot{q}) \mapsto (q, \nabla_{\dot{q}} L(q, \dot{q}))$ est triangulaire, ses blocs diagonaux étant $\mathbf{I}_n$ et $\left(\dfrac{\partial^2 L}{\partial \dot{q}_i \partial \dot{q}_j} \right)_{i,j}$, matrice inversible par hypothèse. Donc cette jacobienne est inversible, et l'application est un difféomorphisme local d'après le théorème d'inversion locale.

ii) Par définition de H,

$$\frac{\partial H}{\partial q_j}(q,p) = \sum_{k=1}^{n} p_k \frac{\partial r_k}{\partial q_j} - \frac{\partial L}{\partial q_j}(q,r(q,p)) - \sum_{k=1}^{n} \frac{\partial L}{\partial \dot{q}_k}(q,r(q,p)) \frac{\partial r_k}{\partial q_j},$$

et les termes des sommes s'annulent deux à deux puisque par définition de r,

$$p_k = \frac{\partial L}{\partial \dot{q}_k}(q,r(q,p)).$$

Pour la même raison,

$$\frac{\partial H}{\partial p_j}(q,p) = r_j(q,p) + \sum_{k=1}^{n} p_k \frac{\partial r_k}{\partial p_j} - \sum_{k=1}^{n} \frac{\partial L}{\partial \dot{q}_k}(q,r(q,p)) \frac{\partial r_k}{\partial p_j} = r_j(q,p).$$

iii) Par définition, une solution u de l'équation d'Euler-Lagrange pour L est telle que

$$\frac{\mathrm{d}}{\mathrm{d}t}\left(\frac{\partial L}{\partial \dot{q}_j}(u(t),u'(t))\right) = \frac{\partial L}{\partial q_j}(u(t),u'(t))$$

quel que soit t dans un intervalle J, pour tout $j \in \{1,\ldots,n\}$. Autrement dit, en notant $p_j(t) := \frac{\partial L}{\partial \dot{q}_j}(u(t),u'(t))$,

$$p_j'(t) = \frac{\partial L}{\partial q_j}(u(t),u'(t)) = -\frac{\partial H}{\partial q_j}(u(t),p(t)),$$

et par construction,

$$u_j'(t) = r_j(u(t),p(t)) = \frac{\partial H}{\partial p_j}(u(t),p(t)).$$

Donc l'application $t \in J \mapsto (u(t),p(t))$ est solution du système

$$\frac{\mathrm{d}q_j}{\mathrm{d}t} = \frac{\partial H}{\partial p_j}(q,p), \quad \frac{\mathrm{d}p_j}{\mathrm{d}t} = -\frac{\partial H}{\partial q_j}(q,p).$$

Inversement, si $t \in J \mapsto (u(t),p(t))$ est solution de ce système, alors pour tout $t \in J$, $u_j'(t) = r_j(u(t),p(t))$ et l'application $t \in J \mapsto u(t)$ est solution de l'équation d'Euler-Lagrange associée à L.

iv) Pour

$$L(q,\dot{q}) = \frac{1}{2}\|\dot{q}\|^2 - U(q),$$

$$p_j = \frac{\partial L}{\partial \dot{q}_j}(q,\dot{q}) = \dot{q}_j,$$

d'où

$$H(q,p) = \sum_j p_j^2 - \frac{1}{2}\sum_j p_j^2 + U(q) = \frac{1}{2}\|p\|^2 + U(q),$$

et le système hamiltonien est

$$q_j' = p_j, \quad p_j' = -\partial_j U(q).$$

(Cela n'est rien d'autre que l'expression de l'équation d'Euler-Lagrange

$$q_j'' = -\partial_j U(q)$$

dans l'espace des phases.)

3.11 On fixe $(x_0, t_0) \in \mathbb{R} \times [0, T]$. (L'indice 0 a pour seul rôle d'éviter les confusions dans les opérations de dérivation qui suivent.) On commence par remarquer que

$$\inf_{y\in\mathbb{R}} \left(v_0(y) + t_0\, f^*\Big(\frac{x_0 - y}{t_0}\Big)\right) = \inf_{y\in x_0 - t_0 f'(\mathbb{R})} \left(v_0(y) + t_0\, f^*\Big(\frac{x_0 - y}{t_0}\Big)\right),$$

car pour $q \notin f'(\mathbb{R})$, $f^*(q) = +\infty$. On montre ensuite que pour tout $y \in x_0 - t_0 f'(\mathbb{R})$ il existe $u \in \mathbb{R}$ tel que

$$v(x_0,t_0) \leqslant v_0(y) + (x_0 - y)\,u - t_0\, f(u).$$

En effet, soit u tel que $x_0 - y = t_0 f'(u)$. Alors l'application

$$s \mapsto v_0(y) + s\, f'(u)\,u - s\, f(u) - v(y + s\, f'(u),s)$$

vaut 0 en $s = 0$, $v_0(y) - v(x_0,t_0)$ en $s = t_0$, et elle est croissante : en effet, sa dérivée s'écrit (grâce à (3.2)) $f(w) - f(u) - f'(u)\,(w - u)$, où l'on a noté $w = \partial_x v(y + f'(u)\,s,s)$ pour simplifier ; or $f(w) - f(u) - f'(u)\,(w - u) \geqslant 0$ par convexité de f. Enfin, on montre qu'il existe $y \in \mathbb{R}$ tel que pour tout $u \in \mathbb{R}$,

$$v(x_0,t_0) \geqslant v_0(y) + (x_0 - y)\,u - t_0\, f(u).$$

C'est la partie la plus délicate. Considérons l'équation différentielle

$$\frac{d\chi}{ds} = f'(\partial_x v(\chi(s),s)). \qquad (3.3)$$

Puisque f' est globalement Lipschitzienne et $\partial^2_{xx} v$ est bornée, l'application $\theta \mapsto f'(\partial_x v(\theta, s))$ est globalement Lipschitzienne sur $\mathbb{R}$, uniformément par rapport à $s \in [0, T]$. Donc les solutions maximales de (3.3) sont définies sur un intervalle contenant $[0, T]$. De plus, si χ est solution de (3.3) (toujours avec v solution de (3.2)), l'application $s \mapsto \partial_x v(\chi(s), s)$ est constante. (Dériver et utiliser (3.2).) Par suite, les trajectoires de (3.3), appelées *courbes caractéristiques* de (3.2), sont en fait des segments de droite. Or, par le théorème des valeurs intermédiaires, il existe $y \in \mathbb{R}$ tel que $x_0 = y + t_0\, f'(v_0'(y))$. Donc $\partial_x v(x_0,t_0) = v_0'(y)$, puisque $s \mapsto \partial_x v$

est constante le long de la caractéristique issue de $(y, 0)$, qui passe par (x_0, t_0) par construction. On conclut grâce à un nouvel argument de monotonie : quel que soit $u \in \mathbb{R}$, l'application

$$s \mapsto v_0(y) + s\, f'(v_0'(y))\, u - s\, f(u) - v(y + s\, f'(v_0'(y)), s)$$

est décroissante, puisque sa dérivée est $f(w) - f(u) - f'(w)\,(w - u)$, avec $w = \partial_x v(y + s\, f'(v_0'(y)), s) = v_0'(y)$.

3.12 **i)** Par définition de G,

$$\mathrm{d}G(q) \cdot h = \langle h\,, g(q)\rangle + \langle q\,, \mathrm{d}f(\phi(q)) \cdot \mathrm{d}\phi(q) \cdot h\rangle - \mathrm{d}F(\phi(q)) \cdot \mathrm{d}\phi(q) \cdot h\,,$$

et

$$\begin{aligned} \mathrm{d}F(\phi(q)) \cdot \mathrm{d}\phi(q) \cdot h &= \mathrm{d}E(\phi(q)) \cdot \mathrm{d}f(\phi(q)) \cdot \phi(q) \cdot h \\ &= \langle q\,, \mathrm{d}f(\phi(q)) \cdot \mathrm{d}\phi(q) \cdot h\rangle\,. \end{aligned}$$

ii) Par suite, $f = \mathrm{d}G \circ \phi^{-1}$ donc $\mathrm{d}f(u) \cdot k = \mathrm{d}^2G(\phi^{-1}(u)) \cdot \mathrm{d}\phi^{-1}(u) \cdot k$, et $\phi^{-1}(u) = \mathrm{d}E(u)$. Donc finalement,

$$\mathrm{d}^2E(u)\,\mathrm{d}f(u) = \mathrm{d}^2E(u)\,\mathrm{d}^2G(\phi^{-1}(u))\,\mathrm{d}^2E(u)\,.$$

Cela montre que $\mathrm{Hess}E(u)A(u) = \mathrm{Hess}E(u)\,\mathrm{Hess}G(\phi^{-1}(u))\,\mathrm{Hess}E(u)$. D'après le théorème de Schwarz (p. 72), les deux hessiennes sont symétriques, donc $\mathrm{Hess}E(u)A(u)$ est symétrique.

3.13 **i)** En appliquant la définition du gradient variationnel, on trouve

$$\begin{aligned} \delta\mathcal{E}(\varphi) &:= g\,\rho\sqrt{1 + (\varphi')^2} - g\,\rho\,\frac{\mathrm{d}}{\mathrm{d}x}\left(\frac{\varphi\varphi'}{\sqrt{1 + (\varphi')^2}}\right), \\ \delta\mathcal{L}(\varphi) &= -\frac{\mathrm{d}}{\mathrm{d}x}\left(\frac{\varphi'}{\sqrt{1 + (\varphi')^2}}\right). \end{aligned}$$

ii) Noter que, les extrémités de la chaînette étant fixées, on est bien dans le cadre décrit au paragraphe 3.4. Sans la contrainte de longueur, une condition nécessaire pour que φ soit un minimum de $\mathcal{E}$ serait $\delta\mathcal{E}(\varphi) = 0$, l'équation d'Euler-Lagrange associée à $\mathcal{E}$. Si φ est un minimum de $\mathcal{E}$ sous la contrainte $\mathcal{L}(\varphi) = \ell$, l'existence de λ tel que $\delta\mathcal{E}(\varphi) = \lambda\delta\mathcal{L}(\varphi)$ provient du théorème des multiplicateurs de Lagrange, ou plus exactement une variante de ce théorème sur le convexe $\{\varphi \in \mathcal{C}^2([a, b]; \mathbb{R})\,;\ \varphi(a) = y_a\,, \varphi(a) = y_b\}$, si y_a et y_b désignent les hauteurs des extrémités de la chaînette. Autrement dit, on doit avoir

$$\sqrt{1 + (\varphi')^2} - \frac{\mathrm{d}}{\mathrm{d}x}\left(\frac{\varphi\varphi'}{\sqrt{1 + (\varphi')^2}}\right) + \alpha\,\frac{\mathrm{d}}{\mathrm{d}x}\left(\frac{\varphi'}{\sqrt{1 + (\varphi')^2}}\right) = 0\,,$$

avec $\alpha := \lambda/(g\rho)$.

iii) Si $\varphi = \alpha + \beta\sqrt{1+(\varphi')^2}$ on a $\varphi' = \beta\varphi'\varphi''/\sqrt{1+(\varphi')^2}$, d'où $\beta\varphi'' = \sqrt{1+(\varphi')^2}$ partout où φ' ne s'annule pas, et par conséquent

$$\sqrt{1+(\varphi')^2} - \frac{\mathrm{d}}{\mathrm{d}x}\left(\frac{\varphi\varphi'}{\sqrt{1+(\varphi')^2}}\right) + \alpha\frac{\mathrm{d}}{\mathrm{d}x}\left(\frac{\varphi'}{\sqrt{1+(\varphi')^2}}\right) =$$
$$\sqrt{1+(\varphi')^2} - \frac{\mathrm{d}}{\mathrm{d}x}(\beta\varphi') = 0,$$

sauf peut-être aux points où φ' s'annule. Pour plus de détails sur la résolution de cette équation différentielle, on renvoie à l'exercice 5.5. On observe en tous cas aisément que $\varphi(x) = \alpha + \beta\mathrm{ch}(x/\beta)$ fournit une solution. La courbe correspondante n'est donc pas une parabole, contrairement à ce que pourrait laisser croire le dessin (ou l'observation de chaînettes dans la vie courante).

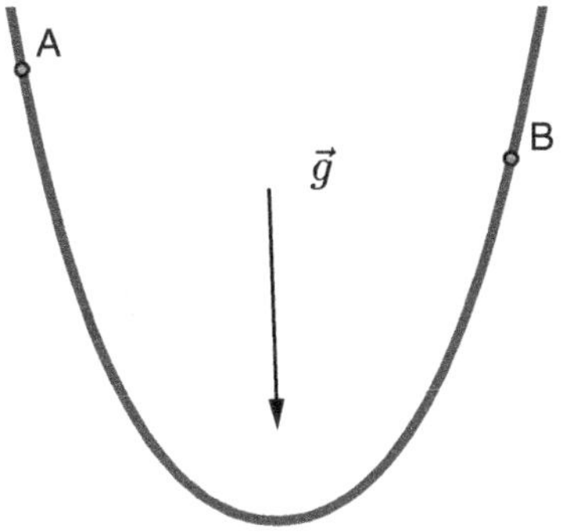

Figure 3.6 **Chaînette à l'équilibre (noter que les points de suspension *A* et *B* ne sont pas nécessairement à la même hauteur).**

iv) Pour calculer la hessienne d'une fonctionnelle $\mathcal{A}$, on peut revenir à la formule

$$\frac{\mathrm{d}^2}{\mathrm{d}\theta^2}\mathcal{A}(u+\theta h)_{|\theta=0} = \langle h\,,\, \mathrm{Hess}\mathcal{A}(u)\,h\rangle\,,$$

ou utiliser l'expression explicite de Hess$\mathcal{A}$ donnée par la proposition 3.2. La première méthode est plutôt plus commode, surtout lorsqu'on veut étudier le signe de $\langle h\,,\, \mathrm{Hess}\mathcal{A}(u)\,h\rangle$. Elle revient ici à dériver une fois de plus par rapport à θ,

$$\frac{\mathrm{d}}{\mathrm{d}\theta}(\mathcal{E}-\lambda\mathcal{L})(\psi) = \int_a^b \left(g\,\rho\,h(x)\sqrt{1+\psi'(x)^2} + g\,\rho\,\frac{\psi(x)\psi'(x)h'(x)}{\sqrt{1+\psi'(x)^2}}\right.$$
$$\left. -\lambda\,\frac{\psi'(x)h'(x)}{\sqrt{1+\psi'(x)^2}}\right)\mathrm{d}x\,,\ \psi := \varphi+\theta h\,,$$

ce qui donne

$$\frac{\mathrm{d}^2}{\mathrm{d}\theta^2}(\mathcal{E} - \lambda\mathcal{L})(\varphi + \theta h)_{|\theta=0} = \int_a^b \Bigg(2\, g\,\rho\, h(x)\, \frac{\varphi'(x)h'(x)}{\sqrt{1+\varphi'(x)^2}} + g\,\rho\, \frac{\varphi(x)h'(x)^2}{\sqrt{1+\varphi'(x)^2}}$$
$$- g\,\rho\, \frac{\varphi(x)\varphi'(x)^2 h'(x)^2}{(1+\varphi'(x)^2)^{3/2}} - \lambda\, \frac{h'(x)^2}{\sqrt{1+\varphi'(x)^2}}$$
$$+ \lambda\, \frac{\varphi'(x)^2 h'(x)^2}{(1+\varphi'(x)^2)^{3/2}}\Bigg)\, \mathrm{d}x\,.$$

En intégrant par parties le premier terme et en regroupant les autres deux à deux, il reste donc

$$\langle h\,, \mathrm{Hess}(\mathcal{E} - \lambda\mathcal{L})(\varphi)\, h\rangle = \left\langle h, - g\,\rho\, h\, \frac{\mathrm{d}}{\mathrm{d}x}\left(\frac{\varphi'}{\sqrt{1+(\varphi')^2}}\right)\right\rangle$$
$$+ \left\langle \frac{\mathrm{d}h}{\mathrm{d}x}, \frac{g\,\rho\,\varphi - \lambda}{(1+(\varphi')^2)^{3/2}}\, \frac{\mathrm{d}h}{\mathrm{d}x}\right\rangle .$$

On en déduit

$$(\mathrm{Hess}\mathcal{E} - \lambda\, \mathrm{Hess}\mathcal{L})(\varphi) = - g\,\rho\left(\frac{\mathrm{d}}{\mathrm{d}x}\frac{\varphi - \alpha}{(1+(\varphi')^2)^{3/2}}\, \frac{\mathrm{d}}{\mathrm{d}x} + \frac{\mathrm{d}}{\mathrm{d}x}\left(\frac{\varphi'}{\sqrt{1+(\varphi')^2}}\right)\right).$$

En particulier,

$$(\mathrm{Hess}\mathcal{E} - \lambda\, \mathrm{Hess}\mathcal{L})(\varphi)(\varphi') = -g\,\rho\left(\left(\frac{\varphi - \alpha}{(1+(\varphi')^2)^{3/2}}\varphi''\right)' + \left(\frac{\varphi'}{\sqrt{1+(\varphi')^2}}\right)'\varphi'\right).$$

Sachant que

$$\sqrt{(1+(\varphi')^2)} - \left(\frac{(\varphi - \alpha)\,\varphi'}{\sqrt{1+(\varphi')^2}}\right)' = 0\,,$$

en dérivant, on obtient que $(\mathrm{Hess}\mathcal{E} - \lambda\, \mathrm{Hess}\mathcal{L})(\varphi)(\varphi') = 0$. Il est bien entendu plus facile de vérifier cette relation sur la forme explicite $\varphi(x) = \alpha + \beta \mathrm{ch}(x/\beta)$.

FORMES DIFFÉRENTIELLES

4

Ces expressions peuvent être soumises aux règles ordinaires du calcul, à la condition de ne pas échanger l'ordre des différentielles dans un produit. Le calcul de ces quantités est, en somme, celui des expressions différentielles qui sont placées sous un signe d'intégrale multiple. [...] La considération de ces dérivées permet de trouver d'une manière pour ainsi dire intuitive tous les résultats déjà connus; mais elle m'a permis d'en découvrir d'autres.

Élie Cartan,

Sur certaines expressions différentielles et le problème de Pfaff,

Annales scientifiques de l'É.N.S., 1899.

L'objectif de ce chapitre, dont la lecture nécessite peu de pré-requis, est assez modeste : il vise à introduire les notions de base sur les formes différentielles sur (des ouverts de) $\mathbb{R}^n$ et à donner les principaux résultats utiles en mathématiques appliquées. Ceux-ci comprennent notamment des théorèmes d'intégrabilité (Poincaré, Frobenius), qui seront démontrés dans leur forme la plus simple. La formule de Stokes sera quant à elle mentionnée sans démonstration, et l'on insistera surtout sur les cas particuliers souvent utilisés dans les applications (Green-Riemann, Green-Ostrogradsky, etc.). Pour un traitement approfondi des formes différentielles, on pourra se reporter par exemple aux livres de Cartan [3], Godbillon [17] (des classiques, avec beaucoup plus de variétés dans le second que dans le premier) ou Darling [10] (une référence très accessible sur les fondements de la géométrie différentielle moderne).

4.1 CHAMPS DE VECTEURS ET 1-FORMES DIFFÉRENTIELLES

Définition 4.1

Un *champ de vecteurs* (de classe $\mathcal{C}^k$) sur (un ouvert) de $\mathbb{R}^n$ est une application (de classe $\mathcal{C}^k$) à valeurs dans l'espace vectoriel $\mathbb{R}^n$. Une 1-*forme différentielle* (de classe $\mathcal{C}^k$) sur (un ouvert) de $\mathbb{R}^n$ est une application (de classe $\mathcal{C}^k$) à valeurs dans l'espace vectoriel $\mathcal{L}(\mathbb{R}^n;\mathbb{R})$ des formes linéaires sur $\mathbb{R}^n$. Les 1-formes différentielles sont aussi appelées *formes de Pfaff*.

On se gardera bien en général d'identifier les espaces vectoriels $\mathbb{R}^n$ et $\mathcal{L}(\mathbb{R}^n;\mathbb{R})$ (ce qui nécessiterait de choisir un produit scalaire). La représentation matricielle des vecteurs du premier se fait naturellement au moyen de matrices (ou vecteurs) colonnes et celle du second par des matrices lignes. Une autre représentation consiste à utiliser des notations particulières pour les bases « canoniques » de $\mathbb{R}^n$ et de $\mathcal{L}(\mathbb{R}^n;\mathbb{R})$. En calcul différentiel, il est en effet d'usage de noter

$$\frac{\partial}{\partial x_1},\ldots,\frac{\partial}{\partial x_n}$$

les vecteurs de la base « canonique » de $\mathbb{R}^n$. C'est une notation bizarre au premier abord, qui se justifiera par la suite. Par définition, tout vecteur x de composantes $x_1,\ldots,x_n$ s'écrit ainsi

$$x = \sum_{j=1}^{n} x_j \, \frac{\partial}{\partial x_j} \, .$$

Par extension, un champ de vecteurs X de composantes $X_1,\ldots,X_n$ s'écrit

$$X = \sum_{j=1}^{n} X_j \, \frac{\partial}{\partial x_j} \, ,$$

ce qui signifie que pour tout $x \in U$ (l'ouvert de définition de X),

$$X(x) = \sum_{j=1}^{n} X_j(x) \, \frac{\partial}{\partial x_j} \, .$$

Cette notation permet d'identifier X à un *opérateur différentiel* (ceci sera utilisé notamment dans l'exercice 7.11) : si f est une fonction différentiable sur U, la fonction

$$Xf := \sum_{j=1}^{n} X_j \, \frac{\partial f}{\partial x_j}$$

n'est autre que la dérivée de f dans la direction X, c'est-à-dire que $(Xf)(x) = \mathrm{d}f(x)\cdot X(x)$ pour tout $x \in U$. Mais pour éviter les confusions on évitera ici de faire cette identification.

Quant à $\mathcal{L}(\mathbb{R}^n;\mathbb{R})$, on note $(\mathrm{d}x_1,\ldots,\mathrm{d}x_n)$ sa base « canonique », duale de $\left(\frac{\partial}{\partial x_1},\ldots,\frac{\partial}{\partial x_n}\right)$, c'est-à-dire telle que

$$\mathrm{d}x_i\Big(\frac{\partial}{\partial x_j}\Big) = \delta_{i,j} := \begin{cases} 0 & \text{si } i \neq j \, , \\ 1 & \text{si } i = j \, . \end{cases}$$

Ainsi, toute 1-forme différentielle ω se décompose en

$$\omega = \sum_{i=1}^{n} \omega_i \mathrm{d}x_i \,,$$

où les ω_i sont des applications à valeurs réelles. Inversement, si $\omega_i \in \mathcal{C}^k(U;\mathbb{R})$ pour $i \in \{1,\ldots,n\}$, l'application $\omega : x \mapsto \sum_{i=1}^{n} \omega_i(x)\mathrm{d}x_i$ définit une 1-forme différentielle : pour tout $x \in U$, la forme linéaire $\omega(x)$ est définie par

$$\omega(x) \cdot h = \sum_{i=1}^{n} \omega_i(x) h_i \,,$$

pour tout vecteur $h \in \mathbb{R}^n$ de composantes $h_1,\ldots,h_n$.

Par exemple, si f est une fonction de classe $\mathcal{C}^r$ (avec $r \geqslant 1$) sur U et à valeurs dans $\mathbb{R}$, sa différentielle

$$\begin{array}{rcl} \mathrm{d}f = \displaystyle\sum_{i=1}^{n} \frac{\partial f}{\partial x_i}\mathrm{d}x_i : U & \to & \mathcal{L}(\mathbb{R}^n;\mathbb{R}) \\ x & \mapsto & \left(h \mapsto \sum_{i=1}^{n} \frac{\partial f}{\partial x_i}(x) h_i\right) \end{array}$$

est une 1-forme différentielle de classe $\mathcal{C}^{r-1}$. On dit en outre qu'elle est *exacte*.

Définition 4.2

Une 1-forme différentielle ω est exacte s'il existe une fonction différentiable f telle que $\omega = \mathrm{d}f$.

On verra plus loin un résultat fondamental (le théorème de Poincaré) donnant une caractérisation des formes différentielles exactes sur des ouverts d'un type particulier (à savoir, simplement connexes).

4.2 Formes différentielles d'ordre supérieur

4.2.1 Introduction

Comme le lecteur a pu le pressentir, si nous avons défini des 1-formes, nous pouvons aussi définir des q-formes, avec q un entier plus grand que 1. Cela passe par l'étude des formes q-linéaires alternées. Nous noterons $\mathcal{A}_q(\mathbb{R}^n)$ le sous-espace vectoriel de $\mathcal{L}_q(\mathbb{R}^n)$ des *formes q-linéaires alternées*, c'est-à-dire les $\phi \in \mathcal{L}_q(\mathbb{R}^n;\mathbb{R})$ telles que, pour tout q-uplet $(u_1,\ldots,u_q)$ de vecteurs de $\mathbb{R}^n$ dans lequel deux vecteurs (au moins) coïncident, $\phi(u_1,\ldots,u_q) = 0$. On se convainc aisément (en jouant avec la multi-linéarité de ϕ) que cette propriété équivaut à l'*antisymétrie* de ϕ, c'est-à-dire

$$\phi(u_1,\ldots,u_i,\ldots,u_j,\ldots,u_q) = -\phi(u_1,\ldots,u_j,\ldots,u_i,\ldots,u_q)$$

pour tout q-uplet $(u_1,\ldots,u_q)$ de vecteurs de $\mathbb{R}^n$ et pour tout couple (i,j) d'entiers entre 1 et q.

Proposition 4.1

Soit q un entier supérieur ou égal à 2. L'espace $\mathcal{A}_q(\mathbb{R}^n)$ est réduit à $\{0\}$ si $q > n$. Si $q \leqslant n$, $\mathcal{A}_q(\mathbb{R}^n)$ est de dimension $\binom{n}{q}$ et engendré par les q-formes linéaires du type

$$\mathrm{d}x_{i_1} \wedge \cdots \wedge \mathrm{d}x_{i_q}$$

avec $i_1 < \cdots < i_q$, où le *produit extérieur* $\mathrm{d}x_{i_1} \wedge \cdots \wedge \mathrm{d}x_{i_q}$ désigne la q-forme linéaire alternée définie par

$$(\mathrm{d}x_{i_1} \wedge \cdots \wedge \mathrm{d}x_{i_q})\Big(\frac{\partial}{\partial x_{j_1}},\ldots,\frac{\partial}{\partial x_{j_q}}\Big) = \begin{cases} 0 & \text{si } \{i_1,\ldots,i_q\} \neq \{j_1,\ldots,j_q\}, \\ 1 & \text{si } i_k = j_k \quad \forall k. \end{cases}$$

La démonstration est laissée au lecteur. Attention, dans la définition du produit extérieur, $\{i_1,\ldots,i_q\}$ désigne un ensemble non ordonné : il y a donc des cas qui ne pas écrits, ce sont tous ceux pour lesquels le q-uplet $(j_1,\ldots,j_q)$ est obtenu par permutation de $(i_1,\ldots,i_q)$; ils se déduisent du cas $(i_1,\ldots,i_q) = (j_1,\ldots,j_q)$ en utilisant que la forme doit être alternée. Si σ est une permutation de signature ε de $\{1,\ldots,q\}$,

$$(\mathrm{d}x_{i_1} \wedge \cdots \wedge \mathrm{d}x_{i_q})\Big(\frac{\partial}{\partial x_{i_{\sigma(1)}}},\ldots,\frac{\partial}{\partial x_{i_{\sigma(q)}}}\Big) = (-1)^{\varepsilon}.$$

Remarque 4.1

La n-forme linéaire $\mathrm{d}x_1 \wedge \cdots \wedge \mathrm{d}x_n$ coïncide avec le déterminant dans la base $\Big(\frac{\partial}{\partial x_1},\ldots,\frac{\partial}{\partial x_n}\Big)$. En effet, ce sont deux n-formes linéaires alternées sur $\mathbb{R}^n$ qui coïncident en $\Big(\frac{\partial}{\partial x_1},\ldots,\frac{\partial}{\partial x_n}\Big)$, et $\mathcal{A}_n(\mathbb{R}^n)$ est de dimension 1.

Définition 4.3

Soit q un entier supérieur ou égal à 2. Une *q-forme différentielle* (de classe $\mathcal{C}^k$) sur (un ouvert) de $\mathbb{R}^n$ est une application (de classe $\mathcal{C}^k$) à valeurs dans l'espace vectoriel $\mathcal{A}_q(\mathbb{R}^n)$ des q-formes linéaires alternées sur $\mathbb{R}^n$. Les q-formes différentielles sont également appelées *formes différentielles de degré q*.

D'après la proposition 4.1, toute q-forme différentielle α se décompose en

$$\alpha = \sum_{1 \leqslant i_1 < \cdots < i_q \leqslant n} \alpha_{i_1,\ldots,i_q} \, \mathrm{d}x_{i_1} \wedge \cdots \wedge \mathrm{d}x_{i_q} \,,$$

où les $\alpha_{i_1,\ldots,i_q}$ sont des applications à valeurs réelles. Inversement, si $\alpha_{i_1,\ldots,i_q} \in \mathcal{C}^k(U;\mathbb{R})$ pour $1 \leqslant i_1 < \cdots < i_q \leqslant n$, l'application $x \mapsto \sum_{1 \leqslant i_1 < \cdots < i_q \leqslant n} \alpha_{i_1,\ldots,i_q}(x) \, \mathrm{d}x_{i_1} \wedge \cdots \wedge \mathrm{d}x_{i_q}$ définit une q-forme différentielle.

Dans un souci de cohérence avec la définition 4.1 des 1-formes, $\mathcal{A}_1(\mathbb{R}^n)$ désignera aussi l'espace des formes linéaires $\mathcal{L}(\mathbb{R}^n;\mathbb{R})$, et par convention, $\mathcal{A}_0(\mathbb{R}^n)$ désignera l'espace des fonctions constantes de $\mathbb{R}^n$ dans $\mathbb{R}$. Ainsi la définition 4.3 des q-formes est valable en fait pour tout entier naturel q. Une 0-forme différentielle n'est rien d'autre qu'une fonction à valeurs réelles.

4.2.2 Produit extérieur

On peut bien entendu définir $\mathrm{d}x_{i_1} \wedge \cdots \wedge \mathrm{d}x_{i_q}$ lorsque les entiers $i_1,\ldots,i_q$ ne sont pas en ordre croissant, de telle sorte que l'application

$$\begin{array}{rcl} \mathcal{L}(\mathbb{R}^n;\mathbb{R})^q & \to & \mathcal{A}_q(\mathbb{R}^n) \\ (\ell_1,\ldots,\ell_q) & \mapsto & \ell_1 \wedge \cdots \wedge \ell_q \end{array}$$

soit elle-même q-linéaire alternée. Cela permet de définir le produit extérieur de deux formes de degrés quelconques q et r par

$$\begin{array}{rcl} \wedge : \mathcal{A}_q(\mathbb{R}^n) \times \mathcal{A}_r(\mathbb{R}^n) & \to & \mathcal{A}_{q+r}(\mathbb{R}^n) \\ (\alpha,\beta) & \mapsto & \alpha \wedge \beta \,; \end{array}$$

$$\alpha \wedge \beta := \sum_{\substack{1 \leqslant i_1 < \cdots < i_q \leqslant n \\ 1 \leqslant j_1 < \cdots < j_r \leqslant n}} \alpha_{i_1,\ldots,i_q} \beta_{j_1,\ldots,j_r} \, \mathrm{d}x_{i_1} \wedge \cdots \wedge \mathrm{d}x_{i_q} \wedge \mathrm{d}x_{j_1} \wedge \cdots \wedge \mathrm{d}x_{j_r} \,,$$

si

$$\alpha = \sum_{1 \leqslant i_1 < \cdots < i_q \leqslant n} \alpha_{i_1,\ldots,i_q} \, \mathrm{d}x_{i_1} \wedge \cdots \wedge \mathrm{d}x_{i_q} \,,$$

$$\beta = \sum_{1 \leqslant j_1 < \cdots < j_r \leqslant n} \beta_{j_1,\ldots,j_r} \, \mathrm{d}x_{j_1} \wedge \cdots \wedge \mathrm{d}x_{j_r} \,.$$

L'application $\wedge$ est clairement bilinéaire. D'autre part, puisque $\mathcal{A}_{q+r}(\mathbb{R}^n)$ est réduit à $\{0\}$ si $q + r > n$, $\wedge$ est identiquement nul dans ce cas.

Proposition 4.2

Le produit extérieur $\wedge$ est associatif, et l'on a, pour tout $\alpha \in \mathcal{A}_q(\mathbb{R}^n)$ et tout $\beta \in \mathcal{A}_r(\mathbb{R}^n)$,

$$\alpha \wedge \beta = (-1)^{qr}\, \beta \wedge \alpha\,.$$

En particulier, si $\alpha \in \mathcal{A}_q(\mathbb{R}^n)$ avec q impair, $\alpha \wedge \alpha = 0$.

La démonstration de ce résultat purement algébrique est laissée au lecteur.

Le produit extérieur $\wedge$ s'étend naturellement aux q-formes différentielles : si α est de degré q et β de degré r, $\alpha \wedge \beta$ est de degré $q + r$, et l'on a

$$\alpha \wedge \beta = (-1)^{qr}\, \beta \wedge \alpha\,.$$

4.2.3 Tiré en arrière

Comme on l'a observé plus haut, les 0-formes différentielles ne sont rien d'autre que des fonctions à valeurs réelles. Celles-ci se « transportent » aisément par changement de variables. Plus précisément, si $\varphi : V \to U$ est une fonction (pas nécessairement un difféomorphisme) de classe $\mathcal{C}^k$ d'un ouvert V de $\mathbb{R}^n$ dans un ouvert U de $\mathbb{R}^n$, à toute « 0-forme différentielle » $f : U \to \mathbb{R}$ de classe $\mathcal{C}^k$ on peut associer par composition avec φ une autre 0-forme différentielle $f \circ \varphi : V \to \mathbb{R}$ de classe $\mathcal{C}^k$. On introduit une notation pour cette fonction composée où l'ordre de φ et de f est inversé :

$$\begin{array}{rcl} \varphi^* f := f \circ \varphi : V & \to & \mathbb{R} \\ y & \mapsto & (\varphi^* f)(y) := f(\varphi(y))\,. \end{array}$$

En anglais la transformation $\varphi^* : f \mapsto \varphi^* f$ est appelée de façon assez imagée le *pullback*. La traduction française de ce terme, *tiré en arrière* (ou parfois aussi *tirette*), n'est pas très heureuse et elle est ce fait moins utilisée.

Le *pullback* s'étend naturellement aux formes différentielles de degré quelconque. L'idée est qu'une forme différentielle de degré q sur un ouvert U (resp. V) agit sur des q-uplets de « vecteurs tangents » à U (resp. V), et que par la transformation φ, un vecteur v tangent à $y \in V$ se transforme en le vecteur tangent à U s'écrivant $u = \mathrm{d}\varphi(y) \cdot v$. (Pour s'en convaincre en restant à un niveau de géométrie différentielle élémentaire, on peut considérer une courbe paramétrée dans V, $\{Y(t)\,;\ t \in I\}$ passant par y en $t = 0$ ayant $Y'(0) = v$ comme vecteur tangent au point y. Alors son image par φ est la courbe paramétrée $\{X(t) := \varphi(Y(t))\,;\ t \in I\}$, qui vérifie $X'(0) = \mathrm{d}\varphi(y) \cdot v$.)

Définition 4.4

Soit q un entier naturel non nul. Soit $\varphi : V \to U$ une fonction de classe $\mathcal{C}^{k+1}$ d'un ouvert V de $\mathbb{R}^n$ sur un ouvert U. Le pullback par φ d'une q-forme différentielle α de classe $\mathcal{C}^k$ sur U est $\beta = \varphi^* \alpha$ la q-forme différentielle de classe C^k sur V définie par $\beta(y) \cdot (v_1, \ldots, v_q) := \alpha(x) \cdot (u_1, \ldots, u_q)$, où $x = \varphi(y)$ et $u_k = \mathrm{d}\varphi(y) \cdot v_k$, $k = 1, \ldots, q$.

Exemples

• Pour une 1-forme $\alpha = \sum_{j=1}^{n} \alpha_j \mathrm{d}x_j$,

$$\varphi^*\alpha = \sum_{j=1}^{n}\sum_{i=1}^{n}(\alpha_i \circ \varphi)\,\frac{\partial \varphi_i}{\partial y_j}\,\mathrm{d}y_j = \sum_{i=1}^{n}(\alpha_i \circ \varphi)\,\mathrm{d}\varphi_i\,.$$

• Pour une n-forme, encore appelée *forme volume* $\alpha = f\,\mathrm{d}x_1 \wedge \cdots \wedge \mathrm{d}x_n$,

$$\varphi^*\alpha = (f \circ \varphi)\,(\text{dét}\,\mathrm{d}\varphi)\,\mathrm{d}y_1 \wedge \cdots \wedge \mathrm{d}y_n\,.$$

• Pour $n \geqslant 3$, une $(n-1)$-forme, encore appelée *forme surfacique*

$$\alpha = \sum_{i=1}^{n} f_i\,\mathrm{d}x_1 \wedge \cdots \widehat{\mathrm{d}x_i} \cdots \wedge \mathrm{d}x_n\,,$$

où la notation $\mathrm{d}x_1 \wedge \cdots \widehat{\mathrm{d}x_i} \cdots \wedge \mathrm{d}x_n$ signifie que $\mathrm{d}x_i$ n'apparaît pas tandis que tous les $\mathrm{d}x_j$ apparaissent dans l'ordre croissant pour $j \neq i$,

$$\varphi^*\alpha = \sum_{i=1}^{n}\sum_{j=1}^{n}(f_i \circ \varphi)\;(\text{cofact}\,\mathrm{d}\varphi)_{i,j}\;\mathrm{d}y_1 \wedge \cdots \widehat{\mathrm{d}y_j} \cdots \wedge \mathrm{d}y_n\,.$$

Proposition 4.3

Pour une q-forme « pure » $\alpha = f\,\mathrm{d}x_{i_1} \wedge \cdots \wedge \mathrm{d}x_{i_q}$, on a

$$\varphi^*\alpha = (f \circ \varphi)\,\mathrm{d}\varphi_{i_1} \wedge \cdots \wedge \mathrm{d}\varphi_{i_q}\,. \tag{4.1}$$

Pour toute q-forme α et toute r-forme β,

$$\varphi^*(\alpha \wedge \beta) = (\varphi^*\alpha) \wedge (\varphi^*\beta)\,. \tag{4.2}$$

DÉMONSTRATION. Admettons provisoirement (4.2). On a déjà observé (dans le premier exemple donné ci-dessus) que pour une 1-forme $\alpha = f\,\mathrm{d}x_i$, $\varphi^*\alpha = (f \circ \varphi)\,\mathrm{d}\varphi_i$. On procède ensuite par récurrence sur q. Supposons (4.1) démontrée pour l'entier q, et soit

$$\omega = f\,\mathrm{d}x_{i_1} \wedge \cdots \wedge \mathrm{d}x_{i_{q+1}} = \alpha \wedge \mathrm{d}x_{i_{q+1}}\,, \quad \alpha = f\,\mathrm{d}x_{i_1} \wedge \cdots \wedge \mathrm{d}x_{i_q}\,.$$

D'après (4.2), l'hypothèse de récurrence et le cas $q = 1$ (avec $f \equiv 1$) on a

$$\varphi^*\omega = (\varphi^*\alpha) \wedge (\varphi^*\mathrm{d}x_{i_{q+1}}) = (f \circ \varphi)\,\mathrm{d}\varphi_{i_1} \wedge \cdots \wedge \mathrm{d}\varphi_{i_q} \wedge \mathrm{d}\varphi_{i_{q+1}}\,.$$

Par suite, si l'on a (4.2), on montre immédiatement (4.1) par récurrence sur q (en utilisant l'associativité du produit extérieur).
Montrons maintenant (4.2). Par linéarité du *pullback* φ^* et bilinéarité du produit extérieur $\wedge$, il suffit de démontrer cette formule pour des formes pures.

Commençons par le cas $q = r = 1$. Si $\alpha = f\,\mathrm{d}x_i$ et $\beta = g\,\mathrm{d}x_j$, on a $\varphi^*\alpha = (f\circ\varphi)\,\mathrm{d}\varphi_i$ et $\varphi^*\beta = (g\circ\varphi)\,\mathrm{d}\varphi_j$: si $i = j$ les deux membres de (4.2) sont donc nuls ; sinon, quitte à échanger les rôles de α et β, on peut supposer $i < j$. On a

$$(\varphi^*\alpha)\wedge(\varphi^*\beta) = (f\circ\varphi)(g\circ\varphi)\,\mathrm{d}\varphi_i\wedge\mathrm{d}\varphi_j\,,$$

tandis que $\alpha\wedge\beta = fg\,\mathrm{d}x_i\wedge\mathrm{d}x_j$ et donc par définition

$$\begin{aligned}\varphi^*(\alpha\wedge\beta)(y)\cdot(v_1,v_2) &= f(\varphi(y))\,g(\varphi(y))\,(\mathrm{d}x_i\wedge\mathrm{d}x_j)\cdot(\mathrm{d}\varphi(y)\cdot v_1,\mathrm{d}\varphi(y)\cdot v_2)\\ &= f(\varphi(y))\,g(\varphi(y))\,((\mathrm{d}\varphi_i(y)\cdot v_1)(\mathrm{d}\varphi_j(y)\cdot v_2)-(\mathrm{d}\varphi_j(y)\cdot v_1)(\mathrm{d}\varphi_i(y)\cdot v_2))\,.\end{aligned}$$

Et par définition du produit extérieur de deux 1-formes, on a précisément

$$\begin{aligned}&(\mathrm{d}\varphi_i\wedge\mathrm{d}\varphi_j)(y)\cdot(v_1,v_2)\\ &= (\mathrm{d}\varphi_i(y)\cdot v_1)(\mathrm{d}\varphi_j(y)\cdot v_2)-(\mathrm{d}\varphi_j(y)\cdot v_1)(\mathrm{d}\varphi_i(y)\cdot v_2)\,.\end{aligned}$$

Par souci de clarté traitons également le cas $(q,r) = (1,2)$. Soient donc $\alpha = f\,\mathrm{d}x_i$ et $\beta = g\,\mathrm{d}x_j\wedge\mathrm{d}x_k$. On a $\varphi^*\alpha = (f\circ\varphi)\,\mathrm{d}\varphi_i$ et, d'après le cas $q = r = 1$, $\varphi^*\beta = (g\circ\varphi)\,\mathrm{d}\varphi_j\wedge\mathrm{d}\varphi_k$, d'où

$$(\varphi^*\alpha)\wedge(\varphi^*\beta) = (f\circ\varphi)(g\circ\varphi)\,\mathrm{d}\varphi_i\wedge\mathrm{d}\varphi_j\wedge\mathrm{d}\varphi_k\,.$$

Par ailleurs, $\alpha\wedge\beta = fg\,\mathrm{d}x_i\wedge\mathrm{d}x_j\wedge\mathrm{d}x_k$ et donc par définition

$$\begin{aligned}&\varphi^*(\alpha\wedge\beta)(y)\cdot(v_1,v_2,v_3) =\\ &f(\varphi(y))\,g(\varphi(y))\,(\mathrm{d}x_i\wedge\mathrm{d}x_j\wedge\mathrm{d}x_k)\cdot(\mathrm{d}\varphi(y)\cdot v_1,\mathrm{d}\varphi(y)\cdot v_2,\mathrm{d}\varphi(y)\cdot v_3)\,.\end{aligned}$$

Or on vérifie en développant comme dans le cas précédent les produits extérieurs que

$$\begin{aligned}&(\mathrm{d}x_i\wedge\mathrm{d}x_j\wedge\mathrm{d}x_k)\cdot(\mathrm{d}\varphi(y)\cdot v_1,\mathrm{d}\varphi(y)\cdot v_2,\mathrm{d}\varphi(y)\cdot v_3) =\\ &(\mathrm{d}\varphi_i\wedge\mathrm{d}\varphi_j\wedge\mathrm{d}\varphi_k)(y)\cdot(v_1,v_2,v_3)\,.\end{aligned}\tag{4.3}$$

Cela prouve (4.2) dans le cas $(q,r) = (1,2)$ (et donc aussi $(q,r) = (2,1)$ en échangeant les rôles de α et β). De la même manière, on en déduit (4.2) pour tout couple $(1,r)$ par récurrence sur r. Supposons en effet (4.2) démontrée pour tout couple $(1,r')$ avec $r'\leqslant r$. Soient $\alpha = f\,\mathrm{d}x_i$ et une $(r+1)$-forme $\beta = g\,\mathrm{d}x_{j_0}\wedge\cdots\wedge\mathrm{d}x_{j_r}$. On a $\varphi^*\alpha = (f\circ\varphi)\,\mathrm{d}\varphi_i$ et, d'après l'hypothèse de récurrence appliquée de façon répétée,

$$\varphi^*\beta = (g\circ\varphi)\,\mathrm{d}\varphi_{j_0}\wedge\varphi^*(\mathrm{d}x_{j_1}\wedge\cdots\wedge\mathrm{d}x_{j_r}) = (g\circ\varphi)\,\mathrm{d}\varphi_{j_0}\wedge\mathrm{d}\varphi_{j_1}\wedge\cdots\wedge\mathrm{d}\varphi_{j_r}\,.$$

(Notons que cette formule n'est autre que (4.1).) Par suite,

$$(\varphi^*\alpha) \wedge (\varphi^*\beta) = (f \circ \varphi)(g \circ \varphi)\, \mathrm{d}\varphi_i \wedge \mathrm{d}\varphi_{j_0} \wedge \mathrm{d}\varphi_{j_1} \wedge \cdots \wedge \mathrm{d}\varphi_{j_r}\,.$$

Par ailleurs, $\alpha \wedge \beta = fg\, \mathrm{d}x_i \wedge \mathrm{d}x_{j_0} \wedge \cdots \wedge \mathrm{d}x_{j_r}$ et donc par définition

$$\varphi^*(\alpha \wedge \beta)(y) \cdot (v, w_0, \ldots, w_r) =$$
$$(fg)(\varphi(y))\, (\mathrm{d}x_i \wedge \mathrm{d}x_{j_0} \wedge \cdots \wedge \mathrm{d}x_{j_r}) \cdot (\mathrm{d}\varphi(y) \cdot v, \mathrm{d}\varphi(y) \cdot w_0, \ldots, \mathrm{d}\varphi(y) \cdot w_r)\,.$$

En observant que (4.3) se généralise à un nombre arbitraire de produits extérieurs, on en déduit l'égalité voulue entre $(\varphi^*\alpha) \wedge (\varphi^*\beta)$ et $\varphi^*(\alpha \wedge \beta)$. Cela prouve (4.2) pour tout couple $(1, r)$, et tout couple $(q, 1)$ en échangeant les rôles de α et β. Pour conclure, on fixe $r \geqslant 1$ et l'on effectue une récurrence sur q. Supposons la formule (4.2) démontrée pour (q, r) et soient une $(q+1)$-forme pure α et une r-forme pure β. On peut écrire $\alpha = \alpha_0 \wedge \alpha_1$, où α_0 est une 1-forme pure et α_1 une q-forme pure. D'après ce qui précède

$$\varphi^*(\alpha \wedge \beta) = (\varphi^*\alpha_0) \wedge \varphi^*(\alpha_1 \wedge \beta)\,,$$

et l'hypothèse de récurrence implique

$$\varphi^*(\alpha_1 \wedge \beta) = (\varphi^*\alpha_1) \wedge (\varphi^*\beta)\,.$$

Comme on a aussi

$$\varphi^*(\alpha_0 \wedge \alpha_1) = (\varphi^*\alpha_0) \wedge (\varphi^*\alpha_1)\,,$$

on en déduit l'égalité voulue grâce à l'associativité du produit extérieur. □

4.2.4 Différentielle extérieure

Définition 4.5

Soit $\alpha = \sum_{1 \leqslant i_1 < \cdots < i_q \leqslant n} \alpha_{i_1,\ldots,i_q}\, \mathrm{d}x_{i_1} \wedge \cdots \wedge \mathrm{d}x_{i_q}$ une forme de degré q et de classe $\mathcal{C}^k$. On lui associe la forme de degré $q+1$ et de classe $\mathcal{C}^{k-1}$, appelée *différentielle extérieure* de α, définie par

$$\mathbf{d}\alpha := \sum_{i=1}^{n} \sum_{1 \leqslant i_1 < \cdots < i_q \leqslant n} \frac{\partial \alpha_{i_1,\ldots,i_q}}{\partial x_i}\, \mathrm{d}x_i \wedge \mathrm{d}x_{i_1} \wedge \cdots \wedge \mathrm{d}x_{i_q}\,.$$

Par convention (néanmoins cohérente avec la définition ci-dessus), la différentielle extérieure d'une 0-forme f coïncide avec sa différentielle au sens des fonctions (définie au chapitre 1) :

$$\mathbf{d}f = \mathrm{d}f = \sum_{i=1}^{n} \frac{\partial f}{\partial x_i}\, \mathrm{d}x_i\,.$$

Attention cependant, il ne faut surtout pas confondre ses différentielles d'ordre supérieur $\mathrm{d}^p f$ avec les formes différentielles obtenues par applications successives de la différentielle extérieure. En fait, il n'y a guère de risque de confusion car pour la différentielle extérieure, dès la seconde itération on obtient toujours 0, d'après ce qui suit.

Proposition 4.4

Quelle que soit la forme différentielle α de classe $\mathcal{C}^k$ avec $k \geqslant 2$, on a $\mathrm{d}(\mathrm{d}\alpha) = 0$.

DÉMONSTRATION. Par définition de la différentielle extérieure et par multi-linéarité du produit extérieur, si $\alpha = \sum_{1 \leqslant i_1 < \cdots < i_q \leqslant n} \alpha_{i_1,\ldots,i_q}\, \mathrm{d}x_{i_1} \wedge \cdots \wedge \mathrm{d}x_{i_q}$ on a

$$\mathbf{d}(\mathbf{d}\alpha) := \sum_{1 \leqslant i_1 < \cdots < i_q \leqslant n} \left(\sum_{j=1}^{n} \sum_{i=1}^{n} \frac{\partial^2 \alpha_{i_1,\ldots,i_q}}{\partial x_j \partial x_i}\, \mathrm{d}x_j \wedge \mathrm{d}x_i \right) \wedge \mathrm{d}x_{i_1} \wedge \cdots \wedge \mathrm{d}x_{i_q}\,.$$

Or, comme $\mathrm{d}x_j \wedge \mathrm{d}x_i = -\mathrm{d}x_i \wedge \mathrm{d}x_j$, on a d'après le théorème de Schwarz, pour toute fonction f deux fois différentiable,

$$\sum_{j=1}^{n} \sum_{i=1}^{n} \frac{\partial^2 f}{\partial x_j \partial x_i}\, \mathrm{d}x_j \wedge \mathrm{d}x_i = 0\,.$$

□

Donnons maintenant une extension de la définition 4.2 :

Définition 4.6

Une forme différentielle α est dite *exacte* s'il existe une forme différentielle β telle que $\alpha = \mathbf{d}\beta$. Une forme différentielle α est dite *fermée* si $\mathbf{d}\alpha = 0$.

Remarque 4.2

Pour $q \geqslant 1$ il faut prendre garde à ne pas confondre la différentielle extérieure d'une q−forme avec sa différentielle en tant qu'application de U dans $\mathcal{A}_q(\mathbb{R}^n)$. Prenons pour simplifier le cas $q = 1$. Si $\alpha = \sum_{j=1}^{n} \alpha_j \mathrm{d}x_j$ alors par définition

$$\mathbf{d}\alpha = \sum_{i,j=1}^{n} \frac{\partial \alpha_j}{\partial x_i}\, \mathrm{d}x_i \wedge \mathrm{d}x_j = \sum_{1 \leqslant i < j \leqslant n} \left(\frac{\partial \alpha_j}{\partial x_i} - \frac{\partial \alpha_j}{\partial x_i} \right) \mathrm{d}x_i \wedge \mathrm{d}x_j\,.$$

Autrement dit, pour $(h,k) \in \mathbb{R}^n)$,

$$\mathbf{d}\alpha(x) \cdot (h,k) = \sum_{1 \leqslant i < j \leqslant n} \left(\frac{\partial \alpha_j}{\partial x_i} - \frac{\partial \alpha_j}{\partial x_i} \right) (h_i k_j - k_i h_j)\,.$$

Si l'on calcule maintenant la différentielle $\mathrm{d}\alpha$ de α en tant que fonction $\alpha : U \to \mathcal{L}(\mathbb{R}^n; \mathbb{R})$ on trouve

$$d\alpha(x) \cdot h = \sum_{i,j=1}^{n} \frac{\partial \alpha_j}{\partial x_i}(x)\, h_i\, dx_j\,,$$

ce qui signifie

$$(d\alpha(x) \cdot h) \cdot k = \sum_{i,j=1}^{n} \frac{\partial \alpha_j}{\partial x_i}(x)\, h_i\, k_j\,.$$

On voit ainsi que l'hypothèse $\mathbf{d}\alpha = 0$ (α fermée) équivaut (« seulement ») au fait que l'application

$$(h,k) \mapsto (d\alpha(x) \cdot h) \cdot k$$

est symétrique.

4.3 Théorème de Poincaré

Un corollaire immédiat de la proposition 4.4 est que toute forme différentielle exacte est fermée. La réciproque n'est pas vraie en général : cela dépend des propriétés topologiques de l'ouvert U. C'est l'objet du résultat fondamental suivant.

Théorème 4.1 ***Théorème de Poincaré***

Soit U un ouvert *simplement connexe*. Toute forme différentielle fermée sur U est exacte.

Avant d'aborder sa démonstration, précisons ce que signifie l'hypothèse sur U.

Définition 4.7

Un ouvert U de $\mathbb{R}^n$ est dit *simplement connexe*, ou encore 1*-connexe* si, pour toute courbe fermée (ou *lacet*) simple (c'est-à-dire sans point double)

$$\{\theta(t)\,;\ t \in [0,\,1]\}$$

avec $\theta : [0,\,1] \to U$ continue, injective sur $]0,\,1[$ et telle $\theta(0) = \theta(1)$, il existe un point $x_0 \in U$ et une application (appelée *homotopie*) $\Theta : [0,\,1] \times [0,\,1] \to U$ continue telle que $\Theta(\cdot,\,0) \equiv x_0$ et $\Theta(\cdot,\,1) = \theta$.

En particulier, tout *ouvert étoilé*, c'est-à-dire dans lequel il existe un point x_0 que l'on peut relier à n'importe quel point de l'ouvert par un segment inclus dans cet ouvert, est simplement connexe. Nous nous contenterons de donner la démonstration du théorème de Poincaré dans ce cas, où il apparaît comme une conséquence du résultat suivant.

Lemme 4.1 ***Variante de Poincaré***

Soient V et U des ouverts de $\mathbb{R}^n$, et $\varphi : V \times [0, 1] \to U$ de classe $\mathcal{C}^\infty$. On note pour tout $t \in [0, 1]$, φ_t l'application $\varphi(\cdot,t) : V \to U$. Si α est une forme différentielle fermée sur U, alors $\varphi_1^*\alpha - \varphi_0^*\alpha$ est une forme différentielle exacte.

En admettant provisoirement ce lemme, on peut l'appliquer, si U est un ouvert étoilé en x_0, à l'application $\varphi : (x,t) \mapsto x_0 + t(x - x_0)$, qui vérifie $\varphi_1 = \mathrm{id}$ et $\varphi_0 \equiv x_0$, de sorte que $\varphi_1^*\alpha - \varphi_0^*\alpha = \alpha$.

Pour la démonstration du lemme 4.1, nous aurons besoin de propriétés supplémentaires de la différentielle extérieure, en relation avec le *pullback* d'une part et le produit extérieur d'autre part.

Proposition 4.5

Soit $\varphi : V \to U$ une fonction de classe $\mathcal{C}^k$ (avec $k \geqslant 1$) d'un ouvert V de $\mathbb{R}^n$ sur un ouvert U. Soient α et β des formes différentielles de classe $\mathcal{C}^k$ sur U. Alors

$$\varphi^*(\mathbf{d}\alpha) = \mathbf{d}(\varphi^*\alpha)\,, \tag{4.4}$$

$$\mathbf{d}(\alpha \wedge \beta) = \mathbf{d}\alpha \wedge \beta + (-1)^p\, \alpha \wedge \mathbf{d}\beta\,, \tag{4.5}$$

où p est le degré de α.

DÉMONSTRATION. Commençons par montrer (4.5). Par linéarité de la différentiation extérieure d et bilinéarité du produit extérieur $\wedge$, il suffit de vérifier cette formule pour des formes pures

$$\alpha = f\,\mathrm{d}x_{i_1} \wedge \cdots \wedge \mathrm{d}x_{i_p}\,, \quad \beta = g\,\mathrm{d}x_{j_1} \wedge \cdots \wedge \mathrm{d}x_{j_q}\,.$$

Par définition de **d** on a

$$\mathbf{d}\alpha = \sum_{k=1}^{n} \frac{\partial f}{\partial x_k}\,\mathrm{d}x_k \wedge \mathrm{d}x_{i_1} \wedge \cdots \wedge \mathrm{d}x_{i_p}\,,$$

$$\mathbf{d}\beta = \sum_{k=1}^{n} \frac{\partial g}{\partial x_k}\,\mathrm{d}x_k \wedge \mathrm{d}x_{j_1} \wedge \cdots \wedge \mathrm{d}x_{j_q}\,,$$

d'où

$$\mathbf{d}\alpha \wedge \beta = \sum_{k=1}^{n} g\,\frac{\partial f}{\partial x_k}\,\mathrm{d}x_k \wedge \mathrm{d}x_{i_1} \wedge \cdots \wedge \mathrm{d}x_{i_p} \wedge \mathrm{d}x_{j_1} \wedge \cdots \wedge \mathrm{d}x_{j_q}\,,$$

$$\begin{aligned} \alpha \wedge \mathbf{d}\beta &= \sum_{k=1}^{n} f\,\frac{\partial g}{\partial x_k}\,\mathrm{d}x_{i_1} \wedge \cdots \wedge \mathrm{d}x_{i_p} \wedge \mathrm{d}x_k \wedge \mathrm{d}x_{j_1} \wedge \cdots \wedge \mathrm{d}x_{j_q} \\ &= (-1)^p \sum_{k=1}^{n} f\,\frac{\partial g}{\partial x_k}\,\mathrm{d}x_k \wedge \mathrm{d}x_{i_1} \wedge \cdots \wedge \mathrm{d}x_{i_p} \wedge \mathrm{d}x_{j_1} \wedge \cdots \wedge \mathrm{d}x_{j_q}\,. \end{aligned}$$

En additionnant on trouve (4.5) grâce à la formule de dérivation du produit :

$$\frac{\partial(fg)}{\partial x_k} = f\,\frac{\partial g}{\partial x_k} + g\,\frac{\partial f}{\partial x_k},$$

puisque par définition de $\wedge$ et $\mathbf{d}$

$$\mathbf{d}(\alpha \wedge \beta) = \sum_{k=1}^{n} \frac{\partial(fg)}{\partial x_k}\,\mathrm{d}x_k \wedge \mathrm{d}x_{i_1} \wedge \cdots \wedge \mathrm{d}x_{i_p} \wedge \mathrm{d}x_{j_1} \wedge \cdots \wedge \mathrm{d}x_{j_q}\,.$$

Montrons maintenant (4.4). Il suffit à nouveau de la vérifier pour les formes pures, par linéarité du *pullback* φ^* et de la différentiation extérieure $\mathbf{d}$. Le cas d'une 0-forme est clair (c'est ce qui a motivé la définition du « pullback ») : si $f : U \to \mathbb{R}$ est une fonction régulière, $\varphi^* f = f \circ \varphi$ et

$$\mathbf{d}(\varphi^* f) = \mathrm{d}(f \circ \varphi)\,, \quad \varphi^*(\mathbf{d}f) = \varphi^*(\mathrm{d}f)\,,$$

d'où

$$\varphi^*(\mathbf{d}f)(y)\cdot v = \mathrm{d}f(\varphi(y))\cdot \mathrm{d}\varphi(y)\cdot v = \mathbf{d}(\varphi^* f)(y)\cdot v$$

d'après la formule de dérivation des fonctions composées (théorème 1.1 page 25). Le cas des 1-formes découle de cette même formule. En effet, pour $\alpha = f\mathrm{d}x_i$ on a

$$\varphi^*\alpha = (f \circ \varphi)\,\mathrm{d}\varphi_i\,, \quad \mathbf{d}\alpha = \sum_{k=1}^{n} \frac{\partial f}{\partial x_k}\,\mathrm{d}x_k \wedge \mathrm{d}x_i\,,$$

$$\mathbf{d}(\varphi^*\alpha) = \mathrm{d}(f \circ \varphi) \wedge \mathrm{d}\varphi_i\,, \quad \varphi^*(\mathbf{d}\alpha) = \sum_{k=1}^{n} (\frac{\partial f}{\partial x_k} \circ \varphi)\,\mathrm{d}\varphi_k \wedge \mathrm{d}\varphi_i\,,$$

où l'on a utilisé (4.5) et $\mathbf{dd} = 0$ pour calculer $\mathbf{d}(\varphi^*\alpha)$, et (4.1) pour calculer $\varphi^*(\mathbf{d}\alpha)$. Ces deux quantités sont égales car

$$\mathrm{d}(f \circ \varphi) = \sum_{k=1}^{n} (\frac{\partial f}{\partial x_k} \circ \varphi)\,\mathrm{d}\varphi_k$$

(formule de dérivation des fonctions composées). On peut alors montrer (4.4) par récurrence sur le degré p de α. Supposons (4.4) démontrée pour les p-formes pures. Soit $\alpha = \alpha_0 \wedge \alpha_1$ une $(p+1)$-forme pure, avec α_0 une 1-forme pure et α_1 une p-forme pure. Alors d'après (4.5)

$$\mathbf{d}\alpha = \mathbf{d}\alpha_0 \wedge \alpha_1 - \alpha_0 \wedge \mathbf{d}\alpha_1\,,$$

d'où

$$\varphi^*(\mathbf{d}\alpha) = \varphi^*(\mathbf{d}\alpha_0) \wedge \varphi^*\alpha_1 - (\varphi^*\alpha_0) \wedge \varphi^*(\mathbf{d}\alpha_1)$$

d'après (4.2). Par suite, d'après le cas des 1-formes appliqué à α_0 et l'hypothèse de récurrence appliquée à α_1,

$$\varphi^*(\mathbf{d}\alpha) = \mathbf{d}(\varphi^*\alpha_0) \wedge \varphi^*\alpha_1 - (\varphi^*\alpha_0) \wedge \mathbf{d}(\varphi^*\alpha_1) = \mathbf{d}((\varphi^*\alpha_0) \wedge (\varphi^*\alpha_1)) = \mathbf{d}(\varphi^*\alpha)$$

en appliquant à nouveau (4.5) puis (4.2). □

DÉMONSTRATION DU LEMME 4.1. Afin d'éviter toute confusion, introduisons la notation $\mathbf{D}$ (respectivement D) pour la différentiation extérieure (respectivement, la différentiation des fonctions) dans $V \times [0, 1]$ (ou un ouvert le contenant), tandis que $\mathbf{d}$ est la différentiation extérieure dans V. La q-forme différentielle $\omega := \varphi^*\alpha$ peut se décomposer en

$$\omega = \omega_t + \mathrm{d}t \wedge \beta_t\,,$$

où pour tout $t \in [0, 1]$, ω_t et β_t sont des formes différentielles sur V (dans lesquelles t joue le rôle de paramètre), ω_t étant de degré q et β_t de degré $q-1$ si α est de degré q. De plus, on peut dériver leurs coefficients par rapport à t, et l'on obtient encore une q-forme $\frac{\partial \omega_t}{\partial t}$ et une $(q-1)$-forme $\frac{\partial \beta_t}{\partial t}$. Par définition de la différentielle extérieure on voit que

$$\mathbf{D}\omega_t = \mathbf{d}\omega_t + \mathrm{d}t \wedge \frac{\partial \omega_t}{\partial t}\,,$$

et d'autre part, d'après (4.5),

$$\mathbf{D}(\mathrm{d}t \wedge \beta_t) = -\mathrm{d}t \wedge \mathbf{D}\beta_t = -\mathrm{d}t \wedge \mathbf{d}\beta_t\,.$$

Par conséquent,

$$\mathbf{D}\omega = \mathbf{d}\omega_t + \mathrm{d}t \wedge \left(\frac{\partial \omega_t}{\partial t} - \mathbf{d}\beta_t\right).$$

Or, par hypothèse, α est fermée et donc, d'après (4.4), ω aussi, ce qui signifie $\mathbf{D}\omega = 0$. D'après l'expression de $\mathbf{D}\omega$ cela implique

$$\mathbf{d}\omega_t = 0 \quad \text{et} \quad \mathbf{d}\beta_t = \frac{\partial \omega_t}{\partial t}\,.$$

Par ailleurs, tout q-uplet $(v_1, \ldots, v_q)$ de vecteurs de $\mathbb{R}^n$ s'identifie à un q-uplet de vecteurs de $\mathbb{R}^{n+1}$ en ajoutant 0 comme dernière composante, de sorte qu'avec un léger abus de notations on a, pour tout $(y, t) \in V \times [0, 1]$

$$\begin{aligned}\omega(y,t) \cdot (v_1, \ldots, v_q) &= \omega_t(y) \cdot (v_1, \ldots, v_q) + (\mathrm{d}t \wedge \beta_t) \cdot (v_1, \ldots, v_q)\\ &= \omega_t(y) \cdot (v_1, \ldots, v_q)\,,\end{aligned}$$

d'où

$$\omega_t(y) \cdot (v_1, \ldots, v_q) = \alpha(\varphi(y,t)) \cdot (\mathrm{D}\varphi(y,t) \cdot v_1, \ldots, \mathrm{D}\varphi(y,t) \cdot v_q) = \alpha(\varphi_t(y))) \cdot (\mathrm{d}\varphi_t(y) \cdot v_1, \ldots, \mathrm{d}\varphi_t(y) \cdot v_q),$$

ce qui signifie que $\omega_t = \varphi_t^* \alpha$. Ainsi nous avons montré que

$$\frac{\partial(\varphi_t^* \alpha)}{\partial t} = \mathbf{d}\beta_t \, .$$

Pour conclure, on observe que β_t est une somme de termes de la forme $g_t \, \mathrm{d}x_{i_1} \wedge \cdots \wedge \mathrm{d}x_{i_q}$, et donc que $\mathbf{d}\beta_t$ est somme des termes correspondants $\sum_{i=1}^n \frac{\partial g_t}{\partial x_i} \mathrm{d}x_i \wedge \mathrm{d}x_{i_1} \wedge \cdots \wedge \mathrm{d}x_{i_q}$, dont on peut intégrer les coefficients entre 0 et 1. On obtient ainsi finalement

$$\varphi_1^* \alpha - \varphi_0^* \alpha = \mathbf{d}\beta ,$$

où la q-forme β est somme des termes $\sum_{i=1}^n \frac{\partial}{\partial x_i} \left(\int_0^1 g_t \mathrm{d}t \right) \mathrm{d}x_i \wedge \mathrm{d}x_{i_1} \wedge \cdots \wedge \mathrm{d}x_{i_q}$. □

Remarque 4.3

Dans le cas $q = 1$, c'est-à-dire pour une 1-forme α fermée, on a une formule « explicite » pour β. On vérifie en effet, en utilisant la remarque p. 144 et une intégration par parties, que la différentielle (au sens des fonctions) de

$$\beta : x \mapsto \int_0^1 \alpha(tx) \cdot x \, \mathrm{d}t$$

coïncide avec α.

Interprétation pour les opérateurs différentiels classiques. Pour toute fonction $f \in \mathcal{C}^1(U; \mathbb{R})$ où U est un ouvert de $\mathbb{R}^n$, les composantes de ∇f dans la base $\left(\frac{\partial}{\partial x_1}, \ldots, \frac{\partial}{\partial x_n} \right)$ sont les composantes de $\mathrm{d}f$ dans la base $(\mathrm{d}x_1, \ldots, \mathrm{d}x_n)$. Pour toute fonction $a \in \mathcal{C}^1(U; \mathbb{R}^n)$ de composantes a_j dans la base $\left(\frac{\partial}{\partial x_1}, \ldots, \frac{\partial}{\partial x_n} \right)$, la forme différentielle

$$\alpha := \sum_{j=1}^n a_j \, \mathrm{d}x_j$$

a pour différentielle extérieure

$$\mathbf{d}\alpha = \sum_{1 \leqslant i < j \leqslant n} \left(\frac{\partial a_j}{\partial x_i} - \frac{\partial a_i}{\partial x_j} \right) \mathrm{d}x_i \wedge \mathrm{d}x_j \, .$$

Dans le cas $n = 2$ cette formule se résume à

$$\mathbf{d}\alpha = \left(\frac{\partial a_2}{\partial x_1} - \frac{\partial a_1}{\partial x_2}\right) \mathrm{d}x_1 \wedge \mathrm{d}x_2 \,,$$

et dans le cas $n = 3$ elle s'écrit encore, par définition du *rotationnel*

$$\mathbf{d}\alpha = (\operatorname{rot} a)_1 \, \mathrm{d}x_2 \wedge \mathrm{d}x_3 \, + \, (\operatorname{rot} a)_2 \, \mathrm{d}x_3 \wedge \mathrm{d}x_1 \, + \, (\operatorname{rot} a)_3 \, \mathrm{d}x_1 \wedge \mathrm{d}x_2 \,.$$

Ainsi, le théorème de Poincaré exprime en particulier que dans un ouvert U simplement connexe, une fonction $a \in \mathcal{C}^1(U;\mathbb{R}^n)$ s'écrit comme le *gradient* d'une fonction $f \in \mathcal{C}^1(U;\mathbb{R})$ (appelée *potentiel* en physique) si et seulement si son *rotationnel* est identiquement nul.

On peut aussi caractériser grâce au théorème de Poincaré les fonctions qui s'écrivent comme un rotationnel. En effet, pour toute fonction $b \in \mathcal{C}^1(U;\mathbb{R}^3)$ de composantes b_j, la forme différentielle

$$\beta := b_1 \, \mathrm{d}x_2 \wedge \mathrm{d}x_3 \, + \, b_2 \, \mathrm{d}x_3 \wedge \mathrm{d}x_1 \, + \, b_3 \, \mathrm{d}x_1 \wedge \mathrm{d}x_2$$

a pour différentielle extérieure

$$\mathbf{d}\beta = (\operatorname{div} b) \, \mathrm{d}x_1 \wedge \mathrm{d}x_2 \wedge \mathrm{d}x_3 \,.$$

Par suite, b s'écrit comme le rotationnel d'une fonction $\phi \in \mathcal{C}^1(U;\mathbb{R}^3)$ (appelée *fonction de courant* en physique) si et seulement si sa divergence est identiquement nulle.

Enfin, on peut noter que le *laplacien* d'une fonction $f \in \mathcal{C}^2(U;\mathbb{R})$ où U est un ouvert de $\mathbb{R}^3$ apparaît naturellement dans la différentielle extérieure de la 2-forme

$$\beta := \frac{\partial f}{\partial x_1} \, \mathrm{d}x_2 \wedge \mathrm{d}x_3 \, + \, \frac{\partial f}{\partial x_2} \, \mathrm{d}x_3 \wedge \mathrm{d}x_1 \, + \, \frac{\partial f}{\partial x_3} \, \mathrm{d}x_1 \wedge \mathrm{d}x_2 \,,$$

puisque

$$\mathbf{d}\beta = (\operatorname{div} \nabla f) \, \mathrm{d}x_1 \wedge \mathrm{d}x_2 \wedge \mathrm{d}x_3$$

et $\operatorname{div} \nabla f = \Delta f$ par définition du laplacien Δ.

4.4 Théorème de Frobenius

Le théorème 4.1 (Poincaré) fournit une caractéristation des formes différentielles qui s'écrivent *globalement* comme une différentielle exacte.

Un autre résultat fournit une caractérisation des 1-formes différentielles qui s'écrivent *localement* comme une différentielle à une fonction multiplicative près.

Théorème 4.2 ***Théorème de Frobenius***

Soit ω une 1-forme différentielle de classe $\mathcal{C}^1$ sur un ouvert U de $\mathbb{R}^n$. S'il existe des fonctions $\theta \in \mathcal{C}^1(U;\mathbb{R})$ et $\phi \in \mathcal{C}^2(U;\mathbb{R})$ telles que $\omega = \theta \mathrm{d}\phi$, alors $\omega \wedge \mathbf{d}\omega = 0$. Réciproquement, si ω est une 1-forme différentielle de classe $\mathcal{C}^2$ telle que $\omega \wedge \mathbf{d}\omega \equiv 0$ alors pour tout $x_0 \in U$ tel que $\omega(x_0) \not\equiv 0$ il existe un voisinage $V_0 \subset U$ de x_0 et des $\theta \in \mathcal{C}^1(V_0;\mathbb{R})$, $\phi \in \mathcal{C}^2(V_0;\mathbb{R})$ telles que $\omega = \theta \mathrm{d}\phi$.

DÉMONSTRATION. La partie directe est immédiate, puisque si $\omega = \theta \mathrm{d}\phi$ alors $\mathbf{d}\omega = \mathrm{d}\theta \wedge \mathrm{d}\phi$ (d'après la formule (4.5) et la propriété $\mathbf{dd} = 0$) et donc $\omega \wedge \mathbf{d}\omega = 0$ (le produit extérieur étant alterné). La démonstration de la réciproque repose sur le théorème 5.8 démontré au chapitre 5.4. La forme différentielle ω se décompose sur la base canonique en

$$\omega = \sum_{j=1}^{n} f_j \,\mathrm{d}x_j \,.$$

Si $\omega(x_0) \not\equiv 0$, il existe j tel que f_j ne s'annule pas au voisinage de $x_0 \in U$. Sans perte de généralité on peut supposer $j = n$, et quitte à diviser ω par f_n (ce qui revient à diviser aussi la fonction θ que l'on cherche par f_n) on peut supposer $f_n \equiv 1$ au voisinage de x_0.

On va alors montrer que si $\omega \wedge \mathbf{d}\omega = 0$, il existe ϕ de classe $\mathcal{C}^2$ dans un voisinage V de x_0 tel que pour tout $x \in V$ et pour tout $h \in \mathbb{R}^n$, $\omega(x) \cdot h = 0$ équivaut à $\mathrm{d}\phi(x) \cdot h = 0$: ceci montrera qu'il existe un *facteur intégrant* $\theta \in \mathcal{C}^1(V;\mathbb{R})$ tel que $\omega = \theta \mathrm{d}\phi$. En effet, pour tout $x \in V$ les formes linéaires $\omega(x)$ et $\mathrm{d}\phi(x)$ seront colinéaires, le facteur de proportionnalité $\theta(x)$ étant donné par $\theta(x) = \omega(x) \cdot X(x)$, avec X le champ de vecteurs défini (puisque $\mathrm{d}\phi$ ne s'annule pas plus que ω) par

$$X = \frac{1}{\|\nabla\phi\|^2} \nabla\phi \,,$$

de sorte que $\mathrm{d}\phi(x) \cdot X(x) \equiv 1$; donc θ sera de classe $\mathcal{C}^1$ comme ω et $\mathrm{d}\phi$.

Pour obtenir la fonction ϕ on va appliquer le théorème 5.8 (page 195 sur les équations aux différentielles totales, puis utiliser un changement de variables analogue à celui du redressement du flot des équations différentielles ordinaires (théorème 7.3 p. 270). Afin de vérifier que l'hypothèse principale du théorème 5.8 est satisfaite, on commence par calculer

$$\mathbf{d}\omega = -\sum_{1\leqslant i,j\leqslant n-1} \frac{\partial f_j}{\partial x_i} \mathrm{d}x_i \wedge \mathrm{d}x_j - \sum_{j=1}^{n-1} \frac{\partial f_j}{\partial x_n} \mathrm{d}x_n \wedge \mathrm{d}x_j \,,$$

d'où

$$\omega \wedge \mathbf{d}\omega = - \sum_{1 \leqslant i,j \leqslant n-1} \left(\frac{\partial f_j}{\partial x_i} f_n - \frac{\partial f_j}{\partial x_n} f_i \right) \mathrm{d}x_n \wedge \mathrm{d}x_i \wedge \mathrm{d}x_j$$

$$= - \sum_{1 \leqslant i < j \leqslant n-1} \left(\frac{\partial f_j}{\partial x_i} f_n - \frac{\partial f_j}{\partial x_n} f_i - \frac{\partial f_i}{\partial x_j} f_n + \frac{\partial f_i}{\partial x_n} f_j \right) \mathrm{d}x_n \wedge \mathrm{d}x_i \wedge \mathrm{d}x_j \, .$$

Par suite, $\omega \wedge \mathbf{d}\omega = 0$ équivaut à

$$\frac{\partial f_j}{\partial x_i} f_n - \frac{\partial f_j}{\partial x_n} f_i = \frac{\partial f_i}{\partial x_j} f_n - \frac{\partial f_i}{\partial x_n} f_j \tag{4.6}$$

pour tout couple (i,j). D'après le théorème 5.8 dans le cas $E = \mathbb{R}^{n-1}$, $F = \mathbb{R}$, pour la fonction

$$\begin{array}{rcl} f : \mathbb{R}^n & \to & \mathcal{L}(\mathbb{R}^{n-1}; \mathbb{R}) \\ x & \mapsto & f(x) := \displaystyle\sum_{j=1}^{n-1} f_j(x)\, \mathrm{d}x_j \, , \end{array}$$

sous la condition de symétrie

$$\begin{array}{l} \mathrm{d}_{\check{x}} f(x) \cdot h \cdot k + \mathrm{d}_{x_n} f(x) \cdot (f(x) \cdot h) \cdot k = \\ \mathrm{d}_{\check{x}} f(x) \cdot k \cdot h + \mathrm{d}_{x_n} f(x) \cdot (f(x) \cdot k) \cdot h \, , \end{array} \tag{4.7}$$

il existe un voisinage W de $\check{x}_0$ dans $\mathbb{R}^{n-1}$ et $\varphi \in \mathcal{C}^2(W; \mathbb{R})$ telle que

$$\mathrm{d}\varphi(\check{x}) = f(\check{x}, \varphi(\check{x})) \, , \quad \varphi(\check{x}_0) = x_n^0 \, ,$$

où l'on a noté en abrégé $\check{x} := (x_1, \ldots, x_{n-1})$, $\check{x}_0 := (x_1^0, \ldots, x_{n-1}^0)$, les nombres x_j^0 désignant les composantes de x_0. Or la condition (4.7) revient précisément à (4.6). On peut en fait préciser le résultat du théorème 5.8 en faisant varier la valeur de φ en $\check{x}_0$: par une démonstration analogue à celle du théorème du flot (théorème 5.6) on montre qu'il existe un voisinage V de x_0 et une application $\psi \in \mathcal{C}^2(V; \mathbb{R})$ dont la différentielle partielle par rapport aux $(n-1)$ premières variables, $\mathrm{d}_1\psi$, vérifie pour tout $(\check{x}, y_n) \in V$,

$$\mathrm{d}_1\psi(\check{x}, y_n) = \sum_{j=1}^{n-1} f_j(\check{x}, \psi(\check{x}, y_n))\, \mathrm{d}x_j \, ,$$

et telle que pour tout nombre y_n pour lequel $(\check{x}_0, y_n) \in V$ on ait

$$\psi(\check{x}_0, y_n) = y_n \, .$$

On a en particulier

$$\frac{\partial \psi}{\partial y_n}(\check{x}_0, x_n^0) = 1\,,$$

et donc l'application

$$y = (y_1, \ldots, y_{n-1}, y_n) \mapsto x := (y_1, \ldots, y_{n-1}, \psi(y_1, \ldots, y_{n-1}, y_n))$$

est un difféomorphisme local en x_0. Soit alors ϕ la dernière composante du difféomorphisme réciproque : par définition on a pour tout $(\check{x}, y_n) \in V$ (voisinage éventuellement réduit de x_0),

$$x_n = \psi(\check{x}, y_n) \quad \Longleftrightarrow \quad y_n = \phi(\check{x}, x_n)\,,$$

c'est-à-dire que pour tout $x \in V_0$, voisinage de x_0 (image de V par le difféomorphisme),

$$x_n = \psi(\check{x}, \phi(\check{x}, x_n))\,.$$

En dérivant par rapport à x_n on trouve $1 = \partial_n\psi(y)\partial_n\phi(x)$, tandis qu'en dérivant par rapport à x_j pour $j \leqslant n-1$ on obtient

$$0 = \partial_j\psi(y) + \partial_n\psi(y)\partial_j\phi(x)\,,$$

d'où encore, en multipliant par $\partial_n\phi(x)$ et en remarquant que $\partial_j\psi(y) = f_j(x)$,

$$0 = \partial_n\phi(x)\, f_j(x) + \partial_j\phi(x)\,,$$

quel que soit $x \in V_0$. Cette identité signifie précisément que $\mathrm{d}\phi(x) \cdot h = 0$ quel que soit $h \in \mathbb{R}^n$ tel que $\omega(x) \cdot h = 0$ (c'est-à-dire que $h_n = \sum_{j=1}^{n-1} f_j(x) h_j$). □

Remarque 4.4

La condition d'intégrabilité de Frobenius $\omega \wedge \mathbf{d}\omega = 0$ est trivialement satisfaite par toute 1-forme différentielle ω dans $\mathbb{R}^n$ avec $n \leqslant 2$. En effet, si ω est une 1-forme, $\omega \wedge \mathbf{d}\omega$ est une 3-forme. Or les 3-formes dans $\mathbb{R}^n$ sont identiquement nulles si $n \leqslant 2$. Cela s'applique par exemple en *thermodynamique*. Supposons que l'état d'un système physique soit décrit par son volume v, son énergie interne e, sa pression p, et que l'on ait une *loi d'état* donnant p en fonction de (v, e). Alors $\mathrm{d}e + p\,\mathrm{d}v$ est une 1-forme différentielle dans $\mathbb{R}^2$. Donc il existe un facteur intégrant θ, qui se trouve être physiquement la *température* du système et une fonction s, correspondant à l'*entropie*, tels que

$$\theta\,\mathrm{d}s = \mathrm{d}e + p\,\mathrm{d}v\,.$$

C'est la relation fondamentale de la thermodynamique.

4.5 Théorème de Stokes

Commençons par donner quelques rudiments concernant l'intégration des formes différentielles.

Définition 4.8

Soit U un ouvert borné de $\mathbb{R}^n$ orienté par la base canonique, et $\omega = f\mathrm{d}x_1 \wedge \cdots \wedge \mathrm{d}x_n$ une n-forme différentielle sur U. On définit l'intégrale de ω sur U par

$$\int_U \omega := \int_U f(x)\,\mathrm{d}x_1 \otimes \cdots \otimes \mathrm{d}x_n\,,$$

où $\mathrm{d}x_1 \otimes \cdots \otimes \mathrm{d}x_n$ désigne la mesure de Lebesgue. On utilise la même formule pour définir l'intégrale sur un ouvert quelconque des formes différentielles à support compact.

Le théorème du *changement de variables* (voir par exemple [32, p. 166]) s'exprime comme suit en terme de formes différentielles.

Théorème 4.3

Si φ est un difféorphisme d'un ouvert borné V de $\mathbb{R}^n$ sur un ouvert borné U de $\mathbb{R}^n$, préservant l'orientation (c'est-à-dire que dét $\mathrm{d}\varphi$ ne prend que des valeurs strictement positives), alors pour toute n-forme différentielle

$$\int_V \varphi^*\omega = \int_U \omega\,.$$

Nous admettrons qu'il existe un moyen naturel de définir l'intégrale d'une n-forme différentielle sur une *variété différentiable orientable de dimension n*, objet géométrique généralisant les courbes (de dimension 1) et les surfaces (de dimension 2) que nous ne chercherons pas à définir précisément ici.

Théorème 4.4 ***Théorème de Stokes***

Soit U un ouvert borné de $\mathbb{R}^n$ dont le bord ∂U est une variété différentiable (de dimension $n-1$), orientée naturellement par la normale extérieure à U. Pour toute forme différentielle ω de degré $n-1$ sur un voisinage de $\overline{U}$ on a

$$\int_U \mathbf{d}\omega = \int_{\partial U} \omega\,.$$

La démonstration de ce théorème est fondée sur le résultat plus simple suivant, qui nécessite seulement de savoir intégrer les $(n-1)$-formes à support compact sur l'hyperplan $\{x \in \mathbb{R}^n\,;\; x_1 = 0\}$.

Proposition 4.6

Soient $H := \{x \in \mathbb{R}^n\,;\; x_1 = 0\}$, orienté par sa normale $\frac{\partial}{\partial x_1}$, et $E := \{x \in \mathbb{R}^n\,;\; x_1 < 0\}$. Pour toute $(n-1)$-forme ω à support compact sur $\mathbb{R}^n$.

$$\int_E \mathbf{d}\omega = \int_H \omega := \int_{\mathbb{R}^{n-1}} \varphi^*\omega$$

où $\varphi(x_2,\ldots,x_n) := (0,x_2,\ldots,x_n)$.

DÉMONSTRATION. D'après la définition 4.8 on a

$$\int_{\mathbb{R}^{n-1}} \varphi^*\omega = \int_{\mathbb{R}^{n-1}} \omega(0,x_2,\ldots,x_n)\cdot\Big(\frac{\partial}{\partial x_2},\ldots,\frac{\partial}{\partial x_n}\Big)\,\mathrm{d}x_2\otimes\cdots\otimes\mathrm{d}x_n\,.$$

Par ailleurs, si l'on décompose ω en

$$\omega = \sum_{i=1}^{n} f_i\,\mathrm{d}x_1\wedge\cdots\widehat{\mathrm{d}x_i}\cdots\wedge\mathrm{d}x_n\,,$$

où la notation $\mathrm{d}x_1\wedge\cdots\widehat{\mathrm{d}x_i}\cdots\wedge\mathrm{d}x_n$ désigne comme plus haut la $(n-1)$-forme linéaire où seule $\mathrm{d}x_i$ n'apparaît pas, on a

$$\mathbf{d}\omega = \Big(\sum_{i=1}^{n}(-1)^{i+1}\,\frac{\partial f_i}{\partial x_i}\Big)\,\mathrm{d}x_1\wedge\cdots\wedge\mathrm{d}x_n\,.$$

Or, par intégration dans la direction x_i on trouve que, pour $i \neq 1$,

$$\int_{x_1<0} \frac{\partial f_i}{\partial x_i}\,\mathrm{d}x_1\otimes\cdots\otimes\mathrm{d}x_n = 0\,,$$

tandis que

$$\int_{x_1<0} \frac{\partial f_1}{\partial x_1}\,\mathrm{d}x_1\otimes\cdots\otimes\mathrm{d}x_n = \int_{\mathbb{R}^{n-1}} f_1(0,x_2,\ldots,x_n)\,\mathrm{d}x_2\otimes\cdots\otimes\mathrm{d}x_n\,.$$

On conclut en observant que

$$f_1 = \omega\cdot\Big(\frac{\partial}{\partial x_2},\ldots,\frac{\partial}{\partial x_n}\Big)\,. \qquad \square$$

Examinons maintenant en détail divers cas particuliers de la formule de Stokes.

Prenons tout d'abord $n = 2$. L'intégrale d'une 1-forme différentielle ω sur une courbe paramétrée $\Gamma := \{\varphi(t) \in U \subset \mathbb{R}^2 \,; t \in I\}$ telle que $\varphi'(t) \neq 0$ pour tout $t \in I$ (intervalle de $\mathbb{R}$), orientée positivement par rapport à la base canonique de $\mathbb{R}^2$, est

$$\int_\Gamma \alpha := \int_I \varphi^* \alpha = \int_I \alpha(\varphi(t)) \cdot \varphi'(t)\, \mathrm{d}t \,.$$

C'est ce que l'on appelle *l'intégrale curviligne*. La formule de Stokes dans le cas $n = 2$ est plus connue sous le nom de *formule de Green-Riemann* :

$$\int_U \left(\frac{\partial Q}{\partial x} - \frac{\partial P}{\partial y} \right) \mathrm{d}x \wedge \mathrm{d}y = \int_{\partial U} (P\mathrm{d}x + Q\mathrm{d}y) \,.$$

Dans $\mathbb{R}^3$, le bord ∂U d'un ouvert régulier U est une surface qui peut (au moins localement) être paramétrée par une application

$$\begin{array}{rcl} f : V \subset \mathbb{R}^2 & \to & \mathbb{R}^3 \\ (u,v) & \mapsto & f(u,v) \end{array}$$

telle que $\left(\frac{\partial f}{\partial u}, \frac{\partial f}{\partial v}, \frac{\partial f}{\partial u} \times \frac{\partial f}{\partial v}\right)$ forme une base directe de $\mathbb{R}^3$ (où $\times$ désigne le produit vectoriel dans $\mathbb{R}^3$). On définit alors l'intégrale d'une 2-forme ω par

$$\int_{f(V)} \omega = \int_V f^* \omega \,,$$

où, rappelons le,

$$(f^*\omega(u,v)) \cdot \left(\frac{\partial}{\partial u}, \frac{\partial}{\partial v} \right) = \omega(f(u,v)) \cdot \left(\frac{\partial f}{\partial u}, \frac{\partial f}{\partial v} \right) .$$

Si l'on décompose ω en

$$\omega = a_1 \mathrm{d}x_2 \wedge \mathrm{d}x_3 + a_2 \mathrm{d}x_3 \wedge \mathrm{d}x_1 + a_3 \mathrm{d}x_1 \wedge \mathrm{d}x_2 \,,$$

on a

$$\mathbf{d}\omega = (\mathrm{div}\, a)\, \mathrm{d}x_1 \wedge \mathrm{d}x_2 \wedge \mathrm{d}x_3 \,,$$

et la formule de Stokes s'écrit alors

$$\int_U (\mathrm{div}\, a)\, \mathrm{d}x_1 \otimes \mathrm{d}x_2 \otimes x_3 = \int_{\partial U} a_1 \mathrm{d}x_2 \wedge \mathrm{d}x_3 + a_2 \mathrm{d}x_3 \wedge \mathrm{d}x_1 + a_3 \mathrm{d}x_1 \wedge \mathrm{d}x_2 \,,$$

formule connue sous le nom de *Green-Ostrogradsky*. D'après la définition donnée ci-dessus, si $f(V) = \partial U$, le membre de droite s'écrit explicitement sous la forme

$$\int_{\partial U} a_1 \mathrm{d}x_2 \wedge \mathrm{d}x_3 + a_2 \mathrm{d}x_3 \wedge \mathrm{d}x_1 + a_3 \mathrm{d}x_1 \wedge \mathrm{d}x_2$$
$$= \int_V \left\langle f^* a, \frac{\partial f}{\partial u} \times \frac{\partial f}{\partial v} \right\rangle \mathrm{d}u \otimes \mathrm{d}v \, ,$$

où $\langle , \rangle$ est le produit scalaire « canonique » dans $\mathbb{R}^3$.

En outre, la formule de Green--Riemann a un analogue dans $\mathbb{R}^3$, conséquence de la formule de Stokes dans un cadre plus général que celui du théorème 4.4 : si Σ est une portion de surface dans $\mathbb{R}^3$ de bord régulier Γ, on trouve la formule connue sous le nom de *Stokes-Ampère*

$$\int_\Sigma (\mathrm{rot}\, a)_1 \, \mathrm{d}x_2 \wedge \mathrm{d}x_3 \; + \; (\mathrm{rot}\, a)_2 \, \mathrm{d}x_3 \wedge \mathrm{d}x_1 \; + \; (\mathrm{rot}\, a)_3 \, \mathrm{d}x_1 \wedge \mathrm{d}x_2$$
$$= \int_\Gamma a_1 \mathrm{d}x_1 + a_2 \mathrm{d}x_2 + a_3 \mathrm{d}x_3 \, .$$

Les formules de Green-Ostrogradsky et de Stokes-Ampère sont utilisées notamment en électromagnétisme. Par ailleurs, la formule de Stokes implique ce que l'on appelle de façon « générique » en analyse mathématique la *formule de Green* (dont la compréhension nécessite quelques rudiments de géométrie différentielle). Commençons par la version la plus simple. Si f est une fonction scalaire différentiable au voisinage d'un ouvert U de $\mathbb{R}^2$ dont le bord est une courbe fermée régulière Γ, alors

$$\int_U \nabla u \, \mathrm{d}x_1 \otimes \mathrm{d}x_2 \; = \; \int_{\partial U} u \, \mathbf{n} \, \mathrm{d}s \, , \tag{4.8}$$

où $\mathbf{n}$ désigne la normale unitaire extérieure à U et s l'abscisse curviligne le long de Γ. Supposons en effet la courbe

$$\Gamma = \{\varphi(s) \in \mathbb{R}^2 \, ; \; s \in [0, L]\}$$

orientée dans le sens trigonométrique et paramétrée par l'abscisse curviligne s : en tout point $\varphi(s)$ de Γ, le vecteur normal unitaire n extérieur à U a pour composantes $(\varphi_2'(s), -\varphi_1'(s))$. Ainsi on a le long de Γ,

$$\mathrm{d}x_1 = \varphi_1'(s) \, \mathrm{d}s \; = \; -n_2 \, \mathrm{d}s \, , \quad \mathrm{d}x_2 = \varphi_2'(s) \, \mathrm{d}s \; = \; n_1 \, \mathrm{d}s \, .$$

Donc, d'après la formule de Stokes on a

$$\int_U \frac{\partial u}{\partial x_1} \mathrm{d}x_1 \wedge \mathrm{d}x_2 \; = \; \int_\Gamma u \, \mathrm{d}x_2 \; = \; \int_\Gamma u \, n_1 \, \mathrm{d}s \, ,$$

$$\int_U \frac{\partial u}{\partial x_2} \mathrm{d}x_1 \wedge \mathrm{d}x_2 \; = \; - \int_\Gamma u \, \mathrm{d}x_1 \; = \; \int_\Gamma u \, n_2 \, \mathrm{d}s \, ,$$

moyennant un léger abus de notation car l'expression correcte des termes de droite serait plutôt

$$\int_0^L (\varphi^* u)\, n_j \,\mathrm{d}s\,.$$

Ainsi la formule de Green (4.8) n'est autre que l'expression vectorielle des deux formules ci-dessus (avec l'abus de notation mentionné). En appliquant (4.8) à un produit uv au lieu de u on trouve

$$\int_U u\nabla v + \int_U v\nabla u = \int_{\partial U} uv\,\mathbf{n}\,\mathrm{d}s\,. \tag{4.9}$$

En appliquant la j-ème composante de cette dernière formule (4.9) à $v = \partial_j w$ et en faisant la somme sur j on obtient

$$\int_U u\Delta w + \int_U \nabla u\cdot\nabla w = \int_{\partial U} u\frac{\partial w}{\partial \mathbf{n}}\mathrm{d}s\,, \tag{4.10}$$

où

$$\frac{\partial w}{\partial \mathbf{n}} = \mathrm{d}w\cdot\mathbf{n} = \sum_{j=1}^{2}\frac{\partial w}{\partial x_j}n_j\,.$$

D'autre part, en appliquant la j-ème composante de (4.9) à $v = a_j$ et en faisant la somme sur j on obtient

$$\int_U (\operatorname{div} a)\,u + \int_U a\cdot\nabla u = \int_{\partial U} \langle a,\mathbf{n}\rangle\, u\,\mathrm{d}s\,. \tag{4.11}$$

Les formules (4.9), (4.10) et (4.11) sont en fait valables en toute dimension, pour autant que l'on définisse ds comme « l'élément de surface » de ∂U.

Mentionnons enfin une formule un peu plus sophistiquée, qui est l'analogue de (4.8) lorsque U est remplacé par une portion de surface Σ dans $\mathbb{R}^3$ de bord régulier Γ. On suppose pour fixer les idées que Σ est paramétrée par une application

$$\begin{array}{rcl} f : V\subset\mathbb{R}^2 & \to & \mathbb{R}^3 \\ (x,y) & \mapsto & f(x,y) \end{array}$$

telle que $\left(\frac{\partial f}{\partial x},\frac{\partial f}{\partial y},\frac{\partial f}{\partial x}\times\frac{\partial f}{\partial y}\right)$ forme une base directe de $\mathbb{R}^3$. On suppose de plus que $\mathbf{n} := \frac{\partial f}{\partial x}\times\frac{\partial f}{\partial y}$ est de norme 1, et pour éviter tout problème, que $\mathbf{n} = f^*\mathbf{N}$ avec $\mathbf{N}$ bien définie et régulière au voisinage de U et à valeurs dans la sphère unité. Par définition, pour des fonctions a_1, a_2, a_3 assez régulières,

$$\int_\Sigma a_1\,\mathrm{d}x_2 \wedge \mathrm{d}x_3 + a_2\,\mathrm{d}x_3 \wedge \mathrm{d}x_1 + a_3\,\mathrm{d}x_1 \wedge \mathrm{d}x_2 \;=\; \int_V \langle f^* a, \mathbf{n}\rangle \,\mathrm{d}x \otimes \mathrm{d}y\,.$$

On suppose maintenant que le bord de Σ,

$$\Gamma = \{\varphi(s) \in \mathbb{R}^3\,;\; s \in [0,\, L]\}$$

est orienté dans le sens trigonométrique par rapport à la normale $\mathbf{n}$ à Σ, et paramétré par l'abscisse curviligne s. On définit en chaque point $\varphi(s)$ de Γ le vecteur unitaire $\mathbf{t}$, tangent à Γ, de composantes $t_j = \varphi'(s)$, et $\mathbf{m} := \mathbf{t} \times \mathbf{n}$, vecteur unitaire normal à Γ. Le long de Γ on a $\mathrm{d}x_j = t_j\,\mathrm{d}s$, et donc en particulier

$$m_1\,\mathrm{d}s \;=\; (t_2 n_3 - n_2 t_3)\,\mathrm{d}s \;=\; n_3\,\mathrm{d}x_2 \;-\; n_2\,\mathrm{d}x_3\,.$$

Or, pour toute fonction u assez régulière au voisinage de U dans $\mathbb{R}^3$,

$$\begin{aligned}\mathbf{d}(uN_3\,\mathrm{d}x_2 \;-\; uN_2\,\mathrm{d}x_3) \;=\; & \frac{\partial(uN_3)}{\partial x_1}\,\mathrm{d}x_1 \wedge \mathrm{d}x_2 \;-\; \frac{\partial(uN_3)}{\partial x_3}\,\mathrm{d}x_2 \wedge \mathrm{d}x_3 \\ & + \frac{\partial(uN_2)}{\partial x_1}\,\mathrm{d}x_3 \wedge \mathrm{d}x_1 \;-\; \frac{\partial(uN_2)}{\partial x_2}\,\mathrm{d}x_2 \wedge \mathrm{d}x_3 \;= \\ & \frac{\partial(uN_3)}{\partial x_1}\,\mathrm{d}x_1 \wedge \mathrm{d}x_2 \;+\; \frac{\partial(uN_1)}{\partial x_1}\,\mathrm{d}x_2 \wedge \mathrm{d}x_3 \\ & + \frac{\partial(uN_2)}{\partial x_1}\,\mathrm{d}x_3 \wedge \mathrm{d}x_1 \;-\; \operatorname{div}(u\mathbf{N})\,\mathrm{d}x_2 \wedge \mathrm{d}x_3\,.\end{aligned}$$

La formule de Stokes (théorème 4.4 généralisé) et le fait que

$$N_1^2 + N_2^2 + N_3^2 = 1\,, \quad \sum_{j=1}^{3} N_j \frac{\partial N_j}{\partial x_j} \;=\; 0\,,$$

impliquent donc,

$$\begin{aligned}\int_0^L (\varphi^* u)\, m_1\,\mathrm{d}s \;=\; & -\int_V f^*\,(u \operatorname{div}\mathbf{N} \;+\; \mathbf{N}\cdot\nabla u)\; n_1\,\mathrm{d}x \otimes \mathrm{d}y \\ & + \int_V f^* \frac{\partial u}{\partial x_1}\,\mathrm{d}x \otimes \mathrm{d}y\,.\end{aligned}$$

En effectuant le même calcul pour les autres composantes on trouve

$$\begin{aligned}\int_0^L (\varphi^* u)\,\mathbf{m}\,\mathrm{d}s \;=\; & -\int_V f^*\,(u \operatorname{div}\mathbf{N} \;+\; \mathbf{N}\cdot\nabla u)\;\mathbf{n}\,\mathrm{d}x \otimes \mathrm{d}y \\ & + \int_V f^* \nabla u\,\mathrm{d}x \otimes \mathrm{d}y\,,\end{aligned}$$

c'est-à-dire (avec à nouveau un léger abus de notation)

$$\int_{\partial\Sigma} u\,\mathbf{m}\,\mathrm{d}s = \int_{\Sigma} \Big(\nabla u - (u\,\mathrm{div}\,\mathbf{N} + \mathbf{N}\cdot\nabla u)\,\mathbf{N}\Big)\,\mathrm{d}\sigma,$$

où $\mathrm{d}\sigma$ désigne l'« élément de surface ». Le lecteur avisé aura reconnu dans le facteur $-\mathrm{div}\,\mathbf{N}$ la *courbure moyenne* κ de Σ. Par ailleurs, les termes dérivés en u correspondent à ce que l'on appelle le *gradient surfacique* ∇_s. Ainsi la formule ci-dessus se réduit à

$$\int_{\partial\Sigma} u\,\mathbf{m}\,\mathrm{d}s = \int_{\Sigma} \Big(\nabla_s u + u\,\kappa\,\mathbf{N}\Big)\,\mathrm{d}\sigma,$$

formule qui étend (4.8) aux surfaces gauches (c'est-à-dire non-plates!). (Attention, $\mathbf{m}$ joue le rôle de $\mathbf{n}$ dans (4.8), et ce qui est ici $\mathbf{N}$ ne joue pas de rôle dans (4.8) car $\kappa = 0$ lorsque $\Sigma = U$ est un ouvert du plan.)

Exercices

4.1 Démontrer la formule

$$\mathrm{rot}\,(f\,\mathbf{u}) = \nabla f \times \mathbf{u} + f\,\mathrm{rot}\,\mathbf{u},$$

pour deux fonctions différentiables f, scalaire, et $\mathbf{u}$ à valeurs dans $\mathbb{R}^3$, où $\times$ désigne le produit vectoriel dans $\mathbb{R}^3$ (on réserve ici la notation $\wedge$ au produit extérieur de *formes*).

4.2 Démontrer la formule

$$\mathrm{rot}\,(\mathbf{u}\times\mathbf{v}) = (\mathrm{div}\,\mathbf{v})\,\mathbf{u} - (\mathrm{div}\,\mathbf{u})\,\mathbf{v} + (\mathbf{v}\cdot\nabla)\mathbf{u} - (\mathbf{u}\cdot\nabla)\mathbf{v},$$

où $\mathbf{u}$ et $\mathbf{v}$ sont deux fonctions différentiables à valeurs dans $\mathbb{R}^3$, $\times$ désigne le produit vectoriel dans $\mathbb{R}^3$, et $(\mathbf{v}\cdot\nabla)\mathbf{u} = \mathbf{du}\cdot\mathbf{v}$ (de même en inversant $\mathbf{u}$ et $\mathbf{v}$).

4.3 On suppose que (ρ,u) est une solution de classe $\mathcal{C}^1$ des équations d'Euler

$$(\mathrm{E})\quad \begin{cases} \partial_t\rho + \partial_x(\rho u) = 0, \\ \partial_t(\rho u) + \partial_x(\rho u^2 + a\,\rho) = 0, \end{cases}$$

dans un domaine $Q \subset \mathbb{R}^2$ simplement connexe, avec ρ à valeurs strictement positives, et $a \in \mathbb{R}$ un paramètre fixé.

i) Montrer qu'il existe une fonction $\chi : Q \to \mathbb{R}$ de classe $\mathcal{C}^1$ telle que

$$\partial_t\chi = -\rho u,\ \partial_x\chi = \rho.$$

ii) Vérifier que l'application $L : (x,t) \mapsto (\chi(x,t),t)$ est un difféomorphisme local.
iii) En supposant que l'application précédente est injective, on définit (v,w) sur $L(Q)$ par

$$v(y,t) = \frac{1}{\rho(x,t)}\,,\ w(y,t) = u(x,t)\,,\ \text{si } y = \chi(x,t)\,.$$

Démontrer à l'aide de formes différentielles bien choisies que (v,w) est solution du système

$$\text{(L)} \quad \begin{cases} \partial_t v \,-\, \partial_y w \,=\, 0\,, \\ \partial_t w \,+\, \partial_y (a/v)) \,=\, 0\,. \end{cases}$$

iv) Démontrer que

$$\partial_t \left(\frac{1}{2}\rho\, u^2 \,+\, a\,\rho\,(\ln\rho - 1)\right) \,+\, \partial_x \left(\left(\frac{1}{2}\rho\, u^2 \,+\, a\,\rho\,(\ln\rho - 1) \,+\, a\,\rho\right) u\right) \,=\, 0\,,$$

puis que

$$\partial_t \left(\frac{1}{2} w^2 \,-\, a\ln(v)\right) \,+\, \partial_y \left(\frac{a}{v}\, w\right) \,=\, 0\,,$$

de deux manières différentes.

Solutions

4.1 Si on note $\alpha = \sum_i f\, u_i\, \mathrm{d}x_i$ et $\beta = \sum_i u_i\, \mathrm{d}x_i$, on a

$$\begin{aligned} \mathbf{d}\alpha &= \sum_i u_i\, \mathrm{d}f \wedge \mathrm{d}x_i \,+\, \sum_i f\, \mathrm{d}u_i \wedge \mathrm{d}x_i \\ &= \sum_i u_i\, \mathrm{d}f \wedge \mathrm{d}x_i \,+\, f\,\mathbf{d}\beta\,. \end{aligned}$$

Le dernier terme vaut exactement $f\,(\mathrm{rot}\,\mathbf{u})_1\, \mathrm{d}x_2 \wedge \mathrm{d}x_3 \,+\, f\,(\mathrm{rot}\,\mathbf{u})_2\, \mathrm{d}x_3 \wedge \mathrm{d}x_1$ $+\, f\,(\mathrm{rot}\,\mathbf{u})_3\, \mathrm{d}x_1 \wedge \mathrm{d}x_2$. Et par ailleurs

$$\sum_i u_i\, \mathrm{d}f \wedge \mathrm{d}x_i \,=\, \sum_{i,j} u_i\, \partial_j f\, \mathrm{d}x_j \wedge \mathrm{d}x_i \,=$$
$$(u_3\partial_2 f \,-\, u_2\partial_3 f)\, \mathrm{d}x_2 \wedge \mathrm{d}x_3 \,+\, (u_1\partial_3 f \,-\, u_3\partial_1 f)\, \mathrm{d}x_3 \wedge \mathrm{d}x_1$$
$$+\,(u_2\partial_1 f \,-\, u_1\partial_2 f)\, \mathrm{d}x_1 \wedge \mathrm{d}x_2 \,=$$
$$(\nabla f \wedge \mathbf{u})_1\, \mathrm{d}x_2 \wedge \mathrm{d}x_3 \,+\, (\nabla f \wedge \mathbf{u})_2\, \mathrm{d}x_3 \wedge \mathrm{d}x_1 \,+\, (\nabla f \wedge \mathbf{u})_3\, \mathrm{d}x_1 \wedge \mathrm{d}x_2\,.$$

L'expression de $\mathbf{d}\alpha = (\mathrm{rot}\,(f\mathbf{u}))_1\, \mathrm{d}x_2 \wedge \mathrm{d}x_3 \,+\, (\mathrm{rot}\,(f\mathbf{u}))_2\, \mathrm{d}x_3 \wedge \mathrm{d}x_1$ $+\, (\mathrm{rot}\,(f\mathbf{u}))_3\, \mathrm{d}x_1 \wedge \mathrm{d}x_2$ donne donc :

$$\mathrm{rot}\,(f\,\mathbf{u}) = \nabla f \wedge \mathbf{u} \,+\, f\,\mathrm{rot}\,\mathbf{u}\,.$$

4.2 Pour simplifier, on fait la convention de notation suivante, qui consiste à regarder les indices $i \in \{1,2,3\}$ comme des éléments de $\mathbb{Z}/3\mathbb{Z}$: on identifie i à $i+3$, de sorte que pour un champ de vecteurs $\mathbf{w}$ de composantes w_1, w_2, w_3, si on note $\alpha = \sum_i w_i \, \mathrm{d}x_i$, on a $\mathrm{d}\alpha = \sum_i (\mathrm{rot}\,\mathbf{w})_i \, \mathrm{d}x_{i+1} \wedge \mathrm{d}x_{i+2}$. De façon analogue, on a

$$\mathbf{u} \times \mathbf{v} = \sum_i (u_{i+1} v_{i+2} - u_{i+2} v_{i+1}) \frac{\partial}{\partial x_i} .$$

Si on pose $\beta = \sum_i (u_{i+1} v_{i+2} - u_{i+2} v_{i+1}) \, \mathrm{d}x_i$, on a

$$\begin{aligned}
\mathbf{d}\beta &= \sum_i \partial_{i+1}(u_{i+1} v_{i+2} - u_{i+2} v_{i+1}) \, \mathrm{d}x_{i+1} \wedge \mathrm{d}x_i \\
&\quad + \sum_i \partial_{i+2}(u_{i+1} v_{i+2} - u_{i+2} v_{i+1}) \, \mathrm{d}x_{i+2} \wedge \mathrm{d}x_i \\
&= \sum_i (\partial_{i+1}(u_{i+2} v_{i+1} - u_{i+1} v_{i+2}) + \partial_i (u_{i+2} v_i - u_i v_{i+2})) \, \mathrm{d}x_i \wedge \mathrm{d}x_{i+1} \\
&= \sum_i (u_{i+2} \, (\mathrm{div}\,\mathbf{v} - \partial_{i+2} v_{i+2}) - v_{i+2} \, (\mathrm{div}\,\mathbf{u} - \partial_{i+2} u_{i+2}) \\
&\quad + v_{i+1} \partial_{i+1} u_{i+2} - u_{i+1} \partial_{i+1} v_{i+2} + v_i \partial_i u_{i+2} - u_i \partial_i v_{i+2}) \, \mathrm{d}x_i \wedge \mathrm{d}x_{i+1} \\
&= \sum_i (\, (\mathrm{div}\,\mathbf{v}) \, u_{i+2} - (\mathrm{div}\,\mathbf{u}) \, v_{i+2}) + (\mathbf{v} \cdot \nabla) u_{i+2} - (\mathbf{u} \cdot \nabla) v_{i+2} \,) \, \mathrm{d}x_i \wedge \mathrm{d}x_{i+1} .
\end{aligned}$$

Ceci se traduit par la formule cherchée :

$$\mathrm{rot}\,(\mathbf{u} \times \mathbf{v}) = (\mathrm{div}\,\mathbf{v}) \, \mathbf{u} - (\mathrm{div}\,\mathbf{u}) \, \mathbf{v} + (\mathbf{v} \cdot \nabla)\mathbf{u} - (\mathbf{u} \cdot \nabla)\mathbf{v} .$$

4.3 **i)** La première équation du système (E) montre que la forme différentielle $\rho \, \mathrm{d}x - \rho \, u \, \mathrm{d}t$ est fermée. D'après le théorème de Poincaré, elle est donc exacte, ce qui montre l'existence d'une fonction $\chi : Q \to \mathbb{R}$ telle que $\mathrm{d}\chi = \rho \, \mathrm{d}x - \rho \, u \, \mathrm{d}t$. Cette fonction χ est de classe $\mathcal{C}^1$ puisqu'elle admet des dérivées partielles continues.
ii) La jacobienne de l'application $L : (x,t) \mapsto (\chi(x,t),t)$,

$$\begin{pmatrix} \partial_x \chi & \partial_t \chi \\ 0 & 1 \end{pmatrix} = \begin{pmatrix} \rho & \rho \, u \\ 0 & 1 \end{pmatrix}$$

est inversible puisque par hypothèse ρ ne s'annule pas.
iii) Si L est injective alors c'est un difféomorphisme global de Q sur $L(Q)$, d'après le théorème d'inversion globale (corollaire 1.2). Comme $\mathrm{d}y = \rho \mathrm{d}x - \rho \, u \, \mathrm{d}t$, en multipliant par v on en déduit $\mathrm{d}x = v \, \mathrm{d}y + w \, \mathrm{d}t$. Donc la forme différentielle $v \, \mathrm{d}y + w \, \mathrm{d}t$ est exacte et par suite $\partial_t v - \partial_y w = 0$. On procède de façon analogue pour la seconde équation de (E), en invoquant à nouveau le théorème de Poincaré :

$$\begin{aligned}
\partial_t(\rho \, u) + \partial_x(\rho \, u^2 + a \, \rho) = 0 &\Leftrightarrow \mathrm{d}(\rho \, u \, \mathbf{d}x - (\rho \, u^2 + a \, \rho) \, \mathrm{d}t) = 0 \\
&\Leftrightarrow \mathrm{d}(w \, \mathrm{d}y - (a/v) \, \mathbf{d}t) = 0 \Leftrightarrow \partial_t w + \partial_y (a/v)) = 0 .
\end{aligned}$$

iv) On a

$$\partial_t\left(\frac{1}{2}\rho u^2 + a\,\rho\,(\ln\rho - 1)\right) + \partial_x\left(\left(\frac{1}{2}\rho u^2 + a\,\rho\,(\ln\rho - 1) + a\,\rho\right) u\right) =$$

$$\left(\frac{1}{2}\,u^2 + a\,(\ln\rho - 1)\right)\,(\partial_t\rho + \partial_x(\rho u))$$

$$+\rho\,(\partial_t + u\partial_x)\left(\frac{1}{2}\,u^2 + a\,(\ln\rho - 1)\right) + \partial_x(a\rho u)\,.$$

En utilisant la première équation de (E), et en combinant avec la deuxième pour obtenir

$$(\partial_t + u\partial_x)u + \partial_x(a\ln\rho) = 0\,,$$

on obtient

$$\partial_t\left(\frac{1}{2}\rho u^2 + a\,\rho\,(\ln\rho - 1)\right) + \partial_x\left(\left(\frac{1}{2}\rho u^2 + a\,\rho\,(\ln\rho - 1) + a\,\rho\right) u\right) =$$

$$-\,\rho\,u\,\partial_x(a\ln\rho) + \rho\,(\partial_t + u\partial_x)\,(a\,(\ln\rho - 1)) + \partial_x(a\rho u) = 0$$

grâce à nouveau à la première équation de (E). Une façon d'obtenir

$$\partial_t\left(\frac{1}{2}w^2 - a\ln(v)\right) + \partial_y\left(\frac{a}{v}\,w\right) = 0$$

est d'utiliser les formes différentielles et le théorème de Poincaré :

$$\partial_t\left(\frac{1}{2}\rho u^2 + a\,\rho\,(\ln\rho - 1)\right) + \partial_x\left(\left(\frac{1}{2}\rho u^2 + a\,\rho\,(\ln\rho - 1) + a\,\rho\right) u\right) = 0$$

$$\Leftrightarrow\ \mathbf{d}\Big(\big(\frac{1}{2}\rho u^2 + a\,\rho\,(\ln\rho - 1)\big)\,\mathrm{d}x - \big(\big(\frac{1}{2}\rho u^2 + a\,\rho\,(\ln\rho - 1) + a\,\rho\big)\,u\big)\,\mathrm{d}t\Big) = 0$$

$$\Leftrightarrow\ \mathbf{d}\Big(\big(\frac{1}{2}w^2 + a\,(\ln(1/v) - 1)\big)\,\mathrm{d}y - (aw/v)\,\mathrm{d}t\Big) = 0$$

$$\Leftrightarrow\ \partial_t\left(\frac{1}{2}w^2 - a\ln(v)\right) + \partial_y\left(\frac{a}{v}\,w\right) = 0\,.$$

On peut aussi calculer directement :

$$\partial_t\left(\frac{1}{2}w^2 - a\ln(v)\right) + \partial_y\left(\frac{a}{v}\,w\right)$$

$$= w\partial_t w - \frac{a}{v}\,\partial_t v + w\,\partial_y\left(\frac{a}{v}\right) + \frac{a}{v}\,\partial_y w = 0$$

grâce à (L). Cette méthode semble plus simple mais elle est moins robuste (voir [33, pp.11-12] à propos des « solutions faibles » de (E) et (L)).

Partie II

Équations différentielles

ÉQUATIONS MODÈLES ET OUTILS DE BASE

5

« C'est une chose vraiment étonnante, que de voir dans un temps calme et par un ciel serein, la vive agitation de cette grande masse fluide dont les flots viennent se briser avec impétuosité contre les rivages. Ce spectacle invite à la réflexion, et fait naître le désir d'en pénétrer la cause. »

Pierre-Simon Laplace,
Exposition sur le système du monde, 1798.

Ce premier chapitre consacré aux équations différentielles dites « ordinaires » (essentiellement par opposition aux équations aux dérivées partielles) sera l'occasion de décrire quelques modèles d'équations différentielles dans divers champs d'application, qui motiveront (et à l'occasion permettront d'illustrer) les développements théoriques ultérieurs. On exposera ensuite les bases de l'analyse mathématique de ces équations: résolution explicite dans les cas les plus simples, puis existence, unicité, et dépendance des solutions par rapport aux « conditions initiales » et aux paramètres. Le chapitre suivant (chapitre 6) sera quant à lui consacré aux propriétés spécifiques des équations linéaires, à coefficients constants puis à coefficients variables. À partir du chapitre 7, on s'attaquera à l'*analyse qualitative* des équations différentielles autonomes, c'est-à-dire à la description de propriétés des solutions comme leur comportement asymptotique (en « temps grand ») ou leur stabilité par rapport aux paramètres, sans chercher à calculer explicitement ces solutions. On étudiera notamment l'existence et la stabilité des solutions stationnaires, c'est-à-dire des états d'équilibre, qui jouent évidemment un rôle crucial dans les applications.

La forme la plus générale d'une *équation différentielle ordinaire* (ou EDO en sigle) est

$$F(t, u, u', \dots, u^{(n)}) = 0,$$

où u est une fonction inconnue de la variable réelle t à valeurs dans $\mathbb{R}^p$ ou plus généralement dans un espace de Banach E, u',..., $u^{(n)}$ désignent les dérivées successives de u, et F est une fonction donnée, supposée « régulière » (on précisera comment par la suite) sur $I \times U \times U_1 \times \cdots U_n$ où I est un intervalle ouvert de $\mathbb{R}$, U, U_1, ..., U_n sont des ouverts connexes de E. On ne s'intéressera ici qu'à des équations différentielles *résolues*, pour lesquelles il existe une fonction f, régulière sur $I \times U \times U_1 \times \cdots U_{n-1}$ telle que

$$F(t, u, u', \ldots, u^{(n)}) = 0 \quad \Leftrightarrow \quad u^{(n)} = f(t, u, u', \ldots, u^{(n-1)}).$$

Définition 5.1

On appelle *équation différentielle d'ordre n* dans un espace de Banach E une équation de la forme

$$u^{(n)} = f(t, u, u', \ldots, u^{(n-1)}), \tag{5.1}$$

où f est une application définie sur$I \times U \times U_1 \times \cdots \times U_{n-1}$, I étant un intervalle de $\mathbb{R}$ et U, $U_1, \ldots, U_{n-1}$ des ouverts connexes de E. On appelle *solution* de (5.1) une application u de classe $\mathcal{C}^n$ sur un intervalle $J \subset I$, telle que pour tout $t \in J$, $u(t) \in U$, $u'(t) \in U_1, \ldots, u^{(n-1)}(t) \in U_{n-1}$ et

$$u^{(n)}(t) = f(t, u(t), u'(t), \ldots, u^{(n-1)}(t)).$$

Cas particuliers :

- Lorsque $E = \mathbb{R}$, l'équation différentielle est dite *scalaire*.
- Lorsque f est linéaire par rapport à $(u, u', \ldots, u^{(n-1)})$, l'équation différentielle est dite *linéaire homogène* (à *coefficients constants* si de plus f ne dépend pas de t). Si f est de la forme

  $$f(t, u, u', \ldots, u^{(n-1)}) = g(t, u, u', \ldots, u^{(n-1)}) + b(t)$$

  avec g linéaire par rapport à $(u, u', \ldots, u^{(n-1)})$, l'équation différentielle est dite *linéaire avec terme source*.
- Lorsque f est indépendante de t, l'équation différentielle est dite *autonome*.

5.1 Modélisation et applications

Les équations différentielles ordinaires en dimension finie, c'est-à-dire dans un espace E de dimension finie (le plus souvent de petite dimension), fournissent des modèles mathématiques dans divers domaines d'application. Nous allons en présenter quelques uns avant de donner des exemples en dimension infinie.

5.1.1 Mécanique

L'équation de la mécanique des points matériels est fournie par la *loi de Newton*, exprimant que la (résultante des) force(s) $F(x)$ exercée sur un point matériel situé à la position $x \in \mathbb{R}^3$ est égale à son accélération multipliée par sa masse m :

$$m\,\frac{\mathrm{d}^2x}{\mathrm{d}t^2} = F(x)\,. \tag{5.2}$$

Dans cette équation, l'espace des valeurs possibles des solutions $t \mapsto x(t)$ est $E = \mathbb{R}^3$ et l'ordre est $n = 2$. Notons que l'on peut écrire (5.2) de façon équivalente (au sens où les solutions sont en bijection, ceci sera précisé par la suite) dans l'*espace des phases*

$$\begin{cases} \dfrac{\mathrm{d}x}{\mathrm{d}t} = v\,, \\ \dfrac{\mathrm{d}v}{\mathrm{d}t} = \dfrac{1}{m}\,F(x)\,. \end{cases} \tag{5.3}$$

Il se peut également que la force F dépende de la vitesse v : c'est le cas notamment en présence d'amortissement. Pour cette « équation » (ou système), l'espace E est $\mathbb{R}^6$ et l'ordre est $n = 1$. La fonction F peut être vue comme un champ de vecteurs dans $\mathbb{R}^3$, que l'on appelle *champ de forces*. Lorsque $F(x)$ est partout colinéaire à x, c'est-à-dire que $F(x) = \lambda(x)\,x$ avec λ une fonction scalaire, on dit que le champ de forces est *central*. C'est le cas par exemple pour la force de gravitation exercée sur « petite » planète de masse m par une « grosse » planète (ou le soleil) de masse M située en $x = 0$: la loi de la gravitation universelle[1] donne

$$F(x) = -\,\frac{G\,M\,m}{\|x\|^2}\,\frac{x}{\|x\|} = -\,\frac{G\,M\,m}{\|x\|^3}\,x\,,$$

où G est la constante d'attraction universelle ($G = 6{,}672.10^{-11}\,\mathrm{m}^3.\mathrm{s}^{-2}.\mathrm{kg}^{-1}$). Lorsque le champ F est le gradient d'une fonction (scalaire) $-V$, on dit que V est le *potentiel* de F. On vérifie que c'est le cas pour le champ ci-dessus, avec

$$V(x) = -\,\frac{G\,M\,m}{\|x\|}\,.$$

Remarque 5.1

L'équation (5.2) avec $F = -\mathrm{grad}\,V$ n'est autre que l'équation d'Euler-Lagrange (voir le paragraphe 3.4) associée au Lagrangien

---

1. Que voici exprimée par Newton lui-même, avec les mots d'Émilie du Châtelet : « Les forces par lesquelles les planettes principales sont perpétuellement retirées du mouvement rectiligne, & retenues dans leurs orbites, tendent au Soleil, & sont réciproquement comme le quarré de leurs distances à son centre. » (Proposition II. Théorème II. Livre troisième. Du système du monde. Principes mathématiques de la philosophie naturelle, édition de 1726.)

$$L(x,v) := \frac{1}{2} m \|v\|^2 - V(x) ,$$

où l'on reconnaît (dans le premier terme) l'énergie cinétique du point matériel considéré.

L'équation (5.2) s'obtient aussi pour des mouvements en plus petite dimension. Par exemple si $x \in \mathbb{R}^+$ est la position de l'extrémité d'un ressort dont l'autre extrémité est fixée en $x = 0$ (voir la figure 5.1), si ℓ est la longueur au repos de ce ressort et si $k > 0$ est sa raideur, on a $F(x) = -k(x - \ell)$. L'équation obtenue pour $y := x - \ell$ est ainsi

$$m \frac{\mathrm{d}^2 y}{\mathrm{d}t^2} + k\, y = 0, \tag{5.4}$$

dite de l'*oscillateur harmonique*. Ou bien si $\theta \in \mathbb{R}$ est l'angle par rapport à la position verticale au repos d'un *pendule simple* (voir la figure 5.2) de longueur ℓ, en l'absence d'amortissement le mouvement de ce pendule est régi par l'équation

$$\ell \frac{\mathrm{d}^2 \theta}{\mathrm{d}t^2} + g \sin\theta = 0 , \tag{5.5}$$

où g désigne l'accélération de la pesanteur (à la surface de la Terre, $g = GM/R^2$ où M est la masse de la Terre et R son rayon, soit $g \simeq 9{,}8\,\mathrm{m.s}^{-2}$).

Remarque 5.2

- L'équation (5.5) est l'équation d'Euler-Lagrange associée au lagrangien

$$L(\theta,\dot\theta) := \frac{1}{2} m \ell^2 \dot\theta^2 + m g \ell \cos\theta .$$

  (On fait apparaître ici la masse m pour une question de dimension physique, la première partie du lagrangien correspondant à l'énergie cinétique et $V := -mg\ell\cos\theta$ étant l'énergie potentielle du pendule.)
- Lorsque θ est proche de 0, c'est-à-dire que le pendule oscille peu autour de sa position au repos, on peut approcher $\sin\theta$ par θ et l'équation (5.5) obtenue revient à celle d'un oscillateur harmonique.

La mécanique du solide donne également lieu à des équations différentielles du second ordre que l'on peut obtenir comme équations d'Euler-Lagrange. C'est le cas par exemple pour le mouvement d'une toupie, c'est-à-dire d'un solide de révolution

Figure 5.1 **Ressort, modèle d'oscillateur harmonique.**

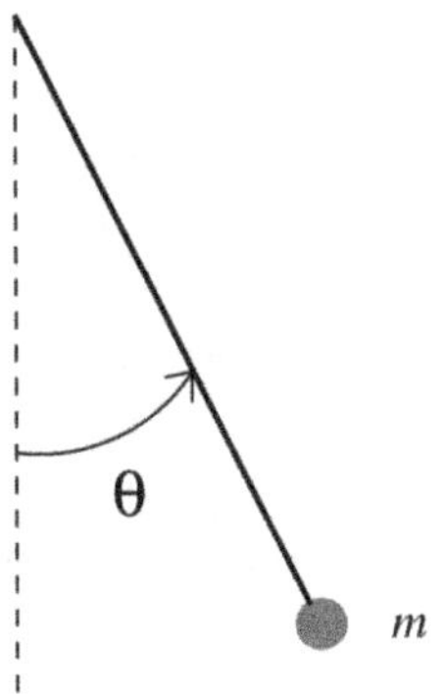

Figure 5.2 **Pendule simple (oscillant dans un plan).**

homogène avec un point fixe appartenant à l'axe de révolution (la pointe de la toupie): il « suffit » de trois angles pour décrire la position de ce solide (voir la figure 5.3), appelés *angles d'Euler*, que l'on note ici ψ (précession), θ (nutation), φ (rotation propre). Le lagrangien associé est de la forme

$$L(\theta,\dot{\psi},\dot{\theta},\dot{\varphi}) = \frac{1}{2}\,A\,(\dot{\theta}^2 + \dot{\psi}^2 \sin^2\theta) + \frac{1}{2}\,C\,(\dot{\varphi} + \dot{\psi}\cos\theta)^2 - m\,g\,\ell\cos\theta\,,$$

où A et C sont les moments d'inertie du solide (A par rapport aux directions orthogonales à l'axe de révolution, C par rapport à cet axe), m est sa masse, ℓ la distance entre le point fixe et le centre d'inertie, g l'accélération de la pesanteur.

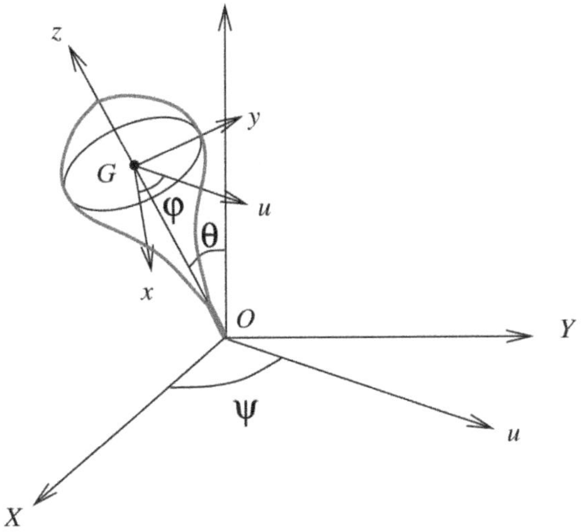

Figure 5.3 **Toupie et angles d'Euler.**

5.1.2 Électricité

L'état d'un circuit électrique composé de résistances, bobines et condensateurs, peut être décrit par l'intensité I et la différence de potentiel U dans chacun de ces composants. Les différentes lois de l'électricité conduisent à un système d'équations différentielles pour ces quantités. Considérons par exemple un circuit fermé comprenant un composant de chaque sorte, dans l'ordre résistance-bobine-condensateur (voir la figure 5.4), la bobine ayant pour inductance L, le condensateur ayant pour capacité C, et le comportement de la résistance étant régi une relation algébrique (loi d'Ohm généralisée) :

$$U_R = F(I_R) .$$

Les équations régissant l'évolution de ce circuit sont :

$$\begin{cases} L \dfrac{\mathrm{d}I_L}{\mathrm{d}t} = U_L , \\ C \dfrac{\mathrm{d}U_C}{\mathrm{d}t} = I_C , \end{cases}$$

assorties des relations de compatibilité

$$U_C = U_L + U_R , \quad I_R = I_L = -I_C .$$

(L'orientation du circuit étant arbitraire, les équations sont fort heureusement invariantes par changement d'orientation.) En éliminant les autres inconnues, on se ramène à un système de deux équations pour $x = I_L$ et $y = U_C$ par exemple :

$$\begin{cases} L \dfrac{\mathrm{d}x}{\mathrm{d}t} = y - F(x) , \\ C \dfrac{\mathrm{d}y}{\mathrm{d}t} = -x . \end{cases}$$

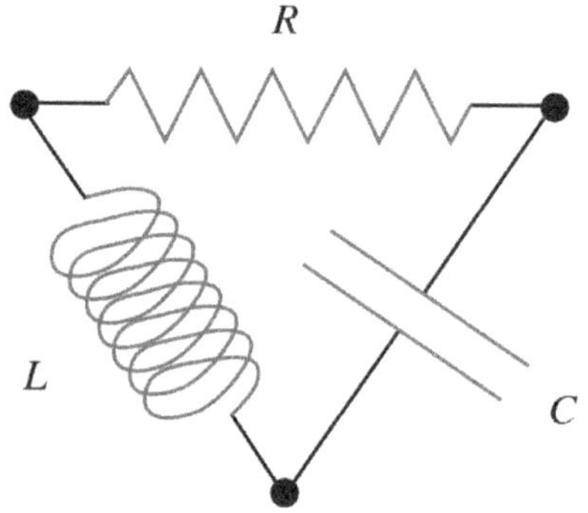

Figure 5.4 **Circuit RLC.**

Remarque 5.3

Lorsque des paramètres physiques sont en jeu (comme ici L et C), il est souvent intéressant (par exemple pour étudier des comportements asymptotiques en fonction de ces paramètres) d'*adimensionner* les équations. Cela revient à faire des changements d'échelles et à chercher les équations satisfaites par les quantités sans dimension ainsi obtenues. Il en ressort en général de nouveaux paramètres, sans dimension également, dont on peut déterminer le nombre par l'analyse dimensionnelle (voir le paragraphe 5.1.6).

Pour le système ci-dessus, on considère une intensité de référence I, un potentiel de référence U et un temps de référence T, et l'on pose

$$\widetilde{x} := \frac{x}{I}, \quad \widetilde{y} := \frac{y}{U}, \quad \widetilde{t} := \frac{t}{T}, \quad \widetilde{F}(\widetilde{x}) := \frac{F(x)}{U}.$$

On voit alors qu'une fonction $t \mapsto (x(t), y(t))$ est solution du système de départ si et seulement si la fonction $\widetilde{t} \mapsto (\widetilde{x}(\widetilde{t}), \widetilde{y}(\widetilde{t}))$ est solution de

$$\begin{cases} \dfrac{d\widetilde{x}}{d\widetilde{t}} = \dfrac{TU}{LI}\,(\widetilde{y} - \widetilde{F}(\widetilde{x}))\,, \\ \dfrac{d\widetilde{y}}{d\widetilde{t}} = -\dfrac{IT}{CU}\,\widetilde{x}\,, \end{cases}$$

où il y a effectivement deux paramètres sans dimension, à savoir $(TU)/(LI)$ et $(IT)/(CU)$. (Notons qu'ils valent tous deux 1 si l'on choisit en particulier $T = \sqrt{LC}$ et $U/I = \sqrt{L/C}$.)

5.1.3 Chimie

L'évolution d'une réaction chimique simple

$$A + B \to C\,,$$

dont les réactants A et B et le produit C ont pour concentration a, b et c respectivement peut également être modélisée par une équation différentielle, en égalant le taux de consommation :

$$-\frac{da}{dt} = -\frac{db}{dt} = \frac{dc}{dt}$$

avec le taux de réaction, supposé de la forme

$$K\, a^{\alpha}\, b^{\beta}\, c^{\gamma}\,,$$

où K, α, β, γ sont des constantes empiriques. Le même raisonnement s'applique à des réactions plus complexes. En particulier, l'évolution de la réaction dite de *Belousov-Zhabotinskii* est régie par le modèle de *Field-Noyes*, qui s'écrit sous forme adimensionnée :

$$\begin{cases} \varepsilon\,\dfrac{dx}{dt} = q\,y - x\,y + x(1-x)\,, \\ \delta\,\dfrac{dy}{dt} = -q\,y - x\,y + 2r\,z \\ \dfrac{dz}{dt} = x - z\,, \end{cases}$$

où ε, δ, q et r sont des paramètres sans dimension.

5.1.4 Écologie

Divers modèles classiques d'évolution d'espèces en compétition s'expriment au moyen d'équations différentielles. C'est le cas des modèles de type *prédateurs-proies* de *Lotka-Volterra*. Si une population de proies de concentration N cohabite avec une population de prédateurs de concentration P, un modèle simplifié de leur évolution s'écrit :

$$\begin{cases} \dfrac{\mathrm{d}N}{\mathrm{d}t} = N\,(a - b\,P)\,, \\ \dfrac{\mathrm{d}P}{\mathrm{d}t} = P\,(c\,N - d)\,, \end{cases}$$

où a est le taux de natalité des proies, d le taux de mortalité des prédateurs, tandis que b et c sont des constantes empiriques, supposées positives, représentant l'interaction entre les proies et les prédateurs. On peut également considérer des modèles non-linéaires :

$$\begin{cases} \dfrac{\mathrm{d}N}{\mathrm{d}t} = N\,F(N,P)\,, \\ \dfrac{\mathrm{d}P}{\mathrm{d}t} = P\,G(N,P)\,. \end{cases}$$

Pour plus de détails on renvoie au livre de Murray [29].

5.1.5 En dimension infinie

Parmi les exemples d'équations différentielles en dimension infinie on compte ce que l'on appelle les *systèmes dynamiques sur réseau* (plus connus sous le nom anglais *Lattice Dynamical Systems*, LDS en abrégé), dont les inconnues prennent typiquement leurs valeurs dans un espace $\ell^p(\mathbb{Z}^m;\mathbb{R}^d)$. L'un des LDS célèbres est le modèle de *Fermi-Pasta-Ulam* en physique de la matière, qui couple des équations du type (5.2) pour un nombre infini de masses m_j ($j \in \mathbb{Z}$). Il s'écrit

$$m_j\,\frac{\mathrm{d}^2 x_j}{\mathrm{d}t^2} = V'(x_{j+1} - x_j) - V'(x_j - x_{j-1})\,, \tag{5.6}$$

où V est un potentiel d'interaction donné. On peut en effet voir le système infini d'équations (5.6) pour $j \in \mathbb{Z}$ comme une équation différentielle ordinaire dans l'espace $E = \ell^\infty(\mathbb{Z};\mathbb{R})$ des « suites » (indexées par $\mathbb{Z}$) bornées. Par ailleurs, on obtient des LDS par discrétisation en espace d'*équations aux dérivées partielles* d'évolution. Prenons par exemple l'*équation de la chaleur*

$$\partial_t\theta = \kappa\,\partial^2_{xx}\theta \tag{5.7}$$

(décrivant l'évolution de la température θ dans une barre monodimensionnelle, le paramètre $\kappa > 0$ étant déterminé par la conductivité thermique, la chaleur massique et la densité du matériau). Une façon simple d'approcher les solutions de (5.7) est de chercher $\theta(j\Delta x,t) \simeq u_j(t)$ (où Δx est un *pas* de discrétisation et $j \in \mathbb{Z}$) avec

$$\frac{\mathrm{d}u_j}{\mathrm{d}t} = \frac{\kappa}{\Delta x^2}\left(u_{j+1} - 2u_j + u_{j-1}\right). \tag{5.8}$$

On a approché ici la dérivée seconde $\partial^2_{xx}\theta$ par un « développement de Taylor ». Plus précisément, et c'est la base de ce que l'on appelle les *schémas aux différences finies* (voir l'exercice 2.1), si θ est deux fois différentiable par rapport à x, on a par la formule de Taylor-Young,

$$\partial^2_{xx}\theta(j\Delta x,t) = \frac{1}{\Delta x^2}\left(\theta((j+1)\Delta x,t) - 2\theta(j\Delta x,t) + \theta((j-1)\Delta x,t)\right) + o(1).$$

Le système infini d'équations (5.8) pour $j \in \mathbb{Z}$ revient à une équation différentielle ordinaire dans l'espace de suites $\ell^p(\mathbb{Z};\mathbb{R})$ (qui est un espace de Banach quel que soit $p \in [1,\ldots,+\infty]$).

Enfin, certaines équations aux dérivées partielles d'évolution peuvent être vues commes des EDO dans des espaces de fonctions appropriés. C'est le cas par exemple pour

$$\partial^2_{tt}u - c^2\Delta u = \gamma\Delta\partial^2_{tt}u,$$

avec $\gamma > 0$ (cette équation apparaissant dans divers domaines, voir [39, p. 366]), car elle équivaut à $\partial^2_{tt}u = P_\gamma u$, où P_γ est un opérateur linéaire continu sur l'espace de Hilbert $L^2(\mathbb{R}^d)$. Cela se voit par *transformation de Fourier* [32, ch. 9], qui est une isométrie de $L^2(\mathbb{R}^d)$. Mais attention, la norme de P_γ « explose » (comme $1/\gamma$) lorsque γ tend vers 0, et l'équation obtenue à la limite

$$\partial^2_{tt}u - c^2\Delta u = 0,$$

appelée *équation des ondes*, est d'une nature différente.

5.1.6 Rudiments d'analyse dimensionnelle

Supposons que l'on dispose pour décrire un système physique de k unités de mesure « indépendantes » (en un sens que l'on précisera plus loin). Pour fixer les idées on notera $m_1,\ldots,m_k$ ces unités. (On peut prendre par exemple $m_1 = \mathrm{kg}$, une unité de masse, $m_2 = \mathrm{s}$, une unité de temps, $m_3 = \mathrm{m}$, une unité de longueur.) On considère l'ensemble de toutes les unités de mesure que l'on peut fabriquer comme produits de puissances fractionnaires de ces unités fondamentales :

$$\mathcal{P} := \{m_1^{q_1}\cdots m_k^{q_k}\ ;\ (q_1,\ldots,q_k) \in \mathbb{Q}^k\}.$$

(Dans l'exemple ci-dessus, $\mathcal{P}$ contient entre autres les unités de vitesse $\mathrm{m}\cdot\mathrm{s}^{-1}$, d'accélération $\mathrm{m}\cdot\mathrm{s}^{-2}$ et d'énergie $\mathrm{kg}\cdot\mathrm{m}^2\cdot\mathrm{s}^{-2}$.) On peut munir l'ensemble $\mathcal{P}$ d'une structure de $\mathbb{Q}$-espace vectoriel en demandant que l'application

$$\begin{array}{cccc} \Theta : & \mathbb{Q}^k & \to & \mathcal{P} \\ & (q_1,\dots,q_k) & \mapsto & m_1^{q_1}\cdots m_k^{q_k} \end{array}$$

soit un morphisme. Autrement dit l'« addition » (+) de deux unités de mesure s'obtient en additionnant les puissances (c'est-à-dire $(m_1^{q_1}\cdots m_k^{q_k}) + (m_1^{r_1}\cdots m_k^{r_k}) := m_1^{q_1+r_1}\cdots m_k^{q_k+r_k}$) et la « multiplication » ($\times$) par $\lambda \in \mathbb{Q}$ d'une unité de mesure s'obtient en l'élevant à la puissance λ (c'est-à-dire $\lambda \times (m_1^{q_1}\cdots m_k^{q_k}) = (m_1^{\lambda q_1}\cdots m_k^{\lambda q_k})$). Les unités de mesure $m_1,\dots, m_k$ sont dites indépendantes si elles le sont au sens algébrique dans l'espace vectoriel $\mathcal{P}$ (où le neutre pour l'addition est $1 := m_1^0\cdots m_k^0$), c'est-à-dire si le seul k-uplet $(\lambda_1,\dots,\lambda_k) \in \mathbb{Q}^k$ tel que

$$\lambda_1 \times m_1 + \cdots + \lambda_k \times m_k = 1$$

est $(\lambda_1,\dots,\lambda_k) = (0,\dots,0)$. Comme par définition de + et $\times$ on a

$$\lambda_1 \times m_1 + \cdots + \lambda_k \times m_k = m_1^{\lambda_1}\cdots m_k^{\lambda_k},$$

on voit que les unités $m_1,\dots, m_k$ sont indépendantes si elles ne permettent pas de former une quantité sans dimension de façon non triviale (c'est bien le cas par exemple pour les unités de masse, de longueur et de temps), ou autrement dit si $\mathcal{P}$ est isomorphe à $\mathbb{Q}^k$ par Θ.

La base de l'analyse dimensionnelle est de déterminer, pour un ensemble de quantités physiques données, disons $p_1,\dots,p_n$, s'exprimant dans les unités de mesure de $\mathcal{P}$, combien on peut former de quantités sans dimension avec des puissances fractionnaires de $p_1,\dots,p_n$. Le calcul repose sur le *théorème du rang* en algèbre linéaire. En effet, on peut associer à $p_1,\dots,p_n$ une matrice $A \in \mathcal{M}_{k,n}(\mathbb{Q})$, de coefficients $q_{i,j}$ définis (de façon unique) par $p_j = m_1^{q_{1,j}}\cdots m_k^{q_{k,j}}$. On observe que, pour tout $r = (r_1,\dots,r_n)^{\mathrm{t}} \in \mathbb{Q}^n$, la quantité $p_1^{r_1}\cdots p_n^{r_n}$ s'exprime dans l'unité de mesure $\Theta(Ar)$. Par suite le nombre de quantités sans dimension que l'on cherche coïncide avec la dimension du noyau de A, qui est égale à $n - \mathrm{rang}(A)$ d'après le théorème du rang. Ce résultat fait partie de ce que l'on appelle le *théorème* π, pour lequel on renvoie par exemple à [26, p. 5] (ou [30, p. 215]).

Exemples

Reprenons comme ci-dessus $m_1 = \mathrm{kg}$, $m_2 = \mathrm{s}$, $m_3 = \mathrm{m}$, et comme quantités physiques une masse ($p_1 = M$), un temps ($p_2 = T$), une accélération ($p_3 = g$) et une énergie ($p_4 = E$). La matrice correspondante est

$$A = \begin{pmatrix} 1 & 0 & 0 & 1 \\ 0 & 1 & -2 & -2 \\ 0 & 0 & 1 & 2 \end{pmatrix}.$$

Elle est de rang maximal 3, et son noyau est engendré par le vecteur $(1, 2, 2, -1)^{\mathrm{t}}$: cela signifie que MT^2g^2/E est sans dimension, et que toutes les autres quantités sans dimension que l'on peut former avec des puissances fractionnaires de M, T, g, E, sont des puissances fractionnaires du nombre MT^2g^2/E. Ce raisonnement est notamment à l'origine du *modèle de Taylor-Sedov* (voir

[39, p. 192]), décrivant l'évolution en fonction du temps du rayon d'une onde de choc produite par une forte explosion (atomique par exemple).
Dans le cas du circuit RLC du paragraphe 5.1.2, avec des unités de temps (s), d'intensité électrique (A), de tension électrique (V) et comme quantités physiques un temps T, une intensité I, une tension U, une capacité C et une inductance L, on retrouve par l'analyse dimensionnelle les nombres sans dimension $(TU)/(LI)$ et $(IT)/(CU)$, correspondant aux éléments $(1, -1, 1, -1, 0)^t$ et $(1, 1, -1, 0, -1)^t$ du noyau de

$$A = \begin{pmatrix} 1 & 0 & 0 & 1 & 1 \\ 0 & 1 & 0 & -1 & 1 \\ 0 & 0 & 1 & 1 & -1 \end{pmatrix}.$$

L'analyse dimensionnelle permet également de montrer que les caractéristiques du mouvement d'un pendule simple ne dépendent pas de sa masse (comme le confirme l'équation (5.5), où n'intervient pas la masse m).

5.2 Résolution explicite

Il n'y a pas de méthode générale pour calculer les solutions de (5.1). On ne sait résoudre explicitement que des types bien particuliers d'équations différentielles, dont nous traitons ci-après les cas les plus fondamentaux (et en particulier ceux utiles au développement de la théorie). Pour les cas plus sophistiqués on renvoie par exemple à [8, ch. 4], ou [6] (référence récente concernant aussi les équations aux dérivées partielles).

5.2.1 Équations linéaires scalaires d'ordre 1

Étant données deux fonctions a et $b \in \mathcal{C}(I; \mathbb{R})$, l'équation $u' = a(t)u + b(t)$ admet pour solutions les fonctions de la forme

$$u(t) = u_0 \, e^{\int_{t_0}^t a(\tau)\,d\tau} + \int_{t_0}^t e^{\int_s^t a(\tau)\,d\tau} \, b(s)\,ds\,,$$

avec $t_0 \in I$, $u_0 \in \mathbb{R}$. Pour trouver cette formule il suffit d'observer que pour toute solution de u de $u' = a(t)u + b(t)$ sur un intervalle $J \subset I$ contenant t_0,

$$(u'(t) - a(t)u(t))\, e^{\int_{t_0}^t a(\tau)\,d\tau} = \frac{d}{dt}\left(u(t)\, e^{\int_{t_0}^t a(\tau)\,d\tau}\right),$$

et d'intégrer « à vue ».

5.2.2 Équations linéaires scalaires d'ordre 2 à coefficients constants

Pour $p, q \in \mathbb{R}$, les solutions de l'équation

$$u'' + p u' + q u = 0 \tag{5.9}$$

sont de trois formes possibles, suivant les propriétés de l'*équation caractéristique* :

$$z^2 + p z + q = 0\,. \tag{5.10}$$

Pour toute solution il existe $(\lambda_1, \lambda_2) \in \mathbb{R}^2$ tel que

- ou bien $u(t) = \lambda_1 \,\mathrm{e}^{a_1 t} + \lambda_2 \,\mathrm{e}^{a_2 t}$ si l'équation caractéristique a deux racines réelles distinctes (a_1 et a_2) ;
- ou bien $u(t) = \lambda_1 \,\mathrm{e}^{at} \cos bt + \lambda_2 \,\mathrm{e}^{at} \sin bt$ si l'équation caractéristique a ses racines complexes conjuguées ($a \pm ib$) ;
- ou bien $u(t) = (\lambda_1 + t\,\lambda_2)\,\mathrm{e}^{at}$ si l'équation caractéristique a une racine (réelle) double (a).

Pour trouver ces expressions on commence par chercher des solutions particulières de (5.9), à valeurs éventuellement complexes, de la forme $u(t) = u_0 \,\mathrm{e}^{zt}$ pour $z \in \mathbb{C}$. On voit que z doit être solution de l'équation caractéristique (5.10), et l'on obtient ainsi deux solutions indépendantes de (5.9) : $u_1(t) = \mathrm{e}^{a_1 t}$ et $u_2(t) = \mathrm{e}^{a_2 t}$ si (5.10) a comme racines $a_1, a_2 \in \mathbb{R}$, $a_1 \neq a_2$; $u_1(t) = \mathrm{e}^{at} \cos bt$ et $u_2(t) = \mathrm{e}^{at} \sin bt$ si (5.10) a comme racines $a \pm ib$; $u_1(t) = \mathrm{e}^{at}$ et $u_2(t) = t\,\mathrm{e}^{at}$ si (5.10) admet $a \in \mathbb{R}$ comme racine double. Puis on montre que l'espace vectoriel E des solutions de (5.9) est en bijection avec $\mathbb{R}^2$, et plus précisément que l'application

$$\begin{array}{rccc} \Theta : & E & \to & \mathbb{R}^2 \\ & u & \mapsto & (u(0), u'(0)) \end{array}$$

est un isomorphisme: comme E est au moins de dimension 2 d'après ce qui précède, il suffit de vérifier que l'application linéaire Θ est injective. Supposons donc que u soit une solution de (5.10) sur un intervalle J contenant 0 telle que $u(0) = 0$ et $u'(0) = 0$. Alors la fonction $\varphi : t \mapsto u(t)^2 + u'(t)^2$ est telle que, pour tout $t \in J$,

$$\varphi'(t) = 2u'(t)(u(t) - pu'(t) - qu(t)) \leqslant a\,\varphi(t)$$

avec $a = 2|p| + |q|$. Donc la fonction $t \mapsto \varphi(t)\,\mathrm{e}^{-at} \geqslant 0$ est décroissante et nulle en $t = 0$, donc nulle pour tout $t \geqslant 0$. Pour la même raison la fonction $t \mapsto \varphi(-t)\,\mathrm{e}^{at} \geqslant 0$ est nulle pour tout $t \geqslant 0$. Ceci montre que u est identiquement nulle. Par suite, Θ est injective et la famille (u_1, u_2) forme une base de solutions (définies sur $J = \mathbb{R}$ tout entier).

5.2.3 Équations linéaires à coefficients constants

Cas homogène

Si A est une application linéaire continue sur E, les solutions de

$$\frac{\mathrm{d}u}{\mathrm{d}t} = Au \tag{5.11}$$

s'expriment à l'aide de l'*exponentielle*, à savoir : $u(t) = \mathrm{e}^{(t-t_0)A}u_0$ pour la donnée initiale $u_0 = u(t_0)$. (Dans l'écriture ci-dessus il faut voir le vecteur $Au = A \cdot u$ comme l'image de u par A : on omet le $\cdot$ pour simplifier, de même avec l'exponentielle.)

Définition 5.2

Pour tout $A \in \mathcal{L}(E)$, l'exponentielle de A est l'application linéaire continue définie par

$$\exp(A) = \mathrm{e}^A := \sum_{n=0}^{+\infty} \frac{1}{n!} A^n ,$$

où A^n désigne la n-ième composée de A avec elle-même.

Lemme 5.1

Pour tout $A \in \mathcal{L}(E)$, l'application $t \mapsto \mathrm{e}^{tA}$ est continûment dérivable (et même de classe $\mathcal{C}^\infty$), et

$$\frac{\mathrm{d}}{\mathrm{d}t}\mathrm{e}^{tA} = A\,\mathrm{e}^{tA} = \mathrm{e}^{tA}\,A .$$

Démonstration. La série définissant l'exponentielle étant normalement convergente dans $\mathcal{L}(E)$, on peut la dériver terme à terme. Ainsi on trouve

$$\frac{\mathrm{d}}{\mathrm{d}t}\mathrm{e}^{tA} = \sum_{n=1}^{+\infty} \frac{1}{(n-1)!}\, t^{n-1} A^n = A \sum_{n=1}^{+\infty} \frac{1}{(n-1)!}\, t^{n-1} A^{n-1} = A\,\mathrm{e}^{tA} .$$

De plus A commute avec e^{tA} comme avec toutes ses puissances. □

Remarque 5.4

On peut montrer que l'exponentielle $A \mapsto \mathrm{e}^A$ est différentiable (et même de classe $\mathcal{C}^\infty$). Cependant l'expression de sa différentielle est assez compliquée (voir [28, p. 81]), car la propriété sous-jacente au calcul ci-dessus est la relation $\mathrm{e}^{(t+s)A} = \mathrm{e}^{tA}\,\mathrm{e}^{sA}$, et il n'y pas d'expression analogue pour e^{A+B} lorsque A et B ne commutent pas. Toutefois la différentielle de l'exponentielle en l'application nulle se simplifie, notamment parce que cette dernière commute avec tous les éléments de $\mathcal{L}(E)$. On montre que $\mathrm{d}(\exp)(0) \cdot H = H$ quel que soit $H \in \mathcal{L}(E)$.

En dimension finie, on peut préciser la forme des solutions de (5.11) en fonction des *valeurs propres* de A (pour les détails voir le paragraphe 6.3.2). En particulier l'équation différentielle scalaire du second ordre du paragraphe 5.2.2 peut être vue comme un système dans $\mathbb{R}^2$:

$$\begin{pmatrix} u \\ v \end{pmatrix}' = \begin{pmatrix} 0 & 1 \\ -q & -p \end{pmatrix} \begin{pmatrix} u \\ v \end{pmatrix} .$$

Les valeurs propres de la matrice 2×2 ci-dessus sont précisément les racines de l'équation caractéristique $z^2 + pz + q = 0$.

Cas avec terme source

Pour résoudre l'équation $u' = Au + b(t)$ on peut appliquer ce que l'on appelle la méthode de « variation de la constante ». Celle-ci consiste à remplacer, dans la solution générale de l'équation homogène (5.11), la constante u_0 par une fonction : il s'avère alors que u_0 se calcule par *quadrature*, c'est-à-dire au prix du calcul d'une primitive. En effet, $u(t) = e^{tA} u_0(t)$ fournit une solution de l'équation avec terme source b si et seulement si $u_0'(t) = e^{-tA} b(t)$. On en déduit la formule dite de *Duhamel* :

$$u(t) = e^{(t-t_0)A} u(t_0) + \int_{t_0}^{t} e^{(t-s)A} b(s) \, ds .$$

Autrement dit, la solution générale de l'équation avec terme source est la somme de la solution générale de l'équation homogène $t \mapsto e^{(t-t_0)A} u(t_0)$ et de la solution particulière de l'équation avec terme source $t \mapsto \int_{t_0}^{t} e^{(t-s)A} b(s) \, ds$. Ce *principe de superposition* est lié à la *linéarité* de l'équation par rapport à u. Cependant, on verra que la formule de Duhamel est très utile même pour les équations non-linéaires, à condition de l'appliquer à un « terme source » qui dépend de la solution u elle-même (ce qui fournit alors une équation implicite en u).

5.2.4 Équations scalaires autonomes d'ordre 1

Le cas d'une équation scalaire $u' = f(u)$ est très particulier : on dit qu'il est résoluble par *quadrature*, au sens où, sans nécessairement être données par une formule explicite, ses solutions « non triviales » s'expriment toutes au moyen d'une primitive. En effet, on remarque que les solutions se séparent en deux catégories. Il y a tout d'abord les solutions constantes, dont la valeur est un zéro de f : ce sont les solutions « triviales ». Il y a d'autre part toutes les autres, qui s'avèrent être strictement monotones. Car, si une solution u est telle qu'à un instant t_* on ait $f(u(t_*)) = 0$, alors cette solution coïncide avec la solution constante égale à $u(t_*)$ (ceci découle du lemme d'unicité 5.3 que l'on verra plus loin). Autrement dit, si u est une solution telle que $f(u(t_0)) \neq 0$ alors $f(u(t)) \neq 0$ quel que soit t : cette observation nous autorise à diviser par $f(u(t))$ pour calculer u. Pour une solution u non triviale,

$$\frac{u'(t)}{f(u(t))} = 1$$

quel que soit t, et donc, si Φ désigne une primitive de $1/f$ dans le plus grand intervalle contenant $u(t_0)$ où f ne s'annule pas, $\Phi(u(t)) - \Phi(u(t_0)) = t - t_0$. Au prix du calcul de Φ, ceci définit implicitement $u(t)$ en fonction de t_0, t et $u(t_0)$: le théorème des fonctions implicites (théorème 1.10) s'applique en effet à la fonction $(u,t) \mapsto \Phi(u) - t$ au voisinage de n'importe quel point.

5.3 Lemme de Gronwall

Avec la formule de Duhamel, le lemme (ou inégalité) de Gronwall est l'un des outils fondamentaux dans la théorie des équations différentielles. Il en existe plusieurs versions mais l'idée est toujours d'obtenir une estimation pour une fonction u à valeurs dans $\mathbb{R}$ qui satisfait une inégalité implicite mais linéaire.

5.3.1 Inéquations différentielles

On appelle souvent lemme de Gronwall l'observation suivante. Supposons qu'une fonction $u \in \mathcal{C}^1(I; \mathbb{R})$ vérifie $u'(t) \leqslant a(t)\, u(t) + b(t)$ avec a et $b \in \mathcal{C}(I; \mathbb{R})$. Alors en s'inspirant de la résolution de l'équation différentielle $u' = a(t)\, u + b(t)$, on multiplie l'inégalité par le nombre strictement positif $\exp\Big(-\int_{t_0}^t a(\tau)\, \mathrm{d}\tau\Big)$ et l'on en déduit

$$\frac{\mathrm{d}}{\mathrm{d}t}\left(\mathrm{e}^{-\int_{t_0}^t a(\mathcal{T})\,\mathrm{d}\mathcal{T}}\, u(t)\right) \leqslant \mathrm{e}^{-\int_{t_0}^t a(\mathcal{T})\,\mathrm{d}\mathcal{T}}\, b(t)\,,$$

d'où en intégrant :

$$\mathrm{e}^{-\int_{t_0}^t a(\mathcal{T})\,\mathrm{d}\mathcal{T}}\, u(t) - u(t_0) \leqslant \int_{t_0}^t \mathrm{e}^{-\int_{t_0}^s a(\mathcal{T})\,\mathrm{d}\mathcal{T}}\, b(s)\, \mathrm{d}s\,,$$

et finalement :

$$u(t) \leqslant u(t_0)\, \mathrm{e}^{\int_{t_0}^t a(\mathcal{T})\,\mathrm{d}\mathcal{T}} + \int_{t_0}^t \mathrm{e}^{\int_s^t a(\mathcal{T})\,\mathrm{d}\mathcal{T}}\, b(s)\, \mathrm{d}s\,.$$

5.3.2 Inéquations intégrales

Le « vrai » lemme de Gronwall[2] est un peu plus subtil, puisqu'il suppose une inégalité intégrale et non une inégalité différentielle (la seconde impliquant la première mais pas l'inverse). Or les *estimations a priori* que l'on obtient en général sont plutôt du type intégral, d'où l'intérêt de ce lemme, dont la preuve est néanmoins élémentaire.

Lemme 5.2 ***Lemme de Gronwall***

Si $u \in \mathcal{C}([0, T]; \mathbb{R}^+)$ est telle qu'il existe $a \in \mathcal{C}([0,T]; \mathbb{R}^+)$ et $c \in \mathcal{C}([0, T]; \mathbb{R})$ avec

$$u(t) \leqslant c(t) + \int_0^t a(\tau)\, u(\tau)\, \mathrm{d}\tau, \quad \text{pour tout } t \in [0, T]\,, \qquad (5.12)$$

alors $u(t) \leqslant c(t) + \int_0^t c(\tau)\, a(\tau)\, \mathrm{e}^{\int_\tau^t a(s)\,\mathrm{d}s}\, \mathrm{d}\tau$ pour tout $t \in [0, T]$.

2. Ce lemme est en fait dû conjointement au suédois Thomas Hakon Gronwall et à l'américain Richard Bellman.

DÉMONSTRATION. L'astuce consiste à démontrer l'inégalité voulue non pas pour u directement mais pour le second membre de l'inégalité (5.12)

$$v(t) := \int_0^t a(\tau)\, u(\tau)\, \mathrm{d}\tau.$$

Pour tout $t \in [0, T]$, on a $v'(t) = a(t)\, u(t) \leqslant a(t)\,(c(t) + v(t))$ puisque $a \geqslant 0$. Ainsi v satisfait une inéquation différentielle comme au paragraphe précédent, avec $b(t) = a(t)\, c(t)$. En observant que $v(0) = 0$, on en déduit que

$$v(t) \leqslant \int_0^t a(\tau)\;\; c(\tau)\;\; \mathrm{e}^{\int_\tau^t a(s)\,\mathrm{d}s}\; \mathrm{d}\tau, \quad \text{pour tout } t \in [0,T]\,.$$

On conclut par transitivité entre cette majoration de $v(t)$ et l'inégalité (5.12). □

Remarque 5.5

Suivant le contexte, l'inégalité de Gronwall peut se simplifier ou s'exprimer différemment. Si c est constante par exemple, on obtient la majoration

$$u(t) \leqslant c\,\exp\Big(\int_0^t a(s)\,\mathrm{d}s\Big)\,.$$

D'autre part, on peut écrire une formule analogue avec un point t_0 quelconque à la place de 0. Mais attention, il faut penser à mettre des valeurs absolues si les bornes des intégrales ne sont pas dans l'ordre croissant. Enfin, si c est dérivable on peut donner une autre version de l'inégalité de Gronwall, en intégrant par parties :

$$u(t) \leqslant c(0)\,\mathrm{e}^{\int_0^t a(s)\,\mathrm{d}s} + \int_0^t c'(\tau)\,\mathrm{e}^{\int_\tau^t a(s)\,\mathrm{d}s}\,\mathrm{d}\tau, \quad \text{pour tout } t \in [0,T]\,.$$

5.4 THÉORÈME DE CAUCHY-LIPSCHITZ

5.4.1 Existence et unicité locales

L'essentiel de la théorie des équations différentielles est fondé sur l'existence et l'unicité locale des solutions pour ce que l'on appelle le *problème de Cauchy*, c'est-à-dire l'équation différentielle assortie d'une « condition initiale» (expression sous-entendant que t est un temps, ce qui n'est pas nécessairement le cas). Le lecteur intéressé par l'histoire de cette théorie pourra consulter par exemple le livre de Kolmogorov et Yushkevich [22, chap. 2].

Dans le cas général d'une équation d'ordre n, une condition initiale est la donnée de la fonction inconnue u et de toutes ses dérivées jusqu'à l'ordre $n - 1$ en un point t_0. En fait (comme on l'a mentionné à propos de la loi de Newton), on peut toujours se ramener au cas $n = 1$, quitte à agrandir l'espace E et à considérer comme nouvelle fonction inconnue $(u, u', \ldots, u^{(n-1)})$. Plus précisément, si $u \in \mathcal{C}^n(J; E)$ est solution de (5.1) avec pour tout $t \in J$, $u(t) \in U$, $u'(t) \in U_1, \ldots, u^{(n-1)}(t) \in U_{n-1}$, alors l'application

$$\begin{array}{rcl} J & \to & U \times U_1 \times \cdots \times U_{n-1} \subset E^n \\ t & \mapsto & v(t) := (u(t), u'(t), \cdots, u^{(n-1)}(t)) , \end{array}$$

est de classe $\mathcal{C}^1$ et solution de

$$v' = g(t,v) , \tag{5.13}$$

où

$$\begin{array}{rccc} g: & I \times U \times U_1 \times \cdots \times U_{n-1} & \to & E^n \\ & (t,v)\,;\ v = (u,v_1,\cdots,v_{n-1}) & \mapsto & g(t,v) \end{array}$$

est définie par $g(t, v) = (v_1, v_2, \cdots, f(t,u,v_1,\ldots,v_{n-1}))$. La fonction g est aussi régulière que f, c'est-à-dire de classe $\mathcal{C}^r$ si et seulement si f est de classe $\mathcal{C}^r$. Inversement, si $v \in \mathcal{C}^1(J; E^n)$ est solution de (5.13), alors par définition de g on a $v_1 = u'$, $v_2 = v_1'$, etc., et donc u est de classe $\mathcal{C}^n$ avec $v_k = u^{(k)}$ quel que soit $k \in \{1,\ldots, n-1\}$, ce qui implique au vu de la dernière composante de g que $u^{(n)}(t) = f(t,u(t),u'(t),\ldots,u^{(n-1)}(t))$ quel que soit $t \in J$, c'est-à-dire que u est solution de (5.1).

On se place donc désormais, sans perte de généralité sur le plan théorique, dans le cas $n = 1$: on considère « une »[3] équation d'ordre 1

$$\frac{\mathrm{d}u}{\mathrm{d}t} = f(t, u) ,$$

où u est une fonction inconnue de la variable réelle t à valeurs dans un espace de Banach E, et f est une fonction donnée sur $I \times U$, ouvert connexe non vide de $\mathbb{R} \times E$. Il faut bien sûr faire des hypothèses de régularité sur f. On peut montrer l'*existence* de solutions en supposant f continue et E de dimension finie (voir l'exercice 5.3 pour un contre-exemple en dimension infinie), en faisant appel au théorème d'*Ascoli* : c'est l'objet du théorème de *Peano*, que l'on trouvera par exemple dans les ouvrages de référence de Coddington et Levinson [5] et de Hartman [18, p. 10]. Il est même possible de montrer l'existence de solutions généralisées, c'est-à-dire de fonctions *a priori* seulement continues satisfaisant l'équation intégrale

$$u(t) = u(t_0) + \int_{t_0}^{t} f(s,u(s))\,\mathrm{d}s , \tag{5.14}$$

pour des fonctions f discontinues. Le premier résultat dans ce sens est attribué à *Carathéodory* (raison pour laquelle on parle de solutions de Carathéodory), et il a été raffiné régulièrement depuis par de nombreux auteurs (en particulier dans la littérature russe, avec les travaux d'A. F. *Filippov* [14], V. V. *Filippov* [15], etc.), mais cela sort largement du cadre du présent ouvrage. L'*unicité* de la solution pour une donnée initiale fixée est un autre problème, qui requiert en général une hypothèse plus forte que la continuité de f.

3. Les guillemets sont là pour souligner qu'en général il s'agit en fait d'un *système* d'équations.

Le prototype d'équation admettant plusieurs solutions satisfaisant la même condition initiale est l'équation scalaire

$$\frac{\mathrm{d}u}{\mathrm{d}t} = \sqrt{u}\,.$$

On vérifie en effet sans peine que $t \mapsto u(t) = t^2/4$ est une solution s'annulant en 0, différente de la solution évidente qu'est la fonction nulle.

Des conditions assurant l'unicité sont dûes à *Osgood* et *Nagumo* (voir à nouveau [5] ou [18]). Sans entrer dans le détail, il faut savoir que ces conditions sont satisfaites en particulier lorsque f est Lipschitzienne par rapport à sa variable $u \in U$, tout en étant plus faibles. L'objet n'est pas ici de considérer des hypothèses minimales sur f, et l'on se contentera du théorème classique suivant.

Théorème 5.1 ***Théorème de Cauchy-Lipschitz***

Soient $f \in \mathcal{C}(I \times U; E)$, où I est un intervalle ouvert de $\mathbb{R}$ et U un ouvert d'un espace de Banach E, et $(t_0, u_0) \in I \times U$. On suppose qu'il existe un voisinage de (t_0, u_0) dans $I \times U$ et $L > 0$ tel que pour tous (t, x) et (t, y) dans ce voisinage $\| f(t,x) - f(t,y) \| \leqslant L \| x - y \|$. Alors on a les propriétés suivantes.

Existence

Il existe $\tau > 0$ et $u \in \mathcal{C}^1([t_0 - \tau, t_0 + \tau]; U)$ solution du *problème de Cauchy* :

$$\begin{cases} u' = f(t,u) \\ u(t_0) = u_0\,. \end{cases} \tag{5.15}$$

Unicité

Si v est une autre solution de (5.15), elle coïncide avec u sur un intervalle d'intérieur non vide inclus dans $[t_0 - \tau,\ t_0 + \tau]$.

Régularité

Si de plus f est de classe $\mathcal{C}^r$, $r \geqslant 1$, alors u est de classe $\mathcal{C}^{r+1}$.

Remarque 5.6

Dès que f est de classe $\mathcal{C}^1$ elle est effectivement localement Lipschitzienne au sens de l'énoncé. En effet, d'après le théorème des accroissements finis, $\| f(t,x) - f(t,y) \| \leqslant L \| x - y \|$, où

$$L := \max_{\theta \in [0,1]} |||\mathrm{d}_2 f(\theta x + (1-\theta) y)|||$$

est fini pour x et y voisins de u_0 (une fonction continue étant localement bornée).

Remarque 5.7

On pourrait se ramener à une équation autonome en observant que résoudre (5.15) équivaut à résoudre le problème *augmenté*

$$\frac{\mathrm{d}}{\mathrm{d}s}\begin{pmatrix} u \\ t \end{pmatrix} = \begin{pmatrix} f(t,u) \\ 1 \end{pmatrix}, \quad \begin{pmatrix} u \\ t \end{pmatrix}(t_0) = \begin{pmatrix} u_0 \\ t_0 \end{pmatrix}.$$

Cette astuce a toutefois ses inconvénients: en particulier, si l'équation de départ est linéaire (en u), l'équation augmentée n'est pas linéaire (en (u, t)) en général. C'est pourquoi il est aussi important d'étudier les équations dites *à coefficients variables*, où f dépend vraiment de t. Ce sera le cas ici et dans le chapitre 6. En revanche les chapitres 7 et 8 porteront exclusivement sur les équations autonomes.

DÉMONSTRATION DU THÉORÈME 5.1. Pour simplifier, on va démontrer les résultats en remplaçant l'intervalle centré $[t_0 - \tau, t_0 + \tau]$ par $[t_0, t_+]$ avec $t_+ = t_0 + \tau > t_0$ (le cas de l'intervalle $[t_0 - \tau, t_0]$ s'en déduisant par le changement de variable $t \mapsto 2t_0 - t$) : cela évite le recours à des valeurs absolues.

On commence par choisir un voisinage de (t_0, u_0), parfois appelé *cylindre de sécurité* $C(t_+, R) := [t_0, t_+] \times \overline{B}(u_0, R) \subset I \times U$ avec $t_+ > t_0$ et $R > 0$, où $\overline{B}(u_0, R)$ désigne la boule fermée de centre u_0 et de rayon R, dans lequel f est bornée, disons par une constante M, et aussi Lipschitzienne par rapport à u :

$$\|f(t, x) - f(t, y)\| \leqslant L\,\|x - y\|, \quad \text{pour } (t, x), (t, y) \in C(t_+, R).$$

L'intérêt du cylindre $C(t_+, R)$ sera notamment d'empêcher la solution construite de sortir du domaine $I \times U$ de définition de f. On va en effet montrer que, quitte à diminuer t_+, le problème de Cauchy (5.15) admet une solution u telle que $(t, u(t)) \in C(t_+, R)$ pour tout $t \in [t_0, t_+]$. L'idée est de résoudre l'équation intégrale (5.14) avec $u(t_0) = u_0$:

$$u(t) = u_0 + \int_{t_0}^{t} f(\tau, u(\tau))\,\mathrm{d}\tau. \tag{5.16}$$

En effet, si u est une solution continue de cette équation, le second membre est de classe $\mathcal{C}^1$, donc u aussi, et en dérivant les deux membres de (5.16) on voit qu'elle est solution du problème de Cauchy (5.15). Plus généralement, on montre par une récurrence immédiate que si f est de classe $\mathcal{C}^r$, $r \geqslant 0$, u est de classe $\mathcal{C}^{r+1}$.

Pour résoudre (5.16), on peut invoquer le théorème du point fixe de Banach-Picard (théorème 1.9) ou bien, ce qui est plus instructif, construire « à la main » une solution par la *méthode de Picard*, c'est-à-dire comme limite de la suite $(u^n)_{n\in\mathbb{N}}$ définie par $u^0 \equiv u_0$ et

$$u^{n+1}(t) = u_0 + \int_{t_0}^{t} f(\tau, u^n(\tau))\,\mathrm{d}\tau. \tag{5.17}$$

Vérifions tout d'abord que ce schéma itératif fournit une suite $(u^n)_{n\in\mathbb{N}}$ de fonctions continues sur $[t_0, t_+]$ et à valeurs dans $\overline{B}(u_0, R)$, du moins pour t_+ assez proche de t_0. On raisonne par récurrence : la fonction constante u^0 est trivialement continue et à valeurs dans $\overline{B}(u_0, R)$. Supposons que l'on ait construit u^n continue sur $[t_0, t_+]$ et à valeurs dans $\overline{B}(u_0, R)$. Alors la formule de récurrence ci-dessus définit u^{n+1} continue et telle que :

$$\|u^{n+1}(t) - u_0\| \leqslant \int_{t_0}^{t} \|f(\tau, u^n(\tau))\| \,\mathrm{d}\tau \leqslant (t_+ - t_0)\, M$$

pour tout $t \in [t_0, t_+]$. Pourvu que l'on ait imposé au départ $(t_+ - t_0)\, M \leqslant R$, la fonction u^{n+1} est bien à valeurs dans $\overline{B}(u_0, R)$. Désormais, on suppose que t_+ vérifie cette contrainte.

L'étape essentielle est de montrer que la suite $(u^n)_{n\in\mathbb{N}}$ est de Cauchy et donc convergente dans l'espace de Banach $\mathcal{C}([t_0, t_+]; E)$ (muni de la norme sup). Pour ce faire, on montre par récurrence (voir la démonstration du théorème 6.1) que

$$\|u^{n+1}(t) - u^n(t)\| \leqslant \frac{L^n(t - t_0)^n}{n!} \sup_{[t_0, t_+]} \|u^1 - u^0\| \quad \text{pour tout } t \in [t_0, t_+].$$

Par suite,

$$\sup_{[t_0, t_+]} \|u^{n+p}(t) - u^n(t)\| \leqslant \sum_{k=n}^{n+p-1} \frac{L^k(t_+ - t_0)^k}{k!} \sup_{[t_0, t_+]} \|u^1 - u^0\|,$$

ce qui tend vers 0 lorsque n tend vers $+\infty$ puisque la série $\sum L^n(t_+ - t_0)^n/n!$ est convergente. Cela signifie précisément que (u^n) est de Cauchy dans $\mathcal{C}([t_0, t_+]; E)$. Soit donc u la limite de cette suite. Par passage à la limite dans (5.17) on voit que u est solution de (5.16).

L'unicité locale se déduit du lemme de Gronwall (p.181). En effet, si v est une autre solution du même problème de Cauchy, elle est à valeurs dans $\overline{B}(u_0, R)$ sur un intervalle $[t_0, t_1]$, $0 < t_1 \leqslant t_+$. On a par définition

$$u(t) - v(t) = \int_{t_0}^{t} \left(f(\tau, u(\tau)) - f(\tau, v(\tau)) \right) \mathrm{d}\tau$$

et donc

$$\|u(t) - v(t)\| \leqslant L \int_{t_0}^{t} \| u(\tau) - v(\tau) \| \,\mathrm{d}\tau,$$

pour tout $t \in [t_0, t_1]$. Par conséquent, le lemme de Gronwall (dans sa version la plus simple) implique :

$$\|u(t) - v(t)\| \leqslant \mathrm{e}^{Lt} \|u(t_0) - v(t_0)\| = 0$$

pour tout $t \in [t_0, t_1]$. □

Désormais, on suppose que $f : I \times U \to E$ est continue et localement Lipschitizienne en tout point $(t_0, u_0) \in I \times U$. Ceci nous permettra d'appliquer le théorème de Cauchy-Lipschitz (théorème 5.1) en tout point $(t_0, u_0) \in I \times U$.

5.4.2 Solutions maximales

Il n'aura pas échappé au lecteur que le théorème 5.1 fournit seulement des solutions locales, avec un résultat d'unicité local. On en déduit tout d'abord le résultat d'unicité global suivant.

Lemme 5.3

Si $u_1 \in \mathcal{C}^1(J_1; U)$ et $u_2 \in \mathcal{C}^1(J_2; U)$ sont deux solutions de $u' = f(t, u)$ sur des intervalles J_1 et J_2 respectivement, et s'il existe $t_0 \in J_1 \cap J_2$ tel que $u_1(t_0) = u_2(t_0)$, alors $u_1(t) = u_2(t)$ pour tout $t \in J_1 \cap J_2$.

DÉMONSTRATION. C'est une application classique de la notion de *connexité*. L'ensemble $J_1 \cap J_2$ est un intervalle non vide par hypothèse. D'après l'unicité locale des solutions, l'ensemble

$$A := \{t \in J_1 \cap J_2\,;\ u_1(t) = u_2(t)\}.$$

est un ouvert. De plus, A est fermé par continuité de u_1 et u_2. Donc A est égal à $J_1 \cap J_2$ (connexe non vide). □

Une conséquence fondamentale de ce lemme est qu'il existe un plus grand intervalle J sur lequel le problème de Cauchy (5.15) admet une solution. Cette unique solution sur l'intervalle J est appelée *solution maximale* : par définition, on ne peut pas la prolonger à $I\backslash J$, et par suite J est nécessairement ouvert (sinon en appliquant le théorème de Cauchy-Lipschitz à son extrémité on prolongerait la solution). Lorsque $J = I$ on dit que cette solution est *globale*.

La question naturelle est ensuite de savoir à quelle(s) condition(s) une solution maximale est globale.

Théorème 5.2 ***Théorème des bouts***

Soit $u \in \mathcal{C}^1(J; U)$ une solution maximale de $u' = f(t, u)$ avec f continue, et localement Lipschitzienne par rapport à u. On note b la borne supérieure de I et $\beta \leqslant b$ la borne supérieure de J. Alors ou bien $\beta = b$ ou bien « u sort de tout compact » de U, c'est-à-dire que pour tout compact $K \subset U$, il existe $\eta < \beta$ tel que

$$u(t) \in U\backslash K\,, \qquad \text{pour} \quad t \geqslant \eta \text{ avec } t \in J\,.$$

De même, si $\inf J > \inf I$ alors u sort de tout compact lorsque $t \searrow \inf J$.

DÉMONSTRATION. Supposons $\beta < b$ et raisonnons par l'absurde. S'il existait un compact K et une suite (t_n) tendant vers β telle que $u(t_n) \in K$ pour tout n, quitte à en extraire une sous-suite, on pourrait supposer qu'elle converge vers $\underline{u} \in K$. Soient $\overline{\tau} > 0$ et $R > 0$ tel que f soit bornée et Lipschitzienne par rapport à u dans

$[\beta - 2\overline{\tau}, \beta + 2\overline{\tau}] \times \overline{B}(\underline{u}, 2R)$. Alors en vertu du lemme 5.4 ci-après, il existe $\tau \leqslant \overline{\tau}$ tel que pour tout $(t_0, u_0) \in [\beta - \tau, \beta + \tau] \times \overline{B}(\underline{u}, R)$ la solution maximale du problème de Cauchy (5.15) est définie sur un intervalle contenant $[t_0 - \tau, t_0 + \tau]$. Or, pour n assez grand, $(t_n, u(t_n)) \in [\beta - \tau, \beta + \tau] \times B(\underline{u}; R)$, et $t_n + \tau > \beta$. Ceci contredit le fait que u soit une solution maximale. □

Lemme 5.4

Supposons que f soit *continue*, *bornée* et *Lipschitzienne* par rapport à u dans $[\underline{t} - 2\overline{\tau}, \underline{t} + 2\overline{\tau}] \times \overline{B}(\underline{u}, 2R)$ pour $\overline{\tau} > 0$ et $R > 0$. Alors il existe $\tau \in]0, \overline{\tau}]$ tel que pour tout $(t_0, u_0) \in [\underline{t} - \overline{\tau}, \underline{t} + \overline{\tau}] \times \overline{B}(\underline{u}, R)$, la solution maximale du problème de Cauchy (5.15) soit définie sur un intervalle contenant $[t_0 - \tau, t_0 + \tau]$.

DÉMONSTRATION. En reprenant la démonstration du théorème 5.1 de Cauchy-Lipschitz on construit une solution $u : [t_0 - \tau, t_0 + \tau] \to \overline{B}(u_0, R)$ (donc *a fortiori* à valeurs dans $\overline{B}(\underline{u}, 2R)$ par l'inégalité triangulaire), pour tout $\tau \in]0, \min(\overline{\tau}, R/M)]$, où M est une borne de f sur $[\underline{t} - 2\overline{\tau}, \underline{t} + 2\overline{\tau}] \times \overline{B}(\underline{u}, 2R)$. □

En dimension infinie, l'application du théorème 5.2 nécessite une caractérisation des compacts pas toujours évidente (rappelons qu'un espace de dimension infinie n'est pas localement compact). Cependant on peut parfois déduire du lemme 5.4 et d'*estimations a priori* une minoration du temps d'existence des solutions, voir plus précisément le théorème 7.2 (p. 265).

Si l'espace ambiant E est de dimension finie et si $U = E$, le théorème 5.2 s'exprime simplement comme suit: pour une solution maximale non globale $u \in \mathcal{C}^1(J; E)$, si $\beta := \sup J < \sup I$ alors $\lim_{t \nearrow \beta} \|u(t)\| = +\infty$, et si $\alpha := \inf J > \inf I$ alors $\lim_{t \searrow \alpha} \|u(t)\| = +\infty$. On parle d'« *explosion en temps fini* ».

Remarque 5.8

Ce phénomène est indépendant de la régularité de la fonction f. Il se produit par exemple pour l'équation de *Riccati*, où $E = \mathbb{R}$ et $f(t,u) = u^2$ (fonction évidemment de classe $\mathcal{C}^\infty$) : seule la solution nulle est globale. En effet, la méthode décrite au paragraphe 5.2.4 montre qu'une solution non triviale vérifie

$$-\frac{1}{u(t)} + \frac{1}{u(t_0)} = t - t_0 \quad \text{et donc} \quad \lim_{t \to t_0 + 1/u(t_0)} |u(t)| = +\infty\,.$$

Il y a cependant quelques cas remarquables dans lesquels toutes les solutions maximales sont globales.

5.4.3 Existence globale

Lorsque $U = E$ et f est *globalement Lipschitzienne* par rapport à u, c'est-à-dire qu'il existe $L > 0$ tel que pour tous (t, x) et (t, y) dans $I \times E$,

$$\| f(t,x) - f(t,y) \| \leqslant L \| x - y \|,$$

il n'y a pas de risque de sortir de son domaine de définition ni du domaine de validité de sa constante de Lipschitz. En reprenant la démonstration du théorème 5.1 on peut donc construire, quels que soient a, b tels que $t_0 \in [a, b] \subset I$, une suite de solutions approchées (u^n) qui soit de Cauchy dans $\mathcal{C}([a, b]; E)$. On en déduit le résultat global suivant.

Théorème 5.3

Soit $f \in \mathcal{C}(I \times E; E)$, *globalement Lipschizienne* par rapport à u. Alors, quel que soit $(t_0, u_0) \in I \times E$, il existe (un unique) $u \in \mathcal{C}^1(I; E)$ solution de (5.15).

Attention, ce théorème est assez restrictif : il ne s'applique pas en général à des fonctions f non-linéaires, comme le montre l'exemple de l'équation de Riccati ci-dessus. En revanche, il s'applique aux fonctions f affines.

Théorème 5.4

Si $b \in \mathcal{C}(I; E)$ et $A \in \mathcal{C}(I; \mathcal{L}(E))$, toutes les solutions maximales de

$$\frac{\mathrm{d}u}{\mathrm{d}t} = A(t)\,u + b(t)$$

sont globales.

On reviendra plus en détails sur ce type d'équations au chapitre 6.
Un autre cas d'existence globale est le suivant.

Théorème 5.5

Si E est de *dimension finie* et f est *uniformément bornée* sur $I \times E$, toutes les solutions maximales de $u' = f(t, u)$ sont globales.

Démonstration. Si $u'(t) = f(t,u(t))$ pour tout $t \in J$ alors

$$\|u(t)\| \leqslant (\beta - t_0)\,M + \|u(t_0)\|$$

avec $\beta = \sup J$, $t_0 \in J$ fixé et M une borne pour f dans $I \times E$. Ainsi toute solution est bornée sur tout intervalle borné : puisque les fermés bornés sont compacts dans E, ceci implique $J = I$ d'après le théorème 5.2. □

5.5 Théorème du flot

5.5.1 Dépendance par rapport aux données initiales

On a entrevu dans le lemme 5.4 ce que l'on peut attendre lorsqu'on fait varier la condition initiale. En fait, on peut préciser ce lemme, pour comparer effectivement deux solutions de données initiales distinctes.

Lemme 5.5

Sous les hypothèses du lemme 5.4, il existe $C > 0$ tel que si $(t_i, v_i) \in [\underline{t} - \overline{\tau}, \underline{t} + \overline{\tau}] \times \overline{B}(\underline{u}, R)$ pour $i = 1$ ou 2, avec $|t_2 - t_1| \leqslant \tau$, les solutions u_i des problèmes de Cauchy correspondants vérifient l'estimation :

$$\|u_1(t) - u_2(t)\| \leqslant C\,\|v_1 - v_2\| + C\,|t_1 - t_2|$$

$$\text{pour } t \in [t_1 - \tau, t_1 + \tau] \cap [t_2 - \tau, t_2 + \tau]\,.$$

Démonstration. Par hypothèse, l'intervalle $[t_1 - \tau, t_1 + \tau] \cap [t_2 - \tau, t_2 + \tau]$ est non vide et contient l'intervalle d'extrémités t_1 et t_2. En faisant la différence des deux relations $u_i(t) = v_i + \int_{t_i}^{t} f(\tau, u_i(\tau))\,\mathrm{d}\tau$ pour $i = 1, 2$, on obtient l'inégalité :

$$\|\, u_1(t) - u_2(t)\,\| \leqslant \|\, v_1 - v_2\,\| + M\,|t_1 - t_2| + L \int_{t_1}^{t} \|\, u_1(s) - u_2(s)\,\|\,\mathrm{d}s\,,$$

d'où par le lemme de Gronwall (p. 181) :

$$\|\, u_1(t) - u_2(t)\,\| \leqslant \mathrm{e}^{L\tau}\,(\,\|\, v_1 - v_2\,\| + M\,|t_1 - t_2|\,)\,. \qquad \square$$

Théorème 5.6 ***Théorème du flot***

On suppose f de classe $\mathcal{C}^2$ sur $I \times U$, où I est un intervalle ouvert de $\mathbb{R}$ et U est un ouvert de E. Pour tout $(t_0, u_0) \in I \times U$, il existe un voisinage $\mathcal{W} \times \mathcal{V} = [t_0 - \tau, t_0 + \tau] \times \overline{B}(u_0, R)$ de (t_0, u_0) dans $I \times U$ et une unique application $\phi^{t_0} \in \mathcal{C}^1(\mathcal{W} \times \mathcal{V}; U)$ telle que

$$\begin{cases} \dfrac{\partial \phi^{t_0}}{\partial t}(t, v) = f(t, \phi^{t_0}(t, v))\,, & \text{pour tout } (t, v) \in \mathcal{W} \times \mathcal{V}\,,\\ \phi^{t_0}(t_0, v) = v\,, \quad \text{pour tout } v \in \mathcal{V}\,. \end{cases}$$

La fonction ϕ^{t_0} est appelée *flot* (local) au point t_0 de l'équation différentielle. En particulier, ce théorème affirme que pour toute donnée initiale v proche de u_0 l'application $u : t \in [t_0 - \tau, t_0 + \tau] \mapsto \phi^{t_0}(t, v)$ est solution du problème de Cauchy

$$u'(t) = f(t, u)\,, \quad u(t_0) = v\,,$$

et qu'en plus elle dépend de manière C^1 de v. Lorsqu'il n'y a pas d'ambiguïté, on écrira simplement ϕ au lieu de ϕ^{t_0}.

La démonstration du théorème 5.6 repose sur le calcul suivant, formel pour l'instant. Supposons que l'on ait construit ϕ deux fois différentiable. Dans tout ce qui suit, D désigne la différentiation dans E. En différentiant

$$\frac{\partial \phi}{\partial t}(t, v) = f(t, \phi(t, v))$$

par rapport à v et en permutant ∂_t avec D d'après le théorème de Schwarz, on obtient pour $\psi(t,v) := \mathrm{D}\phi(t, v)\ (\in \mathcal{L}(E))$:

$$\frac{\partial \psi}{\partial t}(t, v) = \mathrm{D}f(t, \phi(t, v)) \circ \psi(t, v)\,.$$

En supposant ϕ connue, c'est une équation différentielle *linéaire* par rapport à ψ. De plus, en différentiant $\phi(t_0,v) = v$ on obtient la condition initiale

$$\psi(t_0, v) = \mathrm{Id}_E\,.$$

DÉMONSTRATION DU THÉORÈME 5.6. Pour $v \in \mathcal{V} := \overline{B}(u_0, R)$ avec $\overline{B}(u_0, 2R) \subset U$, notons

$$\begin{array}{rcl} \phi(\cdot,v) : \quad \mathcal{W} := [t_0 - \tau, t_0 + \tau] & \to & \overline{B}(v, R) \\ t & \mapsto & \phi(t, v) = u(t) \end{array}$$

la solution de l'équation différentielle fournie par le lemme 5.4 pour la donnée initiale v. Alors ϕ est de classe $\mathcal{C}^1$ par rapport à t, et d'après le lemme 5.5 elle est Lipschitzienne par rapport à v avec une constante de Lipschitz uniforme sur $\mathcal{W} \times \mathcal{V}$. Elle est en particulier continue comme fonction de (t, v). Donc l'application

$$(t, v) \mapsto \mathrm{D}f(t, \phi(t, v))$$

est aussi continue. Par suite, pour tout $v \in \mathcal{V}$ l'équation différentielle *linéaire*, appelée *équation aux variations* :

$$\frac{\mathrm{d}\Psi}{\mathrm{d}t} = \mathrm{D}f(t, \phi(t, v)) \circ \Psi\,, \tag{5.18}$$

admet une solution unique sur $\mathcal{W}$ (tout entier) satisfaisant la condition initiale $\Psi(t_0) = \mathrm{Id}_E$. Notons $\psi(t, v) = \Psi(t)$ cette solution à l'instant t. On veut montrer que ϕ est continûment différentiable par rapport à v et que $\psi(t, v) = \mathrm{D}\phi(t, v)$.

La première étape de la démonstration consiste à montrer que ψ dépend continûment de (t, v). D'après l'inégalité triangulaire, on a

$$\|\psi(t, v) - \psi(\sigma, w)\| \leqslant \|\psi(t, v) - \psi(\sigma, v)\| + \|\psi(\sigma, v) - \psi(\sigma, w)\|\,.$$

Le premier terme se majore directement par :

$$\begin{aligned} \|\psi(t, v) - \psi(\sigma, v)\| &\leqslant |t - \sigma| \max_{s\in[\sigma,t]} |||\mathrm{D}f(s,\phi(s, v))||| \max_{s\in[\sigma,t]} \|\psi(s, v)\| \\ &\leqslant |t - \sigma|\; a(\sigma,t;\, v)\; \mathrm{e}^{a(\sigma,t;v)\,\max(|\sigma|,|t|)} \end{aligned}$$

par le lemme de Gronwall, avec

$$a(\sigma, t; v) := \max_{s\in[\sigma,t]} |||\mathrm{D}f(s, \phi(s, v))||| .$$

D'autre part, on peut aussi majorer le second terme grâce au lemme de Gronwall. Après calcul (voir le lemme 5.6 ci-après), on obtient :

$$\|\psi(\sigma, v) - \psi(\sigma, w)\| \leqslant b(\sigma; v, w) \; |\sigma| \; \mathrm{e}^{\alpha(\sigma; v, w)\,|\sigma|}$$

où $b(\sigma; v, w) := |||\mathrm{D}f(\sigma, \phi(\sigma, v)) - \mathrm{D}f(\sigma, \phi(\sigma, w))|||$,

$$\alpha(\sigma; v, w) := \max\left(|||\mathrm{D}f(\sigma, \phi(\sigma, v))|||\,,\, |||\mathrm{D}f(\sigma, \phi(\sigma, w))|||\right) .$$

Par continuité de $\mathrm{D}f$ et de ϕ, les fonctions a et α sont localement bornées, tandis que $b(\sigma; v, w)$ converge vers 0 lorsque v tend vers w. Donc $\|\psi(t, v) - \psi(\sigma, w)\|$ tend vers 0 lorsque (t, v) tend vers (σ, w).

La seconde étape est de montrer que $\mathrm{D}\phi(t, v)$ existe et coïncide avec $\psi(t, v)$. Considérons pour cela l'accroissement :

$$\theta(t, h) := \phi(t, v + h) - \phi(t, v) .$$

D'après le lemme 5.5, $\|\theta(t, h)\| \leqslant C \, \|h\|$ si v et $v + h$ sont dans $\mathcal{V}$. Et par définition de ϕ on a

$$\theta(t_0, h) = v + h - v = h .$$

Donc $\theta(t, h) = h + \int_{t_0}^{t} (f(s, \phi(s, v + h)) - f(s,\phi(s, v))\, \mathrm{d}s$. D'autre part, par définition de ψ :

$$\psi(t, v) \cdot h = h + \int_{t_0}^{t} \mathrm{D}f(s, \phi(s, v))\, \psi(s, v) \cdot h \, \mathrm{d}s .$$

D'où par soustraction et l'inégalité triangulaire, $\|\theta(t, h) - \psi(t, v) \cdot h\| \leqslant$

$$\int_{t_0}^{t} \|f(s, \phi(s, v + h)) - f(s, \phi(s, v)) - \mathrm{D}f(s, \phi(s, v)) \cdot \theta(s, h)\| \, \mathrm{d}s$$

$$+ \int_{t_0}^{t} \|\, \mathrm{D}f(s, \phi(s, v))\, (\, \theta(s, h) - \psi(s, v) \cdot h\,)\, \| \, \mathrm{d}s .$$

Le premier terme se majore en utilisant le fait que f est de classe $\mathcal{C}^2$ (on aurait besoin seulement de $\mathcal{C}^1$ en dimension finie, puisqu'alors $\mathrm{D}f$ serait localement uniformément continue). Quitte à réduire R on peut en effet supposer $\mathrm{D}^2 f$ bornée sur $[t_0 - \tau, t_0 + \tau] \times \overline{B}(u_0; R)$, et donc, d'après le théorème des accroissements finis, pour tout $\varepsilon > 0$, il existe $\eta > 0$ tel que pour $x, y \in \overline{B}(u_0; 2R)$, $\|y - x\| \leqslant \eta$ entraîne

$$\|f(s, x) - f(s, y) - \mathrm{D}f(s, y) \cdot (x - y)\| \leqslant \varepsilon \, \|x - y\|$$

pour tout $s \in [t_0, t]$. Donc, pour $\|h\| \leqslant \eta/C$, on a

$$\|f(s, \phi(s, v+h)) - f(s, \phi(s, v)) - \mathrm{D}f(s, \phi(s, v)) \cdot \theta(s, h)\| \leqslant \varepsilon C \|h\| .$$

D'où pour tout $t \geqslant t_0$, $\|\theta(t, h) - \psi(t, v) \cdot h\| \leqslant$

$$\varepsilon C \|h\| (t - t_0) + a(t_0, t; v) \int_{t_0}^{t} \| \theta(s, h) - \psi(s, v) \cdot h \| \,\mathrm{d}s$$

avec la même signification pour a que dans la première étape. On appliquant une nouvelle fois le lemme de Gronwall, on déduit pour $t \in [t_0 - \tau, t_0 + \tau]$:

$$\|\theta(t, h) - \psi(t, v) \cdot h\| \leqslant \varepsilon C \|h\| \tau \mathrm{e}^{a(t_0 - \tau, t_0 + \tau; v)\,\tau} .$$

Ceci montre que

$$\lim_{h \to 0} \frac{1}{\|h\|} \left(\phi(t, v+h) - \phi(t, v) - \psi(t, v) \cdot h\right) = 0,$$

c'est-à-dire que ϕ est différentiable par rapport à v et $\mathrm{D}\phi(t, v) = \psi(t, v)$.

En conclusion, ϕ est continûment dérivable par rapport à t et à v et donc de classe $\mathcal{C}^1$. □

En prime, on a montré que la différentielle de ϕ par rapport à v, $\mathrm{D}\phi$ est de classe $\mathcal{C}^1$ et solution de l'équation linéaire (5.18) avec la condition initiale $\mathrm{D}\phi(t_0, v) = \mathrm{Id}_E$.

Montrons maintenant le lemme utilisé dans la démonstration.

Lemme 5.6

Si $A : [t_0 - \tau, t_0 + \tau] \times \mathcal{V} \to \mathcal{L}(E)$ est continue (par rapport à sa première variable t), alors les solutions $t \mapsto \psi(t, v)$ de l'équation linéaire

$$\frac{\partial \psi}{\partial t}(t, v) = A(t, v)\, \psi(t, v)$$

telles que $\psi(t_0, v) = \psi_0$ satisfont l'estimation

$$\|\psi(t, v) - \psi(t, w)\| \leqslant \tau \|\psi_0\| \max_{s \in [t_0 - \tau, t_0 + \tau]} |||A(s, v) - A(s, w)|||$$
$$\times \exp\Big(\tau \max_{s \in [t_0 - \tau, t_0 + \tau]} \max(|||A(s, v)|||, |||A(s, w)|||) \Big)$$

quels que soient $t \in [t_0 - \tau, t_0 + \tau]$, et $v, w \in \mathcal{V}$.

DÉMONSTRATION. Quitte à faire une translation en t on peut supposer $t_0 = 0$. On traite le cas $t \geqslant t_0$, le cas $t \leqslant t_0$ s'en déduisant par symétrie. Enfin, pour simplifier les écritures, introduisons les notations

$$a(t, v) := \max_{s \in [0, t]} |||A(s, v)||| \quad \text{et} \quad b(t, v, w) := \max_{s \in [0, t]} |||A(s, v) - A(s, w)||| .$$

Puisque par définition,

$$\psi(t,v) - \psi(t,w) = \int_0^t A(s,v)\,\psi(s,v) - A(s,w)\,\psi(s,w)\,\mathrm{d}s\,,$$

on a pour tout $t \in [0,\tau]$, $\|\psi(t,v) - \psi(t,w)\| \leqslant$

$$a(\tau,v)\int_0^t \|\psi(s,v) - \psi(s,w)\|\,\mathrm{d}s + b(\tau,v,w)\int_0^t \|\psi(s,w)\|\,\mathrm{d}s\,.$$

De plus, $\|\psi(t,w)\| \leqslant \|\psi_0\| + a(\tau,w)\int_0^t \|\psi(s,w)\|\,\mathrm{d}s$. Donc, par une première application du lemme de Gronwall,

$$\|\psi(t,w)\| \leqslant \|\psi_0\|\,\mathrm{e}^{t\,a(\tau,w)}\,.$$

On en déduit $\|\psi(t,v) - \psi(t,w)\| \leqslant$

$$\int_0^t a(\tau,v)\,\|\psi(s,v) - \psi(s,w)\| + b(\tau,v,w)\,\mathrm{e}^{t\,a(\tau,w)}\,\|\psi_0\|\,\mathrm{d}s\,.$$

En appliquant à nouveau le lemme de Gronwall, cela donne

$$\begin{aligned}\|\psi(t,v) - \psi(t,w)\| &\leqslant b(\tau,v,w)\,\|\psi_0\|\int_0^t \mathrm{e}^{s\,a(\tau,w)}\,\mathrm{e}^{(t-s)\,a(\tau,v)}\mathrm{d}s\\ &\leqslant \tau\, b(\tau,v,w)\,\|\psi_0\|\,\mathrm{e}^{\tau\max(a(\tau,w),a(\tau,v))}\,,\end{aligned}$$

ce qui est l'inégalité annoncée (avec $t \in [t_0, t_0+\tau]$ et $t_0 = 0$). □

5.5.2 Dépendance par rapport aux paramètres

La régularité des solutions par rapport à d'éventuels paramètres était le véritable objet de l'article[4] dans lequel Gronwall démontra son fameux lemme. Une fois connu le théorème du flot, on peut obtenir facilement que les solutions sont continûment différentiables par rapport aux paramètres, et ce en considérant un système *augmenté*.

Théorème 5.7

On suppose f de classe $\mathcal{C}^2$ sur $I \times U \times \Lambda$, où I est un intervalle ouvert de $\mathbb{R}$, U est un ouvert de E et Λ un ouvert d'un autre espace de Banach Y. Les solutions de l'équation différentielle à paramètre :

$$\frac{\mathrm{d}u}{\mathrm{d}t} = f(t,u,\lambda)$$

sont continûment différentiables par rapport à λ.

4. Paru en 1919 dans la prestigieuse revue *Annals of Mathematics*.

DÉMONSTRATION. Considérons le système augmenté :

$$\begin{cases} \dfrac{\mathrm{d}u}{\mathrm{d}t} = f(t, u, \mu), \\ \dfrac{\mathrm{d}\mu}{\mathrm{d}t} = 0. \end{cases}$$

Soit Φ^{t_0} le flot local en t_0 de ce système. Alors la solution du problème de Cauchy :

$$u' = f(t, u, \lambda), \quad u(t_0) = v,$$

est donnée par $u(t) = P(\Phi^{t_0}(t, v, \lambda))$, où $P : E \times Y \to E$ désigne la projection sur E. D'après le théorème 5.6, c'est une fonction continûment différentiable par rapport à (v, λ) et donc en particulier par rapport à λ. □

5.6 ÉQUATIONS AUX DIFFÉRENTIELLES TOTALES

En complément de ce chapitre, on va s'intéresser à des équations qui généralisent les EDO et se traitent par des arguments de type EDO. Étant donnés deux espaces de Banach E et F on considère une application $f : U \to \mathcal{L}(E; F)$ de classe $\mathcal{C}^1$ au moins sur un ouvert U du produit $E \times F$, et l'on considère l'équation

$$\mathrm{d}u = f(x, u), \tag{5.19}$$

dont les solutions, si elles existent, sont des fonctions $\varphi \in \mathcal{C}^1(W; F)$ où W est un ouvert de E, telles que $(x, \varphi(x)) \in U$ et $\mathrm{d}\varphi(x) = f(x, \varphi(x))$ pour tout $x \in W$. L'équation (5.19), dite aux *différentielles totales*, se réduit à une équation différentielle ordinaire lorsque $E = \mathbb{R}$. Lorsque $E = \mathbb{R}^n$ c'est une équation aux dérivées partielles d'ordre 1. Contrairement aux EDO, lorsque E est un espace de dimension strictement plus grande que 2, les équations du type (5.19) n'ont pas nécessairement de solution. Cependant, il existe une caractérisation des fonctions f pour lesquelles (5.19) admet des solutions (ce qui est utile notamment pour démontrer le théorème de Frobenius, voir p. 151).

Théorème 5.8

Soit $f \in \mathcal{C}^2(U; \mathcal{L}(E; F))$, avec U un ouvert de $E \times F$. Si $\varphi \in \mathcal{C}^2(W; F)$ est solution de (5.19) alors on a la relation de symétrie suivante :

$$\mathrm{d}_x f(x,\varphi(x)) \cdot h \cdot k + \mathrm{d}_u f(x, \varphi(x)) \cdot (f(x, \varphi(x)) \cdot h) \cdot k = \mathrm{d}_x f(x, \varphi(x)) \cdot k \cdot h + \mathrm{d}_u f(x, \varphi(x)) \cdot (f(x, \varphi(x)) \cdot k) \cdot h$$

quel que soit $(h, k) \in E \times E$. « Inversement », si la fonction f vérifie que pour tout $(x, u) \in U$ l'application

$$T : (h, k) \in E \times E \mapsto \mathrm{d}_x f(x, u) \cdot k \cdot h + \mathrm{d}_u f(x, u) \cdot (f(x, u) \cdot k) \cdot h$$

est symétrique alors, pour tout $(x_0, u_0) \in U$ il existe un voisinage W de x_0 dans E et une application $\varphi \in \mathcal{C}^2(W; F)$ solution de (5.19) telle que $\varphi(x_0) = u_0$.

DÉMONSTRATION. La partie directe résulte d'un calcul et du théorème 2.1 (Schwarz) : si l'on a une solution φ de (5.19) alors par différentiation dans la direction h on a $d^2\varphi(x) \cdot h = dg(x) \cdot h$, où g désigne la fonction

$$\begin{array}{rccl} g: & E & \to & \mathcal{L}(E; F) \\ & x & \mapsto & g(x) := f(x, \varphi(x)), \end{array}$$

dont la différentielle est donnée pour tout $h \in E$ par

$$\begin{aligned} dg(x) \cdot h &= d_x f(x, \varphi(x)) \cdot h + d_u f(x, \varphi(x)) \cdot d\varphi(x) \cdot h \\ &= d_x f(x, \varphi(x)) \cdot h + d_u f(x, \varphi(x)) \cdot f(x, \varphi(x)) \cdot h . \end{aligned}$$

La relation de symétrie annoncée se déduit alors de la symétrie de $d^2\varphi$.

La réciproque est plus délicate. On commence par montrer qu'il existe $r > 0$ et une unique fonction φ de classe $\mathcal{C}^2$ dans la boule de centre x_0 et de rayon r telle que $\varphi(x_0) = u_0$ et, pour tout $x \in B(x_0; r)$, pour tout $t \in [-1, 1]$,

$$\begin{aligned} &d\varphi(x_0 + t(x - x_0)) \cdot (x - x_0) = \\ &f(x_0 + t(x - x_0), \varphi(x_0 + t(x - x_0))) \cdot (x - x_0). \end{aligned} \tag{5.20}$$

On remarque en effet que le membre de gauche est la dérivée de $t \mapsto \varphi(x_0 + t(x - x_0))$. À x fixé, chercher φ revient donc à chercher une solution de l'équation différentielle ordinaire

$$\frac{dy}{dt} = f(x_0 + t\xi, y) \cdot \xi, \tag{5.21}$$

où l'on a noté pour simplifier $\xi = x - x_0$, vérifiant $\varphi(0) = u_0$. Or il existe $r > 0$, $\rho > 0$, $M > 0$ et $k > 0$ tels que

$$\|f(x, u)\| \leqslant M \text{ et } \|d_u f(x, u)\| \leqslant k$$

pour $\|x - x_0\| \leqslant r$ et $\|u - u_0\| \leqslant \rho$. Ainsi, pour $\|\xi\| \leqslant r$, pour tout $t \in [-1, 1]$,

$$\|f(x_0 + t\xi, u) \cdot \xi\| \leqslant Mr .$$

Comme on l'a vu dans la démonstration du théorème 5.1 (Cauchy-Lipschitz), cela permet de construire une solution $\psi : [-1, 1] \to B(u_0; \rho)$ de (5.21) telle que $\psi(0) = u_0$ pourvu que l'on ait $Mr \leqslant \rho$, ce que l'on peut toujours supposer vrai quitte à diminuer r. De plus, d'après le théorème 5.7 (p. 194), ψ est fonction de classe $\mathcal{C}^1$ du paramètre ξ. On remarque de plus que l'équation (5.21) est invariante par le changement d'échelle $(t, \xi) \mapsto (t/\lambda, \lambda\xi)$. Par suite, d'après l'unicité des solutions (lemme 5.3), ψ ne dépend que de $t\xi$: si l'on écrit explicitement sa dépendance en ξ, cela signifie que

$$\psi(t, \xi) = \psi(1, t\xi) .$$

On obtient alors la fonction φ cherchée en posant $\varphi(x) = \psi(1, x - x_0)$. Ainsi, pour $\xi \in B(0; r)$ et $t \in [-1, 1]$, on a

$$\varphi(x_0 + t\xi) = \psi(1, t\xi) .$$

Il reste ensuite à montrer que sous l'hypothèse de symétrie de T, la fonction φ vérifie bien $d\varphi(x) = f(x, \varphi(x))$ pour tout $x \in B(x_0; r)$. Pour cela on va à nouveau invoquer le théorème de Cauchy-Lipschitz, pour une équation différentielle linéaire cette fois. Fixons $\xi \in B(0; r)$, $\eta \in E$, et considérons la fonction

$$H : t \in [-1, 1] \mapsto H(t) := t\,(d\varphi(x_0 + t\xi) - g(x_0 + t\xi)) \cdot \eta\,.$$

où g est définie comme dans la partie directe. On a évidemment $H(0) = 0$. Si l'on montre que H est solution d'une équation différentielle linéaire du premier ordre, on pourra en déduire que H est identiquement nulle et donc que pour tout $t \neq 0$,

$$d\varphi(x_0 + t\xi) \cdot \eta = f(x_0 + t\xi, \varphi(x_0 + t\xi)) \cdot \eta\,.$$

Ceci étant vrai quels que soient ξ et η, la démonstration sera terminée. Calculons donc la dérivée de H par rapport à t. Le premier terme de H s'écrit aussi $d_\xi\psi(t, \xi) \cdot \eta$, donc sa dérivée par rapport à t est, compte-tenu de (5.20) et d'après le théorème de Schwarz,

$$d_\xi(g(x_0 + t\xi)) \cdot \xi) \cdot \eta \;=\; t\, dg(x_0 + t\xi) \cdot \eta \cdot \xi \;+\; g(x_0 + t\xi) \cdot \eta\,,$$

En dérivant le second terme de H on trouve donc

$$\frac{dH}{dt} = t\;(dg(x_0 + t\xi) \cdot \eta \cdot \xi - dg(x_0 + t\xi) \cdot \xi \cdot \eta)\,.$$

C'est ici qu'intervient la condition de symétrie, car elle permet de transformer le second terme et montrer ainsi que

$$\frac{dH}{dt} = t\, d_u f(x_0 + t\xi, \varphi(x_0 + t\xi)) \cdot H(t) \cdot \xi$$

pour tout $t \in [-1, 1]$. Or, l'application $(t, h) \mapsto t\, d_u f(x_0 + t\xi, \varphi(x_0 + t\xi)) \cdot h \cdot \xi$ étant de classe $\mathcal{C}^1$ et linéaire par rapport à h, d'après le lemme 5.3, la seule solution de l'équation différentielle

$$\frac{dh}{dt} = t\, d_u f(x_0 + t\xi, \varphi(x_0 + t\xi)) \cdot h \cdot \xi$$

qui s'annule en $t = 0$ est l'application nulle. Donc $H \equiv 0$. □

Exercices

5.1 Temps d'existence de solutions maximales

Pour chacun des problèmes de Cauchy suivants, justifier l'existence d'une unique solution maximale et déterminer son intervalle de définition :

$$x' = 1 + x\,, \quad x(0) = 1\,,$$
$$x' = x^{4/3}\,, \quad x(0) = 1\,,$$
$$x' = \sin x\,, \quad x(0) = 2\,.$$

5.2 Non unicité

Montrer que le problème de Cauchy pour l'équation $x' = x^{2/3}$ et la donnée initiale $x(0) = 0$ admet une infinité de solutions.

5.3 Non existence

Soit E l'espace des suites réelles tendant vers 0, muni de la norme définie par $\|x\|_\infty := \sup\limits_{n\in\mathbb{N}} |x_n|$ pour $x = (x_n)_{n\in\mathbb{N}}$ (c'est un espace de Banach).

i) Montrer que

$$f : x = (x_n)_{n\in\mathbb{N}} \mapsto y = f(x)\,;\ y_n = \sqrt{|x_n|} + \frac{1}{n+1}\,, \quad n \in \mathbb{N}$$

définit une application continue de E dans E.

ii) On considère le problème de Cauchy

$$\frac{\mathrm{d}x}{\mathrm{d}t} = f(x)\,, \quad x(0) = 0_E\,.$$

Supposons que $x \in \mathcal{C}^1(]-a, a[; E)$ soit une solution (avec $a > 0$). Montrer qu'alors

$$x_n(t) > 0 \quad \text{et} \quad \frac{x_n'(t)}{\sqrt{x_n(t)}} > 1$$

pour tout $n \in \mathbb{N}$ et tout $t \in [0, a[$.

iii) En déduire que pour tout $n \in \mathbb{N}$ et tout $t \in [0, a[$, $x_n(t) \geqslant t^2/4$ et conclure.

5.4 Solutions maximales/périodiques

On considère l'équation différentielle scalaire :

$$\frac{\mathrm{d}u}{\mathrm{d}t} = (1 + \cos t)\,u - u^3\,. \tag{5.22}$$

i) (a) Si $u \in \mathcal{C}^1(J; \mathbb{R})$ est une solution sur un intervalle $J \subset \mathbb{R}$ telle qu'il existe $\tau \in J$ pour lequel $u(\tau) = 0$, que peut-on dire de u ?

(b) Soit $v \in \mathbb{R}^{+*}$ et $u \in \mathcal{C}^1(J;\mathbb{R})$ la solution maximale du problème de Cauchy pour l'équation (5.22) et la donnée initiale $u(0) = v$. Montrer qu'il existe $C > 0$ tel que $0 < u(t) \leqslant v\exp(Ct)$ pour tout $t \in J$, $t \geqslant 0$.

(c) Montrer que toutes les solutions maximales de (5.22) sont globales sur $\mathbb{R}^+$.

ii) On note $\phi = \phi^0$ le flot de (5.22) en $t = 0$, qui est global d'après ce qui précède, et $p(v) := \phi(2\pi, v)$ pour tout $v \in \mathbb{R}^+$.

(a) Calculer $p(0)$ et $p'(0)$.

(b) Montrer que p est solution d'une équation différentielle et la résoudre.

(c) Déduire de ce qui précède l'existence d'une solution 2π-périodique à valeurs strictement positives de (5.22).

5.5 Équation d'une chaînette

Soit $\alpha \in \mathbb{R}$. On considère l'équation

$$\sqrt{1+(\dot\varphi)^2} - \frac{\mathrm{d}}{\mathrm{d}x}\left(\frac{(\varphi-\alpha)\dot\varphi}{\sqrt{1+(\dot\varphi)^2}}\right) = 0, \quad \dot\varphi = \frac{\mathrm{d}\varphi}{\mathrm{d}x}.$$

i) Vérifier que c'est l'équation d'Euler-Lagrange associée à

$$L(\varphi,\dot\varphi) = (\varphi - \alpha)\sqrt{1+(\dot\varphi)^2}.$$

ii) Vérifier que $B(\varphi,\dot\varphi) := \dot\varphi\,\dfrac{\partial L}{\partial \dot\varphi}(\varphi,\dot\varphi) - L$ est indépendant de x, si φ est solution de l'équation ci-dessus, et expliciter B.

iii) Soit $\beta \in \mathbb{R}$. Résoudre l'équation $B(\varphi,\dot\varphi) = \beta$.

5.6 **i)** On considère l'équation de Riccati $u' = u^2$. Donner l'intervalle d'existence de la solution maximale du problème de Cauchy en fonction de la donnée initiale $u(0) = u_0$.

ii) Soit v une fonction continue sur un intervalle J contenant 0 telle que

$$v(t) \leqslant \mathrm{e}^{\int_0^t v(\tau)\,\mathrm{d}\tau} \quad \text{pour tout } t \in J.$$

Montrer, en s'inspirant de la question précédente et de la démonstration du lemme de Gronwall, que pour tout $t \in J$, $t < 1$, $v(t) \leqslant 1/(1-t)$.

iii) On considère maintenant l'équation $u' = u^2 + t^2$.

(a) Soit u la solution maximale du problème de Cauchy pour la donnée initiale $u(0) = 0$. Soit $z(t) = \exp\left(-\int_0^t u(s)ds\right)$. Ecrire une équation différentielle du second ordre pour z et montrer que $z'(0) = z''(0) = z'''(0) = 0$.

(b) Résoudre l'équation différentielle sur z en cherchant une solution sous la forme d'une série entière.

(c) En déduire alors que u est définie sur un intervalle $]-\tau,\tau[$ avec $\tau \in]2,+\infty[$.

5.7 Soient $\lambda > 0$ et $a \in \mathcal{C}(\mathbb{R}^+; \mathbb{R}^+_*)$ continue. On suppose qu'il existe $\alpha > 0$ tel que pour tout $T > 0$,

$$\sup_{t\in]0,T]} \frac{1}{t}\int_0^t s^2 a(s)\,\mathrm{d}s < \alpha,$$

et l'on considère la solution maximale $x : [0, T^*[\to \mathbb{R}$ de l'équation différentielle

$$\frac{\mathrm{d}x}{\mathrm{d}t} = \lambda + a(t)\,x^2,$$

pour la donnée initiale $x(0) = 0$.

i) L'objectif de cette question est de montrer que si $4\alpha\lambda < 1$, alors $T^* = +\infty$.

(a) Soit $T < T^*$ et $M : [0,T] \to \mathbb{R}$ définie par $M(0) = \lambda$ et $M(t) = \sup\limits_{s\in]0,t]} \frac{x(s)}{s}$ pour $t \in]0, T]$. Montrer que M continue et à valeurs positives.

(b) Montrer qu'il existe $\mu < \alpha$ tel que $M(t) \leqslant \lambda + \mu M(t)^2$ pour tout $t \in [0, T]$.

(c) En déduire que si $4\alpha\lambda < 1$ alors pour tout $t \in [0, T]$, $M(t) \leqslant \frac{1-\sqrt{1-4\mu\lambda}}{2\mu}$ et conclure.

ii) On veut maintenant construire un contre-exemple au résultat précédent lorsque $4\alpha\lambda > 1$. On pose $a(t) = (1 + t^2)^{-1}$.

(a) Vérifier que cette fonction a vérifie l'hypothèse avec $\alpha = 1$.

(b) On choisit $\lambda > \frac{1}{4}$. Soit $z(t) = x(t)/\sqrt{1+t^2}$. Démontrer que pour tout $t \in [0, T^*[$,

$$0 < z^2(t) - z(t) + \lambda \leqslant z'(t)\sqrt{1+t^2} \leqslant z(t)^2 + \lambda.$$

(c) En déduire que pour tout $t \in [0, T^*[$,

$$\int_0^{z(t)} \frac{ds}{s^2+\lambda} \leqslant \int_0^t \frac{ds}{\sqrt{1+s^2}} \leqslant \int_0^{z(t)} \frac{ds}{s^2 - s + \lambda},$$

puis que $\mathrm{sh}(\pi/(2\sqrt{\lambda})) \leqslant T^* \leqslant \mathrm{sh}(2\pi/(\sqrt{4\lambda-1}))$.

5.8 Soient $f \in \mathcal{C}^1(\mathbb{R}; \mathbb{R}^+)$ et $x_0 \in \mathbb{R}$.

i) En supposant que f ne s'annule pas et que

$$\int_{-\infty}^{\infty} \frac{\mathrm{d}s}{f(s)} < +\infty,$$

montrer que la solution maximale du problème de Cauchy pour l'équation différentielle $x' = f(x)$ et la donnée $x(t_0) = x_0 \in \mathbb{R}$ est définie sur $]t_0 - T_*, t_0 + T^*[$, où

$$T_* = t_0 - \int_{-\infty}^{x_0} \frac{ds}{f(s)},\quad T^* = t_0 + \int_{x_0}^{+\infty} \frac{ds}{f(s)}.$$

ii) En supposant que f s'annule en un unique point ξ_0 (et, rappelons-le, f est à valeurs dans $\mathbb{R}^+$), montrer que l'intervalle de définition de la solution maximale de $x' = f(x)$ pour la donnée $x(t_0) = x_0$ n'est pas majoré si $x_0 < \xi_0$, et n'est pas minoré si $x_0 > \xi_0$.

5.9 Soit $f \in \mathcal{C}(\mathbb{R} \times \mathbb{R}^n; \mathbb{R}^n)$. On suppose qu'il existe $F \in \mathcal{C}(\mathbb{R}^+; \mathbb{R}^{+*})$ telle que pour tout $a \in \mathbb{R}^+$,

$$\int_a^\infty \frac{\mathrm{d}s}{F(s)} = +\infty,$$

et $\|f(t,x)\| \leqslant F(\|x\|)$ quel que soit $(t, x) \in \mathbb{R} \times \mathbb{R}^n$, où $\|\cdot\|$ est une norme quelconque sur $\mathbb{R}^n$.

i) Soit $u \in \mathcal{C}(J; \mathbb{R}^n)$ une solution maximale de l'équation différentielle $u' = f(t, u)$. Soit $r : t \mapsto r(t) := \|u(t)\|$. Montrer que $r'(t) \leqslant F(r(t))$ pour tout $t \in J$.

ii) En déduire que u est globale, c'est-à-dire que $J = \mathbb{R}$.

Solutions

5.1 Les solutions de $x' = 1 + x$ sont toutes de la forme $x : t \mapsto x_0 e^t - 1$, et elles sont définies sur $\mathbb{R}$ tout entier (ceci est dû au fait que la fonction $x \mapsto 1 + x$ est affine). La fonction $x \mapsto x^{4/3}$ est de classe $\mathcal{C}^1$ sur $\mathbb{R}$ (car l'exposant 4/3 est supérieur à 1), ce qui permet d'appliquer le théorème de Cauchy-Lipschitz. Les solutions de $x' = x^{4/3}$ ne s'annulant pas se calculent pas quadrature. On trouve ainsi que la solution maximale valant 1 en $t = 0$ est donnée par $dx(t) = 1/(1 - t/3)^3$ pour tout $t \in]-\infty, 3[$. La fonction sin est de classe $\mathcal{C}^1$ (même analytique) et bornée sur $\mathbb{R}$, donc les solutions maximales de l'équation $x' = \sin x$ sont globales, c'est-à-dire définies sur $\mathbb{R}$ tout entier (d'après le théorème 5.5).

5.2 La fonction $x \mapsto x^{2/3}$ n'étant pas Lipschitzienne en $x = 0$, le théorème de Cauchy-Lipschitz ne s'applique pas à l'équation $x' = x^{2/3}$ près de 0. Les solutions ne s'annulant pas se calculent par quadrature : elles sont de la forme $x(t) = (x_0^{1/3} + (t - t_0)/3)^3$; on voit ainsi que pour tout $t_0 < 0$ et $x_0 > (t_0/3)^3$, la solution correspondante s'annule en $t_1 = t_0 - 3x_0^{1/3} < 0$; si on la prolonge par 0 pour tout $t \geqslant t_1$, on obtient une solution valant 0 en 0.

5.3 **i)** L'espace E est stable par f, puisque $\sqrt{\ }$ est continue en 0 et la suite de terme général $1/(n + 1)$ tend vers 0. De plus, la fonction $t \mapsto \sqrt{|t|}$ est uniformément continue sur $\mathbb{R}$ (en tant que fonction continue sur le compact $[0, T]$), et sa dérivée est uniformément bornée sur $[T, +\infty[$ pour $T > 0$: pour tout $\varepsilon > 0$ il existe $\eta > 0$ tel que si $|t - s| \leqslant \eta$ alors $|\sqrt{|t|} - \sqrt{|s|}| \leqslant \varepsilon$. Par suite, pour x et $z \in E$ tels que $\|x - z\| \leqslant \eta$, on a $\|f(x)_n - f(z)_n\| = |\sqrt{|x_n|} - \sqrt{|z_n|}| \leqslant \varepsilon$. Ceci montre que f est continue.

ii) Par hypothèse, pour tout $n \in \mathbb{N}$ et tout $t \in [0, a[$,

$$x_n'(t) = \sqrt{|x_n(t)|} + \frac{1}{n+1} > 0,$$

donc la fonction scalaire x_n est strictement croissante (c'est le seul intérêt du terme $1/(n+1)$), ce qui implique en particulier $x_n(t) > x_n(0) = 0$. On peut donc diviser par $\sqrt{x_n(t)} = \sqrt{|x_n(t)|}$, ce qui donne

$$\frac{x_n'(t)}{\sqrt{x_n(t)}} = 1 + \frac{1}{(n+1)\sqrt{x_n(t)}} > 1.$$

pour tout $n \in \mathbb{N}$ et tout $t \in [0, a[$.

iii) Quel que soit n, la fonction $t \mapsto \sqrt{x_n(t)}$ est continue sur $[0, a[$ et dérivable sur $]0, a[$, donc d'après la formule des accroissements finis, valable pour les fonctions scalaires, quel que soit $t \in]0, a[$, il existe τ (dépendant de t et de n) tel que

$$\sqrt{x_n(t)} = \frac{x_n'(\tau)}{2\sqrt{x_n(\tau)}}\, t,$$

d'où, grâce à la question précédente, $\sqrt{x_n(t)} \geqslant \frac{1}{2}t$ et par conséquent $x_n(t) \geqslant \frac{1}{4}t^2$ (y compris d'ailleurs en 0). Cela empêche évidemment la suite $x(t) = (x_n(t))_{n\in\mathbb{N}}$ de tendre vers 0 lorsque $t > 0$. L'équation n'a donc pas de solution dans E.

5.4 **i) (a)** Comme la fonction nulle est trivialement solution de l'équation différentielle (qui vérifie les hypothès du théorème de Cauchy-Lipschitz car la fonction $(t, u) \mapsto (1 + \cos t)u - u^3$ est de classe $\mathcal{C}^1$, et même analytique), le lemme 5.3 montre que si une solution s'annule en un point elle identiquement nulle.

(b) Si $v \in \mathbb{R}^{+*}$ et $u \in \mathcal{C}^1(J; \mathbb{R})$ est la solution maximale du problème de Cauchy pour la donnée initiale $u(0) = v$, elle ne s'annule pas d'après la question précédente, donc elle est à valeurs strictement positives. Par suite, pour tout $t \in J$, $u'(t) < (1 + \cos t)\, u(t) \leqslant 2\, u(t)$, d'où par intégration, $u(t) \leqslant u(0)\,\mathrm{e}^{2t}$.

(c) Supposons que $u \in \mathcal{C}^1(J; \mathbb{R})$ soit une solution maximale avec $sup J = T \in \mathbb{R}$. Soit (t_n) une suite déléments de J tendant vers T. La suite $(u(t_n))$ est bornée (par $u(0)\,\mathrm{e}^{2T}$) donc elle admet une sous-suite convergente, que l'on note encore $(u(t_n))$ pour simplifier. Notons $\underline{u}$ sa limite. Alors d'après le lemme 5.4, il existe $\overline{\tau} > 0$, $R > 0$, et $\tau \in]0, \overline{\tau}]$ tels que pour tout $(t_0, u_0) \in [T - \overline{\tau}, T + \overline{\tau}] \times \overline{B}(\underline{u}, R)$, la solution maximale du problème de Cauchy valant u_0 en t_0 soit définie sur un intervalle contenant $[t_0 - \tau, t_0 + \tau]$. En choisissant n assez grand pour que $u(t_n) \in \overline{B}(\underline{u}, R)$ et $t_n \in]T - \tau, T + \tau[$, on peut prolonger u au delà de T en appliquant ce qui précède à $u_0 = u(t_n)$ et $t_0 = t_n$.

ii) (a) On a $\phi(t, 0) = 0$ quel que soit t (ceci est une façon de reformuler la réponse à la première question). Donc en particulier $p(0) = 0$. Par ailleurs, la dérivée par rapport à v du flot ϕ, notée ψ, vérifie l'équation aux variations :

$$\partial_t \psi = (1 + \cos t - 3\phi(t, v)^2)\, \psi,$$

avec la condition initiale $\psi(0, v) = 1$. Cette équation (linéaire en ψ) s'intègre (comme au § 5.2.1) en $\psi(t, v) = \exp\big(t + \sin t - 3 \int_0^t \phi(s, v)^2\,\mathrm{d}s\big)$. En particulier, $p'(0) = \psi(2\pi, 0) = \mathrm{e}^{2\pi}$.

(b) Pour $v \neq 0$, $\phi(t,v)$ ne s'annule pas, et l'on a par définition

$$\frac{1}{\phi}\partial_t\phi = 1 + \cos t - \phi^2,$$

d'où par intégration

$$\int_0^t \phi(s, v)^2\,\mathrm{d}s = t + \sin t - \ln(\phi(t, v)/v).$$

En substituant cette valeur dans l'expression de $\psi(t, v)$ on obtient alors

$$\psi(t, v) = \mathrm{e}^{-2(t+\sin t)}\,(\phi(t, v)/v)^3.$$

Ceci montre en particulier (en $t = 2\pi$) que $p'(v) = \mathrm{e}^{-4\pi}\,(p(v)/v)^3$. En intégrant l'équation différentielle

$$\frac{\mathrm{d}p}{\mathrm{d}v} = \mathrm{e}^{-4\pi}\,\frac{p^3}{v^3}$$

par séparation de variables comme au § 5.2.4, on en déduit l'existence d'une constante C telle

$$p(v)^2 = \frac{\mathrm{e}^{4\pi}\,v^2}{1 + Cv^2}.$$

Sachant que $p(v)$ est défini et strictement positif pour tout $v > 0$, la constante C est nécessairement positive et

$$p(v) = \frac{\mathrm{e}^{2\pi}\,v}{\sqrt{1 + Cv^2}}.$$

(Notons que $p(v)/v$ tend bien vers $\mathrm{e}^{2\pi} = p'(0)$ lorsque $v \to 0$.) En fait on a même $C > 0$ car si C était nul, on aurait $p(v)/v = \mathrm{e}^{2\pi}$ pour tout v, et donc $\int_0^{2\pi} \phi(s, v)^2\mathrm{d}s = 0$ pour tout v, ce qui est impossible car $\phi(s, v) > 0$ pour $s \geqslant 0$ et $v > 0$.

(c) La fonction $v \mapsto p(v)/v$ admet un prolongement continu à $\mathbb{R}^+$, valant $\mathrm{e}^{2\pi} > 1$ en 0, et tendant vers 0 en $+\infty$. Donc d'après le théorème des valeurs intermédiaires, il existe $v_1 \in]0, +\infty[$ tel que $p(v_1) = v_1$. Ainsi l'application $u_1 : t \mapsto \phi(t,v_1)$ et $t \mapsto (t + 2\pi, v_1)$ sont solutions du même problème de Cauchy (car la fonction cos est 2π-périodique), donc coïncident : cela montre que u_1 est 2π-périodique.

5.5 **i)** On a

$$\frac{\partial L}{\partial \varphi}(\varphi, \dot\varphi) = \sqrt{1 + (\dot\varphi)^2}, \quad \frac{\partial L}{\partial \dot\varphi}(\varphi, \dot\varphi) = \frac{(\varphi - \alpha)\,\dot\varphi}{\sqrt{1 + (\dot\varphi)^2}},$$

donc l'équation considérée est bien l'équation d'Euler-Lagrange

$$\frac{\partial L}{\partial \varphi}(\varphi, \dot\varphi) - \frac{\mathrm{d}}{\mathrm{d}x}\left(\frac{\partial L}{\partial \dot\varphi}(\varphi, \dot\varphi)\right) = 0\,.$$

(Voir l'exercice 3.13 pour l'interprétation mécanique de cette équation.)

ii) On a, indépendamment de l'expression de L,

$$\frac{\mathrm{d}}{\mathrm{d}x}\left(B(\varphi,\dot\varphi)\right) = \frac{\mathrm{d}^2\varphi}{\mathrm{d}x^2}\frac{\partial L}{\partial \dot\varphi}(\varphi,\dot\varphi) + \frac{\mathrm{d}\varphi}{\mathrm{d}x}\frac{\mathrm{d}}{\mathrm{d}x}\left(\frac{\partial L}{\partial \dot\varphi}(\varphi,\dot\varphi)\right) - \frac{\mathrm{d}\varphi}{\mathrm{d}x}\frac{\partial L}{\partial \varphi}(\varphi,\dot\varphi)$$
$$- \frac{\mathrm{d}^2\varphi}{\mathrm{d}x^2}\frac{\partial L}{\partial \dot\varphi}(\varphi,\dot\varphi) = 0\,.$$

La fonction B est ce que l'on appelle une *intégrale première* de l'équation d'Euler-Lagrange pour L : c'est un fait général, à rapprocher de l'exercice 3.10 (à un changement de variable près, B est le hamiltonien associé au lagrangien L). Par définition de L,

$$B(\varphi,\dot\varphi) = \frac{(\varphi - \alpha)\,\dot\varphi^2}{\sqrt{1 + (\dot\varphi)^2}} - (\varphi - \alpha)\sqrt{1 + (\dot\varphi)^2} = -\frac{\varphi - \alpha}{\sqrt{1 + (\dot\varphi)^2}}\,.$$

iii) L'équation $B(\varphi,\dot\varphi) = \beta$ équivaut donc à $\varphi - \alpha = -\beta\sqrt{1 + (\dot\varphi)^2}$. Si $\beta = 0$, on en déduit $\varphi \equiv \alpha$ (constante). Si $\beta \neq 0$, elle est équivalente à $\beta(\varphi - \alpha) \leqslant 0$ et $(\dot\varphi)^2 = (\varphi - \alpha)^2/\beta^2 - 1$. Si $(\varphi_0 - \alpha)/\beta < -1$, il existe une unique solution locale de $(\dot\varphi)^2 = (\varphi - \alpha)^2/\beta^2 - 1$, strictement croissante et valant φ_0 en x_0 (arbitraire), qui se calcule (voir le paragraphe 5.2.4) en résolvant l'équation implicite

$$x - x_0 = \int_{x_0}^{x} \frac{\varphi'(t)}{\sqrt{(\varphi(t) - \alpha)^2/\beta^2 - 1}}\,\mathrm{d}t\,.$$

Ce n'est pas toujours possible avec des fonctions élémentaires mais là oui: en posant pour simplifier $\psi(x) = -(\varphi(x) - \alpha)/\beta$ on a

$$x - x_0 = -\beta\int_{x_0}^{x} \frac{\psi'(x)}{\sqrt{\psi(x)^2 - 1}}\,\mathrm{d}x\,,$$

d'où

$$-\frac{x - x_0}{\beta} = \operatorname{argch}(\psi(x)) - \operatorname{argch}(\psi(x_0))\,,\ \forall x\,;\ \psi(x) > 1\,,$$

et finalement

$$\varphi(x) = \alpha - \beta\operatorname{ch}(\gamma - x/\beta)\,,\ \gamma := \operatorname{argch}(\psi(x_0)) + x_0/\beta\,.$$

Cette formule pour $\varphi(x)$ est en principe valable seulement tant que $\varphi'(x) > 0$, c'est-à-dire pour $x/\beta < \gamma$. Cependant, si l'on cherche φ décroissante, on obtient la même formule, valable cette fois pour $x/\beta < \gamma$. On vérifie d'ailleurs que, pour tout $x \in \mathbb{R}$, la fonction $\varphi : x \mapsto \alpha - \beta\operatorname{ch}(\gamma - x/\beta)$ vérifie $\varphi = \alpha - \beta\sqrt{1 + (\dot\varphi)^2}$.

5.6 **i)** La seule solution s'annulant est la solution identiquement nulle. Comme on l'a vu au paragraphe 5.4.2, si $u_0 \neq 0$, la solution du problème de Cauchy pour la donnée initiale $u(0) = u_0$ est donnée par $u(t) = u_0/(1 - tu_0)$ tant que le dénominateur ne s'annule pas. Si $u_0 > 0$, la solution maximale est ainsi définie sur l'intervalle $]-\infty, 1/u_0[$, tandis que si $u_0 < 0$, elle est définie sur $[1/u_0, +\infty[$.

ii) Soit $w : t \mapsto \exp\left(\int_0^t v(\tau)\,\mathrm{d}\tau\right)$ la fonction définie par le second membre de l'inégalité. Alors w est dérivable (puisque v est continue) et $w'(t) = v(t)\,w(t) \leqslant w(t)^2$. Comme w ne s'annule pas, cela implique

$$\frac{w'(t)}{w(t)^2} \leqslant 1\,, \quad \text{d'où} \quad -\frac{1}{w(t)} + 1 \leqslant t$$

par intégration et donc $w(t) \leqslant 1/(1-t)$ pour $t < 1$. Cela implique finalement $v(t) \leqslant 1/(1-t)$.

iii) a) Si $z(t) = \exp\left(-\int_0^t u(s)ds\right)$, $z'(t) = -u(t)z(t)$, $z''(t) = -u'(t)z(t) + u(t)^2 z(t) = -t^2 z(t)$. Donc z est solution de l'équation différentielle

$$\frac{\mathrm{d}^2 z}{\mathrm{d}t^2} = -t^2\,z\,.$$

Par ailleurs, $z'(0) = 0$ puisque $u(0) = 0$, $z''(0) = 0 \times z(0) = 0$, et $z'''(t) = -2tz(t) - t^2 z'(t)$, qui s'annule aussi en 0.

(b) Cherchons la solution z du problème de Cauchy

$$z'' = -t^2 z\,, \quad z(0) = 1\,,\ z'(0) = 0\,,$$

comme somme d'une série entière $\sum a_n t^n$. On a nécessairement $a_1 = z'(0) = 0$, $a_2 = z''(0)/2 = 0$, $a_3 = z'''(0)/6 = 0$.

De plus, si R désigne le rayon de convergence de la série entière, on a pour tout $t \in]-R, R[$,

$$z''(t) = \sum_{n=0}^{+\infty} (n+2)(n+1)a_{n+2}\,t^n = -t^2\,z(t) = -\sum_{n=2}^{+\infty} a_{n-2}\,t^n\,,$$

d'où la relation

$$a_n = -\frac{a_{n-4}}{n\,(n-1)}$$

pour tout $n \geqslant 4$. Par suite, $a_n = 0$ si $n \not\equiv 0[4]$, $a_0 = 1$, et quel que soit $k \in \mathbb{N}^*$,

$$a_{4k} = \frac{(-1)^k}{4k(4k-1)\,(4k-4)(4k-5)\cdots 4 \times 3}\,.$$

En particulier, une majoration grossière donne

$$|a_{4k}| \leqslant \frac{1}{k!4^k}$$

d'où

$$\sum_{k=0}^{+\infty} |a_{4k}\, t^{4k}| \leqslant e^{t^4/4}.$$

Par suite $R = +\infty$.

(c) Pour revenir à u il faut déterminer si z s'annule. Plus précisément, si l'on montre que z ne s'annule pas sur $[-2, 2]$, on en déduira $u(t) = -z'(t)/z(t)$ pour tout $t \in [-2, 2]$, et donc que u est définie sur un intervalle $]-\tau, \tau[$ avec $\tau > 2$. Étant donné que z est paire, il suffit de vérifier que z ne s'annule pas sur $[0, 2]$, c'est-à-dire encore que

$$f(x) := 1 + \sum_{k=1}^{+\infty} a_{4k}\, x^k.$$

ne s'annule pas sur $[0,: 16]$. On va utiliser pour cela le fait que la série est alternée ($a_{4k}a_{4(k+1)} < 0$) et que $|a_{4(k+1)}x^{k+1}| < |a_{4k}x^k|$ pour $0 < x < 56$. Ceci implique en particulier

$$f(16) > 1 + 16\,a_4 + 16^2\,a_8 + 16^3\,a_{12} =$$
$$1 - \frac{4}{3} + \frac{8}{21} - \frac{32}{33 \times 21} = \frac{1}{693},$$

et pour tout $x \in [0, 16]$,

$$f'(x) \leqslant a_4 + 2\,a_8\,x \leqslant -\frac{1}{12} + \frac{1}{42} = -\frac{5}{84}.$$

Par suite, f est décroissante et donc à valeurs strictement positives sur $[0, 16]$ puisque $f(16) > 0$.

5.7 **i) (a)** Comme par hypothèse $x(0) = 0$, on a

$$\lim_{s\to 0} \frac{x(s)}{s} = x'(0) = \lambda$$

d'après l'équation différentielle satisfaite par x. Donc la fonction

$$f : s \in [0, T] \mapsto \begin{cases} x(s)/s & \text{si } s \neq 0, \\ \lambda & \text{si } s = 0, \end{cases}$$

est continue, et atteint son maximum sur le compact $[0, T]$. Par suite on a

$$M(t) = \max_{s\in[0,\,t]} f(s)$$

pour tout $t \in [0, T]$. La fonction M est croissante et donc à valeurs positives puisque $M(0) = \lambda > 0$. De plus, f étant uniformément continue sur le compact $[0, T]$, quel que soit $\varepsilon > 0$, il existe $\eta > 0$ tel que $|t - \tau| \leqslant \eta$ implique $|f(t) - f(\tau)| \leqslant \varepsilon$. Par suite, si $t \leqslant s \leqslant t + \eta$, pour tout $\tau \in [t, s]$ on a $f(\tau) \leqslant f(t) + \varepsilon \leqslant M(t) + \varepsilon$, tandis que pour tout $\tau \in [0, t]$, on a $f(\tau) \leqslant M(t)$, et donc finalement $M(s) \leqslant M(t) + \varepsilon$. Comme M est croissante cela suffit à montrer qu'elle est continue.

(b) Par définition de x, on a pour tout $t \in [0, T]$,

$$x(t) = \int_0^t \lambda + a(s)\, x(s)^2 \,\mathrm{d}s\,,$$

d'où (puisque a est à valeurs positives) pour $t > 0$,

$$\frac{x(t)}{t} \leqslant \lambda + M(t)^2 \frac{1}{t} \int_0^t s^2 a(s)\,\mathrm{d}s\,,$$

et donc $M(t) \leqslant \lambda + \mu M(t)^2$ avec

$$\mu := \sup_{t\in]0,T]} \frac{1}{t} \int_0^t s^2 a(s)\,\mathrm{d}s\,,$$

qui est fini, strictement inférieur à α et indépendant de T par hypothèse.

(c) Si $4\alpha\,\lambda < 1$ alors a fortiori $4\mu\,\lambda < 1$ le polynôme $\mu X^2 - X + \lambda$ a ses racines réelles, ce sont $(1 \pm \sqrt{1-4\mu\lambda})/(2\mu)$, et prend donc des valeurs positives seulement en dehors de ces racines. Puisque $M(t) \leqslant \lambda + \mu M(t)^2$ on a donc, quel que soit t,ou bien $M(t) \leqslant (1 - \sqrt{1-4\mu\lambda})/(2\mu)$ ou bien $M(t) \geqslant (1 + \sqrt{1-4\mu\lambda})/(2\mu)$. Or $M(0) = \lambda < (1 - \sqrt{1-4\mu\lambda})/(2\mu)$. Donc par continuité de M, on $M(t) \leqslant (1 - \sqrt{1-4\mu\lambda})/(2\mu)$ quel que soit $t \in [0, T]$.

Finalement, ceci prouve que x est bornée sur $[0, T]$ indépendamment de $T < T^*$, et contredit le fait qu'elle soit maximale sur $[0, T^*[$ (d'après le théorème des bouts).

ii) (a) Par définition de a, on a

$$\int_0^t s^2 a(s)\,\mathrm{d}s = \int_0^t \frac{s^2}{1+s^2}\,\mathrm{d}s \leqslant t\,.$$

(b) Si $x(t) = z(t)\sqrt{1+t^2}$ définit une solution de l'équation différentielle $x' = \lambda + x^2/(1+t^2)$ on a d'une part $x'(t) = \lambda + z(t)^2$, et d'autre part

$$z'(t)\sqrt{1+t^2} = x'(t) - \frac{t}{\sqrt{1+t^2}}\, z(t)\,.$$

Comme $\frac{t}{\sqrt{1+t^2}} \in [0, 1[$ et $x(t) \leqslant 0$ (d'après la formule intégrale vue plus haut), d'où aussi $z(t) \geqslant 0$, on en déduit

$$z^2(t) - z(t) + \lambda \leqslant z'(t)\sqrt{1+t^2} \leqslant z(t)^2 + \lambda.$$

Par ailleurs, si $\lambda > 1/4$, le polynôme $X^2 - X + \lambda$ ne prend que des valeurs strictement positives sur $\mathbb{R}$.

(c) On a donc

$$\frac{z'(t)}{z(t)^2 + \lambda} \leqslant \frac{1}{\sqrt{1+t^2}} \leqslant \frac{z'(t)}{z^2(t) - z(t) + \lambda}\,,$$

d'où par intégration et changement de variables (justifié car z' ne s'annule pas) :

$$\int_0^{z(t)} \frac{\mathrm{d}s}{s^2+\lambda} \leqslant \int_0^t \frac{\mathrm{d}s}{\sqrt{1+s^2}} \leqslant \int_0^{z(t)} \frac{\mathrm{d}s}{s^2-s+\lambda}.$$

L'intégrale du milieu vaut $\operatorname{Argsh} t$, et l'intégrale de droite est majorée par

$$\int_0^{+\infty} \frac{\mathrm{d}s}{s^2-s+\lambda} \leqslant \frac{1}{\sqrt{\lambda-1/4}} \int_{-\infty}^{+\infty} \frac{\mathrm{d}\sigma}{1+\sigma^2} = \frac{2\pi}{\sqrt{4\lambda-1}},$$

d'où (la fonction sh étant croissante) $t \leqslant \operatorname{sh}(2\pi/(\sqrt{4\lambda-1}))$ quel que soit $t < T^*$, ce qui montre la majoration voulue pour T^*. D'autre part, lorsque t tend T^*, $x(t)$ doit tendre vers l'infini (d'après le théorème des bouts), et donc aussi $z(t)$. À la limite on obtient donc

$$\left(\frac{\pi}{2\sqrt{\lambda}}\right) = \int_0^{+\infty} \frac{\mathrm{d}s}{s^2+\lambda} \leqslant \operatorname{Argsh} T^*.$$

5.8 **i)** On procède comme au § 5.2.4 : la solution est donnée implicitement par

$$\int_{x_0}^{x(t)} \frac{\mathrm{d}s}{f(s)} = t - t_0.$$

Comme la fonction $1/f$ est à valeurs strictement positives, la fonction $x \mapsto \int_{x_0}^x \mathrm{d}s/f(s)$ est un difféomorphisme (strictement croissant) de $\mathbb{R}$ sur $]\tau_*, \tau^*[$ avec

$$\tau_* := -\int_{-\infty}^{x_0} \frac{\mathrm{d}s}{f(s)}, \quad \tau^* := \int_{x_0}^{+\infty} \frac{\mathrm{d}s}{f(s)}.$$

ii) Lorsque f s'annule en un unique point ξ_0 (et, rappelons-le, f est à valeurs dans $\mathbb{R}^+$), les solutions maximales telles que $x(t_0) = x_0 \neq \xi_0$ sont strictement croissantes, et majorées par ξ_0 si $x_0 < \xi_0$, ou minorées par ξ_0 si $x_0 > \xi_0$ (car elles ne peuvent prendre la valeur de la solution constante ξ_0 d'après le lemme d'unicité 5.3). D'après le théorème des bouts, les premières sont définies pour tout $t \geqslant t_0$ et les secondes pour tout $t \leqslant t_0$.

5.9 **i)** D'après l'inégalité triangulaire, pour tout $t \in J$ et $0 < h \ll 1$,

$$\frac{r(t+h)-r(t)}{h} \leqslant \frac{\|u(t+h)-u(t)\|}{|h|}$$

d'où en passant à la limite $h \to 0$, $r'(t) \leqslant \|u'(t)\|$. Comme $\|u'(t)\| \leqslant F(r(t))$ par hypothèse, on a bien $r'(t) \leqslant F(r(t))$ pour tout $t \in J$.
ii) Si $J =]\alpha, \beta[$ avec $\beta < +\infty$ (resp. $\alpha > -\infty$) alors d'après le théorème des bouts, $\lim_{t \nearrow \beta} r(t) = +\infty$ (resp. $\lim_{t \searrow \alpha} r(t) = +\infty$). Ainsi $r(t_0) > 0$ lorsque $t_0 \nearrow \beta$ et

$$\int_{r(t_0)}^{r(t)} \frac{\mathrm{d}s}{F(s)} \leqslant t - t_0$$

pour $t > t_0$ d'après la question précédente. Ceci contredit l'hypothèse sur F.

ÉQUATIONS LINÉAIRES

6

La plupart des problèmes de Physique mathématique conduisent à des équations différentielles partielles que l'on peut regarder comme linéaires au moins à une première approximation. [...] Une équation linéaire à coefficients constants ou variables étant donnée, on peut toujours, il est vrai, en trouver l'intégrale exprimée par une série convergente ; mais cette intégrale suffit rarement pour découvrir les propriétés et la marche de la fonction que l'équation différentielle détermine.

Joseph Liouville,
Sur la Théorie des Équations différentielles linéaires
et sur le développement des Fonctions en séries,
Journal de Mathématiques Pures et Appliquées, 1838.

Dans ce chapitre, on s'intéresse exclusivement aux équations différentielles du type

$$\frac{\mathrm{d}u}{\mathrm{d}t} = A(t)\,u + b(t)\,, \tag{6.1}$$

avec $b \in \mathcal{C}(I;X)$ et $A \in \mathcal{C}(I;\mathcal{L}(X))$, où X est un espace de Banach et, comme au chapitre précédent, on note simplement $A(t)\,u = A(t)\cdot u$ l'image de u par $A(t)$. Lorsque X est de dimension finie n on confondra éventuellement $A(t)$ avec sa matrice dans la base $(\frac{\partial}{\partial u_1},\dots,\frac{\partial}{\partial u_n})$ et les valeurs $u(t)$ avec les vecteurs colonnes formés des composantes de $u(t)$ dans cette base. On dit que (6.1) est « linéaire » (car $A(t)$ est linéaire) « forcée », ou avec « terme source », le terme $b(t)$ étant généralement dû à une source extérieure, éventuellement variable. C'est le cas par exemple pour un oscillateur harmonique soumis à une force périodique $f = f_0 \cos(\omega t)$: d'après la loi de Newton ceci conduit à une équation de la forme

$$m\,\frac{\mathrm{d}^2 y}{\mathrm{d}t^2} + k\,y = f_0 \cos(\omega t)$$

(qui est une version avec terme source de (5.4)). On qualifie parfois (6.1) simplement d'équation linéaire (bien que le terme correct soit plutôt « affine»).

6.1 Existence globale

D'après le théorème 5.4, les solutions de (6.1) sont globales.

Théorème 6.1

Pour $b \in \mathcal{C}(I; X)$ et $A \in \mathcal{C}(I; \mathcal{L}(X))$, quel que soit $(t_0, u_0) \in I \times X$, il existe une unique fonction $u \in \mathcal{C}^1(I; X)$ solution de (6.1) telle que $u(t_0) = u_0$.

On en donne ci-après une variante de démonstration, dont la méthode peut être utile dans d'autre contextes. Elle fait appel au théorème de point fixe suivant :

Théorème 6.2

Soient E un espace de Banach et $\mathcal{T} : E \to E$ dont une puissance est contractante. Alors $\mathcal{T}$ admet un point fixe unique.

Démonstration. Ce résultat est une conséquence facile du théorème de point fixe de Banach-Picard (théorème 1.9). Par hypothèse, il existe un entier k tel que $\mathcal{T}^k$ soit contractant et donc admette un point fixe unique u. Alors

$$\mathcal{T}^k(\mathcal{T}(u)) = \mathcal{T}(\mathcal{T}^k(u)) = \mathcal{T}(u) .$$

Donc $\mathcal{T}(u)$ est aussi un point fixe de $\mathcal{T}^k$. À cause de l'unicité de ce point fixe on a ainsi $\mathcal{T}(u) = u$. De plus, tout point fixe de $\mathcal{T}$ étant évidemment un point fixe de $\mathcal{T}^k$, u est l'unique point fixe de $\mathcal{T}$.

Démonstration du théorème 6.1. Pour résoudre le problème de Cauchy de donnée « initiale» $u(t_0) = u_0$, on cherche une solution continue de l'équation intégrale

$$u(t) = u_0 + \int_{t_0}^{t} (A(s)\, u(s) + b(s))\, ds ,$$

qui équivaut à

$$u(t) = v(t) + u_0 , \quad \text{avec} \quad v(t) = \int_{t_0}^{t} (A(s)\, (v(s) + u_0) + b(s))\, ds .$$

Pour simplifier on suppose $t_0 = 0$ (sans perte de généralité, quitte à faire une translation $t \mapsto t - t_0$). On ne peut pas travailler directement dans I, mais on le va le faire dans un intervalle compact *arbitraire* $[\alpha, \beta] \subset I$ (avec $\alpha < 0 < \beta$). Définissons l'opérateur :

$$\begin{array}{rcl} \mathcal{T} : \mathcal{C}([\alpha,\beta]; X) & \to & \mathcal{C}([\alpha,\beta]; X) \\ v & \mapsto & \mathcal{T}v ;\ (\mathcal{T}v)(t) = \int_0^t (A(s)\,(v(s) + u_0) + b(s))\, ds . \end{array}$$

Quels que soient v et w dans $\mathcal{C}([\alpha, \beta]; X)$ on a

$$(\mathcal{T}v)(t) - (\mathcal{T}w)(t) = \int_0^t A(s)\,(v(s) - w(s))\,\mathrm{d}s$$

et donc $\|(\mathcal{T}v)(t) - (\mathcal{T}w)(t)\| \leqslant C\,t \max_{s\in[0,t]} \|v - w\|$ avec $C := \max_{s\in[\alpha,\beta]} |||A(s)|||$.

Montrons par récurrence que

$$\|(\mathcal{T}^n v)(t) - (\mathcal{T}^n w)(t)\| \leqslant C^n \frac{t^n}{n!} \max_{s\in[0,t]} \|v - w\|$$

pour tout $t \in [\alpha, \beta]$. C'est vrai à l'ordre 1 comme on vient de le voir. Supposons l'inégalité vraie à l'ordre n. Alors

$$\|(\mathcal{T}^{n+1} v)(t) - (\mathcal{T}^{n+1} w)(t)\| = \|(\mathcal{T}(\mathcal{T}^n v))(t) - (\mathcal{T}(\mathcal{T}^n w))(t)\|$$
$$\leqslant C \int_0^t \|(\mathcal{T}^n v)(s) - (\mathcal{T}^n w)(s)\|\,\mathrm{d}s \leqslant C \max_{s\in[0,t]} \|v - w\| \int_0^t C^n \frac{s^n}{n!}\,\mathrm{d}s$$

d'après l'hypothèse de récurrence. En évaluant l'intégrale on obtient immédiatement l'inégalité à l'ordre $n + 1$:

$$\|(\mathcal{T}^{n+1} v)(t) - (\mathcal{T}^{n+1} w)(t)\| \leqslant C^{n+1} \frac{t^{n+1}}{(n+1)!} \|v - w\|.$$

Par conséquent, on a

$$\|\mathcal{T}^n v - \mathcal{T}^n w\| \leqslant C^n \frac{(\beta - \alpha)^n}{n!} \|v - w\|$$

quels que soient v et w. Donc $\mathcal{T}^n$ est contractant pour n assez grand et d'après le théorème 6.2, $\mathcal{T}$ admet un point fixe unique. □

6.2 Résolvante

Considérons l'équation différentielle linéaire dans $\mathcal{L}(X)$:

$$\frac{\mathrm{d}M}{\mathrm{d}t} = A(t) \circ M. \tag{6.2}$$

(En dimension finie, si l'on identifie $M(t)$ et $A(t)$ avec des matrices comme on le fera occasionnellement, le produit de composition $\circ$ est simplement à remplacer par le produit matriciel, voir par exemple la proposition 6.3.) D'après le théorème 6.1 (dans l'espace $\mathcal{L}(X)$), ses solutions maximales sont globales.

Définition 6.1

On appelle *résolvante* (« solution operator » en anglais) de l'équation différentielle homogène

$$\frac{du}{dt} = A(t)u \tag{6.3}$$

(associée à (6.1)), l'application $R : I \times I \to \mathcal{L}(X)$ telle que pour tout $(t,t_0) \in I$, $R(t,t_0)$ soit la valeur à l'instant t de la solution du problème de Cauchy pour (6.2) avec la condition initiale $R(t_0,t_0) = \mathrm{Id}_X$.

Par linéarité, pour tout $u_0 \in X$, l'application $u : t \mapsto R(t,t_0)u_0$ est la solution du problème de Cauchy pour (6.3) et la condition initiale $u(t_0) = u_0$. Autrement dit, le flot de (6.3) est donné par $\phi^{t_0}(t,u_0) = R(t,t_0)u_0$.

Par construction, R est continûment différentiable par rapport à t. De plus, le lemme 5.5 (conséquence du lemme de Gronwall, p. 190) montre que R est Lispchitzienne par rapport à t_0. Donc R est une fonction continue de (t,t_0). Comme l'ensemble des isomorphismes de $\mathcal{L}(X)$ est un ouvert et $R(t_0,t_0) = \mathrm{Id}_X$ est trivialement un isomorphisme, $R(t,t_0)$ est un isomorphisme pour tout t voisin de t_0. En fait, c'est vrai pour tout $t \in I$ comme conséquence de la :

Proposition 6.1

La résolvante est telle que $R(t, s) \circ R(s, t_0) = R(t, t_0)$ quels que soient $t,s,t_0 \in I$.

DÉMONSTRATION. Soit $u_0 \in X$ et $u(t) = R(t, t_0)u_0$. Alors la solution du problème de Cauchy

$$\frac{dv}{dt} = A(t)\, v\,, \quad v(s) = u(s)\,,$$

n'est autre que u, mais elle s'exprime aussi comme

$$v : t \mapsto v(t) = R(t,s)\, u(s) = R(t,s) \circ R(s,t_0)u_0\,.$$

D'où $R(t, t_0)u_0 = R(t, s) \circ R(s, t_0)u_0$. Ceci étant vrai quel que soit u_0, on en déduit la formule voulue. □

Corollaire 6.1

Pour tout $(t,t_0) \in I \times I$, $R(t,t_0)$ est un isomorphisme, d'inverse $R(t_0,t)$. De plus, R est continûment différentiable comme fonction de deux variables, et ses dérivées partielles satisfont

$$\frac{\partial R}{\partial t}(t,s) = A(t) \circ R(t,s) \quad \text{et} \quad \frac{\partial R}{\partial s}(t,s) = -\, R(t,s) \circ A(s)\,.$$

DÉMONSTRATION. La première partie est une conséquence immédiate de la proposition 6.1, car $R(t_0, t) \circ R(t, t_0) = R(t_0, t_0) = \mathrm{Id}_X$ et de même en échangeant les rôles de t_0 et t, $R(t, t_0) \circ R(t_0, t) = \mathrm{Id}_X$. L'expression de la dérivée partielle de R par rapport à sa première variable découle directement de la définition de R : on en déduit qu'elle est continue puisque A et R le sont. Pour montrer que R est dérivable par rapport à sa seconde variable, on utilise la première partie : comme $R(t, s) = R(s, t)^{-1}$, R est dérivable par rapport à s par composition de $s \mapsto R(s, t)$ et de l'application $M \in \mathrm{Isom}(X) \mapsto M^{-1}$, dont on sait qu'elle est (continûment) différentiable (voir l'exercice 1.13). Pour exprimer effectivement la dérivée partielle de R par rapport à sa seconde variable, on dérive simplement l'identité $R(t, s) \circ R(s, t) = \mathrm{Id}_X$ en utilisant l'expression de la dérivée partielle de R par rapport à sa première variable, ce qui donne :

$$\frac{\partial R}{\partial s}(t,s) \circ R(s,t) + R(t,s) \circ A(s) \circ R(s,t) = 0 .$$

Comme $R(s, t)$ est un isormorphisme, on en déduit l'expression annoncée. □

À ce stade, la résolvante n'est qu'un outil formel. On peut néanmoins la calculer dans certains cas particuliers.

6.2.1 Cas autonome

Si A est *indépendant* de t, les solutions de (6.1) s'expriment à l'aide de l'exponentielle. Le lemme 5.1 montre en effet que la résolvante de l'équation différentielle linéaire *autonome*

$$\frac{\mathrm{d}u}{\mathrm{d}t} = A\,u$$

est donnée par $R(t, s) = \mathrm{e}^{(t-s)\,A}$.

6.2.2 Cas scalaire

D'après le calcul fait au paragraphe 5.2.1, la résolvante de

$$\frac{\mathrm{d}u}{\mathrm{d}t} = a(t)\,u\,,$$

où l'inconnue u est à valeurs réelles et $a : I \to \mathbb{R}$ est continue, est donnée par

$$R(t,s) = \mathrm{e}^{\int_s^t a(\tau)\,\mathrm{d}\tau}.$$

Remarque 6.1

Il est tentant de généraliser les deux cas précédents, mais comme e^{A+B} n'est *pas le produit* de e^A et e^B lorsque A et B ne commutent pas, $R(t,s)$ n'est égal à $\exp\left(\int_s^t A(\tau)\,\mathrm{d}\tau\right)$ que si toutes les applications linéaires $A(\tau)$ commutent entre elles.

Cependant, on peut au besoin avoir recours à la majoration suivante de la résolvante.

Proposition 6.2

Si $A \in \mathcal{C}(I;\mathcal{L}(X))$, la résolvante $R : I \times I \to \mathrm{Isom}(X) \subset \mathcal{L}(X)$ de l'équation différentielle (6.3) vérifie, quels que soient $t \in I$ et $s \in I$,

$$|||R(t,s)||| \leqslant \mathrm{e}^{\left|\int_s^t |||A(\tau)|||\,\mathrm{d}\tau\right|}.$$

DÉMONSTRATION. C'est une application du lemme de Gronwall. D'après les formules du corollaire 6.1, on a pout tout $(t,s) \in I \times I$,

$$R(t,s) = \mathrm{Id}_X + \int_s^t A(\tau) \circ R(\tau,s)\,\mathrm{d}\tau = \mathrm{Id}_X + \int_t^s R(t,\sigma) \circ A(\sigma)\,\mathrm{d}\sigma.$$

Considérons pour fixer les idées le cas $s \leqslant t$. (Si $s \geqslant t$, on échange leurs rôles et on utilise la seconde égalité ci-dessus au lieu de la première.) On a alors

$$|||R(t,s)||| \leqslant 1 + \int_s^t |||A(\tau)|||\;|||R(\tau,s)|||\,\mathrm{d}\tau,$$

d'où l'on tire par application du lemme de Gronwall à $R(\theta, s)$ pour $\theta \in [s, t]$,

$$|||R(t,s)||| \leqslant \mathrm{e}^{\int_s^t |||A(\tau)|||\,\mathrm{d}\tau}.$$

6.2.3 Dimension finie

Tout ce que l'on peut dire, si les valeurs $A(t)$ ne commutent pas deux à deux, est que la résolvante est liée à une base de solutions de la façon suivante.

Proposition 6.3

Soient $A : I \to \mathcal{M}_n(\mathbb{R})$ continue et $R : I \to \mathcal{M}_n(\mathbb{R})$ la résolvante de (6.3) posée dans $\mathbb{R}^n$, définie comme la solution du problème

$$\frac{\partial R}{\partial t}(t,s) = A(t)\,R(t,s) \quad \text{et} \quad R(s,s) = \mathbf{I}_n.$$

Si $(e_1,\ldots,e_n)$ est une base de $\mathbb{R}^n$, alors les applications $t \mapsto R(t, t_0)e_i$, pour $i \in \{1,\ldots,n\}$, forment une famille indépendante de solutions de (6.3). Inversement, si $(u_1,\ldots,u_n)$ est une famille indépendante de solutions de (6.3), soit $B : t \in I \mapsto B(t) \in \mathrm{GL}_n(\mathbb{R})$ dont les vecteurs colonnes sont $u_1(t)$, ..., $u_n(t)$. Alors la résolvante de (6.3) est donnée par

$$R(t,s) = B(t)\,B(s)^{-1}.$$

DÉMONSTRATION. La première partie découle de la définition et du corollaire 6.1, qui montre que $R(t, s) \in \mathrm{GL}_n(\mathbb{R})$. La preuve de la seconde partie consiste à remarquer que l'application $t \mapsto B(t)\,B(s)^{-1}$ est solution du même problème de Cauchy que $t \mapsto R(t, s)$, et à conclure une nouvelle fois grâce au lemme d'unicité 5.3. □

Remarque 6.2

L'application B de la proposition 6.3 n'a aucune raison d'être unique. Cependant, à $t_0 \in I$ fixé, on peut considérer l'unique solution $B \in \mathcal{C}^1(I; \mathcal{M}_n(\mathbb{R}))$ du problème de Cauchy

$$\frac{\mathrm{d}B}{\mathrm{d}t} = A(t) \circ B\,, \quad B(t_0) = \mathbf{I}_n\,.$$

(Ainsi $B(t) = R(t,t_0)$.) On appelle alors $B(t)$ « la » *matrice fondamentale* de (6.3).

On peut aussi montrer que $R(t, s)$ est inversible en vérifiant que son déterminant, appelé *Wronskien*, satisfait une équation différentielle scalaire linéaire d'ordre 1, ce qui implique le résultat suivant.

Proposition 6.4 ***Formule de Liouville-Ostrogradsky***

Soit $\Delta(t, s) := \mathrm{dét}(R(t, s))$, où R est la résolvante de (6.3). Alors

$$\Delta(t,s) = \mathrm{e}^{\int_s^t \mathrm{tr}(A(\mathcal{T}))\,\mathrm{d}\mathcal{T}}\,.$$

DÉMONSTRATION. Elle repose sur l'expression de la *différentielle du déterminant*, que l'on va obtenir ici avec des arguments algébriques et un minimum de calculs. Le point de départ est la définition *intrinsèque* du déterminant d'un endomorphisme. On rappelle (voir la proposition 4.1) que $\mathcal{A}_n(X)$, sous-espace vectoriel de $\mathcal{L}_n(X)$ des *formes n-linéaires alternées* sur X, est de dimension 1 si X est de dimension n. Étant donnés $w \in \mathcal{L}(X)$ et $\phi \in \mathcal{A}_n(X)$, l'application

$$\phi_w : (x_1,\ldots,x_n) \in X^n \mapsto \phi(w(x_1),\ldots,w(x_n))$$

est n-linéaire alternée, et par conséquent proportionnelle à ϕ, avec un facteur qui ne dépend pas de ϕ car l'application $\phi \mapsto \phi_w$ est linéaire. La définition *intrinsèque* du déterminant de w est alors $\phi_w = (\mathrm{dét}w)\,\phi$. Si $\mathcal{E} = (e_1,\ldots,e_n)$ est une base de X et si M est la matrice de w dans cette base, on a

$$\mathrm{dét}M := \mathrm{dét}_{\mathcal{E}}(w(e_1),\ldots,w(e_n)) = \mathrm{dét}w\,,$$

où $\mathrm{dét}_{\mathcal{E}}$ désigne l'unique élément de $\mathcal{A}_n(X)$ valant 1 en $(e_1,\ldots,e_n)$. On a également une définition intrinsèque de la trace, en observant que l'application

$$(x_1,\ldots,x_n) \in X^n \mapsto \sum_{i=1}^{n} \phi(x_1,\ldots,x_{i-1},w(x_i),x_{i+1},\ldots,x_n)$$

est n-linéaire alternée et donc proportionnelle à ϕ : le facteur définit la trace de w.

Ainsi

$$\operatorname{tr} M = \operatorname{tr} w := \sum_{i=1}^{n} \text{dét}_{\mathcal{E}}(e_1, \ldots, e_{i-1}, w(e_i), e_{i+1}, \ldots, e_n)$$

(avec l'abus de notation habituel pour $i = 1$ et $i = n$). Par multilinéarité de ϕ, on trouve

$$\mathrm{d}(\text{dét})(w) \cdot h = \sum_{i=1}^{n} \phi(w(e_1), \ldots, w(e_{i-1}), h(e_i), w(e_{i+1}), \ldots, w(e_n))$$

pour tout $h \in \mathcal{L}(X)$. Si w est un isomorphisme, ceci se réécrit $\mathrm{d}(\text{dét})(w) \cdot h =$

$$(\text{dét} w) \sum_{i=1}^{n} \phi(e_1, \ldots, e_{i-1}, (w^{-1} \circ h)(e_i), e_{i+1}, \ldots, e_n) = (\text{dét} w) \operatorname{tr}(w^{-1} \circ h),$$

dont la traduction en termes matriciels est

$$\mathrm{d}(\text{dét})(M) \cdot H = (\text{dét} M) \operatorname{tr}(M^{-1} H) = \operatorname{tr}((\text{com} M)^{\mathrm{t}} H)$$

où com$M$ désigne la *comatrice* de M. On a fait appel ici à la formule d'algèbre

$$M\,(\text{com} M)^{\mathrm{t}} = (\text{com} M)^{\mathrm{t}} M = (\text{dét} M)\,\mathbf{I}_n . \tag{6.4}$$

Par densité de $\mathrm{GL}_n(\mathbb{R})$ dans $\mathcal{M}_n(\mathbb{R})$ on en déduit la formule

$$\mathrm{d}(\text{dét})(M) \cdot H = \operatorname{tr}((\text{com} M)^{\mathrm{t}} H)$$

quelles que soient M et $H \in \mathcal{M}_n(\mathbb{R})$. La formule de Liouville se déduit ensuite de la règle de dérivation des fonctions composées, car alors

$$\frac{\partial \Delta}{\partial t}(t,s) = \operatorname{tr}\Big((\text{com} R(t,s))^{\mathrm{t}} \, \frac{\partial R}{\partial t}(t,s)\Big) =$$
$$\operatorname{tr}\Big((\text{com} R(t,s))^{\mathrm{t}} \, A(t) R(t,s)\Big) = \Delta(t,s) \operatorname{tr}(A(t))$$

d'après la formule algébrique (6.4) et la commutativité de la trace (qui se démontre en observant que AB et $BA = B(AB)B^{-1}$ sont semblables lorsque B est inversible). On conclut en résolvant (comme au paragraphe 5.2.1) l'équation différentielle linéaire satisfaite par $t \mapsto \Delta(t, s)$. □

6.2.4 Formule de Duhamel

Ce paragraphe est consacré à un résultat facile à montrer et néanmoins fondamental, généralisant le principe de superposition vu dans le cas à coefficients constants (au paragraphe 5.2.3) et selon lequel : *la solution générale d'une équation* linéaire *avec terme source est donnée par la somme de la solution générale de l'équation homogène et d'une solution particulière de l'équation avec terme source.*

Proposition 6.5 ***Formule de Duhamel***

Soit $A \in \mathcal{C}(I; \mathcal{L}(X))$ et R la résolvante de l'équation différentielle *homogène* (6.3). Soient $b \in \mathcal{C}(I; X)$ et ϕ^{t_0} le flot en $t_0 \in I$ de l'équation (6.1). Alors pour tout $(t, v) \in I \times X$,

$$\phi^{t_0}(t,v) = R(t,t_0)\,v + \int_{t_0}^{t} R(t,s)\,b(s)\,\mathrm{d}s\,.$$

DÉMONSTRATION. On vérifie par le calcul que l'application

$$t \mapsto \int_{t_0}^{t} R(t,s)\,b(s)\,\mathrm{d}s$$

est solution de l'équation avec le terme source b. Comme $t \mapsto R(t, t_0)\,v$ est solution de l'équation homogène, la somme des deux est, par linéarité, solution de l'équation avec terme source. De plus elle vaut v à $t = t_0$. Donc c'est l'unique solution cherchée. □

6.3 Coefficients constants

Ce titre apparemment réducteur cache une partie en fait assez difficile, fondée sur des résultats non triviaux (rappelés et parfois démontrés, au fil des besoins) d'*algèbre linéaire*, de *théorie spectrale* et d'*analyse complexe*. L'objectif est d'approfondir l'analyse qualitative des solutions des équations linéaires à coefficients constants, ce qui revient à étudier plus finement la fonction exponentielle sur $\mathcal{L}(E)$, et de mettre en place des outils utiles dans l'analyse des équations non linéaires.

Par souci pédagogique on commencera par le cas de la dimension finie, reposant essentiellement sur l'algèbre linéaire, avant d'aborder le cas général, faisant appel à l'analyse fonctionnelle.

6.3.1 Dimension deux

Commençons par étudier en détail les solutions des systèmes de *deux* équations, et les *portraits de phase* associés, c'est-à-dire l'allure des courbes décrites par ces solutions dans le plan $\mathbb{R}^2$. Ce n'est pas difficile, mais donne lieu à une classification qu'il convient de préciser. L'expression de l'exponentielle d'une matrice $A \in \mathcal{M}_2(\mathbb{R})$ dépend de ses valeurs propres et de leur multiplicité. On distingue trois cas pour commencer :

i) Les valeurs propres λ et μ de A sont réelles et A est diagonalisable. Si P est une matrice de passage à une base de vecteurs propres, on a

$$P^{-1}\,\mathrm{e}^{tA}\,P = \begin{pmatrix} \mathrm{e}^{\lambda t} & 0 \\ 0 & \mathrm{e}^{\mu t} \end{pmatrix}.$$

ii) La matrice A admet une valeur propre réelle λ non semi-simple. Si P est une matrice de passage à une base de *Jordan*,

$$P^{-1}\,\mathrm{e}^{tA}\,P = \begin{pmatrix} \mathrm{e}^{\lambda t} & t\,\mathrm{e}^{\lambda t} \\ 0 & \mathrm{e}^{\lambda t} \end{pmatrix}.$$

iii) Les valeurs propres λ et μ de A sont complexes conjugées. Alors A est semblable à

$$\begin{pmatrix} \alpha & \beta \\ -\beta & \alpha \end{pmatrix}$$

avec $\alpha = \mathrm{Re}\,\lambda$ et $\beta = \mathrm{Im}\,\lambda$ et

$$P^{-1}\,\mathrm{e}^{tA}\,P = \mathrm{e}^{\alpha t}\begin{pmatrix} \cos\beta t & \sin\beta t \\ -\sin\beta t & \cos\beta t \end{pmatrix}.$$

Les cas *i)* et *ii)* s'obtiennent directement par le calcul. Pour le cas *iii)*, on diagonalise d'abord A dans une base complexe $(\mathbf{e}_1, \mathbf{e}_2 = \overline{\mathbf{e}_1})$ puis on pose $\mathbf{r}_1 = \mathrm{Re}\,\mathbf{e}_1$, $\mathbf{r}_2 = \mathrm{Im}\,\mathbf{e}_1$ pour obtenir une matrice de passage à coefficients réels.

Concernant les portraits de phase, chacun des cas *i)*, *ii)* et *iii)* se décompose en sous-cas selon les signes des parties réelles des valeurs propres. (On met à part la cas trivial $A = 0$.)

Le cas *i)* peut donner lieu à cinq portraits de phase différents :

Point selle ou col (figure 6.1) si dét$A < 0$, les valeurs propres sont réelles et de signe opposé.

Nœud impropre (figure 6.2) si $(\mathrm{tr}A)^2 > 4\mathrm{dét}A > 0$, les valeurs propres sont réelles distinctes mais de même signe (nœud attractif si négatives ; nœud résulsif si positives).

Nœud propre (figure 6.3) si $A = \lambda \mathbf{I}_n$, on a un nœud attractif si $\lambda < 0$, répulsif si $\lambda > 0$.

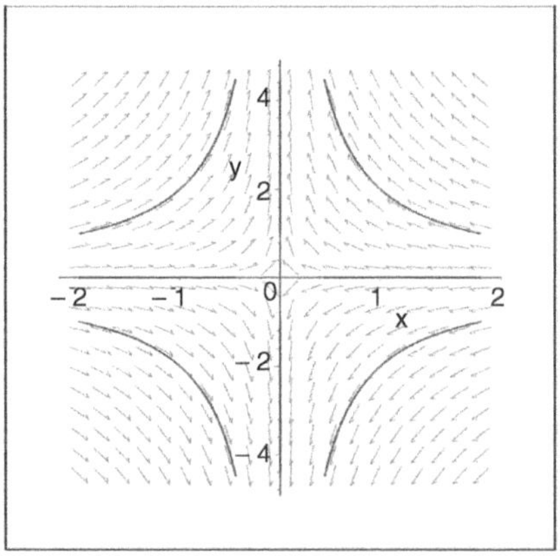

Figure 6.1 **Portrait de phase pour un point selle ($\lambda = -1$, $\mu = 1$).**

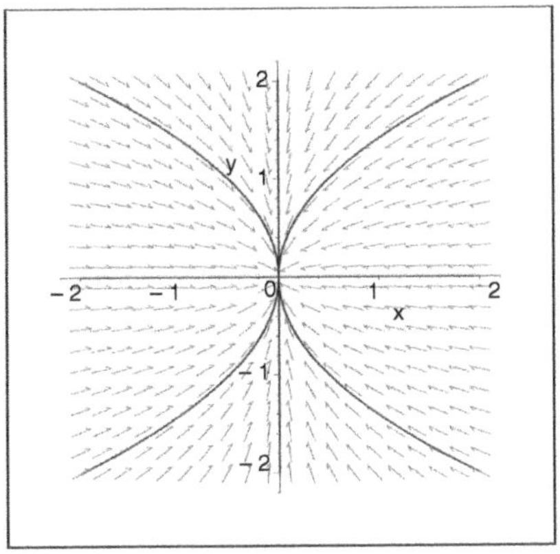

Figure 6.2 **Portrait de phase pour un nœud impropre attractif ($\lambda = -2$, $\mu = -1$).**

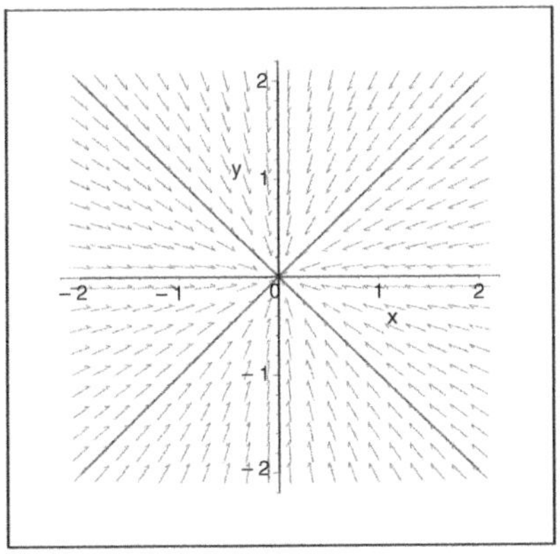

Figure 6.3 **Portrait de phase pour un nœud propre attractif ($\lambda = -1$).**

Nœud exceptionnel (figure 6.4) si $(\mathrm{tr}A)^2 = 4\mathrm{dét}A > 0$, A a une seule valeur propre réelle et elle n'est pas proportionnelle à $\mathbf{I}_n$, c'est le cas *ii)*. Le nœud est attractif ou répulsif selon le signe la valeur propre réelle non semi-simple λ.

Enfin, le cas *iii)* donne trois portraits de phase distincts :

Foyer (figure 6.5) si $4\mathrm{dét}A > (\mathrm{tr}A)^2 > 0$, les valeurs propres sont complexes conjuguées et de partie réelle non nulle (le foyer est attractif si $\mathrm{tr}A < 0$ et répulsif si $\mathrm{tr}A > 0$).

Centre (figure 6.6) si $4\mathrm{dét}A > (\mathrm{tr}A)^2 = 0$, les valeurs propres sont imaginaires pures non nulles.

Les nœuds attractifs sont aussi appelés *puits* et les nœuds répulsifs *sources*.

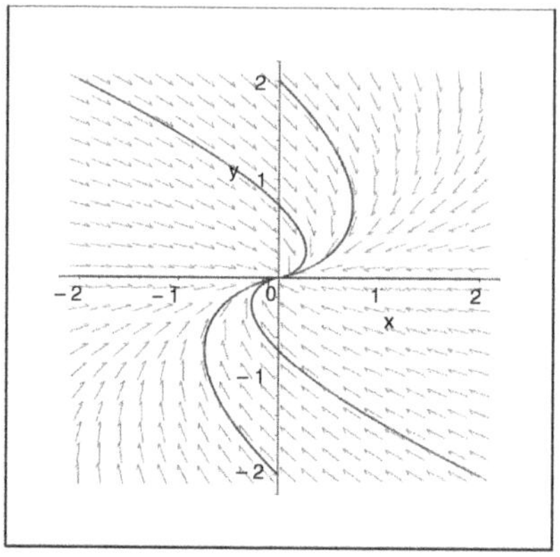

Figure 6.4 **Portrait de phase pour un nœud exceptionnel attractif ($\lambda = -1$).**

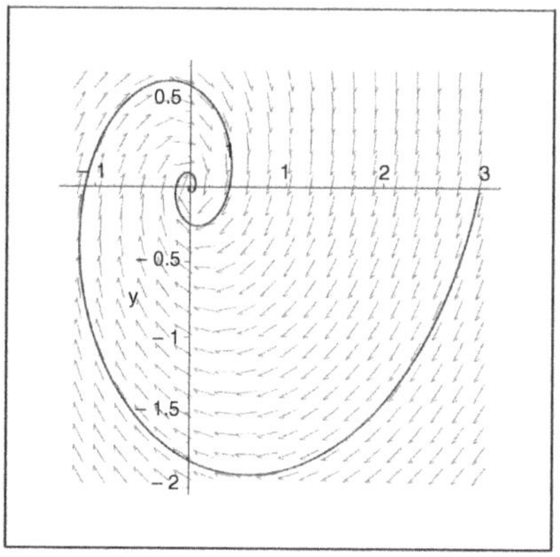

Figure 6.5 **Portrait de phase pour un foyer attractif ($\alpha = -1$, $\beta = \pi$).**

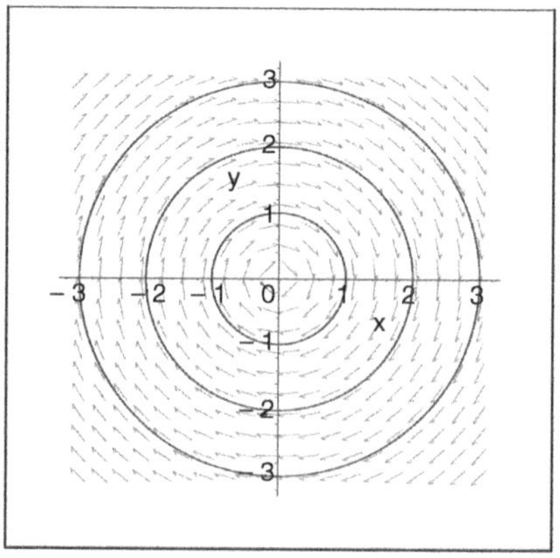

Figure 6.6 **Portrait de phase pour un centre ($\beta = \pi$).**

6.3.2 Dimension finie en général

On considère dans ce paragraphe $A \in \mathcal{M}_n(\mathbb{R})$ et l'équation différentielle linéaire homogène associée

$$\frac{\mathrm{d}u}{\mathrm{d}t} = A\,u\,. \tag{6.5}$$

On sait que les solutions sont définies sur $\mathbb{R}$ tout entier. Que peut-on dire de leur comportement à l'infini ? Cela dépend à l'évidence des propriétés de la matrice A, que l'on va pour l'occasion identifier à un endomorphisme de $\mathbb{C}^n$. L'analyse de (6.5) est intimement liée à l'algèbre linéaire, dont voici quelques rappels (le vocabulaire anglophone étant donné pour information entre parenthèses, surtout lorsqu'il n'est pas intuitif).

Définition 6.2

Les *valeurs propres* (« eigenvalues ») de A sont les nombres complexes λ pour lesquels le noyau de $(A - \lambda\mathbf{I}_n)$ est non trivial. Si λ est une valeur propre de A, on dit que l'espace $\mathrm{Ker}(A - \lambda\mathbf{I}_n)$ est le *sous-espace propre* (« eigenspace ») associé. Si k est le plus grand entier tel que

$$\mathrm{Ker}(A - \lambda\mathbf{I}_n)^{k-1} \subsetneq \mathrm{Ker}(A - \lambda\mathbf{I}_n)^k\,,$$

l'espace $\mathrm{Ker}(A - \lambda\mathbf{I}_n)^k$ est appelé *sous-espace caractéristique* (« generalized eigenspace » , et k est appelé « ascent » en anglais) de λ.

- La dimension du sous-espace propre $\mathrm{Ker}(A - \lambda\mathbf{I}_n)$ est appelée *multiplicité géométrique* de λ.
- La dimension du sous-espace caractéristique $\mathrm{Ker}(A - \lambda\mathbf{I}_n)^k$ est appelée *multiplicité algébrique* de λ.
- Lorsque les multiplicités géométrique et algébrique coïncident, la valeur propre λ est dite *semi-simple* (dans ce cas $k = 1$).
- Lorsque les multiplicités géométrique et algébrique coïncident et valent 1, la valeur propre λ est dite *simple*.

Théorème 6.3 ***Théorème de Cayley-Hamilton***

- Les valeurs propres de A sont les zéros du *polynôme caractéristique* :

$$P(\lambda) := \mathrm{dét}(\lambda\mathbf{I}_n - A)\,.$$

La multiplicité algébrique d'une valeur propre est égale à son ordre comme zéro du polynôme caractéristique. Les sous-espaces caractéristiques sont en somme directe et leur somme est $\mathbb{C}^n$.

- Les valeurs propres de A sont aussi les zéros du *polynôme minimal*, défini comme le générateur unitaire de l'idéal des polynômes annulateurs de A.
- Si toutes les valeurs propres sont semi-simples, les sous-espaces caractéristiques et les sous-espaces propres sont égaux, et la matrice A est diagonalisable.

(Voir par exemple [34, pp. 17-23].) Malheureusement, le vocabulaire se télescope entre l'algèbre et l'analyse car on appelle aussi *résolvante* de A la matrice $(A - \lambda \mathbf{I}_n)^{-1}$ lorsque λ n'est pas une valeur propre de A. Le terme est donc à manipuler avec précaution. (Cette ambiguïté n'existe pas en anglais, le terme « resolvent » étant réservé à l'opérateur $(A - \lambda \mathrm{Id}_X)^{-1}$, noté $\mathrm{R}_A(\lambda)$ par la suite, la résolvante $R(t,s)$ de la définition 6.1 étant appelée « solution operator ».)

Le comportement asymptotique des solutions de (6.5) est donné par le résultat suivant, que l'on donne sur $\mathbb{R}^+$ et qui admet évidemment un analogue sur $\mathbb{R}^-$ (changer t en $-t$ et A en $-A$).

Proposition 6.6

L'application $t \mapsto \mathrm{e}^{tA}$ est bornée sur $\mathbb{R}^+$ si et seulement si les valeurs propres de A sont toutes de partie réelle négative ou nulle *et* si les valeurs propres imaginaires pures sont semi-simples. Elle tend vers 0 en $+\infty$ si et seulement si les valeurs propres de A sont toutes de partie réelle strictement négative.

DÉMONSTRATION. Soit $\{\lambda_1, \dots, \lambda_p\}$ l'ensemble des valeurs propres de A (avec $p \leqslant n$ et $\lambda_i \neq \lambda_j$ pour $i \neq j$). À chaque valeur propre λ_j on associe le sous-espace caractéristique E_j, et Π_j la projection sur E_j parallèlement à $\oplus_{i \neq j} E_j$. Par définition de E_j, il existe un entier k_j tel que

$$(A - \lambda_j \mathbf{I}_n)^{k_j} \, \Pi_j = 0,$$

et d'après le théorème 6.3 (Cayley-Hamilton), on a

$$\mathbf{I}_n = \sum_{j=1}^{p} \Pi_j .$$

Par suite $\mathrm{e}^{t\,A} = \sum_{j=1}^{p} \mathrm{e}^{t\,A}\, \Pi_j =$

$$\sum_{j=1}^{p} \mathrm{e}^{t\,\lambda_j}\, \mathrm{e}^{t\,(A-\lambda_j \mathrm{I})}\, \Pi_j = \sum_{j=1}^{p} \mathrm{e}^{t\,\lambda_j} \sum_{k=0}^{k_j-1} \frac{t^k}{k\,!} \,(A - \lambda_j \mathbf{I}_n)^k \, \Pi_j ,$$

ce qui tend bien vers 0 en $+\infty$ si les λ_j sont toutes de partie réelle strictement négative. Par ailleurs, si les λ_j sont de partie réelle négative ou nulle et si $k_j = 1$ lorsque $\mathrm{Re}\, \lambda_j = 0$, alors $\mathrm{e}^{t\,A}$ est bornée sur $\mathbb{R}^+$. Les réciproques sont faciles à vérifier :

- S'il existe λ de partie réelle strictement positive tel que $A\,v = \lambda\,v$ pour un vecteur v non nul, alors $\mathrm{e}^{t\,A}\,v = \mathrm{e}^{t\,\lambda}\,v$ est non borné.
- Si $\lambda \in i\,\mathbb{R}$ est une valeur propre non semi-simple, il existe des vecteurs non nuls v et w tels que $A\,v = \lambda\,v$, $\quad A\,w = \lambda\,w + v$. On montre par récurrence que

$$A^m\,w = \lambda^m\,w + m\,\lambda^{m-1}\,v$$

pour tout entier naturel m, et donc $e^{tA} w = e^{t\lambda}(w + t v)$ est de norme supérieure ou égale à $t \|v\| - \|w\|$ pour $t \geqslant 0$, ce qui est évidemment non borné.

- Enfin, si $\lambda \in i\mathbb{R}$ est une valeur propre même simple, $A v = \lambda v$ avec v non nul entraîne que $e^{tA} v = e^{t\lambda} v$ est de norme égale à $\|v\|$, ce qui ne tend pas vers 0. □

Définition 6.3

Une matrice n'ayant pas de valeur propre imaginaire pure est dite *hyperbolique*.

Proposition 6.7

Soit $A \in \mathcal{M}_n(\mathbb{R})$ une matrice hyperbolique. Alors les ensembles

$$E^s = \{ w \in \mathbb{R}^n ; \lim_{t \to +\infty} e^{tA} w = 0 \}, \qquad E^u = \{ w \in \mathbb{R}^n ; \lim_{t \to -\infty} e^{tA} w = 0 \}$$

sont des sous-espaces vectoriels de $\mathbb{R}^n$ stables par A, appelés respectivement *sous-espace stable* et *sous-espace instable*, et il existe des projecteurs Π^u et Π^s commutant avec A tels que $\Pi^u + \Pi^s = \mathbf{I}_n$ satisfaisant les estimations suivantes. En notant $\sigma(A)$ l'ensemble des valeurs propres de A et

$$\beta = -\max\{\operatorname{Re}\lambda < 0 ; \lambda \in \sigma(A)\} \quad \text{et} \quad \gamma = \min\{\operatorname{Re}\lambda > 0 ; \lambda \in \sigma(A)\},$$

pour tout $\varepsilon > 0$, il existe des constantes b_ε et c_ε telles que

$$\| e^{tA} \Pi^s \| \leqslant b_\varepsilon \, e^{-(\beta-\varepsilon)t} \quad \forall t \geqslant 0 \qquad \text{et} \qquad \| e^{tA} \Pi^u \| \leqslant c_\varepsilon \, e^{(\gamma-\varepsilon)t} \quad \forall t \leqslant 0 .$$

Démonstration. Le fait que E^s et E^u soient des sous-espaces vectoriels de $\mathbb{R}^n$ stables par A est évident (rappelons que e^{tA} commute avec A). On va commencer par définir les projecteurs Π^u et Π^s (un *projecteur* étant par définition un opérateur linéaire Π *idempotent*, c'est-à-dire tel que $\Pi \circ \Pi = \Pi$) et l'on vérifiera ensuite que $E^s = \operatorname{Im}(\Pi^s)$ et $E^u = \operatorname{Im}(\Pi^u)$. On reprend pour cela les mêmes notations que dans la preuve de la proposition 6.6. Soient

$$\Pi^s := \sum_{j\,;\,\operatorname{Re}\lambda_j < 0} \Pi_j \quad \text{et} \quad \Pi^u := \sum_{j\,;\,\operatorname{Re}\lambda_j > 0} \Pi_j .$$

On remarque que $\mathbb{R}^n$, vu comme sous-espace de $\mathbb{C}^n$, est stable par ces opérateurs car les valeurs propres non réelles de A sont deux à deux conjuguées. Dans la suite, Π^u et Π^s désignent les opérateurs restreints à $\mathbb{R}^n$.

Comme les Π_j, Π^s et Π^u sont bien des projecteurs commutant avec A. Et comme A n'a pas de valeur propre imaginaire pure on a

$$\Pi^u + \Pi^s = \sum_{j=1}^{p} \Pi_j = \mathbf{I}_n .$$

De plus, on a l'expression explicite :

$$e^{tA}\,\Pi^s = \sum_{j\,;\,\mathrm{Re}\lambda_j<0} e^{t\lambda_j} \sum_{k=0}^{k_j-1} \frac{t^k}{k\,!}\,(A - \lambda_j\,\mathbf{I}_n)^k\,\Pi^s\,,$$

d'où, pour $t \geqslant 0$,

$$\|\,e^{tA}\,\Pi^s\,\| \leqslant p \max_{j\leqslant p, k\leqslant K} \|\,(A - \lambda_j\,\mathbf{I}_n)^k\,\|\;\|\,\Pi^s\,\| \quad e^{-\beta t} \sum_{k=0}^{K} \frac{t^k}{k\,!}$$

avec $K = \max_j k_j - 1$. Le dernier terme, polynômial en t, étant majoré par une constante fois $e^{\varepsilon t}$ pour $\varepsilon > 0$, on en déduit l'estimation de $\|e^{tA}\,\Pi^s\|$. L'estimation de $\|e^{tA}\,\Pi^u\|$ s'obtient exactement de la même manière. On déduit directement de ces estimations les inclusions

$$\mathrm{Im}(\Pi^s) \subset E^s \quad \text{et} \quad \mathrm{Im}(\Pi^u) \subset E^u\,.$$

Réciproquement, soit par exemple $w \in E^s$. Comme Π^u commute avec A, il commute aussi avec e^{tA}, donc

$$\|\,\Pi^u\,w\,\| = \|\,e^{tA}\,\Pi^u\,e^{-tA}\,w\,\| \leqslant c_\varepsilon\,e^{(\gamma-\varepsilon)t}\,\|e^{-tA}\,w\,\|$$

pour tout $t \leqslant 0$. En prenant $\varepsilon < \gamma$, le second membre tend vers 0 lorsque tend t vers $-\infty$ (pour le dernier terme, on utilise simplement la définition de E^s). Donc $\Pi^u\,w = 0$, c'est-à-dire que $w = \Pi^s\,w \in \mathrm{Im}(\Pi^s)$. Ainsi $E^s \subset \mathrm{Im}(\Pi^s)$. On montre de façon analogue que E^u est inclus dans $\mathrm{Im}(\Pi^u)$. □

6.3.3 Dimension infinie

Pour simplifier la présentation, on suppose dans ce paragraphe que X est un $\mathbb{C}$-espace de Banach, et que A est un opérateur linéaire *et* continu sur X, ce que l'on note encore $A \in \mathcal{L}(X)$.

On a vu au paragraphe précédent des résultats sur le comportement de e^{tA} lorsque X est de dimension finie, qui reposent pour une large part sur la réduction des matrices. Lorsque X est de dimension infinie, tout devient plus délicat. Tout d'abord, le *spectre* de A n'est plus exclusivement constitué de valeurs propres.

Définition 6.4

On appelle *spectre* de $A \in \mathcal{L}(X)$ l'ensemble $\sigma(A)$ des nombres complexes λ tels que $(A - \lambda\,\mathrm{Id}_X) \notin \mathrm{Isom}(X)$ (ensemble des isomorphismes de X). Le *spectre ponctuel* est inclus dans le spectre : c'est l'ensemble des *valeurs propres*, c'est-à-dire des nombres $\lambda \in \mathbb{C}$ pour lesquels $(A - \lambda\,\mathrm{Id}_X)$ est non injectif.

- L'ensemble des isomorphismes étant un ouvert, l'*ensemble résolvant* de A :

$$\rho(A) := \mathbb{C} \setminus \sigma(A)$$

est ouvert, par continuité de l'application

$$\begin{array}{rcl} \mathbb{C} & \to & \mathcal{L}(X) \\ \lambda & \mapsto & (A - \lambda \, \mathrm{Id}_X) . \end{array}$$

- Le spectre d'un opérateur $A \in \mathcal{L}(X)$ est borné :

$$\sigma(A) \subset \{ \lambda ; \ |\lambda| \leqslant |||A||| \} .$$

En effet, si $|\lambda| > |||A|||$, $(A - \lambda \, \mathrm{Id}_X)$ est inversible d'inverse

$$(A - \lambda \, \mathrm{Id}_X)^{-1} = -\frac{1}{\lambda} \sum_{m=0}^{+\infty} \frac{1}{\lambda^m} A^m ,$$

cette série étant normalement convergente. Plus précisément, on montrera plus loin que

$$\sigma(A) \subset \{\lambda ; \ |\lambda| \leqslant r_A := \lim |||A^m|||^{1/m}\} \text{ et } \sigma(A) \cap \{\lambda ; \ |\lambda| = r_A\} \neq \emptyset . \quad (6.6)$$

- Ainsi, $\sigma(A)$ est un compact non vide de $\mathbb{C}$.

Attention. Si A était un opérateur non-borné (c'est-à-dire linéaire mais pas continu), on pourrait encore définir son spectre mais il pourrait être vide ou non borné (voir [21, p. 174).

Démonstration de (6.6). C'est un peu subtil, car rien ne dit *a priori* que la limite de $|||A^m|||^{1/m}$ existe. Nous allons le prouver, en même temps que la *formule du rayon spectral* :

$$\lim_{m \to +\infty} |||A^m|||^{1/m} = \sup\{ |\lambda| ; \ \lambda \in \sigma(A)\} . \quad (6.7)$$

(Si l'on savait que $\sigma(A)$ est exclusivement constitué de valeurs propres, la preuve serait plus facile.) On sait déjà que $\sigma(A)$ est un compact, inclus dans le disque de centre 0 et de rayon $|||A|||$. Le critère de Cauchy sur la convergence des séries montre que

$$\{ \lambda ; \ |\lambda| > \limsup |||A^m|||^{1/m} \} \subset \rho(A) ,$$

d'où $\sigma(A) \subset \{ \lambda ; \ |\lambda| \leqslant \limsup |||A^m|||^{1/m} \}$. En fait, on a mieux presque sans effort. En effet, si $\lambda \in \sigma(A)$ alors $\lambda^m \in \sigma(A^m)$. Ceci résulte de la formule

$$(A^m - \lambda^m \, \mathrm{Id}_X) = (A - \lambda \, \mathrm{Id}_X) \sum_{k=0}^{m} \lambda^k A^{m-1-k} ,$$

qui montre que $(A - \lambda \operatorname{Id}_X)$ admet un inverse si $(A^m - \lambda^m \operatorname{Id}_X)$ en admet un. On en déduit

$$|\lambda| \leqslant |||A^m|||^{1/m} \quad \text{pour tout } \lambda \in \sigma(A) \quad \text{et pour tout } m \in \mathbb{N},$$

d'où

$$\sigma(A) \subset \{\lambda;\ |\lambda| \leqslant \liminf_{m\to+\infty} |||A^m|||^{1/m}\}.$$

On aura effectivement démontré (6.7) si l'on vérifie que :

• le spectre $\sigma(A)$ est non vide, ce qui permet de définir

$$s_A := \sup\{|\lambda|;\ \lambda \in \sigma(A)\},$$

• et $\limsup_{m\to+\infty} |||A^m|||^{1/m} \leqslant \sigma$ pour tout $\sigma > s_A$.

Car alors on aura la suite d'inégalités

$$s_A \leqslant \liminf_{m\to+\infty} |||A^m|||^{1/m} \leqslant \limsup_{m\to+\infty} |||A^m|||^{1/m} \leqslant s_A,$$

d'où $s_A = \liminf_{m\to+\infty} |||A^m|||^{1/m} = \limsup_{m\to+\infty} |||A^m|||^{1/m}$, ce qui montre la première partie de (6.6), tandis que pour la seconde on invoque simplement le fait que la fonction continue $\lambda \mapsto |\lambda|$ atteint son maximum sur le compact non vide $\sigma(A)$.

La démonstration des deux propriétés énoncées ci-dessus utilise le

Lemme 6.1

L'application $\mathrm{R}_A : \rho(A) \to \mathcal{L}(X)$ définie par

$$\mathrm{R}_A(\lambda) := (A - \lambda \operatorname{Id}_X)^{-1},$$

est *holomorphe* (c'est-à-dire dérivable comme fonction de variable complexe).

Démonstration. On sait déjà que cette application est continue, comme composée des applications continues $\lambda \in \mathbb{C} \mapsto A - \lambda \operatorname{Id}_X$ et $u \in \operatorname{Isom}(X) \mapsto u^{-1}$. De plus, pour λ et λ_0 dans l'ensemble résolvant $\rho(A)$, on a ce que l'on appelle la *formule de la résolvante*

$$(A - \lambda \mathrm{Id}_X)^{-1} - (A - \lambda_0 \mathrm{Id}_X)^{-1} = (\lambda - \lambda_0)\,(A - \lambda \mathrm{Id}_X)^{-1}\,(A - \lambda_0 \mathrm{Id}_X)^{-1}, \quad (6.8)$$

qui s'obtient en écrivant $(\lambda - \lambda_0)\,(A - \lambda \mathrm{Id}_X)^{-1}\,(A - \lambda_0 \mathrm{Id}_X)^{-1} =$

$$(A - \lambda \mathrm{Id}_X)^{-1}\,(A - \lambda_0 \mathrm{Id}_X)\,(A - \lambda_0 \mathrm{Id}_X)^{-1}$$
$$-(A - \lambda \mathrm{Id}_X)^{-1}\,(A - \lambda \mathrm{Id}_X)\,(A - \lambda_0 \mathrm{Id}_X)^{-1}.$$

On déduit alors de la formule (6.8) que

$$\frac{\mathrm{d}}{\mathrm{d}\lambda}(A - \lambda \,\mathrm{Id}_X)^{-1} = (A - \lambda \,\mathrm{Id}_X)^{-2}.$$

□

Comme R_A est à valeurs dans l'algèbre de Banach $\mathcal{L}(X)$, il faut prendre quelques précautions si l'on veut appliquer la théorie classique des fonctions de variable complexe. L'astuce consiste à considérer les applications

$$\begin{array}{rcl} f : \rho(A) & \to & \mathbb{C} \\ \lambda & \mapsto & \varphi\big((A - \lambda \,\mathrm{Id}_X)^{-1}\big), \end{array}$$

avec $\varphi \in \mathcal{L}(X)'$ l'espace des formes linéaires continues sur $\mathcal{L}(X)$. Le théorème de Hahn-Banach (voir par exemple [2, Corollaire I.3, p. 3]) montre qu'il existe au moins un $\varphi \in \mathcal{L}(X)'$ pour lequel f n'est pas identiquement nul. De plus, f est holomorphe (par composition), et elle admet le développement

$$f(\lambda) = -\lambda^{-1} \sum_{m=0}^{+\infty} \lambda^{-m} \,\varphi(A^m)$$

pour $|\lambda| \geqslant |||A|||$. En particulier, on a $\lim_{|\lambda| \to +\infty} |f(\lambda)| = 0$. Le théorème de *Liouville* (voir [32, p. 206]) montre donc que $\rho(A)$ ne peut pas être égal à $\mathbb{C}$ tout entier. Autrement dit, $\sigma(A)$ est non vide. Soit donc $s_A = \sup\{|\lambda|\,;\ \lambda \in \sigma(A)\}$ comme annoncé. L'extérieur du disque centré en 0 et rayon s_A est donc inclus dans $\rho(A)$, et f est une fonction holomorphe de $1/\lambda$ pour $|\lambda| > s_A$. Par suite, le développement en série entière

$$f(1/z) = -z \sum_{m=0}^{+\infty} z^m \,\varphi(A^m)$$

est convergent dans le disque de rayon $1/s_A$. En particulier, on doit donc avoir

$$\sup_m |\lambda^{-m} \,\varphi(A^m)| < \infty \quad \text{pour } |\lambda| > s_A\,.$$

Grâce au résultat d'analyse fonctionnelle donné dans le théorème 6.4 ci-après (appliqué à l'espace $\mathcal{B} = \mathcal{L}(X)$ et à la famille $B_m = \lambda^{-m} A^m$), on en déduit qu'il existe des nombres réels positifs $C(\lambda)$ tels que

$$\sup_m |\lambda|^{-m} |||A^m||| \leqslant C(\lambda) \quad \text{pour } |\lambda| > s_A\,,$$

d'où $\limsup_m |||A^m|||^{1/m} \leqslant |\lambda|$ pour $|\lambda| > s_A$. Ceci achève la démonstration de (6.6).

Théorème 6.4

Si (B_m) est une famille d'éléments d'un $\mathbb{C}$-espace de Banach $\mathcal{B}$ tel que pour tout $\varphi \in \mathcal{B}'$, $\sup_m |\varphi(B_m)| < \infty$, alors $\sup_m \|B_m\| < \infty$.

DÉMONSTRATION. Cela revient à combiner le théorème de Hahn-Banach avec le théorème de Banach-Steinhaus : le premier montre en effet (voir par exemple [2, Corollaire I.4, p. 4]) que

$$\|B_m\|_{\mathcal{B}} = \|b_m\|_{\mathcal{L}(\mathcal{B}';\mathbb{C})} \quad \text{où} \quad \langle b_m , \varphi \rangle := \varphi(B_m) \quad \forall \varphi \in \mathcal{B}',$$

et le second (voir [2, p. 16]) dit que

$$\sup_m |\langle b_m , \varphi \rangle| < \infty \quad \forall \varphi \in \mathcal{B}' \qquad \Rightarrow \sup_m \|b_m\|_{\mathcal{L}(\mathcal{B}';\mathbb{C})} < \infty . \qquad \square$$

Grâce à l'astuce mentionnée plus haut (utiliser des formes linéaires continues φ pour revenir dans $\mathbb{C}$), on peut faire passer les résultats classiques de la théorie des fonctions de variable complexe (voir par exemple [32, chapitres 10 et 13]) aux fonctions à valeurs dans une *algèbre de Banach*. En particulier, on a le

Théorème 6.5 ***Théorème de Cauchy***

Soit Ω un ouvert connexe non vide de $\mathbb{C}$ et $\mathcal{B}$ une algèbre de Banach. Si $f : \Omega \to \mathcal{B}$ est holomorphe elle est analytique, c'est-à-dire développable en série entière (et réciproquement). De plus, si Γ et Γ' sont des lacets *homotopes* dans Ω, alors

$$\int_\Gamma f(z)\,\mathrm{d}z = \int_{\Gamma'} f(z)\,\mathrm{d}z .$$

Dans le cas de l'algèbre $\mathcal{B} = \mathcal{L}(X)$ et de la fonction R_A, la première partie de l'énoncé est facile à vérifier. On peut même préciser l'observation faite au lemme 6.1 en

Proposition 6.8

L'application R_A est *analytique*. De plus, R_A n'admet pas de prolongement analytique en dehors de $\rho(A)$.

DÉMONSTRATION. Pour $\lambda, \lambda_0 \in \rho(A)$, la formule (6.8) s'écrit aussi

$$\mathrm{R}_A(\lambda_0) = (\,\mathrm{Id}_X - (\lambda - \lambda_0)\,\mathrm{R}_A(\lambda_0)\,)\,\mathrm{R}_A(\lambda) .$$

Par suite, on a

$$\mathrm{R}_A(\lambda) = \sum_{n=0}^{+\infty} (\lambda - \lambda_0)^n \left(\mathrm{R}_A(\lambda_0)\right)^{n+1},$$

cette série étant convergente pour $|\lambda - \lambda_0| < 1/|||\mathrm{R}_A(\lambda_0)|||$. Ceci montre que R_A est analytique dans $\rho(A)$. « Inversement », si la série ci-dessus converge, alors sa somme est

$$\mathrm{S}_A(\lambda) := \sum_{n=0}^{+\infty} (\lambda - \lambda_0)^n \left(\mathrm{R}_A(\lambda_0)\right)^{n+1} = (\,\mathrm{Id}_X - (\lambda - \lambda_0)\,\mathrm{R}_A(\lambda_0)\,)^{-1}\,\mathrm{R}_A(\lambda_0)\,.$$

Or $\mathrm{R}_A(\lambda_0)\,(\,A - \lambda\,\mathrm{Id}_X\,) = \mathrm{Id}_X - (\lambda - \lambda_0)\,\mathrm{R}_A(\lambda_0)$. Donc $\mathrm{S}_A(\lambda)\,(\,A - \lambda\,\mathrm{Id}_X\,) = \mathrm{Id}_X$. On montre de la même façon que $(\,A - \lambda\,\mathrm{Id}_X\,)\,\mathrm{S}_A(\lambda) = \mathrm{Id}_X$. D'où $\lambda \in \rho(A)$ et $\mathrm{R}_A(\lambda) = \mathrm{S}_A(\lambda)$. Par conséquent, R_A n'admet pas de prolongement analytique en dehors de $\rho(A)$. Pour s'en convaincre, on raisonne classiquement par l'absurde. Supposons qu'une fonction analytique f prolonge R_A au voisinage d'un point $\underline{\lambda}$ du bord de $\rho(A)$. Par définition, $\underline{\lambda}$ n'appartient pas à l'ouvert $\rho(A)$. Soit $\underline{r}$ le rayon de convergence du développement en série entière de f au point $\underline{\lambda}$. Il existe un point $\lambda_0 \in \rho(A) \cap \{\lambda\,;\ |\lambda - \underline{\lambda}| < \underline{r}/2\,\}$, et le développement en série entière de f au point λ_0 a un rayon au moins égal à $\underline{r} - |\lambda_0 - \underline{\lambda}| > |\lambda_0 - \underline{\lambda}|$. En particulier, $\underline{\lambda}$ est dans le disque de convergence. Or, f coïncide avec R_A au voisinage de λ_0 et son développement en série entière est donc

$$f(\lambda) = \sum_{n=0}^{+\infty} (\lambda - \lambda_0)^n \left(\mathrm{R}_A(\lambda_0)\right)^{n+1}.$$

D'après ce qui précède, tous les points du disque de convergence devraient être dans $\rho(A)$, mais ce n'est pas le cas de $\underline{\lambda}$. □

Nous sommes maintenant armés pour aborder l'extension de la proposition 6.7 en dimension infinie. Comme en dimension finie, on dit d'un opérateur qu'il est hyperbolique s'il n'a pas de spectre imaginaire pur.

Théorème 6.6

Si A est un opérateur hyperbolique, il existe des projecteurs continus Π^s et Π^u comme dans la proposition 6.7, c'est-à-dire tels que $\Pi^u + \Pi^s = \mathbf{I}$, Π^s et Π^u commutant avec A,

$$\mathrm{Im}\Pi^s = \{\,w \in X\,;\ \lim_{t\to+\infty} \mathrm{e}^{tA}\,w = 0\,\},$$
$$\mathrm{Im}\Pi^u = \{\,w \in X\,;\ \lim_{t\to-\infty} \mathrm{e}^{tA}\,w = 0\,\},$$

et plus précisément, en notant

$$\beta = -\max\{\,\mathrm{Re}\,\lambda < 0\,;\ \lambda \in \sigma(A)\,\} \text{ et } \quad \gamma = \min\{\,\mathrm{Re}\,\lambda > 0\,;\ \lambda \in \sigma(A)\,\},$$

pour tout $\varepsilon > 0$, il existe des constantes b_ε et c_ε telles que

$$\|\,\mathrm{e}^{tA}\,\Pi^s\,\| \leqslant b_\varepsilon\,\mathrm{e}^{-(\beta-\varepsilon)t} \quad \forall t \geqslant 0 \quad \text{et} \quad \|\,\mathrm{e}^{tA}\,\Pi^u\,\| \leqslant c_\varepsilon\,\mathrm{e}^{(\gamma-\varepsilon)t} \quad \forall t \leqslant 0\,.$$

DÉMONSTRATION. On procède en deux étapes : **1)** on construit les projecteurs Π^s et Π^u de sorte que $A\Pi^s$ ait son spectre de partie réelle négative et $A\Pi^u$ ait son spectre de partie réelle positive ; **2)** on démontre l'estimation de e^{tA} lorsque A a son spectre de partie réelle négative ; l'estimation « symétrique » s'en déduit par le changement de variables $t \mapsto -t$.

1) Le spectre de A étant un compact disjoint de l'axe imaginaire pur, il existe des courbes fermées simples $\Gamma_\pm$ incluses dans les demi-plans de droite/gauche et qui entourent les ensembles

$$\Sigma_\pm := \sigma(A) \cap \{\lambda\,;\ \mathrm{Re}\,\lambda \gtrless 0\}\,.$$

Soient alors

$$\Pi^s = \frac{1}{2i\pi}\int_{\Gamma_-} (z\,\mathrm{Id}_X - A)^{-1}\,\mathrm{d}z\,,\quad \Pi^u = \frac{1}{2i\pi}\int_{\Gamma_+} (z\,\mathrm{Id}_X - A)^{-1}\,\mathrm{d}z\,.$$

Ce sont des opérateurs continus puisque $(z\,\mathrm{Id}_X - A)^{-1}$ est continu pour tout $z \in \Gamma_\pm$ et les ensembles $\Gamma_\pm$ sont compacts. De plus, on a la relation $\Pi^s + \Pi^u = \mathrm{Id}_X$. En effet, soit Γ_0 un cercle de rayon $R > |||A|||$ entourant Γ_+ et Γ_-, c'est-à-dire tout le spectre de A. Pour tout $z \in \Gamma_0$ on a

$$(z\,\mathrm{Id}_X - A)^{-1} = \sum_{m=0}^{\infty} \frac{1}{z^{m+1}} A^m\,,$$

avec convergence normale de cette série. Donc

$$\frac{1}{2i\pi}\int_{\Gamma_0} (z\,\mathrm{Id}_X - A)^{-1}\,\mathrm{d}z = \sum_{m=0}^{\infty}\left(\frac{1}{2i\pi}\int_{\Gamma_0}\frac{1}{z^{m+1}}\,\mathrm{d}z\right) A^m = \mathrm{Id}_X$$

car seul le terme $m = 0$ contribue à la somme. Or on peut déformer continûment le contour Γ_+ par exemple pour se rapprocher de Γ_0 et de Γ_- (parcouru dans l'autre sens, voir la figure 6.7) en restant dans l'ensemble résolvant de A. D'après le théorème 6.5, ceci ne change pas la valeur de l'intégrale sur Γ_+. À la limite on obtient

$$\int_{\Gamma_+} (z\,\mathrm{Id}_X - A)^{-1}\,\mathrm{d}z = \int_{\Gamma_0} (z\,\mathrm{Id}_X - A)^{-1}\,\mathrm{d}z - \int_{\Gamma_-} (z\,\mathrm{Id}_X - A)^{-1}\,\mathrm{d}z\,,$$

c'est-à-dire $\Pi^s = \mathrm{Id}_X - \Pi^u$ d'après la formule vue ci-dessus.
Étudions maintenant plus en détail Π^s. Pour alléger les notations on omet l'exposant s ainsi que l'indice $-$ à Γ. On commence par vérifier que Π est un projecteur. Pour cela, on remarque d'abord, en faisant à nouveau appel au théorème 6.5 (Cauchy), que Π est invariant par un petit déplacement de Γ (puisque l'ensemble résolvant est ouvert). Soit Γ' un chemin fermé simple entourant Γ et ne rencontrant pas l'axe imaginaire. Alors

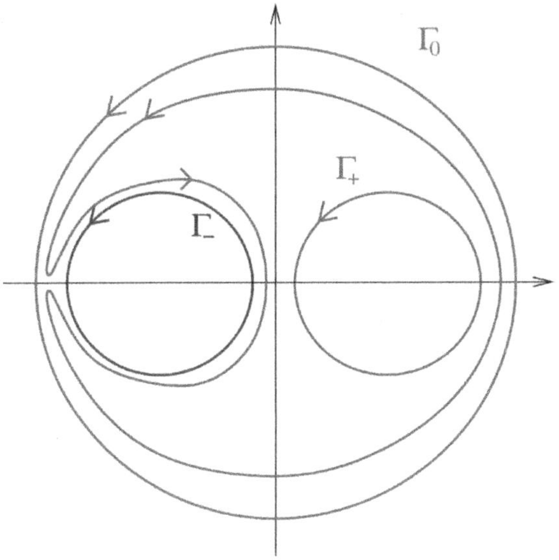

Figure 6.7 **Contours séparant le spectre de A dans le plan complexe.**

$$\Pi \circ \Pi = \frac{1}{(2i\pi)^2} \int_{\Gamma}\int_{\Gamma'} (z\,\mathrm{Id}_X - A)^{-1} (z'\,\mathrm{Id}_X - A)^{-1}\, \mathrm{d}z\, \mathrm{d}z'$$

$$= \frac{1}{(2i\pi)^2} \int_{\Gamma}\int_{\Gamma'} (z'-z)^{-1} (z\mathrm{Id}_X - A)^{-1} - (z'-z)^{-1} (z'\mathrm{Id}_X - A)^{-1}\, \mathrm{d}z\, \mathrm{d}z'$$

d'après la formule (6.8). Or, puisque Γ' est extérieur à Γ, l'*indice* des points de Γ' par rapport à Γ est nul, tandis que l'indice des points de Γ par rapport à Γ' vaut 1 (voir [32, p. 197]). Donc il reste seulement le premier terme, qui est égal à Π.
Pour vérifier que Π commute avec A, on utilise le fait que les résolvantes commutent entre elles (d'après la formule (6.8). Cela implique, pour tout $\lambda \in \rho(A)$ (qui est non vide),

$$(A - \lambda\,\mathrm{Id}_X)^{-1}\,\Pi = \Pi\,(A - \lambda\,\mathrm{Id}_X)^{-1},$$

d'où $\Pi\,(A - \lambda\,\mathrm{Id}_X) = (A - \lambda\,\mathrm{Id}_X)\,\Pi$ et donc $\Pi\,A = A\,\Pi$.
Considérons alors A^- la restriction de A au sous-espace $X^- := \mathrm{Im}(\Pi)$ (stable par A) et A^+ la restriction de A au sous-espace $X^+ := \mathrm{Im}(\mathrm{Id}_X - \Pi)$ (également stable par A). On a $A^\pm \in \mathcal{L}(X^\pm)$ et les ensembles résolvants de ces endomorphismes contiennent celui de A, car pour tout $\lambda \notin \sigma(A)$, on a simplement

$$(A^\pm - \lambda\,\mathrm{Id}X^\pm)^{-1} = (A - \lambda\,\mathrm{Id}_X)^{-1}|_{X^\pm}.$$

En fait, on va montrer que leurs spectres sont exactement

$$\sigma(A^\pm) = \Sigma_\pm .$$

Pour cela, on commence par observer que pour tout $\lambda \notin \sigma(A)$ qui n'est pas sur Γ,

$$(A - \lambda \mathrm{Id}_X)^{-1}\,\Pi = -\frac{1}{2i\pi}\int_\Gamma (A - \lambda \mathrm{Id}_X)^{-1}\,(A - z\,\mathrm{Id}_X)^{-1}\,\mathrm{d}z$$

$$= \frac{1}{2i\pi}(A - \lambda \mathrm{Id}_X)^{-1}\int_\Gamma \frac{\mathrm{d}z}{z - \lambda} - \frac{1}{2i\pi}\int_\Gamma (A - z\,\mathrm{Id}_X)^{-1}\,\frac{\mathrm{d}z}{z - \lambda}$$

d'après la formule (6.8).

- Pour λ à l'extérieur de Γ, le premier terme est nul, et il reste donc :

$$(A - \lambda \mathrm{Id}_X)^{-1}\,\Pi = \frac{1}{2i\pi}\int_\Gamma (A - z\,\mathrm{Id}_X)^{-1}\,\frac{\mathrm{d}z}{\lambda - z}.$$

  Le membre de droite est analytique en λ, quel que soit λ à l'extérieur de Γ, et fournit donc un prolongement analytique de $(A - \lambda \mathrm{Id}_X)^{-1}\,\Pi$ à tout l'extérieur de Γ. Ceci montre que $\sigma(A^-)$ est à l'intérieur de Γ, et donc $\sigma(A^-) \subset \Sigma_-$.

- Pour λ à l'intérieur de Γ, on a $(A - \lambda \mathrm{Id}_X)^{-1}\,\Pi =$

$$(A - \lambda \mathrm{Id}_X)^{-1} + \frac{1}{2i\pi}\int_\Gamma (A - z\,\mathrm{Id}_X)^{-1}\,\frac{\mathrm{d}z}{\lambda - z}$$

  et donc $(A - \lambda \mathrm{Id}_X)^{-1}\,(\mathrm{Id}_X - \Pi)$ se prolonge analytiquement à tout l'intérieur de Γ. Ceci montre que $\sigma(A^+)$ est à l'extérieur de Γ, et donc $\sigma(A^+) \subset \Sigma_+$.

Enfin, $\sigma(A) \cap \rho(A^-) \cap \rho(A^+) = \emptyset$ car pour tout $\lambda \in \rho(A^-) \cap \rho(A^+)$, on a

$$\big(\mathrm{R}_{A^-}(\lambda)\,\Pi + \mathrm{R}_{A^+}(\lambda)\,(\mathrm{Id}_X - \Pi)\big)\,(A - \lambda \mathrm{Id}_X)$$

$$= (A - \lambda \mathrm{Id}_X)\,\big(\mathrm{R}_{A^-}(\lambda)\,\Pi + \mathrm{R}_{A^+}(\lambda)\,(\mathrm{Id}_X - \Pi)\big) = \mathrm{Id}_X$$

et donc $\lambda \in \rho(A)$. Par suite, $\Sigma_\pm \subset \sigma(A^\pm)$.

2) Il s'agit maintenant d'obtenir une estimation de $\mathrm{e}^{tA}\Pi = \mathrm{e}^{tA\Pi}$. Pour simplifier, on note A à la place de $A\Pi$, ce qui revient à supposer que le spectre de A est tout entier à l'intérieur d'une courbe fermée simple Γ, elle-même incluse dans un demi-plan $\{\lambda\,;\ \mathrm{Re}\,\lambda \leqslant \gamma\}$ avec $\gamma \in]-\beta, 0[$. On veut montrer qu'il existe $b > 0$ tel que pour tout $t \geqslant 0$,

$$|||\mathrm{e}^{tA}||| \leqslant b\,\mathrm{e}^{\gamma t}.$$

Là encore, il faut faire preuve d'imagination car la démonstration faite en dimension finie ne s'adapte pas. L'idée repose sur la *formule d'inversion de Laplace* (voir la proposition 8.2 dans l'appendice), qui suggère qu'au moins *formellement*

$$\mathrm{e}^{tA} = \frac{1}{2i\pi}\int_{\mathrm{Re}\,z=\gamma} \mathrm{e}^{zt}\,(z\,\mathrm{Id}_X - A)^{-1}\,\mathrm{d}z.$$

Par construction la droite verticale $\{z\,;\ \operatorname{Re} z = \gamma\}$ est bien incluse dans l'ensemble résolvant $\rho(A)$. Toutefois, rien n'assure que cette intégrale soit convergente. En effet, l'exponentielle est oscillante mais pas décroissante à l'infini, et $(z\,\mathrm{Id}_X - A)^{-1} = -\mathrm{R}_A(z)$ se comporte *a priori* en $1/z$ à l'infini. En revanche, si l'on modifie convenablement le chemin d'intégration on peut rendre l'intégrale absolument convergente : en l'occurrence (puisque le spectre de A est borné) on va voir qu'on peut tout simplement remplacer la droite $\{z\,;\ \operatorname{Re} z = \gamma\}$ par la courbe fermée Γ (ce qui supprime tout problème de convergence).
Soit en effet

$$S(t) := \frac{1}{2i\pi} \oint_{\Gamma} \mathrm{e}^{zt}\,(z\,\mathrm{Id}_X - A)^{-1}\,\mathrm{d}z\,.$$

Comme $\operatorname{Re} z \leqslant \gamma$ le long de Γ, il existe $C > 0$ (dépendant de $\max_{z\in\Gamma} |||\mathrm{R}_A(z)|||$) tel que pour tout $t \geqslant 0$, $|||S(t)||| \leqslant C\,\mathrm{e}^{\gamma t}$. D'après l'étape **1**) on sait que $S(0) = \mathrm{Id}_X$. De plus, par dérivation sous le signe $\int$, on a

$$S'(t) = \frac{1}{2i\pi} \int_{\Gamma} z\,\mathrm{e}^{zt}\,(z\,\mathrm{Id}_X - A)^{-1}\,\mathrm{d}z$$

$$= \frac{1}{2i\pi} \int_{\Gamma} \mathrm{e}^{zt}\,(z\,\mathrm{Id}_X - A + A)\,(z\,\mathrm{Id}_X - A)^{-1}\,\mathrm{d}z = A\,S(t)$$

puisque $\displaystyle\oint_{\Gamma} \mathrm{e}^{zt}\,\mathrm{d}z = 0$. (d'après le théorème de Cauchy). Ainsi S est solution du problème de Cauchy :

$$\frac{\mathrm{d}S}{\mathrm{d}t} = A\,S\,, \quad S(0) = \mathrm{Id}_X\,.$$

C'est donc que $S(t) = \mathrm{e}^{tA}$. La formule obtenue :

$$\mathrm{e}^{tA} = \frac{1}{2i\pi} \int_{\Gamma} \mathrm{e}^{zt}\,(z\,\mathrm{Id}_X - A)^{-1}\,\mathrm{d}z$$

est appelée *intégrale de Dunford-Taylor*. □

6.4 Dichotomies exponentielles et sous-espaces stables

L'objectif de ce qui suit est d'étendre aux équations à coefficients variables ce que l'on vient de voir pour les équations à coefficients constants, à savoir la décomposition de l'espace des solutions en sous-espaces stables et instables. Une telle décomposition est importante notamment lorsqu'on veut déterminer s'il existe des solutions tendant vers 0 à l'infini, ce genre de problème apparaissant naturellement dans l'étude de la stabilité de solutions stationnaires d'équations aux dérivées partielles d'évolution. (Le terme de résolvante employé ci-après est celui de la définition 6.1 (p. 212), et non le terme algébrique utilisé au paragraphe précédent.)

Définition 6.5

On dit que la résolvante R d'une équation différentielle linéaire (6.3) admet des *dichotomies exponentielles* sur $\mathbb{R}^-$ et sur $\mathbb{R}^+$ s'il existe des applications continues $P^\pm : \mathbb{R}^\pm \to \mathcal{L}(X)$ et $Q^\pm : \mathbb{R}^\pm \to \mathcal{L}(X)$ telles que pour tout $t \in \mathbb{R}^\pm$, $P^\pm(t)$ et $Q^\pm(t)$ sont des projecteurs avec $P^\pm(t) + Q^\pm(t) = \mathrm{Id}_X$, et

i) $R(t,s)P^\pm(s) = P^\pm(t)R(t,s)$ quels que soient t et $s \in \mathbb{R}^\pm$ avec $t \geqslant s$,

et il existe $K \geqslant 0$, $L \geqslant 0$, $\alpha > 0$ et $\beta > 0$ tels que pour t, $s \in \mathbb{R}^\pm$ avec $t \geqslant s$,

ii) $\|R(t,s)P^\pm(s)\| \leqslant K\mathrm{e}^{-\alpha(t-s)}$,

iii) $\|R(s,t)Q^\pm(t)\| \leqslant L\mathrm{e}^{-\beta(t-s)}$.

Prenons par exemple le cas de $\mathbb{R}^+$. L'existence d'une dichotomie exponentielle sur $\mathbb{R}^+$ signifie que l'espace des solutions de l'équation différentielle sous-jacente qui tendent vers 0 en $+\infty$ est

$$\mathcal{E}^s := \{u \in \mathcal{C}^1(\mathbb{R}^+)\,;\; u(t) = R(t,0)\,u_0 \text{ avec } u_0 \in \operatorname{Im}P^+(0)\}\,.$$

En effet, si $u \in \mathcal{E}^s$ alors pour tout $t \geqslant 0$, $u(t) = R(t,0)\,P^+(0)\,u(0) \in \operatorname{Im}P^+(t)$ d'après *i)*, et u tend vers 0 exponentiellement vite d'après *ii)*. Pour vérifier que $\mathcal{E}^s$ contient toutes les solutions tendant vers 0, on utilise bien sûr *iii)*. Supposons que $u \in \mathcal{C}^1(\mathbb{R}^+)$ soit solution de l'équation différentielle, ce qui signifie $R(s,t)\,u(t) = u(s)$ pour tous t et s dans $\mathbb{R}^+$, et tende vers 0 en $+\infty$. Fixons alors $s \in \mathbb{R}^+$ et considérons $t \geqslant s$. D'après *i)* on a

$$Q^+(s)\,u(s) = Q^+(s)\,R(s,t)\,u(t) = R(s,t)\,Q^+(t)\,u(t)\,,$$

ce qui tend vers 0 lorsque t tend vers $+\infty$ d'après *iii)* et l'hypothèse sur u. Par conséquent, $Q^+(s)\,u(s) = 0$: c'est donc que $u(s)$ appartient à $\operatorname{Im}P^+(s)$.

Dans la définition 6.5, on pourrait remplacer $\mathbb{R}^\pm$ par un intervalle semi-infini quelconque, et définir ainsi ce qu'est une dichotomie exponentielle sur $[t_0,+\infty[$ (ou $]-\infty,-t_0]$).

Proposition 1.2

L'existence d'une dichotomie exponentielle sur $[t_0,+\infty[$ (resp. $]-\infty,-t_0]$) avec $t_0 \geqslant 0$ équivaut à l'existence d'une dichotomie exponentielle sur $\mathbb{R}^+$ (resp. $\mathbb{R}^-$).

DÉMONSTRATION. En effet, une dichotomie exponentielle sur $\mathbb{R}^+$ en définit *a fortiori* une sur $[t_0,+\infty[$. Inversement, si P et Q définissent une dichotomie exponentielle sur $[t_0,+\infty[$, on peut prolonger P et Q à $\mathbb{R}^+$ en posant

$$P(t) = R(t,t_0)\, P(t_0)\, R(t_0,t)\,, \quad Q(t) = R(t,t_0)\, Q(t_0)\, R(t_0,t)$$

pour $t \in [0, t_0]$. Ces formules définissent bien des projecteurs, car grâce à la formule de la proposition 6.1,

$$P(t)\,P(t) = R(t,t_0)\,P(t_0)\,R(t_0,t)\,R(t,t_0)\,P(t_0)\,R(t_0,t) =$$
$$R(t,t_0)\,P(t_0)\,R(t_0,t_0)\,P(t_0)\,R(t,t_0) = R(t,t_0)\,P(t_0)\,P(t_0)\,R(t,t_0) =$$
$$R(t,t_0)\,P(t_0)\,R(t_0,t_0)\,,$$

et de même pour Q. Puisque $P(t_0) + Q(t_0) = \mathrm{Id}_X$ on a aussi $P(t) + Q(t) = \mathrm{Id}_X$. On vérifie aussi facilement la propriété *i)* : quels que soient $t, s \in \mathbb{R}^+$ avec $t \geqslant s$,

$$R(t,s)\,P(s) = R(t,s)\,R(s,t_0)\,P(t_0)\,R(t_0,s) = R(t,t_0)\,P(t_0)\,R(t_0,s) =$$
$$R(t,t_0)\,P(t_0)\,R(t_0,t)\,R(t,t_0)\,R(t_0,s) = P(t)\,R(t,s)\,.$$

Par ailleurs, les fonctions continues $(t, s) \mapsto \|R(t, s)\,P(s)\|\,\mathrm{e}^{\alpha(t-s)}$ et $(t, s) \mapsto \|R(s, t)\,Q(t)\|\,\mathrm{e}^{\beta(t-s)}$ sont bornées sur le compact $[0, t_0] \times [0, t_0]$. Maintenant pour $t \geqslant t_0 \geqslant s$, $R(t, s)\,P(s) = R(t, t_0)\,R(t_0, s)\,P(s) = R(t, t_0)\,P(t_0)\,R(t_0, s)$. Par conséquent, puisque l'application continue $s \mapsto \|R(t_0, s)\|\,\mathrm{e}^{\alpha(t_0-s)}$ est bornée sur le compact $[0, t_0]$ et que $t \mapsto \|R(t, t_0)\,P(t_0)\|\,\mathrm{e}^{\alpha(t-t_0)}$ est bornée, on a aussi une borne pour $\|R(t, s)\,P(s)\|\,\mathrm{e}^{\alpha(t-s)}$ lorsque $t \geqslant t_0 \geqslant s$. De la même façon on obtient une borne pour $\|R(s, t)\,Q(t)\|\,\mathrm{e}^{\beta(t-s)}$ lorsque $t \geqslant t_0 \geqslant s$. □

Proposition 6.10

Si $X = \mathbb{R}^n$ et $B(t)$ est la matrice fondamentale de (6.3) valant $\mathbf{I}_n$ en $t = 0$, l'existence d'une dichotomie exponentielle sur $\mathbb{R}^\pm$ équivaut à l'existence de matrices idempotentes $P_0^\pm$ et $Q_0^\pm$ telles que $P_0^\pm + Q_0^\pm = \mathbf{I}_n$ et de réels $K \geqslant 0$, $L \geqslant 0$, $\alpha > 0$ et $\beta > 0$ tels que pour $t, s \in \mathbb{R}^\pm$ avec $t \geqslant s$,

ii') $\|B(t)\,P_0^\pm\,B(s)^{-1}\| \leqslant K\mathrm{e}^{-\alpha(t-s)}$,

iii') $\|B(s)\,Q_0^\pm\,B(t)^{-1}\| \leqslant L\mathrm{e}^{-\beta(t-s)}$.

DÉMONSTRATION. Rappelons que $R(t,s) = B(t)\,B(s)^{-1}$ (voir la proposition 6.3). Si l'on a $P^\pm(t)$ et $Q^\pm(t)$ comme dans la définition 6.5, on remarque que $P_0^\pm := P^\pm(0) =$

$$B(t)^{-1}\, P^{\pm}(t)\, B(t) \quad \text{et} \quad Q_0^{\pm} := Q^{\pm}(0) = B(t)^{-1}\, Q^{\pm}(t)\, B(t)$$

pour tout $t \in \mathbb{R}^{\pm}$ d'après *i)*. Ainsi, pour $t,\, s \in \mathbb{R}^{\pm}$ avec $t \geqslant s$,

$$R(t,s)P^{\pm}(s) = B(t)\, P_0^{\pm}\, B(s)^{-1} \quad \text{et} \quad R(s,t)Q^{\pm}(t) = B(s)\, Q_0^{\pm}\, B(t)^{-1}\,.$$

De plus, $P_0^{\pm}$ (resp. $Q_0^{\pm}$) étant semblable à $P^{\pm}(t)$ (resp. $Q^{\pm}(t)$), elle est idempotente comme elle. Inversement, si l'on a des matrices idempotentes $P_0^{\pm}$ et $Q_0^{\pm}$ comme dans l'énoncé,

$$P^{\pm}(t) := B(t)\, P_0^{\pm}\, B(t)^{-1} \quad \text{et} \quad Q^{\pm}(t) := B(t)\, Q_0^{\pm}\, B(t)^{-1}$$

sont idempotentes et vérifient *i)*, *ii)*, *iii)*. □

On peut en fait reformuler ce résultat en toute dimension, en remplaçant simplement $B(t)$ par $R(t,\,0)$ et $B(t)^{-1}$ par $R(0,\,t)$. On peut de plus caractériser l'existence de dichotomies exponentielles de la façon suivante.

Proposition 6.11

La résolvante R d'une équation différentielle linéaire admet une *dichotomie exponentielle* sur $\mathbb{R}^{\pm}$ si seulement s'il existe des projecteurs $P_0^{\pm}$ et $Q_0^{\pm}$ tels que $P_0^{\pm} + Q_0^{\pm} = \mathrm{Id}_X$, et $K \geqslant 0$, $L \geqslant 0$, $M > 0$, $\alpha > 0$, $\beta > 0$, tels que pour t, $s \in \mathbb{R}^{\pm}$ avec $t \geqslant s$, pour tout $x \in X$,

a) $\|R(t,\,0)\, P_0^{\pm}\, R(0,\,t)\| \leqslant M$,

b) $\|R(t,\,0)\, P_0^{\pm}\, x\| \leqslant K\mathrm{e}^{-\alpha(t-s)}\, \|R(s,\,0)\, P_0^{\pm}\, x\|$,

c) $\|R(s,\,0)\, Q_0^{\pm}\, x\| \leqslant L\mathrm{e}^{-\beta(t-s)}\, \|R(t,\,0)\, Q_0^{\pm}\, x\|$.

Démonstration. Si l'on a $P^{\pm}(t)$ et $Q^{\pm}(t)$ comme dans la définition 6.5, on pose $P_0^{\pm} := P^{\pm}(0)$ et $Q_0^{\pm} := Q^{\pm}(0)$. D'après *i)*, on a pour tout $t \in \mathbb{R}^{\pm}$,

$$R(t,0)P_0^{\pm} = P^{\pm}(t)\, R(t,0) \quad \text{et} \quad R(t,0)Q_0^{\pm} = Q^{\pm}(t)\, R(t,0)\,, \qquad (6.9)$$

et donc en particulier $R(t,0)\, P_0^{\pm}\, R(0,t) = P^{\pm}(t)$. Or d'après *i)* avec $t = s$, $\|P^{\pm}(t)\| \leqslant K$: ceci montre *a)* avec $M = K$. De plus, *i)* montre que pour $t,\, s \in \mathbb{R}^{\pm}$ avec $t \geqslant s$, pour tout $y \in X$,

$$\|R(t,s)P^{\pm}(s)y\| \leqslant K\mathrm{e}^{-\alpha(t-s)}\, \|y\|\,.$$

On obtient *b)* en appliquant cette inégalité à $y = R(s,\,0)\, P_0^{\pm}\, x$, en utilisant (6.9) et le fait que $P_0^{\pm}$ est un projecteur ($P_0^{\pm} P_0^{\pm} = P_0^{\pm}$). On déduit de la même manière *c)* de *iii)*.

Réciproquement, si l'on a des projecteurs $P_0^{\pm}$ et $Q_0^{\pm}$ tels que $P_0^{\pm} + Q_0^{\pm} = \mathrm{Id}_X$ on peut définir $P^{\pm}(t)$ et $Q^{\pm}(t)$ par (6.9). On a alors (en utilisant la formule de la proposition 6.1)

$$R(t,s)P^{\pm}(s) = R(t,s)\,R(s,0)\,P_0^{\pm}\,R(0,s) = R(t,0)\,P_0^{\pm}\,R(0,s)$$
$$= P^{\pm}(t)\,R(t,0)\,R(0,s) = P^{\pm}(t)\,R(t,s)\,.$$

C'est la propriété *i)*. Si de plus on a les trois majorations *a)*, *b)*, *c)*, on déduit la majoration *ii)* des deux premières en utilisant à nouveau (6.9) (et la proposition 6.1) :

$$\|R(t,s)\,P^{\pm}(s)\,x\| = \|R(t,0)\,R(0,s)\,P^{\pm}(s)\,x\| = \|R(t,0)\,P_0^{\pm}\,R(0,s)\,x\|$$
$$\leqslant K\mathrm{e}^{-\alpha(t-s)}\,\|R(s,0)\,P_0^{\pm}\,R(0,s)\,x\| \leqslant K\,M\,\mathrm{e}^{-\alpha(t-s)}\,\|x\|\,.$$

Le calcul est analogue pour *ii)*, en utilisant *a)* et *c)*. □

Remarque 6.3

La propriété *a)* signifie que le projecteur $P^{\pm}(t) = R(t,\,0)\,P_0^{\pm}\,R(0,\,t)$ est uniformément borné pour $t \in \mathbb{R}^{\pm}$. Autrement dit, les espaces $\mathrm{Im}P^{+}(t)$ et $\mathrm{Im}Q^{+}(t)$ sont « uniformément transverses » , au sens où l'« angle » entre les deux reste uniformément minoré par un angle non-nul.

Le théorème 6.6 montre que les équations différentielles linéaires à coefficients constants $u' = Au$ avec A hyperbolique admettent des dichotomies exponentielles sur $\mathbb{R}$: on peut prendre $P^{+} = P^{-} \equiv \Pi^{s}$, $Q^{+} = Q^{-} \equiv \Pi^{u}$.

Un résultat fondamental est la robustesse des dichotomies exponentielles par perturbation.

Théorème 6.7

Soient A, B : $\mathbb{R}^{\pm} \to \mathcal{L}(X)$ des applications continues. On suppose que la résolvante de l'équation différentielle $u' = A(t)\,u$ admet une dichotomie exponentielle sur $\mathbb{R}^{\pm}$. Alors il existe $\delta > 0$ tel que, si $\|B(t)\| \leqslant \delta$ pour tout $t \in \mathbb{R}^{\pm}$, alors la résolvante de $u' = A(t)\,u + B(t)\,u$ admet une dichotomie exponentielle sur $\mathbb{R}^{\pm}$.

Ce résultat avait été obtenu par divers auteurs dans les années 1960, sous des hypothèses plus ou moins restrictives. Nous en donnons ici la démonstration de Coppel [7], traduite en dimension quelconque.

DÉMONSTRATION. Elle repose essentiellement sur trois ingrédients : la formule de Duhamel, le théorème du point fixe de Banach-Picard (théorème 1.9 p. 36) dans $\mathcal{L}(X)$ et un lemme de type Gronwall (lemme 6.2 ci-après).
On se place sur $\mathbb{R}^{+}$ (la démonstration étant parfaitement analogue sur $\mathbb{R}^{-}$) et l'on omettra pour simplifier l'exposant $+$ pour les projecteurs. On note R la résolvante

de l'équation de référence $u' = A(t)\,u$, dont on suppose qu'elle admet une dichotomie exponentielle sur $\mathbb{R}^+$ associée aux projecteurs $P(t)$ et $Q(t)$. On notera en particulier $P_0 = P(0)$. On notera par ailleurs $\widetilde{R}$ la résolvante de l'équation perturbée $u' = A(t)\,u + B(t)\,u$, pour laquelle on cherche des projecteurs $\widetilde{P}(t)$ et $\widetilde{Q}(t)$ définissant une dichotomie exponentielle. On va d'abord obtenir $\widetilde{P}_0 = \widetilde{P}(0)$ à l'aide d'un argument de point fixe. On considère pour cela l'opérateur $\mathcal{T} : \mathcal{C}_b(\mathbb{R}^+; \mathcal{L}(X)) \to \mathcal{C}_b(\mathbb{R}^+; \mathcal{L}(X))$ tel que

$$(\mathcal{T}Y)(t) = R(t,0)\,P_0 + \int_0^t R(t,\tau)\,P(\tau)\,B(\tau)\,Y(\tau)\,\mathrm{d}\tau - \int_t^{+\infty} R(t,\tau)\,Q(\tau)\,B(\tau)\,Y(\tau)\,\mathrm{d}\tau.$$

Ceci définit bien $\mathcal{T}Y \in \mathcal{C}_b(\mathbb{R}^+; \mathcal{L}(X))$ (qui muni de la norme $\|\cdot\|_\infty$ est un espace de Banach) car d'après les propriétés *ii)* et *iii)* de la dichotomie exponentielle, $\|(\mathcal{T}Y)(t)\| \leqslant K\,\mathrm{e}^{-\alpha t} +$

$$K\,\|Y\|_\infty\,\|B\|_\infty \int_0^t \mathrm{e}^{-\alpha(t-\tau)}\,\mathrm{d}\tau + L\,\|Y\|_\infty\,\|B\|_\infty \int_t^{+\infty} \mathrm{e}^{\beta(t-\tau)}\,\mathrm{d}\tau,$$

d'où

$$\|\mathcal{T}Y\|_\infty \leqslant K + \left(\frac{K}{\alpha} + \frac{L}{\beta}\right)\|B\|_\infty\,\|Y\|_\infty\,.$$

De plus, par le même calcul que ci-dessus

$$\|\mathcal{T}Y - \mathcal{T}Z\|_\infty \leqslant \left(\frac{K}{\alpha} + \frac{L}{\beta}\right)\|B\|_\infty\,\|Y - Z\|_\infty\,.$$

Donc pour $\|B\|_\infty \leqslant \delta$ assez petit, $\mathcal{T}$ est contractant, et admet par conséquent un point fixe unique, que l'on notera Y_1. Le reste de la démonstration du théorème va consister à vérifier que $\widetilde{P}_0 := Y_1(0)$ définit (comme dans la proposition 6.11) une dichotomie exponentielle pour $\widetilde{R}$.

On observe tout d'abord que, puisque $P_0 P_0 = P_0$, $Y_1 P_0$ est aussi un point fixe de $\mathcal{T}$. Par suite, $Y_1(t) P_0 = Y_1(t)$ quel que soit $t \in \mathbb{R}^+$, et en particulier pour $t = 0$ ceci montre que $\widetilde{P}_0 P_0 = \widetilde{P}_0$.

Par définition, on a

$$Y_1(t) = R(t,0)\,P_0 + \int_0^t R(t,\tau)\,P(\tau)\,B(\tau)\,Y_1(\tau)\,\mathrm{d}\tau - \int_t^{+\infty} R(t,\tau)\,Q(\tau)\,B(\tau)\,Y_1(\tau)\,\mathrm{d}\tau \tag{6.10}$$

quel que soit $t \in \mathbb{R}^+$. Notons que d'après la propriété *i)*, le premier terme s'écrit aussi $P(t)\,R(t,0)$. En remplaçant t par s dans (6.10), en composant par $R(t,0)\,P_0\,R(0,s)$ et en remarquant que (grâce à la propriété *i)* et à la formule de la proposition 6.1) $R(t,0)P_0R(0,s)R(s,\tau)P(\tau) =$

$$R(t,0)P_0R(0,\tau)P(\tau) = R(t,0)P_0P_0R(0,\tau) =$$
$$R(t,0)P_0R(0,\tau) = R(t,0)R(0,\tau)P(\tau) = R(t,\tau)P(\tau)\,,$$

et que par un calcul analogue, puisque $P_0\,Q(0) = 0$,

$$R(t,0)\;P_0\;R(0,s)\;R(s,\tau)\;Q(\tau)\;=\;0\,,$$

on obtient aussi, en réécrivant $R(t,0)\,P_0\,R(0,s) = R(t,0)\,R(0,s)\,P(s) = R(t,s)\,P(s)$,

$$R(t,s)\;P(s)\;Y_1(s)\;=\;R(t,0)\;P_0\;+\;\int_0^s R(t,\tau)\;P(\tau)\;B(\tau)\;Y_1(\tau)\,\mathrm{d}\tau, \quad (6.11)$$

d'où en soustrayant à l'égalité (6.10),

$$\begin{aligned} Y_1(t) \;=\; & R(t,s)\;P(s)\;Y_1(s)\;+\;\int_s^t R(t,\tau)\;P(\tau)\;B(\tau)\;Y_1(\tau)\,\mathrm{d}\tau \\ & -\int_t^{+\infty} R(t,\tau)\;Q(\tau)\;B(\tau)\;Y_1(\tau)\,\mathrm{d}\tau. \end{aligned} \quad (6.12)$$

En faisant $t = s = 0$ dans (6.11), on voit en particulier que $P_0\widetilde{P}_0 = P_0$. Ceci implique que $Y_1\widetilde{P}_0$ est aussi un point fixe de $\mathfrak{T}$, d'où $Y_1(t)\widetilde{P}_0 = Y_1(t)$ quel que soit $t \in \mathbb{R}^+$. En particulier pour $t = 0$, cela montre que $\widetilde{P}_0\widetilde{P}_0 = \widetilde{P}_0$, c'est-à-dire que $\widetilde{P}_0$ est un projecteur.

Soient maintenant $\widetilde{Q}_0 := \mathrm{Id}_X - \widetilde{P}_0$ et $Y_2(t) := \widetilde{R}(t,0)\,\widetilde{Q}_0$. Ainsi Y_1 (d'après (6.10)) et Y_2 sont deux solutions de l'équation différentielle linéaire $Y' = A(t)Y + B(t)Y$ dans $\mathfrak{L}(X)$. Par suite, puisque $Y_1(0) = \widetilde{P}_0$, $Y_1(t) = \widetilde{R}(t,0)\,\widetilde{P}_0$ (et $\widetilde{R}(t,0) = Y_1(t) + Y_2(t)$) quel que soit $t \in \mathbb{R}^+$. D'après la proposition 6.11, il reste à montrer des estimations sur Y_1 et Y_2 :

$$\|Y_1(t)\,x\| \leqslant \widetilde{K}\mathrm{e}^{-\widetilde{\alpha}(t-s)}\,\|Y_1(s)\,x\|\,,\quad \|Y_2(s)\,x\| \leqslant \widetilde{L}\mathrm{e}^{-\widetilde{\beta}(t-s)}\,\|Y_2(t)\,x\|$$

pour $0 \leqslant s \leqslant t$, $x \in X$, et une borne uniforme sur $\widetilde{R}(t,0)\,\widetilde{P}_0\,\widetilde{R}(0,t) =: \widetilde{P}(t)$ pour $t \geqslant 0$.

Commençons par l'estimation de Y_1. D'après (6.12) et les estimations *ii)* et *iii)* de R, $\|Y_1(t)\,x\| \leqslant K\mathrm{e}^{-\alpha(t-s)}\,\|Y_1(s)x\| +$

$$K\,\delta\int_s^t \mathrm{e}^{-\alpha(t-\tau)}\,\|Y_1(\tau)\,x\|\,\mathrm{d}\tau\;+\;L\,\delta\int_t^{+\infty}\mathrm{e}^{-\beta(\tau-t)}\,\|Y_1(\tau)\,x\|\,\mathrm{d}\tau.$$

(Rappelons que δ est un majorant de $\|B\|_\infty$.) Pour en tirer l'estimation voulue, on commence par introduire $K' = \max(K,L)$ et $\alpha' := \min(\alpha, \beta)$, de sorte que l'inégalité ci-dessus implique

$$\|Y_1(t)\,x\| \leqslant K'\mathrm{e}^{-\alpha'(t-s)}\,\|Y_1(s)x\| + K'\,\delta \int_s^{+\infty} \mathrm{e}^{-\alpha'|t-\tau|}\,\|Y_1(\tau)\,x\|\,\mathrm{d}\tau.$$

Ainsi à s fixé, la fonction $y : t \mapsto y(t) := \|Y_1(t+s)\,x\|$ vérifie l'inégalité intégrale

$$y(t) \leqslant K'\mathrm{e}^{-\alpha' t}\,y(0) + K'\,\delta \int_0^{+\infty} \mathrm{e}^{-\alpha'|t-\tau|}\,y(\tau)\,\mathrm{d}\tau \quad \text{pour tout } t \geqslant 0.$$

On sait de plus qu'elle est bornée, puisque Y_1 l'est par construction. Donc on peut lui appliquer le lemme 6.2 ci-dessous. Pour $\delta < \alpha'/(2K')$, on en déduit la majoration $y(t) \leqslant \widetilde{K}\,\mathrm{e}^{-\widetilde{\alpha} t}\,y(0)$ avec $\widetilde{\alpha} = \alpha'\sqrt{1-2K'\delta/\alpha'}$ et $\widetilde{K} = \alpha'\,(1-\sqrt{1-2K'\delta/\alpha'})/\delta$. Cela montre la majoration cherchée pour Y_1 :

$$\|Y_1(t)\,x\| \leqslant \widetilde{K}\mathrm{e}^{-\widetilde{\alpha}(t-s)}\,\|Y_1(s)\,x\|$$

pour $0 \leqslant s \leqslant t$.
Pour l'estimation de Y_2, nous aurons besoin d'une formule analogue à (6.12). Rappelons que $Y_2(t) = \widetilde{R}(t,0)\,\widetilde{Q}_0$. Donc par la formule de Duhamel,

$$Y_2(t) = R(t,0)\,\widetilde{Q}_0 + \int_0^t R(t,\tau)\,B(\tau)\,Y_2(\tau)\,\mathrm{d}\tau. \tag{6.13}$$

En remplaçant t par s et en remarquant que

$$Q_0\,\widetilde{Q}_0 = \mathrm{Id}_X - \widetilde{P}_0 - P_0 - \widetilde{P}_0 P_0 = \widetilde{Q}_0,$$

on obtient la formule intermédiaire (analogue à (6.11))

$$R(t,0)\,Q_0\,R(0,s)\,Y_2(s) = R(t,0)\,\widetilde{Q}_0 + \int_0^s R(t,0)\,Q_0\,R(0,\tau)\,B(\tau)\,Y_2(\tau)\,\mathrm{d}\tau.$$

En soustrayant à l'expression de $Y_2(t)$ on en déduit

$$Y_2(t) = R(t,s)\,Q(s)\,Y_2(s) + \int_0^t R(t,\tau)\,P(\tau)\,B(\tau)\,Y_2(\tau)\,\mathrm{d}\tau$$
$$- \int_s^t R(t,\tau)\,Q(\tau)\,B(\tau)\,Y_2(\tau)\,\mathrm{d}\tau,$$

d'où, en échangeant les rôles de t et s, et grâce aux estimations *ii)* et *iii)* de R pour $0 \leqslant s \leqslant t$, $\|Y_2(s)\,x\| \leqslant L\,\mathrm{e}^{-\beta(t-s)}\,\|Y_2(t)\,x\| +$

$$K\,\delta \int_0^s \mathrm{e}^{-\alpha(s-\tau)}\, \|Y_2(\tau)\|\, \mathrm{d}\tau + L\,\delta \int_s^t \mathrm{e}^{-\beta(\tau-s)}\, \|Y_2(\tau)\|\, \mathrm{d}\tau\,.$$

Comme pour Y_1 on peut « affaiblir » cette estimation en

$$\|Y_2(s)\,x\| \leqslant K'\,\mathrm{e}^{-\alpha'(t-s)}\, \|Y_2(t)\,x\| + K'\,\delta \int_0^t \mathrm{e}^{-\alpha'|s-\tau|}\, \|Y_2(\tau)\|\, \mathrm{d}\tau\,.$$

Ainsi à t fixé, la fonction $y : r \mapsto y(r) := \mathbf{1}_{[0,t]}(r)\, \|Y_2(t-r)\,x\|$ (où $\mathbf{1}_{[0,t]}$ désigne la fonction caractéristique de l'intervalle $[0, t]$, valant 1 dans cet intervalle et 0 ailleurs) vérifie l'inégalité intégrale

$$y(r) \leqslant K'\mathrm{e}^{-\alpha' r}\, y(0) + K'\,\delta \int_0^{+\infty} \mathrm{e}^{-\alpha'|r-\tau|}\, y(\tau)\, \mathrm{d}\tau\,.$$

Cette fonction y est bien bornée sur $\mathbb{R}^+$ car Y_2 l'est sur $[0, t]$. L'inconvénient est qu'elle n'est pas continue : on ne peut pas lui appliquer le lemme 6.2 directement. Cependant si l'on reprend la démonstration, il suffit de modifier l'initialisation de la suite (z^n) en choisissant une fonction continue bornée z^0 telle que $y(r) \leqslant z^0(r)$ quel que soit $r \geqslant 0$. Pour $\delta < \alpha'/(2K')$, on en déduit la majoration $y(r) \leqslant \widetilde{K}\, \mathrm{e}^{-\widetilde{\alpha} r}\, y(0)$, d'où

$$\|Y_2(s)\,x\| \leqslant \widetilde{K}\mathrm{e}^{-\widetilde{\alpha}(t-s)}\, \|Y_2(t)\,x\|$$

pour $0 \leqslant s \leqslant t$.
Il reste à trouver une borne pour $\widetilde{P}(t) := \widetilde{R}(t, 0)\, \widetilde{P}_0\, \widetilde{R}(0, t)$, ce qui équivaut au passage à trouver une borne pour $\widetilde{Q}(t) := \widetilde{R}(t, 0)\, \widetilde{Q}_0\, \widetilde{R}(0, t)$. Sachant que $P(t)$ est bornée il suffit de trouver une borne pour

$$\widetilde{P}(t) - P(t) = Q(t)\, \widetilde{P}(t) - P(t)\, \widetilde{Q}(t)\,.$$

Or par construction de Y_1 et Y_2, on a $\widetilde{P}(t) = Y_1(t)\, \widetilde{R}(0,t)$ et $\widetilde{Q}(t) = Y_2(t)\, \widetilde{R}(0,t)$. Si l'on note pour simplifier $\gamma_i(t) := \|Y_i(t)\, \widetilde{R}(0, t)\|$ pour $i = 1,2$, il s'agit de montrer que γ_1 et γ_2 sont bornées. Un calcul préliminaire consiste à montrer qu'il existe $\eta > 0$ tendant vers 0 avec δ, tel que

$$\|Q(t)\, Y_1(t)\, x\| \leqslant \eta\, \|Y_1(t)\, x\|\,, \quad \|P(t)\, Y_2(t)\, x\| \leqslant \eta\, \|Y_2(t)\, x\|\,.$$

Admettons le pour l'instant. Alors en appliquant les estimations ci-dessus à $x = \widetilde{R}(0, t)\xi$ avec $\xi \in X$ arbitraire, on obtient

$$\gamma_1(t) \leqslant \|P(t)\| + \|Q(t)\, \widetilde{P}(t)\| + \|P(t)\, \widetilde{Q}(t)\| \leqslant K + \eta\,(\gamma_1(t) + \gamma_2(t))\,,$$

et de même

$$\gamma_1(t) \leqslant \|Q(t)\| + \|P(t)\,\widetilde{Q}(t)\| + \|Q(t)\,\widetilde{P}(t)\| \leqslant K + \eta(\gamma_1(t) + \gamma_2(t)),$$

Par suite, en faisant la somme, on en déduit si $\eta < 1/2$ que

$$\gamma_1(t) + \gamma_2(t) \leqslant 4K,$$

d'où *a fortiori* la majoration de γ_1 et γ_2 par $4K$. Voyons maintenant pour achever la démonstration comment on obtient les majorations de $\|Q(t)\,Y_1(t)\,x\|$ et $\|P(t)\,Y_2(t)\,x\|$. D'après (6.10), puisque $Q(t)P(t) = 0$ et $Q(t)P(t) = Q(t)$,

$$Q(t)\,Y_1(t) = -\int_t^{+\infty} R(t,\tau)\,Q(\tau)\,B(\tau)\,Y_1(\tau)\,\mathrm{d}\tau.$$

Or comme on l'a montré plus haut,

$$\|Y_1(\tau)\,x\| \leqslant \widetilde{K}\mathrm{e}^{-\widetilde{\alpha}(\tau-t)}\,\|Y_1(t)\,x\|$$

pour $0 \leqslant t \leqslant \tau$, et d'autre part on rappelle que

$$\|R(t,\tau)\,Q(\tau)\| \leqslant L\,\mathrm{e}^{-\beta(\tau-t)}.$$

On en déduit que $\|Q(t)\,Y_1(t)\,x\| \leqslant$

$$\delta\,\widetilde{K}\,L\,\|Y_1(t)\,x\| \int_t^{+\infty} \mathrm{e}^{-(\widetilde{\alpha}+\beta)(\tau-t)}\,\mathrm{d}\tau = \delta\,\frac{\widetilde{K}\,L}{\widetilde{\alpha}+\beta}\,\|Y_1(t)\,x\|.$$

De façon analogue, d'après (6.13),

$$P(t)\,Y_2(t) = \int_0^t R(t,\tau)\,P(\tau)\,B(\tau)\,Y_2(\tau)\,\mathrm{d}\tau$$

implique

$$\|P(t)\,Y_2(t)\,x\| \leqslant \delta\,\widetilde{L}\,K\,\|Y_2(t)\,x\| \int_0^t \mathrm{e}^{-(\alpha+\widetilde{\beta})(\tau-t)}\,\mathrm{d}\tau \leqslant \delta\,\frac{\widetilde{L}\,K}{\alpha+\widetilde{\beta}}\,\|Y_2(t)\,x\|.$$

Cela achève la démonstration du théorème 6.7. □

Lemme 6.2

Soit $y \in \mathcal{C}_b(\mathbb{R}^+;\mathbb{R})$ une fonction bornée pour laquelle il existe $K > 0$, $\delta > 0$, $\alpha > 0$, tels que

$$y(t) \leqslant K\mathrm{e}^{-\alpha t}\,y(0) + K\,\delta \int_0^{+\infty} \mathrm{e}^{-\alpha|t-\tau|}\,y(\tau)\,\mathrm{d}\tau \quad \text{pour tout } t \geqslant 0.$$

Si $\delta < \alpha/(2K)$ alors

$$y(t) \leqslant y(0)\,\frac{\alpha}{\delta}\,(1 - \sqrt{1 - 2K\delta/\alpha})\,\mathrm{e}^{-\alpha t\sqrt{1-2K\delta/\alpha}} \quad \text{pour tout } t \geqslant 0.$$

DÉMONSTRATION. Dans la démonstration du lemme de Gronwall « standard », on se ramène à l'inéquation différentielle satisfaite par le second membre de l'inégalité intégrale. Ici cela ne fonctionne pas, car la dérivée de

$$w : t \mapsto \int_0^{+\infty} \mathrm{e}^{-\alpha|t-\tau|}\, y(\tau)\, \mathrm{d}\tau = \int_0^{t} \mathrm{e}^{-\alpha(t-\tau)}\, y(\tau)\, \mathrm{d}\tau + \int_t^{+\infty} \mathrm{e}^{-\alpha(\tau-t)}\, y(\tau)\, \mathrm{d}\tau$$

est donnée par

$$w'(t) = -\alpha \int_0^{t} \mathrm{e}^{-\alpha(t-\tau)}\, y(\tau)\, \mathrm{d}\tau + \alpha \int_t^{+\infty} \mathrm{e}^{-\alpha(\tau-t)}\, y(\tau)\, \mathrm{d}\tau,$$

et l'on ne sait pas majorer le premier terme. On considère plutôt l'équation intégrale :

$$z(t) = K\mathrm{e}^{-\alpha t}\, y(0) + K\,\delta \int_0^{+\infty} \mathrm{e}^{-\alpha|t-\tau|}\, z(\tau)\, \mathrm{d}\tau .$$

Si $K\,\delta < \alpha$, cette équation admet une solution unique bornée, point fixe de l'application contractante

$$\begin{array}{rcl} \mathfrak{I} : \mathcal{C}_b(\mathbb{R}^+;\mathbb{R}) & \to & \mathcal{C}_b(\mathbb{R}^+;\mathbb{R}) \\ z & \mapsto & \mathfrak{I}z\,; \end{array}$$

$$\mathfrak{I}z(t) = K\mathrm{e}^{-\alpha t}\, y(0) + K\,\delta \int_0^{+\infty} \mathrm{e}^{-\alpha|t-\tau|}\, z(\tau)\, \mathrm{d}\tau .$$

On peut notamment construire ce point fixe comme limite de la suite $(z^n)_{n\in\mathbb{N}}$ définie par $z^0(t) = y(t)$ et $z^{n+1} = \mathfrak{I}z^n$. Or l'hypothèse sur y montre que $y(t) \leqslant z^n(t)$ quels que soient $t \in \mathbb{R}^+$ et $n \in \mathbb{N}$: c'est vrai par définition pour $n = 0$; si c'est vrai pour n, alors

$$y(t) \leqslant K\mathrm{e}^{-\alpha t}\, y(0) + K\,\delta \int_0^{+\infty} \mathrm{e}^{-\alpha|t-\tau|}\, y(\tau)\, \mathrm{d}\tau \leqslant \mathfrak{I}z^n(t) = z^{n+1}(t) .$$

Donc à la limite lorsque n tends vers $+\infty$, on obtient $y(t) \leqslant z(t)$.
Il suffit par conséquent de montrer la majoration voulue pour z, dont on va voir qu'elle est solution d'une équation différentielle : on revient en quelque sorte à la méthode de démonstration du lemme de Gronwall, sauf que l'équation différentielle sous-jacente est d'ordre 2. En effet, par le théorème de dérivation sous le signe $\int$ on voit que z est (au moins) de classe $\mathcal{C}^2$ et

$$z'(t) = -\alpha K\mathrm{e}^{-\alpha t} y(0) - \alpha K\delta \int_0^{t} \mathrm{e}^{-\alpha(t-\tau)} z(\tau)\mathrm{d}\tau + \alpha K\delta \int_t^{+\infty} \mathrm{e}^{-\alpha(\tau-t)} z(\tau)\mathrm{d}\tau,$$

$$z''(t) = (\alpha^2 - 2\,\alpha\, K\,\delta)\, z(t) .$$

C'est ici qu'apparaît la restriction supplémentaire $2K\delta < \alpha$, que l'on suppose satisfaite désormais. Si l'on note pour simplifier $\gamma := \alpha\sqrt{1-2\theta}$, $\theta := K\delta/\alpha$, comme z est bornée (par construction) et solution de $z'' = \gamma^2 z$, elle est nécessairement de la forme $z(t) = c\,\mathrm{e}^{-\gamma t}$. En reportant cette expression dans (6.14) à $t = 0$ on en déduit

$$c = K\,y(0) + K\,\delta\,c/(\alpha+\gamma)\,,$$

d'où $c = K\,y(0)\,(1-\sqrt{1-2\theta})/\theta$. □

Corollaire 6.2

Soient $A, B : \mathbb{R}^{\pm} \to \mathcal{L}(X)$ des applications continues. On suppose que la résolvante de l'équation différentielle $u' = A(t)\,u$ admet une dichotomie exponentielle sur $\mathbb{R}^{\pm}$. Si $\lim_{t\to\pm\infty} \|B(t)\| = 0$, alors la résolvante de $u' = A(t)\,u + B(t)\,u$ admet une dichotomie exponentielle sur $\mathbb{R}^{\pm}$.

DÉMONSTRATION. Traitons le cas de $\mathbb{R}^{+}$ pour fixer les idées. Si δ est le nombre positif du théorème 6.7, il existe $t_0 > 0$ tel que pour $t \geqslant t_0$, $\|B(t)\| \leqslant \delta$. Par suite, la résolvante de $u' = A(t)\,u + B(t)\,u$ admet une dichotomie exponentielle sur $[t_0,+\infty[$, et compte tenu de la proposition 6.9, on en déduit une dichotomie exponentielle sur $\mathbb{R}^{+}$.

6.5 Coefficients périodiques et théorie de Floquet

Les équations différentielles linéaires à coefficients périodiques apparaissent notamment dans la linéarisation autour de solutions périodiques d'équations non-linéaires, et jouent un rôle important dans la stabilité de ces solutions périodiques. On va voir qu'en dimension finie elles se ramènent dans une certaine mesure aux équations à coefficients constants, *via* la théorie de Floquet.

Un exemple célèbre d'équation différentielle à coefficients périodiques est l'*équation de Mathieu*

$$y'' + (a + b\cos t)y = 0\,.$$

On renvoie par exemple à [27, §9.2] pour l'étude détaillée de ses solutions périodiques, qui repose justement sur la théorie de Floquet (et sur des arguments d'analyse asymptotique).

Dans ce qui suit X est un espace de Banach (sur $\mathbb{R}$ ou $\mathbb{C}$) et $A \in \mathcal{C}(\mathbb{R}; X)$ est périodique de période T. On considère l'équation différentielle linéaire (6.3) et $R : \mathbb{R}\times\mathbb{R} \to \mathrm{Isom}(X)$ sa résolvante :

$$\frac{\partial R}{\partial t}(t,s) = A(t)\circ R(t,s) \quad \text{et} \quad R(s,s) = \mathrm{Id}_X\,.$$

Définition 6.6

Quel que soit $s \in \mathbb{R}$, on appelle l'opérateur

$$C(s) := R(s+T,s)$$

opérateur de monodromie (au point s).

Proposition 6.12

Les opérateurs de monodromie sont tous *conjugués*. Pour qu'il existe une solution T-périodique non-triviale de l'équation différentielle, il faut et il suffit que 1 soit valeur propre de ces opérateurs.

DÉMONSTRATION. On commence par observer que

$$R(t+T,s+T) = R(t,s)$$

pour tout $(t, s) \in \mathbb{R} \times \mathbb{R}$. (Les deux membres, vus comme fonctions de t, sont solutions du même problème de Cauchy.) Grâce à la formule de la proposition 6.1, on a donc, quels que soient t et s :

$$C(t)\,R(t,s) = R(t+T,s) = R(t+T,s+T)\,C(s) = R(t,s)\,C(s)\,.$$

Par ailleurs, l'existence d'une solution périodique $u \not\equiv 0$ équivaut à l'existence de $u_0 \neq 0$ tel que $R(T,0)\,u_0 = u_0$. □

Le résultat suivant montre que, en dimension finie, les équations différentielles linéaires à coefficients périodiques sont en quelque sorte conjuguées à des équations différentielles autonomes.

Théorème 6.8 ***Théorème de Floquet-Lyapunov***

Si X est un $\mathbb{C}$-espace vectoriel de *dimension finie* et $A \in \mathcal{C}(\mathbb{R}; \mathcal{L}(X))$ est T-périodique, il existe une application T-périodique $Q : \mathbb{R} \to \mathrm{Isom}(X)$ et $B \in \mathcal{L}(X)$ telle que u est solution de $u' = A(t)u$ si et seulement si $t \mapsto v(t) := Q(t)\,u(t)$ est solution de $v' = Bv$.

DÉMONSTRATION. La dimension finie permet d'appliquer le lemme 6.3 *i)* ci-après : il existe donc $B \in \mathcal{L}(X)$ tel que $e^{TB} = C(0) = R(T,0)$. Soit alors Q définie par $Q(t) = e^{tB}\,R(0,t)$. C'est un isomorphisme car e^{tB} et $R(0,t)$ en sont, et

$$Q(t+T) = e^{tB}\,R(T,0)\,R(0,t+T) = e^{tB}\,R(T,t+T) = e^{tB}\,R(0,t) = Q(t)\,.$$

Par ailleurs, si u est solution de $u' = A(t)u$ alors $u(t) = R(t,0)\,u(0)$, et donc

$$v : t \mapsto v(t) := Q(t)\,R(t,0)\,u(0) = e^{tB}\,u(0)$$

est solution de $v' = Bv$. Inversement, quel que soit $v_0 \in X$,

$$u : t \mapsto Q(t)^{-1}\,\mathrm{e}^{tB}\,v_0 = R(t,0)\,v_0$$

est solution de $u' = A(t)u$. □

Remarque 6.4

Dans le cadre de ce théorème, on a inversement $u(t) = P(t)\,v(t)$, avec

$$P(t) = Q(t)^{-1} = R(t,0)\,\mathrm{e}^{-tB}\,.$$

La version réelle du théorème est le

Théorème 6.9 ***Théorème de Floquet-Lyapunov***

Si X est un $\mathbb{R}$-espace vectoriel de *dimension finie* et $A \in \mathcal{C}(\mathbb{R}; \mathcal{L}(X))$ est T-périodique, il existe une application $2T$-périodique $Q : \mathbb{R} \to \mathrm{Isom}(X)$ et $B \in \mathcal{L}(X)$ telle que u est solution de $u' = A(t)u$ si et seulement si $t \mapsto v(t) := Q(t)\,u(t)$ est solution de $v' = Bv$.

DÉMONSTRATION. D'après le lemme 6.3 *ii)*, il existe $B \in \mathcal{L}(X)$ tel que

$$\mathrm{e}^{2TB} = C(0)^2 = R(T,0)^2\,.$$

On définit à nouveau Q par $Q(t) = \mathrm{e}^{tB}\,R(0,t)$, qui est cette fois $2T$-périodique car

$$\begin{aligned} Q(t+2T) &= \mathrm{e}^{tB}\,R(T,0)^2\,R(0,t+2T) = \mathrm{e}^{tB}\,R(T,0)\,R(T,t+2T) \\ &= \mathrm{e}^{tB}\,R(T,t+T) = \mathrm{e}^{tB}\,R(0,t) = Q(t)\,. \end{aligned}$$

□

Lemme 6.3 ***Inversion de l'exponentielle***

i) Pour tout $C \in \mathbf{GL}_n(\mathbb{C})$, il existe $B \in \mathcal{M}_n(\mathbb{C})$ tel que $\mathrm{e}^B = C$.
ii) Pour tout $C \in \mathbf{GL}_n(\mathbb{R})$, il existe $B \in \mathcal{M}_n(\mathbb{R})$ tel que $\mathrm{e}^B = C^2$.

DÉMONSTRATION. *i)* Par réduction aux sous-espaces caractéristiques, on peut supposer que $C = \lambda \mathbf{I}_n + N$, où N est *nilpotent* d'ordre $k \leqslant n-1$, c'est-à-dire que $N^k = \mathbf{0}_n$ et $N^{k-1} \neq \mathbf{0}_n$. Comme C est inversible, λ est non nul : il existe donc $\beta \in C$ tel que $\lambda = \mathrm{e}^\beta$, et l'on peut écrire

$$C = \mathrm{e}^\beta\,(\mathbf{I}_n + \lambda^{-1} N)\,.$$

Tout revient donc à trouver $\widetilde{B}$ tel que $\mathrm{e}^{\widetilde{B}} = \mathbf{I}_n + \widetilde{N}$ avec $\widetilde{N} := \lambda^{-1} N$ (nilpotent comme N), car alors il suffira de poser $B = \beta \mathbf{I}_n + \widetilde{B}$. Désormais on omet les tildes (ce qui revient à supposer $\lambda = 1$). Par analogie avec le développement en série entière de $\ln(1+t)$ au point $t = 0$, un candidat est

$$B = \sum_{m=1}^{+\infty} \frac{(-1)^{m+1}}{m} N^m = \sum_{m=1}^{k} \frac{(-1)^{m+1}}{m} N^m .$$

La vérification de l'égalité $\mathrm{e}^B = \mathbf{I}_n + N$ n'est toutefois pas immédiate. Pour cela on va utiliser quelques propriétés de l'exponentielle et notamment le fait que l'exponentielle est un difféomorphisme local en $\mathbf{0}_n$ (car $\mathrm{d}(\exp)(\mathbf{0}_n) = \mathbf{I}_n$, voir la remarque p. 179) : il existe une boule $\mathcal{V}_0$ centrée en $\mathbf{0}_n$ et une boule $\mathcal{V}_1$ centrée en $\mathbf{I}_n$ telles que pour tout $C_1 \in \mathcal{V}_1$ il existe un unique $M \in \mathcal{V}_0$ tel que $C_1 = \mathrm{e}^M$. (Ceci résout notre problème lorsque la matrice N est « petite ».) On va de plus montrer que l'exponentielle réalise un homéomorphisme de l'ensemble des matrices nilpotentes d'ordre k, que l'on note $\mathcal{N}_k$, sur l'ensemble $\mathbf{I}_n + \mathcal{N}_k$. La bijection réciproque sera bien sûr celle qu'on attend, à savoir :

$$\mathrm{Log}_k \,:\, C \mapsto \sum_{m=1}^{k} \frac{(-1)^{m-1}}{m} (C - \mathbf{I}_n)^m .$$

Montrons tout d'abord que le difféomorphisme local réciproque de l'exponentielle est

$$\mathrm{Log} \,:\, C \mapsto \sum_{m=1}^{+\infty} \frac{(-1)^{m+1}}{m} (C - \mathbf{I}_n)^m .$$

On a $\mathrm{Log}(\mathrm{e}^{\mathbf{0}_n}) = \mathrm{Log}(\mathbf{I}_n) = \mathbf{0}_n$. De plus, pour tout $B \in \mathcal{V}_0$ et pour tout $t \in [0, 1]$:

$$\frac{\mathrm{d}}{\mathrm{d}t}\mathrm{Log}(\mathrm{e}^{tB}) = \sum_{m=1}^{k} (-1)^{m-1} (\mathrm{e}^{tB} - \mathbf{I}_n)^{m-1}\, \mathrm{e}^{tB}\, B =$$
$$\sum_{m=0}^{+\infty} (\mathbf{I}_n - \mathrm{e}^{tB})^m\, \mathrm{e}^{tB}\, B = B .$$

Donc $\mathrm{Log}(\mathrm{e}^B) = B$. On en déduit que pour tout $M \in \mathcal{V}_1$, $\mathrm{e}^{\mathrm{Log}(M)} = M$. Cette formule se traduit en particulier, pour $M \in \mathcal{V}_1 \cap (\mathbf{I}_n + \mathcal{N}_k)$, par

$$\mathrm{e}^{\mathrm{Log}_k(M)} = M .$$

Soit $N \in \mathcal{N}_k$. L'application $t \mapsto \mathrm{e}^{\mathrm{Log}_k(\mathbf{I}_n + tN)} - \mathbf{I}_n - tN$ est *polynômiale* (car l'application $t \mapsto \mathrm{Log}_k(\mathbf{I}_n + tN)$ est polynômiale et à valeurs dans $\mathcal{N}_k$, donc il ne reste qu'un nombre fini de termes lorsqu'on compose par l'exponentielle), et nulle au voisinage de 0. Elle est donc identiquement nulle. En particulier,

$$\mathrm{e}^{\mathrm{Log}_k(\mathbf{I}_n + N)} = \mathbf{I}_n + N .$$

ii) Ce cas se traite par réduction sous forme de *Jordan* de C^2, dont toutes les valeurs propres réelles sont positives, voir par exemple [4, p. 163] pour les détails. □

Théorème 6.10 *« Spectral mapping theorem »*

Soit $\mathbb{K} = \mathbb{R}$ ou $\mathbb{C}$. Si $C \in \mathbf{GL}_n(\mathbb{K})$ s'écrit $C = e^B$, alors les valeurs propres de C coïncident avec les exponentielles des valeurs propres de B, avec les mêmes multiplicités.

Ce résultat se démontre par récurrence sur n, en réduisant B à une forme tri-diagonale par blocs où le premier bloc est simplement λ, une valeur propre de B, de sorte que e^B a la même forme avec e^λ comme premier bloc.

Définition 6.7

Les valeurs propres des opérateurs de monodromie sont appelée *multiplicateurs caractéristiques*. Un nombre μ tel que $e^{\mu T}$ soit un multiplicateur caractéristique est appelé *exposant de Floquet*.

Grâce aux théorèmes 6.8 et 6.10, la proposition 6.6 implique le

Théorème 6.11

Si $A \in \mathcal{C}(\mathbb{R}; \mathbb{R}^n)$ est périodique, une condition nécessaire et suffisante pour que toutes les solutions de $u' = A(t)u$ soient bornées sur $\mathbb{R}^+$ est que les multiplicateurs caractéristiques soient tous de module inférieur ou égal à 1 *et* ceux de module 1 soient semi-simples. Toutes les solutions tendent vers 0 en $+\infty$ si et seulement si les multiplicateurs caractéristiques sont tous de module strictement inférieur à 1.

Proposition 6.13

Si $A \in \mathcal{C}(\mathbb{R}; X)$ et $b \in \mathcal{C}(\mathbb{R}; X)$ sont périodiques de même période T, si 1 n'est pas dans le spectre des opérateurs de monodromie de l'équation homogène (6.3), l'équation avec terme source (6.1) admet au moins une solution T-périodique.

DÉMONSTRATION. Soit R la résolvante de l'équation homogène. D'après la formule de Duhamel, toute solution de l'équation avec terme source vérifie

$$u(T) = R(T,0)\,u(0) + \int_0^T R(T,s)\,b(s)\,\mathrm{d}s\,.$$

Si l'opérateur $\mathrm{Id}_X - R(T,0)$ est inversible, il existe un unique $u_0 \in X$ tel que

$$(\mathrm{Id}_X - R(T,0))u_0 = \int_0^T R(T,s)\,b(s)\,\mathrm{d}s\,.$$

La solution du problème de Cauchy de donnée initiale u_0 en $t = 0$ vérifie donc $u(T) = u(0)$. Ceci suffit à prouver qu'elle est T-périodique, car sa translatée

$t \mapsto u(t+T)$ est solution du même problème de Cauchy. Notons que lorsque $b \equiv 0$, la solution « périodique » ainsi trouvée est en fait identiquement nulle. □

Théorème 6.12

Soient $A \in \mathcal{C}(\mathbb{R}; X)$ et $b \in \mathcal{C}(\mathbb{R}; X)$ des applications T-périodiques, avec X de dimension finie. Pour que l'équation (6.1) admette une solution T-périodique, il suffit qu'elle admette une solution bornée sur $\mathbb{R}^+$.

DÉMONSTRATION. Soit P l'application affine définie par

$$P(v) = R(T,0)\Big(v + \int_0^T R(0,s)\, b(s)\, \mathrm{d}s\Big),$$

où R est la résolvante de l'équation homogène (6.3). Toute solution u de l'équation avec terme source vérifie d'après la formule de Duhamel (itérée), pour tout $n \in \mathbb{N}$, $u(nT) = P^n(u_0)$ où $u_0 = u(0)$. Donc s'il existe une solution bornée, c'est qu'il existe $u_0 \in X$ tel que la suite $P^n(u_0)$ soit bornée.
On va raisonner par l'absurde et montrer que la non-existence de solutions périodiques empêche $P^n(u_0)$ d'être bornée. S'il n'y a pas de solution périodique c'est que l'opérateur P n'a pas de point fixe. Autrement dit, le vecteur $y := R(T,0)\int_0^T R(0,s)\, b(s)\, \mathrm{d}s$ n'appartient pas à $E := \mathrm{Im}(\mathrm{Id}_X - R(T,0))$, qui est fermé puisqu'on a supposé l'espace de dimension finie. Donc il existe $\varphi \in E^\perp$ tel que $\varphi(y) \neq 0$ (sinon on aurait $y \in (E^\perp)^\perp = \overline{E} = E$). Par construction, cela implique

$$\varphi(v - R(T,0)v) = 0 \quad \text{pour tout } v \in X,$$

c'est-à-dire $\varphi(v) = \varphi(R(T,0)v)$ et donc $\varphi(v) = \varphi(R(T,0)^n v)$ pour tout entier n.
Une récurrence immédiate montre alors que

$$P^n(v) = R(T,0)^n v + \sum_{k=0}^{n-1} R(T,0)^k y.$$

On en déduit $\varphi(P^n(v)) = \varphi(v) + n\,\varphi(y)$, ce qui n'est pas borné puisque $\varphi(y) \neq 0$. □

En dimension infinie, la même démonstration fonctionne, à condition de *supposer* $\mathrm{Im}(\mathrm{Id}_X - R(T,0))$ fermé.

Exercices

6.1 Résoudre les problèmes de Cauchy suivants

$$\begin{cases} \dfrac{\mathrm{d}x}{\mathrm{d}t} = 5x - 6y\,, & x(0) = 1\,,\\[2mm] \dfrac{\mathrm{d}y}{\mathrm{d}t} = 3x - 4y\,, & y(0) = 0\,, \end{cases} \qquad \begin{cases} \dfrac{\mathrm{d}x}{\mathrm{d}t} = 2x - y\,, & x(0) = 1\,,\\[2mm] \dfrac{\mathrm{d}y}{\mathrm{d}t} = x + 2y\,, & y(0) = 1\,, \end{cases}$$

$$\begin{cases} \dfrac{\mathrm{d}x}{\mathrm{d}t} = 2x\,, & x(0) = 1\,,\\[2mm] \dfrac{\mathrm{d}y}{\mathrm{d}t} = 3y\,, & y(0) = 1\,,\\[2mm] \dfrac{\mathrm{d}z}{\mathrm{d}t} = y + z\,, & z(0) = 1\,, \end{cases} \qquad \begin{cases} \dfrac{\mathrm{d}x}{\mathrm{d}t} = x\,, & x(0) = 1\,,\\[2mm] \dfrac{\mathrm{d}y}{\mathrm{d}t} = x + y\,, & y(0) = 1\,,\\[2mm] \dfrac{\mathrm{d}z}{\mathrm{d}t} = y + z\,, & z(0) = 1\,. \end{cases}$$

6.2 Soient $A \in \mathcal{M}_n(\mathbb{R})$ et $B \in \mathcal{C}(\mathbb{R}^+; \mathcal{M}_n(\mathbb{R}))$. On suppose que A a toutes ses valeurs propres de partie réelle strictement négative, et que $\lim_{t\to+\infty} \|B(t)\| = 0$. Démontrer que toutes les solutions maximales du système linéaire $x' = (A + B(t))x$ tendent vers 0 lorsque t tend vers $+\infty$.

Application : trouver des conditions sur le paramètre $a \in \mathbb{R}$ assurant que les solutions du système

$$\begin{cases} x' = \mathrm{e}^{-t}\,x + \frac{t^2}{t^2+1}\,y + \mathrm{e}^{-t}\,z\,,\\ y' = \frac{\sin t}{t}\,x + (1 + \mathrm{e}^{-t})\,z\,,\\ z' = (2-a)\,(\mathrm{e}^{-t} - 1)\,x - y - a\,\frac{t^3}{1+t^3}\,z\,, \end{cases}$$

tendent vers 0 en $+\infty$.

6.3 Soient $A \in \mathcal{M}_n(\mathbb{R})$, $B \in \mathcal{C}(\mathbb{R}^+; \mathcal{M}_n(\mathbb{R}))$, $f \in \mathcal{C}(\mathbb{R}^+; \mathbb{R}^n)$. On suppose que l'application $t \mapsto \mathrm{e}^{tA}$ est bornée sur $\mathbb{R}^+$, et que

$$\int_0^{+\infty} \|B(s)\|\,\mathrm{d}s < +\infty\,, \qquad \int_0^{+\infty} \|f(s)\|\,\mathrm{d}s < +\infty\,.$$

i) Démontrer que toutes les solutions (maximale) du système $x' = (A + B(t))\,x + f(t)$ sont bornées.

ii) Démontrer que toutes les solutions maximales de $x' = B(t)\,x$ ont une limite finie en $+\infty$.

iii) On suppose maintenant que e^{tA} est bornée pour $t \in \mathbb{R}$. Montrer que pour toute solution maximale de $x' = (A + B(t))\,x$, l'application $y : t \mapsto e^{-tA}x(t)$ a une limite en $+\infty$.

iv) *Application :* Soit $q : \mathbb{R}^+ \to \mathbb{R}$ continue telle que $\int_0^{+\infty} |q(t)|\mathrm{d}t < \infty$ et x une solution de

$$x'' + (1 + q(t))\,x = 0\,.$$

Montrer qu'il existe $\alpha,\, \beta \in \mathbb{R}$ tels que $\lim\limits_{t\to+\infty} x(t) - \alpha\cos t - \beta\sin t = 0$.

6.4 Soit $B \in \mathcal{C}(\mathbb{R}; \mathcal{M}_n(\mathbb{R}))$ tel que $\int_{-\infty}^{+\infty} \|B(s)\|\,\mathrm{d}s < +\infty$. On pose $\Delta(t,s) := \text{dét}(R(t,s))$, où R est la résolvante du système $u' = B(t)u$. Montrer qu'il existe $\delta > 0$ tel que $\Delta(t,\, s) \geqslant \delta$ quels que soient t et $s \in \mathbb{R}$.

6.5 Soit $f \in \mathcal{C}(\mathbb{R}; \mathbb{R})$ une application T-périodique (avec $T > 0$). Trouver $b \in \mathbb{R}$ et $q \in \mathcal{C}(\mathbb{R}; \mathbb{R}^{+*})$ une application T-périodique telle que u est solution de $u' = f(t)u$ si seulement si $v : t \mapsto q(t)u(t)$ est solution de $v' = bv$.

6.6 On considère le système $u' = A(t)u$ avec

$$A(t) := \begin{pmatrix} \cos t & \sin t \\ -\sin t & \cos t \end{pmatrix}.$$

Les solutions sont-elles bornées sur $\mathbb{R}^+$? sur $\mathbb{R}^-$? sur $\mathbb{R}$? Même question avec

$$A(t) := \begin{pmatrix} \cos t & \sin t \\ \sin t & -\cos t \end{pmatrix}.$$

6.7 Soit $f : \mathbb{R} \to \mathbb{R}$ une fonction continue bornée. On considère l'équation différentielle scalaire du second ordre

$$\frac{\mathrm{d}^2x}{\mathrm{d}t^2} - x = f(t)\,.$$

i) Montrer que cette équation admet *au plus* une solution bornée sur $\mathbb{R}$. On se propose de calculer cette solution.

ii) Écrire l'équation sous forme d'un système $u' = A\,u + F(t)$ avec $A \in \mathcal{M}_2(\mathbb{R})$ et $F : \mathbb{R} \to \mathbb{R}^2$ continue, calculer e^{tA} et en déduire que toute solution de l'équation de départ s'écrit sous la forme

$$x(t) = ae^t + be^{-t} + \int_0^t \mathrm{sh}(t-\tau)f(\tau)d\tau,\ \forall t \in \mathbb{R}\,.$$

iii) On fixe $L > 0$. Trouver a_L et b_L pour que $x(L) = x(-L) = 0$. Montrer que les coefficents a_L et b_L ont des limites quand $L \to \infty$. En déduire que l'unique solution bornée cherchée s'écrit

$$x(t) = -\frac{1}{2}\left(\int_{-\infty}^{t} e^{s-t} f(s)ds + \int_{t}^{\infty} e^{t-s} f(s)ds\right).$$

Solutions

6.1 Deux approches sont possibles. La plus algébrique consiste à réduire les matrices impliquées. Par exemple,

$$A = \begin{pmatrix} 5 & -6 \\ 3 & -4 \end{pmatrix}$$

est diagonalisable sur $\mathbb{R}$:

$$A = PDP^{-1}, \quad P = \begin{pmatrix} 1 & 2 \\ 1 & 1 \end{pmatrix}, \; P^{-1} = \begin{pmatrix} -1 & 2 \\ 1 & -1 \end{pmatrix}, \; D = \begin{pmatrix} -1 & 0 \\ 0 & 2 \end{pmatrix},$$

d'où

$$e^{tA} = P \begin{pmatrix} e^{-t} & 0 \\ 0 & e^{2t} \end{pmatrix} P^{-1},$$

et en particulier

$$e^{tA}\begin{pmatrix} 1 \\ 0 \end{pmatrix} = P \begin{pmatrix} e^{-t} & 0 \\ 0 & e^{2t} \end{pmatrix}\begin{pmatrix} -1 \\ 1 \end{pmatrix} = \begin{pmatrix} -e^{-t} + 2e^{2t} \\ -e^{-t} + e^{2t} \end{pmatrix}.$$

Une approche plus analytique utilise la transformation de *Laplace* (définie dans l'appendice, p. 343), qui vérifie la propriété $\mathcal{L}[f'](s) = s\,\mathcal{L}[f](s) - f(0)$. Sur le même problème de Cauchy que précédemment, on obtient par transformation de Laplace le système algébrique pour $(X,Y) := (\mathcal{L}[x],\mathcal{L}[y])$:

$$\begin{cases} (s-5)\,X(s) + 6Y(s) = 1, \\ -3X(s) + (s+4)\,Y(s) = 0, \end{cases}$$

qui se résout en

$$\begin{cases} X(s) = \dfrac{s+4}{s^2-s-2} = -\dfrac{1}{s+1} + \dfrac{2}{s-2}, \\[2ex] Y(s) = \dfrac{3}{s^2-s-2} = -\dfrac{1}{s+1} + \dfrac{1}{s-2}. \end{cases}$$

On en déduit alors par transformation de Laplace inverse, sachant que pour tout réel a, la fonction $s \mapsto 1/(s-a)$ est la transformée de Laplace de la fonction $t \mapsto e^{at}$,

$$\begin{cases} x(t) &= -e^{-t} + 2e^{2t}\,, \\ y(t) &= -e^{-t} + e^{2t}\,. \end{cases}$$

Voyons maintenant le deuxième problème de Cauchy. La matrice

$$A = \begin{pmatrix} 2 & -1 \\ 1 & 2 \end{pmatrix}$$

ayant pour valeurs propres $2 \pm i$, elle est diagonalisable sur $\mathbb{C}$ mais pas sur $\mathbb{R}$. Cependant elle est déjà sous une forme permettant de calculer facilement son exponentielle (voir § 6.3.1). On a

$$e^{tA} = e^{2t} \begin{pmatrix} \cos t & -\sin t \\ \sin t & \cos t \end{pmatrix}$$

et la solution cherchée est

$$e^{tA} \begin{pmatrix} 1 \\ 1 \end{pmatrix} = e^{2t} \begin{pmatrix} \cos t - \sin t \\ \sin t + \cos t \end{pmatrix}.$$

La résolution de ce problème par transformation de Laplace se déroule comme suit. Le système algébrique est

$$\begin{cases} (s-2)\,X(s) + Y(s) = 1\,, \\ -X(s) + (s-2)\,Y(s) = 1\,, \end{cases}$$

qui se résout en

$$\begin{cases} X(s) = \dfrac{(s-2)-1}{(s-2)^2+1}\,, \\[2mm] Y(s) = \dfrac{(s-2)+1}{(s-2)^2+1}\,. \end{cases}$$

On retrouve la solution obtenue ci-dessus par transformation de Laplace inverse, sachant que pour toute fonction f, $\mathcal{L}[f e^{a\cdot}](s) = \mathcal{L}[f](s-a)$, et que les fonctions $s \mapsto s/(s^2+a^2)$ et $s \mapsto a/(s^2+a^2)$ sont respectivement les transformées de Laplace de $t \mapsto \cos(at)$ et de $t \mapsto \sin(at)$.
Le troisième problème de Cauchy se résout « à vue » , les équations sur x et y étant découplées de celle sur z. On obtient $x(t) = e^{2t}$, $y(t) = e^{3t}$, $z(t) = (e^t + e^{3t})/2$. Il est normal d'obtenir des combinaisons linéaires des fonctions exponentielles $t \mapsto e^t$, e^{2t} et e^{3t} car la matrice triangulaire inférieure

$$\begin{pmatrix} 2 & 0 & 0 \\ 0 & 3 & 0 \\ 0 & 1 & 1 \end{pmatrix}$$

a comme valeurs propres 1, 2 et 3, et elle est par conséquent diagonalisable. En revanche

$$\begin{pmatrix} 1 & 0 & 0 \\ 1 & 1 & 0 \\ 0 & 1 & 1 \end{pmatrix}$$

est une matrice de *Jordan*, non diagonalisable : on s'attend donc à un facteur polynômial dans la solution du dernier problème de Cauchy ; celle-ci s'obtient également à vue en calculant successivement $x(t) = \mathrm{e}^t$, $y(t) = (1+t)\,\mathrm{e}^t$, $z(t) = (1+t+t^2/2)\,\mathrm{e}^t$.

6.2 Rappelons que les solutions maximales sont globales pour tout système linéaire et en particulier pour $x' = (A + B(t))x$. De plus, d'après la formule de Duhamel, pour toute solution x, pour tous $t_0, t \in \mathbb{R}^+$,

$$x(t) = \mathrm{e}^{(t-t_0)A} x(t_0) + \int_{t_0}^{t} \mathrm{e}^{(t-s)A} B(s) x(s)\, \mathrm{d}s\,.$$

Or d'après la proposition 6.7, il existe $b > 0$ et $\beta > 0$ tels que pour tout $t \geqslant 0$, $\|\mathrm{e}^{tA}\| \leqslant b\mathrm{e}^{-\beta t}$. Donc pour $t_0 \leqslant t$,

$$\|x(t)\| \leqslant b\,\mathrm{e}^{-\beta t} \left(\mathrm{e}^{\beta t_0} \|x(t_0)\| + \int_{t_0}^{t} \mathrm{e}^{\beta s} \|B(s)\|\, \|x(s)\|\, \mathrm{d}s \right).$$

Soit $\varepsilon \in]0,\beta[$. D'après l'hypothèse sur B, il existe $t_0 > 0$ tel que pour tout $t \geqslant t_0$, $\|B(t)\| \leqslant \varepsilon$, et donc

$$\mathrm{e}^{\beta t} \|x(t)\| \leqslant b \left(\mathrm{e}^{\beta t_0} \|x(t_0)\| + \varepsilon \int_{t_0}^{t} \mathrm{e}^{\beta s} \|x(s)\|\, \mathrm{d}s \right).$$

Grâce au lemme de Gronwall appliqué à la fonction $u : t \mapsto \mathrm{e}^{\beta t} \|x(t)\|$, qui vérifie l'inégalité intégrale

$$u(t) \leqslant b \left(u(t_0) + \varepsilon \int_{t_0}^{t} u(s)\, \mathrm{d}s \right),$$

on obtient (après intégration de l'inégalité différentielle vérifiée par $t \mapsto \int_{t_0}^t u(s)\,\mathrm{d}s$) la majoration $u(t) \leqslant b\, u(t_0)\, \mathrm{e}^{\varepsilon t}$, d'où

$$\|x(t)\| \leqslant b\, \mathrm{e}^{\beta t_0} \|x(t_0)\|\, \mathrm{e}^{-(\beta-\varepsilon)t} \longrightarrow 0$$

lorsque $t \to +\infty$.

Soient

$$A = \begin{pmatrix} 0 & 1 & 0 \\ 0 & 0 & 1 \\ -(2-a) & -1 & -a \end{pmatrix},$$

$$B(t) = \begin{pmatrix} e^{-t} & \frac{t^2}{t^2+1} - 1 & e^{-t} \\ \frac{\sin t}{t} & 0 & e^{-t} \\ (2-a)\,e^{-t} & 0 & a - a\,\frac{t^3}{1+t^3} \end{pmatrix}.$$

On a $\lim_{t\to+\infty} \|B\| = 0$, et les valeurs propres de A sont -1 et les racines de $X^2 + (a-1)\,X + 2 - a$. Celles-ci sont toutes deux de parties réelles strictement négatives si et seulement si $1 < a < 2$ (leur somme $1-a$ doit être strictement négative, et leur produit $2-a$ strictement positif ; noter qu'elles sont réelles si $a \notin]-1-2\sqrt{2}, -1+2\sqrt{2}[$ et que $1 < -1+2\sqrt{2} < 2$). Dans ce cas la première partie montre que les solutions de $u' = (A + B(t))u$ tendent vers 0 en $+\infty$.

6.3 **i)** Comme dans l'exercice précédent, la démonstration repose sur la formule de Duhamel. Si M est un majorant de $\|e^{tA}\|$ pour $t \in \mathbb{R}^+$ (on renvoie à la proposition 6.6 pour la caractérisation de l'existence d'un tel majorant), on a pour toute solution de $x' = (A + B(t))\,x + f(t)$ et pour tout $t \geqslant 0$,

$$\|x(t)\| \leqslant M \left(\|x(0)\| + \int_0^t (\|B(s)\|\,\|x(s)\| + \|f(s)\|)\,ds \right).$$

Si l'on note $u(t) = \|x(t)\|$, $F(t) = \int_0^t \|f(s)\|\,ds$ et $\beta(t) := \int_0^t \|B(s)\|\,ds$ (ces primitives étant bornées par hypothèse), on a pour tout $t \geqslant 0$,

$$u(t) \leqslant M\,(u(0) + F(t)) + M \int_0^t \beta'(s)\,u(s)\,ds\,.$$

D'après le lemme de Gronwall (sous la forme donnée dans la remarque p. 182), ceci implique que pour tout $t \geqslant 0$,

$$u(t) \leqslant M\,u(0)\,e^{M\beta(t)} + M \int_0^t F'(s)\,e^{M(\beta(t)-\beta(s))}\,ds\,.$$

En retournant aux notations de départ, ceci montre que pour tout $t \geqslant 0$,

$$\|x(t)\| \leqslant M\,e^{M\int_0^{+\infty} \|B(s)\|ds} \left(\|x(0)\| + \int_0^{+\infty} \|f(s)\|ds \right).$$

i) D'après la question précédente appliquée à $A = 0$ et $f \equiv 0$, les solutions maximales de $x' = B(t)\,x$ sont bornées. De plus, on sait que les solutions maximales sont globales, c'est-à-dire définies sur $\mathbb{R}^+$, et si x est une telle solution, quels que soient t et $s \in \mathbb{R}^+$ avec $s \leqslant t$,

$$x(t) - x(s) = \int_s^t B(\tau)\,x(\tau)\,\mathrm{d}\tau,$$

d'où, si C est un majorant de $\|x(\tau)\|$ pour $\tau \in \mathbb{R}^+$,

$$\|x(t) - x(s)\| \leqslant C \int_s^t \|B(\tau)\|\,\mathrm{d}\tau,$$

ce qui tend vers 0 lorsque t et s tendent vers $+\infty$ puisque $\int_0^{+\infty} \|B(\tau)\|\,\mathrm{d}\tau < +\infty$. Donc x satisfait le critère de Cauchy en $+\infty$: ceci implique qu'elle a une limite finie.

iii) Si x est une solution maximale de $x' = (A + B(t))\,x$, l'application $y : t \mapsto \mathrm{e}^{-tA}x(t)$ est solution de $y' = \mathrm{e}^{-tA}\,B(t)\,\mathrm{e}^{tA}\,y$. (On a utilisé ici le fait que e^{-tA} et A commutent.) Si M' est une majorant de $\|\mathrm{e}^{tA}\|$ pour $t \in \mathbb{R}$, on a

$$\int_0^{+\infty} \|\mathrm{e}^{-\tau A}\,B(\tau)\,\mathrm{e}^{\tau A}\|\,\mathrm{d}\tau \leqslant (M')^2 \int_0^{+\infty} \|B(\tau)\|\,\mathrm{d}\tau < +\infty,$$

donc la question précédente s'applique à l'équation $y' = \mathrm{e}^{-tA}\,B(t)\,\mathrm{e}^{tA}\,y$, et par conséquent y a une limite finie en $+\infty$.

iv) Toute solution de $x'' + (1 + q(t))\,x = 0$ est telle que $t \mapsto (x(t),x'(t))^{\mathrm{t}}$ est solution du système $X' = (A + B(t))X$ avec

$$A = \begin{pmatrix} 0 & 1 \\ -1 & 0 \end{pmatrix}, \quad B(t) = \begin{pmatrix} 0 & 0 \\ -q(t) & 0 \end{pmatrix}.$$

Or

$$\mathrm{e}^{tA} = \begin{pmatrix} \cos t & \sin t \\ -\sin t & \cos t \end{pmatrix}$$

est bornée pour $t \in \mathbb{R}$. Donc la question précédente s'applique : $Y(t) = \mathrm{e}^{-tA}\,X(t)$ a une limite finie $(\alpha,\beta)^{\mathrm{t}}$, et puisque e^{tA} est bornée, on en déduit que $X(t) - \mathrm{e}^{tA}\,(\alpha,\beta)^{\mathrm{t}}$ tend vers 0, et en particulier que sa première composante, $x(t) - \alpha\cos t - \beta\sin t$ tend vers 0.

6.4 La formule de Liouville donne

$$\Delta(t,s) = \mathrm{e}^{\int_s^t \mathrm{tr}(B(\tau))\,\mathrm{d}\tau} = \mathrm{e}^{\mathrm{tr}\left(\int_s^t B(\tau)\,\mathrm{d}\tau\right)}.$$

Or la trace est une application linéaire, donc continue, sur l'espace de dimension finie $\mathcal{M}_n(\mathbb{R})$, donc il existe $C > 0$ tel que, pour tout $A \in \mathcal{M}_n(\mathbb{R})$,

$|\text{tr}(A)| \leqslant C\,\|A\|$. Comme

$$\left\|\int_s^t B(\tau)\,\mathrm{d}\tau\right\| \leqslant \left|\int_s^t \|B(\tau)\|\,\mathrm{d}\tau\right|$$

on a donc

$$\mathrm{e}^{-C\left|\int_s^t \|B(\tau)\|\,\mathrm{d}\tau\right|} \leqslant \Delta(t,s) \leqslant \mathrm{e}^{C\left|\int_s^t \|B(\tau)\|\,\mathrm{d}\tau\right|},$$

et par suite,

$$\mathrm{e}^{-C\int_{-\infty}^{+\infty} \|B(\tau)\|\,\mathrm{d}\tau} \leqslant \Delta(t,s) \leqslant \mathrm{e}^{C\int_{-\infty}^{+\infty} \|B(\tau)\|\,\mathrm{d}\tau}.$$

6.5 Comme dans le théorème 6.8, on cherche b et q tels que $\mathrm{e}^{Tb} = R(T,0)$ et $q(t) = \mathrm{e}^{tb}\,R(0,t)$. Or pour les équations scalaires on connaît explicitement la résolvante : $R(t,s) = \mathrm{e}^{\int_s^t f(\tau)\,\mathrm{d}\tau}$. Donc $b = \dfrac{1}{T}\int_0^T f(\tau)\,\mathrm{d}\tau$ et $q(t) = \mathrm{e}^{tb-\int_0^t f(\tau)\,\mathrm{d}\tau}$ $= \mathrm{e}^{\int_0^t (b-f(\tau))\,\mathrm{d}\tau}$.

6.6 Si

$$\begin{cases} x' = x\cos t + y\sin t\,, \\ y' = -x\sin t + y\cos t\,, \end{cases}$$

alors $xx' + yy' = (x^2+y^2)\cos t$, c'est-à-dire que $r(t) := \sqrt{x(t)^2+y(t)^2}$ vérifie l'équation scalaire $r' = r\,\cos t$, qui s'intègre à vue en $r(t) = r(0)\,\mathrm{e}^{\sin t}$. Les solutions du système ci-dessus sont donc bornées sur $\mathbb{R}$. (On peut même terminer de les calculer en coordonnées polaires : en posant $x = r\cos\theta$ et $y = r\sin\theta$ on trouve que $\theta' = (xy' - yx')/r^2 = -\sin t$, d'où $\theta = \cos t$ à une constante près et $x = x(0)\,\mathrm{e}^{\sin t}\cos\cos t$, $y(t) = y_1\,\mathrm{e}^{\sin t}\sin\cos t$ avec $y_1 = y(0)/\sin(1)$.)
Si maintenant

$$\begin{cases} x' = x\cos t + y\sin t\,, \\ y' = x\sin t - y\cos t\,, \end{cases}$$

on va trouver explicitement une matrice $B \in \mathcal{M}_2(\mathbb{R})$ et $Q : \mathbb{R} \to \mathrm{GL}_2(\mathbb{R})$ une application 4π-périodique telles que (comme dans le théorème 6.9) $u = (x,y)$ est solution de $u' = A(t)u$ si et seulement si $t \mapsto v(t) := Q(t)\,u(t)$ est solution de $v' = Bv$. Pour cela on remarque que la matrice

$$A(t) = \begin{pmatrix} \cos t & \sin t \\ \sin t & -\cos t \end{pmatrix}$$

est diagonalisable dans la base orthonormée constituée des vecteurs propres

$$e_1(t) := \begin{pmatrix} \cos t/2 \\ \sin t/2 \end{pmatrix}, \quad e_2(t) := \begin{pmatrix} -\sin t/2 \\ \cos t/2 \end{pmatrix},$$

associés aux valeurs propres constantes respectivement égales à 1 et à -1. (Pour obtenir ces vecteurs propres sans calcul, il suffit d'observer que $A(t)$ est la matrice de la rotation d'angle t composée avec la symétrie par rapport à l'axe des x.) On constate de plus que $2e_1' = e_2$ et $2e_2' = -e_1$. Par suite, si l'on décompose une solution du système $u' = A(t)u$ en $u(t) = x_1(t)\, e_1(t) + x_2(t)\, e_2(t)$, on voit que (x_1,x_2) doit être solution du système à coefficients constants :

$$\begin{cases} x_1' &= x_1 + \frac{1}{2} x_2\,, \\ x_2' &= -\frac{1}{2} x_1 - x_2\,. \end{cases}$$

Autrement dit on a la réduction de Floquet annoncée avec

$$B := \begin{pmatrix} 1 & 1/2 \\ -1/2 & -1 \end{pmatrix} \quad \text{et} \quad Q(t) = \begin{pmatrix} e_1(t)^{\mathrm{t}} \\ e_2(t)^{\mathrm{t}} \end{pmatrix} = \begin{pmatrix} \cos t/2 & \sin t/2 \\ -\sin t/2 & \cos t/2 \end{pmatrix}.$$

La matrice B a pour valeurs propres $\pm\sqrt{3}/2$. En particulier $t \mapsto v_+(t) := \mathrm{e}^{t\sqrt{3}/2}(1,\sqrt{3}-2)^{\mathrm{t}}$ est une solution non bornée sur $\mathbb{R}^+$ de $v' = Bv$, et donc (comme $Q(t)$ est orthogonale), l'application $u_+ : t \mapsto Q(t)v_+(t)$ est une solution non bornée de $u' = A(t)u$. De la même façon, $t \mapsto v_-(t) := \mathrm{e}^{-t\sqrt{3}/2}(1,-\sqrt{3}-2)^{\mathrm{t}}$ fournit une solution non bornée sur $\mathbb{R}^-$.

6.7 **i)** Si on avait deux solutions bornées, leur différence serait une solution bornée de l'équation homogène $x'' - x = 0$. Or les solutions de cette équation sont de la forme $x(t) = a\mathrm{e}^t + b\mathrm{e}^{-t}$: aucune solution non identiquement nulle n'est bornée sur $\mathbb{R}$.
ii) Une application x est solution de l'équation $x'' - x = f(t)$ si et seulement si $t \mapsto (x,x')^{\mathrm{t}}$ est solution de $u' = Au + F(t)$ avec

$$A = \begin{pmatrix} 0 & 1 \\ 1 & 0 \end{pmatrix}, \qquad F(t) = \begin{pmatrix} 0 \\ f(t) \end{pmatrix}.$$

On calcule e^{tA} simplement en remarquant que $A^2 = \mathrm{Id}_2$, d'où (en revenant à la définition de $\mathrm{e}^A = \sum A^n/n!$) :

$$\mathrm{e}^{tA} = \begin{pmatrix} \mathrm{ch}t & \mathrm{sh}t \\ \mathrm{sh}t & \mathrm{ch}t \end{pmatrix}.$$

Par suite, la formule de Duhamel

$$u(t) = \mathrm{e}^{tA}\, u(0) + \int_0^t \mathrm{e}^{(t-s)A}\, F(s)\, \mathrm{d}s$$

se traduit par (sur la première composante de u) : et en déduire que toute solution de l'équation de départ s'écrit sous la forme

$$x(t) = x(0)\text{ch}t + x'(0)\text{sh}t + \int_0^t \text{sh}(t-\tau)f(\tau)d\tau.$$

Et bien sûr on peut aussi écrire $x(0)\text{ch}t + x'(0)\text{sh}t = a\text{e}^t + b\text{e}^{-t}$, avec $a = (x(0) + x'(0))/2$ et $a = (x(0) - x'(0))/2$.

iii) Pour que

$$t \mapsto x(t) = a_L\text{e}^t + b_L\text{e}^{-t} + \int_0^t \text{sh}(t-\tau)f(\tau)d\tau.$$

vérifie $x(L) = x(-L) = 0$ il faut et il suffit que

$$\begin{cases} a_L\text{e}^L + b_L\text{e}^{-L} &= -\int_0^L \text{sh}(L-\tau)f(\tau)d\tau, \\ a_L\text{e}^{-L} + b_L\text{e}^L &= \int_{-L}^0 \text{sh}(-L-\tau)f(\tau)d\tau, \end{cases}$$

d'où

$$\begin{cases} a_L &= -\frac{1}{2\text{sh}2L}\left(\text{e}^L \int_0^L \text{sh}(L-\tau)f(\tau)d\tau + \text{e}^{-L}\int_{-L}^0 \text{sh}(-L-\tau)f(\tau)d\tau\right) \\ &= -\frac{1}{2\text{sh}2L}\int_0^L \text{sh}(L-\tau)(\text{e}^L f(\tau) - \text{e}^{-L} f(-\tau))d\tau, \\ b_L &= \frac{1}{2\text{sh}2L}\left(\text{e}^{-L}\int_0^L \text{sh}(L-\tau)f(\tau)d\tau + \text{e}^L\int_{-L}^0 \text{sh}(-L-\tau)f(\tau)d\tau\right) \\ &= \frac{1}{2\text{sh}2L}\int_0^L \text{sh}(L-\tau)(\text{e}^{-L} f(\tau) - \text{e}^L f(-\tau))d\tau. \end{cases}$$

On observe que

$$\frac{\text{e}^L\text{sh}(L-\tau)}{\text{sh}2L} = \frac{\text{e}^{-\tau} - \text{e}^{\tau-2L}}{1-\text{e}^{-4L}} \to \text{e}^{-\tau}$$

lorsque $L \to +\infty$, avec la majoration uniforme pour $t \in [0,L]$ et $L \geqslant 1$.

$$\left|\frac{\text{e}^L\text{sh}(L-\tau)}{\text{sh}2L}\right| \leqslant \frac{\text{e}^{-\tau}}{1-\text{e}^{-4}}$$

Par le théorème de convergence dominée de Lebesgue (la fonction f étant bornée par hypothèse) on en déduit

$$\begin{cases} \lim_{L\to+\infty} a_L &= -\frac{1}{2}\int_0^{+\infty} \text{e}^{-\tau} f(\tau)\text{d}\tau, \\ \lim_{L\to+\infty} b_L &= -\frac{1}{2}\int_0^{+\infty} \text{e}^{-\tau} f(-\tau)\text{d}\tau = -\frac{1}{2}\int_{-\infty}^0 \text{e}^{\tau} f(\tau)\text{d}\tau \end{cases}$$

Par suite, la solution x_L s'annulant en $\pm L$, définie par

$$x_L(t) = a_L e^t + b_L e^{-t} + \frac{1}{2}\int_0^t (e^{t-\tau} - e^{\tau-t})\, f(\tau)d\tau,$$

a pour limite lorsque $L \to +\infty$:

$$x(t) = -\frac{1}{2}\left(\int_{-\infty}^t e^{s-t} f(s)ds + \int_t^{\infty} e^{t-s} f(s)ds\right).$$

On vérifie aisément que c'est une solution de $x'' - x = f(t)$, et que pour tout $t \in \mathbb{R}$, $|x(t)| \leqslant \sup_{\tau\in\mathbb{R}} |f(\tau)|$.

Équations autonomes

7

> *« Et tout ce dont on s'est étonné jusqu'à maintenant était déjà présent. »**
>
> Emmy Noether,
> lettre à Felix Klein, 1918.

On revient désormais à des équations non-linéaires *autonomes*, c'est-à-dire de la forme

$$\frac{\mathrm{d}u}{\mathrm{d}t} = f(u)\,. \tag{7.1}$$

où f est une fonction de classe $\mathcal{C}^1$ sur un ouvert U d'un espace de Banach E dans E. Comme on l'a observé plus haut (voir la remarque p. 184), quitte à considérer une équation augmentée, on peut toujours se ramener du point de vue théorique à une équation autonome. Cependant, même en dimension finie, il n'y a aucune méthode générale pour calculer les solutions de (7.1) lorsque f est arbitraire. C'est pourquoi ce chapitre aborde l'*analyse qualitative* de (7.1), essentielle dans les applications. Citons pour s'en convaincre l'excellent article de C.K.R.T. Jones [20] en 2001 : *« C'est un défi important pour nous, mathématiciens, de convaincre au plus tôt les scientifiques et ingénieurs de se libérer du confort psychologique que peut procurer le calcul de solutions explicites. Au lieu de cela, les approches complémentaires que sont l'approximation numérique de solutions et l'analyse qualitative (globale) de leur comportement fournissent des informations de même nature, tout en étant applicables à des modèles beaucoup plus généraux.»*[1] L'approche qualitative n'est pourtant pas récente puisqu'elle trouve ses origines dans les travaux de Poincaré à la fin du XIXème siècle (et a conduit au développe-

* « Und alles, worüber man sich jetzt wundert, ist schon dagewesen. »

1. « It will be a significant challenge to us, as mathematicians, in the immediate future to convince applied scientists and engineers to shed their perceived psychological security found in generating explicit solutions. The replacement by the companion approaches of computational solutions, and a (global) qualitative analysis of the behavior of the system supply the same level of information and this latter approach is much more widely applicable. »

ment de la théorie des *systèmes dynamiques* en géométrie). Elle consiste, au lieu de s'intéresser à la solution de (7.1) pour une donnée initiale fixée, à considérer les courbes décrites par les solutions de (7.1) dans leur ensemble. L'objet central d'étude devient géométrique : c'est la fonction f vue comme un *champ de vecteurs* dans E (qu'il soit de dimension finie ou non).

7.1 Courbes intégrales

Définition 7.1

Les *trajectoires* des solutions maximales de (7.1), c'est-à-dire les courbes dans E de la forme $\{ u(t) \,;\ t \in J\}$ où $u \in \mathcal{C}^1(J; U)$ est une solution maximale de (7.1), sont appelées *courbes intégrales* du champ de vecteurs f.

Il est important de noter que, d'après la partie unicité du théorème de Cauchy-Lipschitz (théorème 5.1 et lemme 5.3), les courbes intégrales d'un champ de vecteurs sont deux à deux disjointes.

Par définition, en tout point $u(t)$ d'une courbe intégrale, le vecteur $f(u(t)) = u'(t)$ est *tangent* à $u(t)$. En outre, il s'avère que les courbes intégrales dépendent seulement de la direction du champ de vecteurs : comme le montre le résultat suivant, la norme du vecteur $f(u_0)$ n'a pas d'influence sur la courbe intégrale de f passant par le point u_0.

Proposition 7.1

Soit $\lambda \in \mathcal{C}^1(U; \mathbb{R}^{+*})$. Quel que soit $u_0 \in U$, la courbe intégrale de f passant par u_0 coïncide avec la courbe intégrale de λf passant par u_0.

Démonstration. C'est une question de changement de paramétrage (pour un exemple concret, voir l'exercice 7.1). Soit $u \in \mathcal{C}^1(]s_-, s_+[)$ la solution maximale de

$$u'(s) = \lambda(u(s))\, f(u(s))\,, \quad u(0) = u_0\,.$$

Soit alors

$$T(s) = \int_0^s \lambda(u(\sigma))\, \mathrm{d}\sigma\,,$$

qui est une fonction strictement croissante de s par hypothèse sur λ ($\lambda > 0$), et soit S la fonction réciproque de T, définie sur

$$]t_-, t_+[\,, \quad \text{où } t_\pm := \int_0^{s_\pm} \lambda(u(\sigma))\, \mathrm{d}\sigma\,.$$

On a $\dfrac{\mathrm{d}}{\mathrm{d}t}\, u(S(t)) = u'(S(t))\, \dfrac{\mathrm{d}S}{\mathrm{d}t} =$

$$\lambda(u(S(t)))\ f(u(S(t)))\ \frac{1}{\lambda(u(S(t)))} = f(u(S(t)))$$

et $u(S(0)) = u(0) = u_0$. Donc $U = u \circ S$ est solution du problème de Cauchy :

$$U'(t) = f(U(t)), \quad U(0) = u_0 .$$

De plus, U est maximale. Supposons en effet que l'on puisse prolonger U à $]t_-, t_+ + \varepsilon]$, $\varepsilon > 0$. Prolongeons alors S à $]t_-, t_+ + \varepsilon]$ par

$$S(t) = \int_0^t \frac{\mathrm{d}\tau}{\lambda(U(\tau))} .$$

On peut ainsi prolonger T à $]s_-, s_+ + \eta]$ avec

$$\eta = \int_{t_+}^{t_+ + \varepsilon} \frac{\mathrm{d}\tau}{\lambda(U(\tau))} > 0 .$$

Alors $U \circ T$ est solution du même problème de Cauchy que u sur l'intervalle $]s_-, s_+ + \eta]$, contenant strictement $]s_-, s_+[$. Ceci contredit le fait que u soit maximale. C'est donc que U est aussi une solution maximale (pour le champ f). Par conséquent, la courbe intégrale de λf:

$$\{ u(s) ; \ s \in]s_-, s_+[\}$$

coïncide avec la courbe intégrale de f : $\{ U(t) ; \ t \in]t_-, t_+[\}$ □

7.1.1 Champs complets

Définition 7.2

Un champ de vecteurs f est dit *complet* si toutes les solutions maximales de (7.1) sont globales, c'est-à-dire définies sur $\mathbb{R}$ tout entier.

Attention, la régularité d'un champ de vecteurs n'a rien à voir avec le fait qu'il soit complet ou non, comme le montre l'exemple de l'équation de Riccati (voir l'exercice 5.6). Pour démontrer qu'un champ de vecteurs est complet on peut en revanche chercher à appliquer le résultat suivant.

Théorème 7.1

Supposons que pour tout intervalle *ouvert* borné J, toute solution $u \in \mathcal{C}^1(J; U)$ de (7.1) soit à valeurs dans un compact K_J de U. Alors le champ de vecteurs f est complet.

DÉMONSTRATION. C'est une conséquence du théorème des bouts (théorème 5.2), un peu subtile car le compact K_J peut *a priori* dépendre dangereusement du diamètre de J. En fait, on va appliquer le théorème des bouts à un système (équivalent) *augmenté*.

Soit $u \in \mathcal{C}(J; U)$ une solution maximale de (7.1) Alors l'application $s \in J \mapsto (u,t) = (u(s), s)$ est une solution maximale du système augmenté :

$$\begin{cases} \dfrac{\mathrm{d}u}{\mathrm{d}s} = f(u)\,, \\ \dfrac{\mathrm{d}t}{\mathrm{d}s} = 1\,. \end{cases}$$

Supposons que $\beta = \sup J$ et $\alpha = \inf J$ soient finis. D'après le théorème 5.2, la solution maximale (u, t) du système augmenté doit sortir du compact $K_J \times [\alpha, \beta]$. Comme u reste dans K_J, c'est que t sort de l'intervalle $[\alpha, \beta]$ et donc de J ; ce qui est absurde puisque $t = s \in J$.

Donc l'une au moins des bornes de J est infinie. Et en fait les deux le sont. On s'en convainc en reprenant la démonstration du théorème des bouts : si l'on avait par exemple $J =]-\infty, \beta[$ avec $\beta < +\infty$, alors, pour tout $\gamma < \beta$, la solution $(u, t) \in C^1(]\gamma, \beta[)$ du système augmenté devrait sortir du compact $K_{]\gamma,\beta[} \times [\gamma, \beta]$ lorsque $s \nearrow \beta$, ce qui est impossible. □

En dimension finie, vérifier les hypothèses de ce théorème revient à trouver des *estimations a priori*, c'est-à-dire une majoration des solutions sur les intervalles bornés.

Exemple

Le champ de vecteurs de la mécanique du point $f : (x, v) \in \mathbb{R}^n \times \mathbb{R}^n \mapsto (v, -\mathrm{grad}V(x))$ est complet pourvu que V soit une fonction positive.

En effet, on remarque que

$$H(x,v) := \frac{1}{2}\, \|v\|^2 + V(x)$$

est conservée le long des courbes intégrales (on dit que H est une intégrale première, voir la définition 7.3 ci-après). Si de plus V est positive, pour toute solution $t \mapsto (x(t), v(t))$ de l'équation de Newton (5.3) associée au potentiel V, on a $v(t) = x'(t)$, d'où $x(t) = x(0) + \int_0^t v(s)\,\mathrm{d}s$, et

$$\frac{1}{2}\, \|v(s)\|^2 \leqslant H(x(s),v(s)) = H(x(0),v(0))\,,$$

donc $\|x(t)\| \leqslant \|x(0)\| + T\,\sqrt{2\,H(x(0), v(0))}$ pour $t \in]-T, T[$. Ainsi la restriction de (x, v) à tout intervalle borné est à valeurs dans un ensemble fermé borné de $\mathbb{R}^{2n}$. Donc on peut appliquer le théorème 7.1.

Remarque 7.1

Pour un champ de vecteurs $f \in \mathcal{C}^1(\mathbb{R}^n)$, il existe $\lambda \in \mathcal{C}^1(\mathbb{R}^n; \mathbb{R}^{+*})$ tel que $g := \lambda f$ soit *complet*. En effet, il suffit de poser $\lambda(u) := 1/(1 + \|f(u)\|^2)$ car alors $g = \lambda f \in \mathcal{C}^1(\mathbb{R}^n; \mathbb{R}^n)$ est borné, ce qui suffit pour appliquer le théorème 7.1 dans $U = \mathbb{R}^n$ au champ de vecteurs g. Donc d'après la proposition 7.1, on peut toujours supposer f complet pour l'étude des courbes intégrales.

En dimension infinie, le théorème 7.1 s'applique difficilement, les compacts n'étant pas simplement les fermés bornés. Cependant, on peut avoir recours au résultat local suivant.

Théorème 7.2

Soient $f \in \mathcal{C}^1(U; E)$ et $u_* \in U$. On suppose que f est bornée dans la boule $\overline{B(u_*; 2r)}$, $r > 0$. Si $u \in \mathcal{C}(J; U)$ est une solution maximale de (7.1) telle que

$$\|u(t) - u_*\| \leqslant \varphi(t), \quad \text{pour tout } t \in J,$$

où $\varphi : \mathbb{R}^+ \to \mathbb{R}$ est une fonction continue telle que $\varphi(0) < r$, alors ou bien $\varphi(t) < r$ quel que soit $t \in \mathbb{R}^+$ et dans ce cas J n'est pas majoré, ou bien $\sup J \geqslant \min\{t > 0\,;\ \varphi(t) = r\}$.

DÉMONSTRATION. D'après le lemme 5.4, il existe $\tau > 0$ tel que pour tout $v \in \overline{B(u_*; r)}$, la solution de (7.1) pour la donnée initiale v est définie sur un intervalle contenant $[0, \tau]$. Supposons J majoré et notons $\beta = \sup J$. Alors nécessairement il existe $t > 0$ tel que $\varphi(t) = r$. Sinon (par le théorème des valeurs intermédiaires) on aurait $\varphi(t) < r$ quel que soit $t > 0$, et par conséquent $u(\beta - \tau/2) \in \overline{B(u_*; r)}$, donc la solution u serait prolongeable à $t \in [\beta, \beta + \tau/2]$. Si l'on note $t_r = \min\{t > 0\,;\ \varphi(t) = r\}$, on a donc $\|u(t) - u_*\| < r$ quel que soit $t \in [0, t_r[\cap J$. Si on avait $\beta < t_r$, par le même argument que précédemment on pourrait prolonger u à $[\beta, \beta + \tau/2]$. □

En pratique, la majoration de $\|u(t) - u_*\|$ par $\varphi(t)$ est souvent conditionnée par la majoration (moins forte) par r, ce qui ne permet pas d'appliquer directement le théorème précédent. Un moyen de contourner la difficulté est donné par la

Proposition 7.2

Soient $\beta > 0$, $r > 0$ et z, φ deux fonctions continues sur $[0, \beta[$ telles que

i) $z(0) < r$

ii) pour tout $t \in [0, \beta[$, $\varphi(t) < r$,

iii) l'assertion suivante est vraie: si $t \in]0, \beta[$ est tel que $z(s) < r$ pour tout $s \in [0, t]$ alors $z(s) \leqslant \varphi(s)$ pour tout $s \in [0, t]$.

Alors on a $z(t) \leqslant \varphi(t)$ pour tout $t \in [0, \beta[$.

DÉMONSTRATION. La démonstration est le prototype de ce que l'on appelle un argument de « *bootstrap* » (voir aussi la proposition 8.1 de l'appendice). Elle repose essentiellement sur la connexité de l'intervalle $[0, \beta[$. Soit en effet

$$A := \{t \in [0, \beta[\,;\ z(s) \leqslant \varphi(s)\,,\ \forall s \in [0,: t]\}\,.$$

D'après **i)** et la continuité de z, il existe $t_0 \in]0, \beta[$ tel que $z(s) < r$ pour tout $s \in [0, t_0]$, et donc $t_0 \in A$ d'après **iii)**. De plus A est fermé par continuité de $\varphi - z$. Enfin A est ouvert : si $t \in A$ alors d'après **ii)**, $z(s) \leqslant \varphi(s) < r$ pour tout $s \in [0, t]$, donc par continuité de φ il existe $\varepsilon \in]0, \beta - t[$ tel que pour tout $s \in [0, t + \varepsilon]$, $z(s) < r$; donc d'après **iii)**, $z(s) \leqslant \varphi(s)$ pour tout $s \in [0, t + \varepsilon]$ et par conséquent $[0, t + \varepsilon] \subset A$. Donc par connexité de $[0, \beta[$ on a $A = [0, \beta[$. □

7.1.2 Intégrales premières

Définition 7.3

On appelle *intégrale première* d'un champ de vecteurs f sur U (ou indifféremment de l'équation différentielle (7.1)) une fonction $H \in \mathcal{C}^1(U, \mathbb{R})$ telle que $\mathrm{d}H(u) \cdot f(u) = 0$ quel que soit $u \in U$.

Par la formule de dérivation des fonctions composées, si H est une intégrale première de (7.1), alors pour toute solution $u \in \mathcal{C}^1(J; U)$ la fonction $H \circ u$ est indépendante de t : autrement dit la fonction H est constante le long des courbes intégrales de f. Inversement, si H est constante le long de toute courbe intégrale, c'est une intégrale première. Soit en effet $(t_0, u_0) \in \mathbb{R} \times U$, et $u \in \mathcal{C}^1(J; U)$ la solution maximale de (7.1) telle que $u(t_0) = u_0$. On a pour tout $t \in J$, $H(u(t)) = H(u_0)$, d'où en dérivant,

$$\mathrm{d}H(u(t)) \cdot f(u(t)) = 0 .$$

En particulier en $t = t_0$ cela donne $\mathrm{d}H(u_0) \cdot f(u_0) = 0$. En général c'est de cette manière que l'on cherche une intégrale première (on cherche une quantité conservée le long des courbes intégrales), plutôt que d'essayer de résoudre l'équation $\mathrm{d}H \cdot f \equiv 0$ dans U (qui est une équation aux dérivées partielles si $E = \mathbb{R}^n$).

La connaissance d'intégrales premières est cruciale pour espérer résoudre explicitement l'équation différentielle, et quoi qu'il en soit une intégrale première est un outil précieux dans l'analyse qualitative. On verra plus loin un résultat abstrait (théorème 7.4) d'existence d'intégrale première pour un champ non singulier (c'est-à-dire ne s'annulant pas). Il n'existe pas de méthode générale pour trouver des intégrales premières (sinon toutes les équations différentielles seraient résolubles explicitement). Cependant on peut faire appel à l'« intuition physique » : lorsque l'équation différentielle provient d'un modèle physique, il y a souvent (en l'absence de phénomènes dissipatifs) une intégrale première correspondant à une énergie : comme vu plus haut, c'est le cas par exemple pour l'équation (5.3).

7.1.3 Complément : incursion dans l'analyse des EDP hyperboliques

Une équation aux dérivées partielles (EDP) de la forme

$$\partial_t u + A(u)\partial_x u = 0 ,$$

où la fonction inconnue est $u : (t, x) \in \mathbb{R}^+ \times \mathbb{R} \to u(t, x) \in \mathbb{R}^n$ et $A \in \mathcal{C}(U; \mathcal{M}_n(\mathbb{R}))$, est dite *strictement hyperbolique* (au sens des EDP) si pour tout $u \in U$, $A(u)$ est diagonalisable sur $\mathbb{R}$, avec des valeurs propres distinctes $\lambda_1(u) < \cdots \lambda_n(u)$. Dans l'analyse de cette EDP interviennent alors des champs de vecteurs particuliers : ce sont les champs de vecteurs propres r_j associés aux valeurs propres λ_j (c'est-à-dire que pour tout $u \in U$, $A(u)r_j(u) = \lambda_j(u)r_j(u)$). Pour tout $j \in \{1, \ldots, n\}$, une intégrale première de r_j est appelée *j-invariant de Riemann faible*. Pour $i \in \{1, \ldots, n\}$, on appelle champ de vecteurs propre à gauche pour A une application ℓ_i à valeurs dans les matrices lignes $1 \times n$ non nulles telle que $\ell_i(u)A(u) = \lambda_i(u)\ell_i(u)$ pour tout $u \in U$. Naturellement, $\ell_i(u)$ s'identifie avec une forme linéaire sur $\mathbb{R}^n$, et l'on peut donc voir ℓ_i comme une 1-forme différentielle. Sous la condition d'intégrabilité $\ell_i \wedge \mathbf{d}\ell_i \equiv 0$ donnée par le théorème de Frobenius (théorème 4.2), il existe donc des fonctions θ et ϕ telles que $\ell_i = \theta \mathrm{d}\phi$. Il s'avère que la fonction ϕ est alors un j-invariant de Riemann faible pour tout $j \neq i$. En effet, θ ne peut pas s'annuler puisque ℓ_i est un champ de vecteurs propres, et l'on a $\ell_i(u)r_j(u) = 0$ pour tout u et pour tout $j \neq i$ (noter que $\ell_i(u)A_i(u)r_j(u) = \lambda_i(u)\ell_i(u)r_j(u) = \lambda_j(u)\ell_i(u)r_j(u)$ avec $\lambda_i(u) \neq \lambda_j(u)$). On dit que ϕ est un *i-invariant de Riemann fort*.

Signalons en outre que la théorie des EDP hyperboliques fait appel à la théorie des EDO au travers de la *méthode des caractéristiques*, de la recherche de *solutions autosimilaires*, de la condition de *Rankine-Hugoniot* régissant les ondes de choc (voir par exemple [33]).

7.2 Flot et portraits de phase

D'après le théorème du flot (théorème 5.6), pour tout $t_0 \in I$ il existe localement une application $\phi^{t_0} : (t, v) \mapsto \phi^{t_0}(t, v)$ donnant la solution du problème de Cauchy associé à (7.1) pour la donnée initiale $\phi^{t_0}(t_0, v) = v$. En fait, comme (7.1) est autonome, les flots locaux ϕ^{t_0} et ϕ^{t_1} pris en des instants t_0 et t_1 se déduisent l'un de l'autre par translation en t. En effet, les applications $t \mapsto \phi^{t_0}(t, v)$ et $t \mapsto \phi^{t_1}(t + t_1 - t_0, v)$ sont deux solutions de (7.1), et elles prennent la même valeur v en $t = t_0$, donc elles sont égales d'après le lemme d'unicité 5.3.

C'est pourquoi on fixe $t_0 = 0$ une fois pour toutes. Par ailleurs, on utilisera désormais une notation pour le flot qui distingue t (en indice) de v :

$$\phi_t(v) = \phi^0(t, v) .$$

On parle alors de ϕ comme du flot de l'équation différentielle (7.1) ou simplement du champ de vecteurs f.

7.2.1 Orbites

Sauf mention du contraire on suppose désormais le champ de vecteurs f complet (ce qui n'est pas une restriction si $f : \mathbb{R}^n \to \mathbb{R}^n$ comme on l'a vu en remarque p. 264).

Alors le flot est global, c'est-à-dire que pour tout $v \in U$, l'application $t \mapsto \phi_t(v)$ est définie sur $\mathbb{R}$ tout entier. De plus, l'ensemble

$$\{\phi_t \in \mathcal{C}^1(U;U)\ ;\ t \in \mathbb{R}\}$$

muni de la loi de composition $\circ$ est un *groupe commutatif*. En effet, il contient $\mathrm{Id}_U = \phi_0$ et en utilisant à nouveau l'unicité des solutions (lemme 5.3) on montre que

$$\phi_s \circ \phi_t = \phi_t \circ \phi_s = \phi_{t+s}$$

quels que soient s et t. Cette structure algébrique justifie la définition suivante.

Définition 7.4

Pour tout $v \in U$ on appelle *orbite* de v (pour l'équation différentielle (7.1)) la courbe intégrale de f passant par v, c'est-à-dire l'ensemble

$$\{\phi_t(v)\ ;\ t \in \mathbb{R}\}.$$

On rappelle que les courbes intégrales, et donc les orbites, sont deux à deux disjointes.

On note en particulier que si f admet une intégrale première H, toute orbite est incluse dans un *ensemble de niveau* de H :

$$\{\phi_t(v)\ ;\ t \in \mathbb{R}\} \subset \{u \in U\ ;\ H(u) = H(v)\}.$$

Proposition 7.3

L'orbite d'un point v est réduite au singleton $\{v\}$ si seulement si $f(v) = 0$. Sans nécessairement supposer le champ f complet, si $f(v) \neq 0$ et s'il existe $t_0 \neq s_0$ tel que $\phi_{t_0}(v) = \phi_{s_0}(v)$ alors $t \mapsto \phi_t(v)$ est une solution globale *périodique* de (7.1) et l'orbite de v est une courbe fermée simple.

DÉMONSTRATION. Supposons que $\phi_t(v)$ soit défini pour $t \in [0, T[$ avec $0 \leqslant s_0 < t_0 < T < +\infty$. Soit m le plus grand entier tel que $m\,(t_0 - s_0) < T$. L'application $t \mapsto \phi_{t+t_0-s_0}(v)$ est solution de l'équation différentielle et vaut $\phi_{t_0}(v) = \phi_{s_0}(v)$ en $t = s_0$. En utilisant une fois de plus l'unicité des solutions, on en déduit

$$\phi_{t+t_0-s_0}(v) = \phi_t(v) \quad \text{pour tout } t \in [0, T-(t_0-s_0)[\,.$$

En particulier, $\phi_{m(t_0-s_0)}(v) = \phi_0(v) = v$. Par conséquent, l'application u définie par

$$u(t) = \phi_{t-m(t_0-s_0)}(v) \quad \text{pour } t \in [\,m(t_0-s_0)\,,\,(m+1)(t_0-s_0)\,]$$

est solution du problème de Cauchy :

$$u'(t) = f(u(t))\,, \quad u(m(t_0-s_0)) = v\,,$$

et prolonge $t \mapsto \phi_t(v)$ au delà de T. C'est donc que ϕ_t peut être prolongée à tout $\mathbb{R}$. Et elle est périodique de période $(t_0 - s_0)$.

L'ensemble $\{t > 0;\ \phi_t(v) = v\}$ contient en particulier $t_0 - s_0$. On peut donc définir

$$T := \inf\{t > 0;\ \phi_t(v) = v\}.$$

Si v n'est pas un point fixe, T est strictement positif. En effet, il existe $\varphi \in E'$ tel que $\varphi(f(v)) \neq 0$. Supposons par exemple $\varphi(f(v)) > 0$. Par continuité de $t \mapsto \varphi(f(\phi_t(v)))$ on a donc, dans un intervalle $[0, \eta]$ avec $\eta > 0$ assez petit, $\varphi(f(\phi_t(v))) \geqslant \varepsilon > 0$. Par suite,

$$\varphi(\phi_t(v) - v) = \int_0^t \varphi(f(\phi_s(v)))\,\mathrm{d}s \geqslant t\,\varepsilon$$

pour $t \in [0, \eta]$. Donc $\phi_t(v) - v$ ne peut s'annuler dans $[0, \eta]$ en dehors de $t = 0$. Ceci montre que T est strictement positif. De plus T est atteint par continuité de $t \mapsto \phi_t(v)$.

Avec cette définition de T, l'application $t \mapsto \phi_t(v)$ est injective sur $[0, T[$, et l'orbite de v est la courbe fermée $\{\phi_t(v)\ ;\ t \in [0, T[\,\}$, qui est sans point double car $\phi_t(v) = \phi_s(v)$ implique $\phi_{t-s}(v) = v$ et donc $t - s \geqslant T$ si $t > s$. □

Définition 7.5

Pour un champ de vecteurs f de flot ϕ on appelle :

- *point stationnaire* ou *point fixe* ou *point d'équilibre* un point $v \in U$ dont l'orbite est réduite à $\{v\}$, ce qui équivaut $f(v) = 0$: on dit aussi que v est un *point singulier* du champ de vecteurs f ;
- *cycle* une orbite $\{\phi_t(v)\ ;\ t \in \mathbb{R}\}$ fermée, c'est-à-dire telle qu'il existe $T > 0$ pour lequel $\phi_T(v) = v$;
- *orbite hétérocline* une courbe intégrale « reliant » deux points fixes différents :
$$\{\phi_t(v);\ t \in \mathbb{R}\};\quad \lim_{t\to-\infty} \phi_t(v) = a \neq b = \lim_{t\to+\infty} \phi_t(v),\quad f(a) = f(b) = 0\,;$$
- *orbite homocline* une orbite reliant un même point fixe en $+\infty$ et $-\infty$:
$$\{\phi_t(v)\ ;\ t \in \mathbb{R}\};\quad \lim_{t\to-\infty} \phi_t(v) = a = \lim_{t\to+\infty} \phi_t(v),\quad f(a) = 0\,.$$

Remarque 7.2

Au vocabulaire plutôt algébrique utilisé ici correspondent des termes d'analyse, de géométrie et de mécanique, rassemblés dans le tableau 7.1.

Tableau 7.1 **Notions équivalentes dans différents registres de langage**

Analyse	Algèbre	Géométrie	Mécanique
solution	orbite	courbe intégrale	trajectoire
solution stationnaire	point fixe	point singulier	point d'équilibre
solution périodique	cycle	lacet simple	$\approx$ oscillation

7.2.2 Redressement du flot

Définition 7.6

On appelle *section* locale du champ f en un point *non singulier* y (c'est-à-dire tel que $f(y) \neq 0$), un ouvert S d'une hypersurface contenant y tel que pour tout $u \in S, f(u) \notin T_uS$ (l'espace tangent à S au point u) : on dit aussi que $f(u)$ est *transverse* à T_uS.

En particulier, il existe toujours des *sections planes*, c'est-à-dire incluses dans un hyperplan affine. En effet, si $f(y) \neq 0$, d'après le théorème de Hahn-Banach (voir [2, Corollaire I.3, p. 3]), il existe $\varphi \in E'$ non nul et tel que $\langle \varphi, f(y) \rangle \neq 0$. Donc le noyau de φ est un hyperplan (vectoriel) fermé H tel que

$$\mathbb{R} f(y) \oplus H = E .$$

Par continuité de f, l'ensemble $\{ u \in U ; \ f(u) \notin H \}$ est ouvert. Donc il existe $r > 0$ tel que pour tout $u \in B(y; r)$, l'intersection de l'hyperplan affine $y + H$ (dont l'espace tangent en tout point est précisément H) avec $B(y; r)$ est une section locale en y.

Théorème 7.3 ***Théorème de redressement du flot***

Si $\mathbb{R} f(y) \oplus H = E$, alors il existe $\tau > 0$ et $r > 0$ tels que $S_r := y + H_r$, avec $H_r := \{ h \in H ; \ \|h\|_E < r \}$, soit une section locale en y et l'application

$$\begin{array}{cccc} \Phi : &]-\tau, \tau[\times H_r & \to & \mathcal{B} := \Phi(]-\tau, \tau[\times H_r) \\ & (t, h) & \mapsto & \phi_t(y+h)\,, \end{array}$$

soit un difféomorphisme. En outre, pour tout $v \in \mathcal{B}$, il existe un unique $t \in]-\tau, \tau[$ tel que $\phi_t(v) \in S_r$.

L'ouvert $\mathcal{B}$ est appelé une *boîte à flot.*

DÉMONSTRATION. On a déjà vu la première partie. Il s'agit ensuite d'appliquer le théorème d'inversion locale. La fonction Φ est de classe $\mathcal{C}^1$ pour τ et r assez petits.

De plus, la différentielle de Φ au point (0, 0) est donnée par

$$d\Phi(0,0)\cdot(s,k) = s\,f(y) + k \quad \text{pour tout } (s,k) \in \mathbb{R}\times H\,.$$

C'est une bijection de $\mathbb{R}\times H$ sur E puisque $\mathbb{R}\,f(y) \oplus H = E$, et elle est évidemment continue. Donc sa réciproque est aussi continue d'après le théorème de l'application ouverte : on peut aussi le voir de façon plus « élémentaire » (bien qu'il y ait derrière le théorème de Hahn-Banach), en écrivant $H = \operatorname{Ker}\varphi$ avec $\varphi \in E'$ tel que $\varphi(f(y)) = \|f(y)\|^2$, de sorte que

$$s\,f(y) + k = x \quad \Leftrightarrow \quad s = \frac{\varphi(x)}{\varphi(f(y))}\,,k = x - \frac{\varphi(x)}{\varphi(f(y))}\,f(y)\,.$$

Par conséquent, Φ est un difféomorphisme local, et donc un difféomorphisme de $]-\tau,\tau[\times H_r$ sur son image, quitte à réduire τ et r.

Ceci implique que pour tout $v \in \mathcal{B}$, il existe un unique $(t,h) \in]-\tau,\tau[\times H_r$ tel que

$$\phi_t(y+h) = v\,,$$

d'où $\phi_{-t}(v) = y + h \in S_r$. Inversement, si $s \in]-\tau,\tau[$ est tel que $\phi_s(v) = y + h' \in S_r$, alors $v = \phi_{-s}(y+h')$ et donc $s = -t$ et $h = h'$. □

Remarque 7.3

Le difféomorphisme inverse Φ^{-1} opère un *redressement du flot* au sens où l'image réciproque d'une orbite $\{\phi_t(v) \in \mathcal{B}\,;\ t \in]-\tau,\tau[\}$ avec $v = y + h \in S_r$ n'est autre que le segment de droite $\{(t,h)\,;\ t \in]-\tau,\tau[\}$ (voir la figure 7.1).

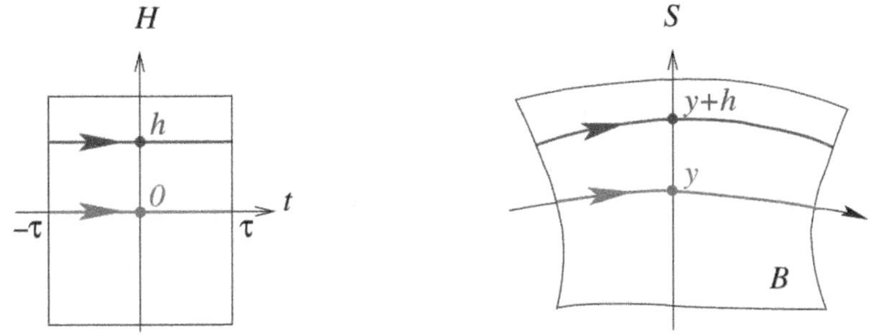

Figure 7.1 **Redressement du flot et boîte à flot.**

En particulier, si E est de dimension finie n, si l'on choisit une base $(h_2,\ldots,h_n)$ de H et si l'on note z_1 la première composante de Φ^{-1} et $z_2,\ldots,z_n$ ses autres composantes, c'est-à-dire que pour tout $w \in \mathcal{B}$

$$\Phi^{-1}(w) = \left(z_1(w), \sum_{j=2}^{n} z_j(w)\,h_j\right),$$

les fonctions $z_2, \dots, z_n$ sont constantes le long des orbites de f. Autrement dit, les fonctions $z_2, \dots, z_n$ sont des *intégrales premières* du champ de vecteurs f dans $\mathcal{B}$. Elles sont de plus indépendantes, au sens où leurs différentielles sont indépendantes en tout point de $\mathcal{B}$, puisque Φ^{-1} est un difféomorphisme sur $\mathcal{B}$. D'où le

Théorème 7.4

Soit f un champ de vecteurs de classe $\mathcal{C}^1$ sur un ouvert U d'un espace vectoriel de dimension finie n. Si $y \in U$ est un point non singulier pour f, c'est-à-dire si $f(y) \neq 0$, alors il existe un voisinage $\mathcal{B}$ de y dans U et $(n-1)$ intégrales premières indépendantes de classe $\mathcal{C}^1$ sur $\mathcal{B}$.

7.2.3 Portraits de phase

L'un des objectifs de l'analyse qualitative d'une EDO est de préciser son portrait de phase, ce qui ne nécessite nullement de savoir la résoudre explicitement.

Définition 7.7

On appelle *portrait de phases* d'un champ de vecteurs f, ou de l'équation différentielle (7.1), la partition de l'ouvert U en orbites.

L'étude d'un portrait de phase consiste à repérer :

i) en dimension finie tout au moins, les changements de direction du champ de vecteurs, en localisant les zéros de ses composantes,

ii) les orbites remarquables,

iii) les *séparatrices*, hypersurfaces que les orbites ne peuvent traverser,

iv) les ensembles de niveau d'intégrales premières éventuelles.

La recherche d'orbites *stationnaires*, revient à résoudre l'équation algébrique $f(v) = 0$. On verra plus loin (Chapitre 8) comment trouver l'allure des orbites au voisinage des points stationnaires (où précisément le théorème de redressement du flot ne s'applique pas). La recherche de cycles et d'orbites homoclines ou hétéroclines est en général non triviale. On verra plus loin quelques outils dans cette optique. Quant aux séparatrices, le champ de vecteurs doit leur être tangent et elles doivent être invariantes par le flot. En particulier en dimension 2, les orbites non stationnaires sont des séparatrices. Ou bien par exemple pour un système de la forme

$$\begin{cases} \dfrac{\mathrm{d}x}{\mathrm{d}t} = f(x,y)\,, \\[2mm] \dfrac{\mathrm{d}y}{\mathrm{d}t} = y\,g(x,y)\,, \end{cases}$$

l'hyperplan $P = \{(x,y)\,;\; y = 0\}$ est invariant, c'est-à-dire que les orbites issues de P sont incluses dans P (cela résulte une fois de plus du lemme d'unicité 5.3), et c'est donc une séparatrice. Enfin on rappelle que si H est une intégrale première, toute orbite est incluse dans un ensemble de niveau de H : en dimension finie n, si l'on dispose de $n-1$ intégrales premières indépendantes, les intersections de leurs ensembles de niveaux sont génériquement des courbes, et l'on a ainsi le portrait de phase complet.

En dimension 1, c'est-à-dire pour une équation scalaire autonome d'ordre 1, le portrait de phase repose exclusivement sur le tableau de variations de la fonction f, voir la figure 7.2. (Rappelons au passage que l'on sait calculer les solutions par quadrature.) En effet, les zéros de f sont des séparatrices, donc d'après le théorème des bouts 5.2 toute orbite entre deux zéros est globale. De plus une telle orbite comprend tout le segment ouvert entre ces zéros, car la seule limite finie possible d'une solution en $\pm\infty$ est un point fixe (si $u(t) \to u_*$ lorsque $t \to +\infty$, $u'(t) \to f(u_*)$ et donc $f(u_*) = 0$ sinon on aurait $|u(t)| \to +\infty$).

x	
$f(x)$	+ 0 − 0 + 0 + 0 − 0 +

Figure 7.2 **Tableau de variations et portrait de phase en dimension 1.**

En dimension supérieure à 3 les portraits de phase sont difficiles à représenter et d'une grande complexité en général. Le cas de la dimension 2 est à la fois riche et pas trop compliqué (on en verra une raison profonde avec le théorème de Poincaré-Bendixson). Prenons l'exemple de l'équation (5.5) pour le pendule simple. Sans chercher à calculer les solutions, on peut tracer et interprétrer le portrait de phase, grâce l'intégrale première

$$H(\theta, \dot{\theta}) = \frac{1}{2}\dot{\theta}^2 - \cos\theta\,.$$

Si l'on note $\mathcal{E}_a := \{\,(\theta, \dot{\theta})\,;\; H(\theta, \dot{\theta}) = a\,\}$ les ensembles de niveau de H, on voit que $\mathcal{E}_{-1} = \cup_{n\in\mathbb{Z}}\{(2\pi n, 0)\}$, tandis que pour $-1 < a < 1$, $\mathcal{E}_a$ est une réunion de courbes fermées disjointes, et pour $a > 1$, $\mathcal{E}_a$ est formé de deux courbes disjointes et symétriques par rapport à l'axe des θ ; enfin $\mathcal{E}_1$ est formé de deux courbes symétriques qui s'intersectent sur l'axe des θ aux points $(\pi + 2\pi n, 0)$. On voit ainsi apparaître tous les types de solutions possibles : point d'équilibre du pendule en bas ($\theta = 2\pi n$), point d'équilibre en haut ($\theta = \pi + 2\pi n$), oscillations autour de l'équilibre du bas ($-1 < a < 1$), rotations complètes ($a > 1$). Ces solutions sont périodiques car on a négligé les phénomènes dissipatifs dans ce modèle simplifié, et donc l'amortissement du mouvement au cours du temps (pour un modèle avec amortissement, voir par exemple l'exercice 8.1). Le cas des orbites contenues dans $\mathcal{E}_1$ n'est pas non plus très réaliste : le mouvement du pendule partant initialement d'un point θ_0 à une vitesse $\dot{\theta}_0$ telle que

$$\frac{1}{2}\dot{\theta}_0^2 = \cos\theta_0 + 1$$

met un temps infini à atteindre le point d'équilibre du haut.

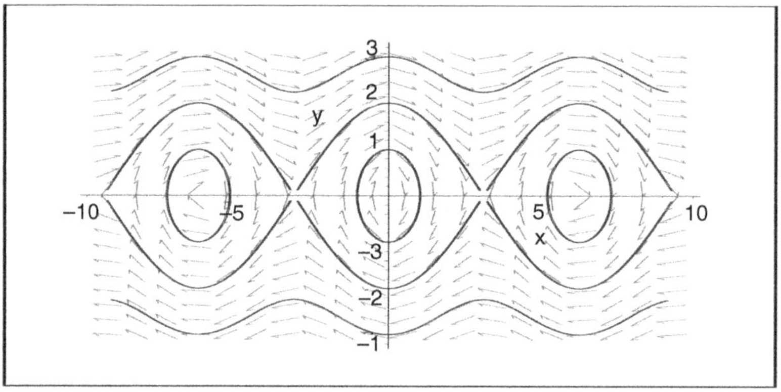

Figure 7.3 **Portrait de phase pour l'équation (5.5) du pendule simple avec** $g/\ell = 1$.

7.3 Ensembles ω-limite

Dans ce qui suit, $f \in \mathcal{C}^1(E; E)$ (où E est un espace de Banach) est un champ complet et ϕ_t désigne le flot de (7.1).

7.3.1 Généralités et exemples

Définition 7.8

Soit $v \in E$. On appelle *ensemble ω-limite* de v l'ensemble $L_\omega(v)$ des valeurs d'adhérence de $\{\phi_t(v)\}$ lorsque $t \to +\infty$. On appelle *ensemble α-limite* de v l'ensemble $L_\alpha(v)$ des valeurs d'adhérence de $\{\phi_t(v)\}$ lorsque $t \to -\infty$.

(Ces noms ont été choisis parce que α et ω sont respectivement la première et la dernière lettre de l'alphabet grec.)

- Par exemple, si v appartient à une orbite hétérocline, alors par définition il existe v_- et $v_+ \in U$ tels que $\lim_{t\to\pm\infty} \phi_t(v) = v_\pm$, et donc $L_\alpha(v) = \{v_-\}$, $L_\omega(v) = \{v_+\}$.
- Par ailleurs, si v appartient à un cycle γ, alors $L_\alpha(v) = L_\omega(v) = \gamma$.

Proposition 7.4

Les ensembles ω-limite et α-limite d'un point v sont fermés et invariants par le flot. Ils sont de plus inclus dans l'ensemble de niveau $\{ w\,;\ E(w) = E(v) \}$ si E est une intégrale première. Plus généralement, si $F : E \to \mathbb{R}$ est une fonction continue et monotone le long des courbes intégrales, les ensembles ω-limite et α-limite sont inclus dans des ensembles de niveau de F.

DÉMONSTRATION. Ces propriétés sont presque contenues dans la définition. Si $w \in L_\omega(v)$, il existe une suite t_n tendant vers $+\infty$ telle que $\phi_{t_n}(v)$ tend vers w. Alors, quel que soit t, $\phi_t(w) = \lim_{n\to+\infty} \phi_{t+t_n}(v)$ appartient aussi à $L_\omega(v)$. Donc cet ensemble est bien invariant par le flot. D'autre part, le complémentaire de l'ensemble ω-limite est par définition l'ensemble des w tels qu'il existe $\varepsilon_0 > 0$ et $t_0 > 0$ avec

$$\|\phi_t(v) - w\| \geqslant \varepsilon_0$$

pour tout $t \geqslant t_0$. Or pour un tel w, on a

$$\|\phi_t(v) - z\| \geqslant \tfrac{1}{2}\varepsilon_0$$

pour tout $t \geqslant t_0$ et pour tout $z \in B(w; \frac{1}{2}\varepsilon_0)$. Donc le complémentaire de l'ensemble ω-limite est ouvert. Si $F : E \to \mathbb{R}$ est continue et telle que $t \mapsto F(\phi_t(v))$ soit monotone, alors il existe $a \in [-\infty, +\infty]$ tel que

$$\lim_{t\to+\infty} F(\phi_t(v)) = a\,.$$

Si $y \in L_\omega(v)$, il existe une suite $(t_n)_{n\in\mathbb{N}}$ tendant vers $+\infty$ telle que

$$\lim_{n\to+\infty} \phi_{t_n}(v) = y\,.$$

Par continuité de F, on en déduit

$$a = \lim_{n\to+\infty} F(\phi_{t_n}(v)) = F(y)$$

(en particulier, $|a| < \infty$). Ceci prouve que $L_\omega(v) \subset \{ y\,;\ F(y) = a \}$. □

Proposition 7.5

Soit $v \in E$. Si l'ensemble $\{\phi_t(v)\,;\ t \in \mathbb{R}^+\}$ est *relativement compact*, alors $L_\omega(v)$ est *compact non vide* et *connexe*.

DÉMONSTRATION. La compacité de $L_\omega(v)$ est quasi-immédiate : c'est un fermé inclus dans le compact

$$\overline{\{\phi_t(v)\,;\ t \in \mathbb{R}^+\}}\,.$$

Il est non vide puisque l'orbite $\{\phi_t(v)\,;\; t \in \mathbb{R}^+\}$ admet au moins une valeur d'adhérence. La connexité de $L_\omega(v)$ demande un peu plus de travail. Raisonnons par l'absurde et supposons qu'il existe deux ouverts disjoints U_1 et U_2 tels que $L_\omega(v) \subset U_1 \cup U_2$ avec $L_\omega(v) \cap U_i \neq \emptyset$. Par définition de $L_\omega(v)$, il existe donc une suite (τ_n) strictement croissante telle que $\phi_{\tau_{2n}}(v) \in U_2$, $\phi_{\tau_{2n+1}}(v) \in U_1$. Comme l'ensemble $\{\,\phi_t(v)\,;\; \tau_{2n} \leqslant t \leqslant \tau_{2n+1}\,\}$ est connexe (image d'un connexe par une application continue), il ne peut être inclus dans $U_1 \cup U_2$. Donc pour tout $n \in \mathbb{N}$, il existe $t_n \in]\tau_{2n}, \tau_{2n+1}[$ tel que $\phi_{t_n}(v) \notin U_1 \cup U_2$. Or la suite $\phi_{t_n}(v)$ admet une valeur d'adhérence $a \in L_\omega(v)$, et cette limite appartient au complémentaire de $U_1 \cup U_2$ (car c'est un fermé). Ceci contredit l'inclusion $L_\omega(v) \subset U_1 \cup U_2$. C'est donc que de tels ouverts U_1 et U_2 n'existent pas, ce qui montre que $L_\omega(v)$ est connexe. □

Remarque 7.4

Inversement, si $L_\omega(v)$ est compact et non vide, l'orbite $\{\phi_t(v)\,;\; t \in \mathbb{R}^+\}$ est relativement compacte, puisqu'elle admet au moins une valeur d'adhérence, et toutes ses valeurs d'adhérence sont incluses dans le compact $L_\omega(v)$.

7.3.2 Cas de la dimension 2

Dans $\mathbb{R}^2$, les sections locales « planes » sont des segments de droite, en particulier orientables. De plus, on dispose du

Théorème 7.5 ***Théorème de Jordan***

Une courbe continue fermée simple divise le plan en deux régions connexes, l'une bornée et l'autre non bornée.

(La démonstration de ce théorème d'apparence très intuitive est difficile, voir par exemple [13, p. 362]. Pour les courbes de classe $\mathcal{C}^1$ par morceaux, qui nous suffiront, elle peut se faire grâce à la notion d'*indice* en analyse complexe.)

Grâce à ces deux ingrédients, on peut démontrer le

Théorème 7.6 ***Théorème de Poincaré-Bendixson***

Pour un champ de vecteurs dans $\mathbb{R}^2$, tout ensemble ω-limite compact non vide et sans point fixe est un cycle.

La démonstration n'est pas très difficile mais assez longue. Elle repose en premier lieu sur le

Lemme 7.1

Si S est une section locale, si (t_n) est une suite croissante telle que $y_n = \phi_{t_n}(v) \in S$, alors la suite (y_n) est aussi monotone le long de S, c'est-à-dire

$$\text{dét}(y_{n+1} - y_n,\, y_n - y_{n-1}) \geqslant 0\,.$$

Démonstration. Il suffit de faire la preuve pour trois points y_0, y_1, y_2. Fixons donc $y_0 = \phi_{t_0}(v)$ et $y_1, = \phi_{t_1}(v)$ appartenant à S avec $t_0 < t_1$ et $y_0 \neq y_1$. On peut supposer que l'orbite de v ne coupe pas S dans l'intervalle $I := [y_0, y_1]$: si tel était le cas, on remplacerait y_0 par $\widetilde{y}_0 = \phi_{\widetilde{t_0}}(y_1)$ le premier point appartenant à S en partant de y_1 dans le sens des $t < t_1$ (voir la figure 7.4), car montrer que y_0, y_1 et $y_2 = \phi_t(v)$, $t > t_1$ sont ordonnés revient à montrer que $\widetilde{y}_0$, y_1 et y_2 le sont.

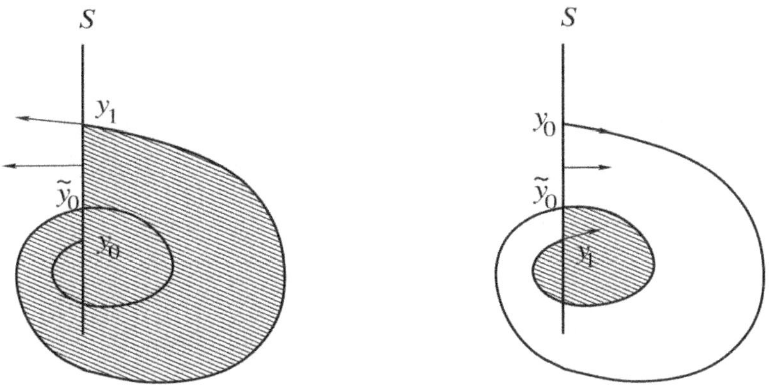

Figure 7.4 **Flot et section ; composante D en hachuré.**

Soit $\mathcal{C}$ la courbe formée de la réunion de I et de $\{\phi_s(v) ; s \in [t_0, t_1]\}$. C'est une courbe fermée, simple grâce à la précaution que l'on a prise et au fait qu'une orbite ne s'intersecte pas elle-même. Donc d'après le théorème 7.5, elle divise le plan en deux composantes connexes. Soit D celle qui est bornée. Puisque S est une section, le champ f pointe vers le même demi-plan le long de S, et en particulier le long de I. En particulier, il pointe soit vers D soit vers $\mathbb{R}^2 \backslash D$. Quitte à renverser le temps (et échanger y_0 et y_1), on peut supposer qu'on est dans le second cas. Alors D est négativement invariant par le flot, c'est-à-dire que pour tout $y \in D$, $\phi_t(y) \in D$ pour $t < 0$. En effet, le flot ne peut sortir ni par I ni par $\{\phi_t(v) ; t \in [t_0, t_1]\}$. Ceci implique en particulier que $\phi_t(y_1)$ appartient à $\mathbb{R}^2 \backslash D$ pour tout $t > t_1$. De plus, $S \backslash I$ est constitué de deux intervalles I_0 et I_1 contenant respectivement y_0 et y_1 dans leur bord. Or on peut joindre tout point de I_0 assez proche de y_0 à $\phi_{-\varepsilon}(y_0)$ avec $\varepsilon > 0$ assez petit, point appartenant à D, sans passer par le bord de D, on en déduit que I_0 est dans D. Donc, si $y_2 = \phi_{t_2}(v) \in S$ et $t > t_2$, y_2 appartient nécessairement à I_1. □

Corollaire 7.1

Si S est une section locale, alors pour tout $v \in U$, $L_\omega(v) \cap S$ contient au plus un point.

Démonstration. Supposons que $L_\omega(v) \cap S$ contienne deux points distincts, y_1 et y_2. Soient alors des boîtes à flot disjointes, $\mathcal{V}_1 \ni y_1$ et $\mathcal{V}_2 \ni y_2$. Comme ces points sont dans $L_\omega(z)$, l'orbite z repasse une infinité de fois dans chacune de ces boîtes, et donc aussi par chacun des intervalles $I_1 = \mathcal{V}_1 \subset S$ et $I_2 = \mathcal{V}_2 \subset S$. Plus précisément, il existe une suite (t_n), croissante et tendant vers $+\infty$ avec n, telle $\phi_{t_{2n+1}}(v) \in I_1$ et $\phi_{t_{2n}}(v) \in I_2$. Comme I_1 et I_2 sont disjoints, ceci contredit le lemme 7.1. □

DÉMONSTRATION. [THÉORÈME DE POINCARÉ-BENDIXSON]

Supposons $L_\omega(v)$ compact et $y \in L_\omega(v)$. On va montrer que l'orbite de y, qui est incluse dans $L_\omega(v)$, est un cycle. On considère pour cela $L_\omega(y)$, qui est un sous-ensemble non vide de $L_\omega(v)$. Soit alors $z \in L_\omega(y)$, S une section locale en z et $\mathcal{Z}$ une boîte à flot associée. Il existe une suite (t_n) tendant vers $+\infty$ telle que $\phi_{t_n}(y)$ appartienne au voisinage $\mathcal{Z}$ de z pour tout n. En particulier, il existe des instants t_n et t_m distants de plus de 2τ, et des instants s_n et $s_m \in]-\tau, \tau[$ (avec τ comme dans le théorème 7.3) tels que $\phi_{t_n+s_n}(y)$ et $\phi_{t_m+s_m}(y)$ appartiennent à S. D'après le corollaire 7.1, ceci implique

$$\phi_{t_n+s_n}(y) = \phi_{t_m+s_m}(y)\,.$$

Comme $t_n + s_n \neq t_m + s_m$, et que y n'est pas un équilibre, l'orbite de y est donc un cycle γ d'après la proposition 7.3, et $\gamma \subset L_\omega(v)$.

Pour prouver que $L_\omega(v)$ est *égal* à au cycle γ, raisonnons par l'absurde. Supposons γ strictement inclus dans $L_\omega(v)$. Soit $y_0 \in L_\omega(v)$, $y_0 \notin \gamma$, et n_0 tel que $1 < 2^{n_0}\,\mathrm{dist}(y_0, \gamma)$. Notons, pour tout $n \in \mathbb{N}$,

$$A_n := \bigcup_{z\in\gamma} B(z; 1/2^n)\,.$$

Alors, pour tout $n \geqslant n_0$, $y_0 \notin \overline{A_n}$. De plus, pour tout $n \geqslant n_0$, il existe y_n tel que $y_n \in L_\omega(v) \cap A_n$ et $y_n \notin \gamma$. En effet, supposons que pour tout $y \in L_\omega(v)$, ou bien $y \in \gamma$ ou bien $y \notin A_n$. Comme le complémentaire de $\overline{A_{n+1}}$ contient le complémentaire de A_n et $\gamma \subset A_{n+2}$, $y_0 \in L_\omega(v) \cap (U \setminus \overline{A_{n+1}})$, on aurait alors

$$L_\omega(v) \subset A_{n+2} \cup (U \setminus \overline{A_{n+1}})\,, \quad L_\omega(v) \cap A_{n+2} \neq \emptyset\,, \; L_\omega \cap (U \setminus \overline{A_{n+1}}) \neq \emptyset\,.$$

Les ensembles A_{n+2} et $(U \setminus \overline{A_{n+1}})$ étant ouverts, cela contredirait la connexité de $L_\omega(v)$ (voir la proposition 7.5).

Maintenant, par compacité de $L_\omega(v)$, la suite (y_n) admet une sous-suite convergente vers un point z et par construction de (y_n), $\mathrm{dist}(z,\gamma) = 0$, donc $z \in \gamma$ puisque γ est compact. Pour simplifier, on note encore (y_n) la suite extraite. Soit S une section locale en z et $\mathcal{Z}$ une boîte à flot associée. Pour n assez grand, $y_n \in \mathcal{Z}$, donc il existe $s_n \in]-\tau, \tau[$ tel que $x_n := \phi_{s_n}(y_n) \in S$, et $x_n \neq z$ puisque$y_n \notin \gamma$. Comme $y_n \in L_\omega(v)$, on a aussi $x_n \in L_\omega(v)$. Autrement dit, z et x_n sont deux points distincts de $L_\omega(v) \cap S$. Ceci est en contradiction avec le corollaire 7.1.

C'est donc que notre hypothèse était absurde : on a nécessairement $\gamma = L_\omega(v)$. □

Exercices

7.1 Soient

$$\begin{array}{rrcl} g: & \mathbb{R}^2 & \to & \mathbb{R}^2 \\ & (x,y) & \mapsto & (-y,x) \end{array}$$

et

$$\begin{array}{rrcl} f: & \mathbb{R}^2\backslash(\{(0,0)\}\times\mathbb{R}) & \to & \mathbb{R}^2 \\ & (x,y) & \mapsto & (-\dfrac{y}{x^2+y^2}, \dfrac{x}{x^2+y^2})\,. \end{array}$$

i) Tracer et comparer les portraits de phase des équations différentielles $u' = g(u)$ et $v' = f(u)$.

ii) Que valent div g et div f ? Commenter, après avoir calculé explicitement le flot de g et de f.

iii) Que valent rot g, rot f ? Commenter.

7.2 Trouver une intégrale première pour l'équation

$$\frac{\mathrm{d}^2x}{\mathrm{d}t^2} + x - \frac{1}{2}x^2 = 0$$

et tracer son portrait de phase.

7.3 Écrire l'équation d'Euler-Lagrange (voir § 3.4) pour le lagrangien associé au mouvement d'une toupie dont la pointe est fixe (voir § 5.1.1) :

$$L(\theta, \dot\psi, \dot\theta, \dot\varphi) = \frac{1}{2}\,A\,(\dot\theta^2 + \dot\psi^2\sin^2\theta) + \frac{1}{2}\,C\,(\dot\varphi + \dot\psi\cos\theta)^2 - m\,g\,\ell\cos\theta\,.$$

Trouver trois intégrales premières et en déduire que les équations du mouvement se ramènent à une équation scalaire autonome d'ordre 1 en θ.

7.4 Théorème de Noether, version lagrangienne

Soit un lagrangien $L \in \mathcal{C}^2(U \times \mathbb{R}^n; \mathbb{R})$, où U est un ouvert de $\mathbb{R}^n$, que l'on suppose invariant par une famille à un paramètre de difféormorphimes f^λ de U dans $V \subset \mathbb{R}^n$, pour $\lambda \in \mathbb{R}$ (ou un voisinage de 0), c'est-à-dire que pour tout $(q, \dot q) \in U \times \mathbb{R}^n$ et pour tout λ,

$$L(q, \dot q) = L(f^\lambda(q), \mathrm{d}f^\lambda(q)\cdot\dot q)\,.$$

On suppose que $f^0 = \mathrm{Id}$ et que l'application $(\lambda,q) \mapsto f^\lambda(q)$ est deux fois différenitable. Montrer que

$$N : (q,\dot q) \mapsto N(q,\dot q) := \sum_{i=1}^{n} \frac{\partial L}{\partial \dot q_i}(q,\dot q)\,\frac{\mathrm{d}}{\mathrm{d}\lambda}\left(f_i^\lambda(q)\right)_{|\lambda=0}$$

définit une intégrale première pour l'équation d'Euler-Lagrange associée à L.

7.5 Critère de Bendixson-Dulac

Soient Ω un ouvert *simplement connexe* de $\mathbb{R}^2$ (voir la définition 4.7, p. 147), et f un champ de vecteurs de classe $\mathcal{C}^1$ sur Ω.

i) On suppose que $\operatorname{div} f(x) > 0$ pour tout $x \in \Omega$. Montrer que le système $u' = f(u)$ n'a pas de solution périodique dans Ω.

ii) Montrer le même résultat en supposant « seulement » qu'il existe $\lambda \in \mathcal{C}^1(\Omega; \mathbb{R}^{+*})$ tel que $\operatorname{div}(\lambda f)(x) > 0$ pour tout $x \in \Omega$.

7.6 On considère le système de Lotka-Volterra

$$(\mathrm{LV}) \qquad \begin{cases} \dfrac{\mathrm{d}n}{\mathrm{d}t} = n\,(a - b\,p)\,, \\ \dfrac{\mathrm{d}p}{\mathrm{d}t} = p\,(c\,n - d)\,, \end{cases}$$

pour a, b, c, d, des paramètres strictement positifs.

i) Déterminer l'ensemble des points critiques du système (LV).

ii) Montrer que les axes sont invariants par le système (LV), et que le quart de plan $Q := \{(n,p)\,;\ n > 0,\ p > 0\}$ est invariant également (c'est-à-dire que si $n(0) > 0$ et $p(0) > 0$ et (n, p) est solution de (LV) alors $n(t) > 0$ et $p(t) > 0$ quel que soit t).

iii) Représenter l'orientation du champ de vecteurs associé à (LV) dans quatre zones caractéristiques de Q et montrer que chaque courbe intégrale rencontre successivement les quatre zones en question.

iv) Déterminer une intégrale première à variables séparées (c'est-à-dire de la forme $E(n,p) = G(n) + H(p)$) de (LV) dans Q.

v) En déduire que toutes les solutions pour lesquelles $n(0) > 0$ et $p(0) > 0$ sont périodiques.

7.7 On considère le système différentiel

$$(\mathrm{PP}) \qquad \begin{cases} \dfrac{\mathrm{d}x}{\mathrm{d}t} = x - x\,y - 2\,x^2 =: f(x,y)\,, \\ \dfrac{\mathrm{d}y}{\mathrm{d}t} = -2\,y + x\,y - y^2 =: g(x,y)\,. \end{cases}$$

(Ceci peut représenter un modèle prédateurs-proies dans lequel les prédateurs comme les proies s'entretuent.)

i) Montrer que les ensembles $\{(x, y) \in \mathbb{R}^2\,;\ y = 0\,, x > 0\}$ et $\{(x, y) \in \mathbb{R}^2\,;\ x = 0,\ y > 0\}$ correspondent à des trajectoires pour le système (PP). En déduire que toute solution $(x, y) \in \mathcal{C}^1(J; \mathbb{R}^2)$ telle que si $x(0) > 0$ et $y(0) > 0$ vérifie $x(t) > 0$ et $y(t) > 0$ quel que soit $t \in J$.

ii) Calculer les points critiques de (PP) dans $\{(x,y) \in \mathbb{R}^2\,;\ x \geqslant 0\,,\, y \geqslant 0\}$ et déterminer leur nature.

iii) Distinguer trois zones de $\{(x,\, y) \in \mathbb{R}^2\,;\ x \geqslant 0\,,\, y \geqslant 0\}$ où f et g sont de signe constant, et tracer l'allure du champ de vecteurs de composantes $(f,\, g)$ dans chacune de ces zones.

iv) Soit $0 < \varepsilon < \frac{1}{2}$. Montrer que l'ensemble

$$\mathcal{D}_\varepsilon := \left\{(x,y) \in \mathbb{R}^2\,;\ 0 \leqslant y \leqslant 1 - 2\varepsilon,\, \varepsilon \leqslant x \leqslant 2 + y\right\}$$

est positivement invariant, c'est-à-dire que le champ est rentrant sur les frontières du domaine $\mathcal{D}_\varepsilon$.

v) Montrer que l'ensemble ω-limite de tout point $(x_0,\, y_0) \in \mathcal{D}_\varepsilon$ est réduit à $\{(1/2,\, 0)\}$.

7.8 On considère une équation (du même type que dans l'exercice 5.7) :

$$\frac{\mathrm{d}x}{\mathrm{d}t} = -x + a(t)\, x^2\,,$$

où $a \in \mathcal{C}(\mathbb{R}^+; \mathbb{R})$. On fait ici l'hypothèse que $|a(t)| \leqslant 1$ pour tout $t \in \mathbb{R}^+$. Soient $x_0 \in]-1,\, 1[$ et $x \in \mathcal{C}^1([0,\, \beta[; \mathbb{R})$ la solution maximale de l'équation ci-dessus telle que $x(0) = x_0$. L'objectif est de montrer par un argument de « bootstrap » (proposition 7.2) que $\beta = +\infty$.
Soient $\delta \in]0,\, 1[$ tel que $|x_0| < 1 - \delta$, $r := 1 - \delta$, et $\varphi(t) := \mathrm{e}^{-\delta t}\, |x_0|$ pour $t \in \mathbb{R}^+$. On note $z(t) := |x(t)|$ pour $t \in [0,\, \beta[$.

i) Montrer que si $t \in]0,\, \beta[$ est tel que $z(s) < r$ pour tout $s \in [0,\, t]$ alors $z(s) \leqslant \varphi(s)$ pour tout $s \in [0,\, t]$.

ii) En déduire que $z(t) \leqslant \varphi(t)$ pour tout $t \in [0,\, \beta[$.

iii) Conclure.

7.9 On considère l'équation différentielle scalaire

$$(E_\varepsilon) \qquad \frac{\mathrm{d}x}{\mathrm{d}t} = x + x^2 + \varepsilon\, x^3\,,$$

où $\varepsilon \in]0,\, 1/3[$. Soient $v > 0$ et $x_\varepsilon \in \mathcal{C}^1([0, / T_\varepsilon[)$ la solution maximale sur $\mathbb{R}^+$ de l'équation (E_ε) pour la donnée initiale $x_\varepsilon(0) = v$.

i) En utilisant l'exercice 5.8 (p. 200), calculer T_0 en fonction de v.

ii) On cherche maintenant à minorer T_ε indépendamment de ε. Soit

$$B_\varepsilon := \left\{ t \in [0,\, T_\varepsilon[\,;\ \int_0^t \varepsilon\,(x_\varepsilon(s))^2\, \mathrm{d}s\ <\ \ln 2 \right\}.$$

(a) Montrer qu'il existe $\beta_\varepsilon > 0$ tel que $B_\varepsilon = [0,\, \beta_\varepsilon[$.

(b) Montrer que pour tout $T \in B_\varepsilon$, pour tout $t \in [0, T]$,

$$0 < x_\varepsilon(t)\,\mathrm{e}^{-t} \leqslant 2v\,\exp\left(\int_0^t x_\varepsilon(s)\,\mathrm{d}s\right).$$

(c) Soit $\overline{T} < \ln(1 + \frac{1}{2v})$. Déduire de la question précédente que pour tout $T \in B_\varepsilon \cap [0, \overline{T}]$, pour tout $t \in [0, T]$,

$$x_\varepsilon(t) \leqslant \frac{2v\,\mathrm{e}^t}{1 - 2v\,(\mathrm{e}^t - 1)}.$$

(d) Déduire de ce qui précède l'existence de $\overline{\varepsilon} > 0$ tel que pour tout $\varepsilon \in [0, \overline{\varepsilon}]$ on ait $T_\varepsilon > \overline{T}$.

7.10 On considère l'équation différentielle scalaire

$$(E_\varepsilon) \qquad \frac{\mathrm{d}^2x}{\mathrm{d}t^2} - \varepsilon(x^2 - 1)\frac{\mathrm{d}x}{\mathrm{d}t} + x = 0,$$

où $\varepsilon \in [0, 1[$ est un (petit) paramètre.

i) Écrire l'équation (E_ε) comme un système (S_ε) dans le plan de phase $\{(x, y) = (x, x')\}$. Que peut-on dire du point $(0, 0)$?

ii) Montrer que $(x, y) \in \mathcal{C}^1(J; \mathbb{R}^2\backslash\{(0, 0)\})$ est solution du système (S_ε) si et seulement si $(x, y) = (r\cos\theta, r\sin\theta)$ avec r à valeurs strictement positives et (r, θ) est solution de

$$(\Sigma_\varepsilon) \qquad \begin{cases} r' = \varepsilon\,(r^2\cos^2\theta - 1)\,r\sin^2\theta, \\ \theta' = -1 + \varepsilon\,(r^2\cos^2\theta - 1)\sin\theta\cos\theta. \end{cases}$$

iii) Soient $v > 1$ et $(r_\varepsilon, \theta_\varepsilon) \in \mathcal{C}^1(]T_\varepsilon^-, T_\varepsilon^+[)$ la solution maximale de (Σ_ε) telle que $r_\varepsilon(0) = v$, $\theta_\varepsilon(0) = 0$.

(a) Montrer qu'il existe $\varepsilon_0 > 0$, $K > 0$ et $C > 0$ tels que, pour $\varepsilon \in [0, \varepsilon_0]$ on ait $T_\varepsilon^- < -4\pi$, $|r_\varepsilon(t) - v| \leqslant K\,\varepsilon$ et $|\theta_\varepsilon(t) + t| \leqslant C\,\varepsilon$ pour tout $t \in [-4\pi, 0]$.

(b) Quitte à diminuer ε_0, montrer que pour tout $\varepsilon \in [0, \varepsilon_0]$, il existe $\tau_\varepsilon \in]-4\pi, 0[$ tel que $\theta_\varepsilon(\tau_\varepsilon) = 2\pi$ et θ_ε soit un difféomorphisme de $[\tau_\varepsilon, 0]$ sur $[0, 2\pi]$. On note désormais $\widetilde{r}_\varepsilon = r_\varepsilon \circ \theta_\varepsilon^{-1}$.

(c) Montrer qu'il existe $\widetilde{C} > 0$ tel que pour tout $\omega \in [0, 2\pi]$,

$$\left|\frac{\mathrm{d}\widetilde{r}_\varepsilon}{\mathrm{d}\omega} + \varepsilon\,(\widetilde{r}_\varepsilon(\omega)^2\cos^2\omega - 1\,)\,\widetilde{r}_\varepsilon(\omega)\sin^2\omega\right| \leqslant \widetilde{C}\,\varepsilon^2 \quad .$$

iv) En se plaçant dans le cadre de la question précédente, on note

$$R(\omega; \varepsilon, v) = \widetilde{r}_\varepsilon(\omega) \quad \text{et} \quad F(v, \varepsilon) := \frac{1}{\varepsilon}\,(\,R(2\pi; \varepsilon, v) - R(0; \varepsilon, v)\,).$$

Montrer que $F(v, \varepsilon) = \pi\,(\,v - \frac{1}{4}v^3\,) + \mathcal{O}(\varepsilon)$.

v) À l'aide du théorème des fonctions implicites, montrer qu'il existe $\varepsilon_1 > 0$ et une application ρ définie sur $[0, \varepsilon_1[$ telle que $\rho(0) = 2$ et $F(\rho(\varepsilon), \varepsilon) = 0$ pour tout $\varepsilon \in [0, \varepsilon_1[$.

vi) En déduire que pour $\varepsilon \in [0, \varepsilon_1[$, l'équation (E_ε) possède une solution périodique que l'on représentera dans le plan de phase.

7.11 Théorème de Noether, version Hamiltonienne

Soient un Hamiltonien $H \in \mathcal{C}^3(U \times \mathbb{R}^n; \mathbb{R})$, où U est un ouvert $\mathbb{R}^n$, et le système :

$$(\mathrm{H}) \qquad \begin{cases} \dfrac{\mathrm{d}q_j}{\mathrm{d}t} = \dfrac{\partial H}{\partial p_j}(q, p)\,, \\ \dfrac{\mathrm{d}p_j}{\mathrm{d}t} = -\dfrac{\partial H}{\partial q_j}(q, p)\,. \end{cases}$$

Soit une famille à un paramètre d'applications φ_λ de $U \times \mathbb{R}^n$ dans $V \times \mathbb{R}^n$, pour $\lambda \in \mathbb{R}$, avec $\varphi^0 = \mathrm{Id}$, $\varphi_\lambda \varphi_\mu = \varphi_{\lambda+\mu}$ quels que soient λ et μ, et $(\lambda, q, p) \mapsto \varphi_\lambda(q, p)$ deux fois différentiable. On dit que $(\varphi_\lambda)_{\lambda \in \mathbb{R}}$ est un *groupe de transformations à un paramètre*. On définit son *générateur infinitésimal* par

$$v : (q, p) \mapsto v(q, p) := \frac{\mathrm{d}}{\mathrm{d}\lambda} \left(\varphi_\lambda(q, p)\right)_{|\lambda=0}\,.$$

i) Inversement, montrer qu'un champ de vecteurs v complet est le générateur infinitésimal d'un unique groupe de transformations à un paramètre (φ_λ).

ii) Pour deux champs de vecteurs dans un ouvert $\mathfrak{U}$ de $\mathbb{R}^d$,

$$v = \sum_{j=1}^{d} \phi_j \frac{\partial}{\partial u_j} \quad \text{et} \quad w = \sum_{j=1}^{d} \psi_j \frac{\partial}{\partial u_j}\,,$$

avec $\phi_j, \psi_j \in \mathcal{C}^1(\mathfrak{U}; \mathbb{R})$ on définit le *crochet de Lie*

$$[v, w] := \sum_{j=1}^{d} \sum_{i=1}^{d} \left(\phi_i \frac{\partial \psi_j}{\partial u_i} - \psi_i \frac{\partial \phi_j}{\partial u_i} \right) \frac{\partial}{\partial u_j}\,.$$

(C'est la même définition que dans l'exercice 2.5 p. 87, réécrite avec la notation introduite au § 4.1 : $(\frac{\partial}{\partial u_1}, \ldots, \frac{\partial}{\partial u_n})$ désigne la base canonique de $\mathbb{R}^d$.)

On dit qu'un champ de vecteurs v sur $U \times \mathbb{R}^n$ est un *champ de vecteurs hamiltonien* s'il s'écrit $v = \widehat{v}_K$, où la notation $\widehat{v}_K$ signifie, quelle que soit la fonction $K \in \mathcal{C}^1(U \times \mathbb{R}^n; \mathbb{R})$,

$$\widehat{v}_K = \sum_{j=1}^{n} \frac{\partial K}{\partial p_j} \frac{\partial}{\partial q_j} - \frac{\partial K}{\partial q_j} \frac{\partial}{\partial p_j}\,.$$

Si $\widehat{v}_K$ et $\widehat{v}_H$ sont deux champs de vecteurs hamiltoniens, montrer en utilisant l'identité de Jacobi (voir l'exercice 2.5, chapitre 2) que $[\widehat{v}_K, \widehat{v}_H] = \widehat{v}_{\{H,\,K\}}$, où $\{\cdot, \cdot\}$ désigne le *crochet de Poisson* :

$$\{K, H\} := \sum_{j=1}^{n} \frac{\partial K}{\partial q_j} \frac{\partial H}{\partial p_j} - \frac{\partial K}{\partial p_j} \frac{\partial H}{\partial q_j}\,.$$

iii) Montrer que K est une intégrale première de (H) si et seulement si $\{K, H\} = 0$.

iv) Montrer que l'ensemble des solutions de (H) est invariant par les transformations φ_λ si et seulement si $[\widehat{v}_K, \widehat{v}_H] = 0$.

Solutions

7.1 Soient

$$\begin{array}{rrcl} g : & \mathbb{R}^2 & \to & \mathbb{R}^2 \\ & (x,y) & \mapsto & (-y,x) \\ \text{et} \quad f : & \mathbb{R}^2 \backslash (\{(0,0)\} \times \mathbb{R}) & \to & \mathbb{R}^2 \\ & (x,y) & \mapsto & (-\dfrac{y}{x^2+y^2}, \dfrac{x}{x^2+y^2}) \,. \end{array}$$

i) L'application g étant linéaire, le portrait de phase de $u' = g(u)$ relève de ce qui a été vu au § 6.3.1 (avec $\alpha = 0$, $\beta = -1$). Sans faire plus de calcul, on remarque que $(x, y) \mapsto x^2 + y^2$ est une intégrale première de cette équation différentielle, de sorte que ses orbites sont les cercles centrés en zéro, parcourus dans le sens trigonométrique puisque le vecteur $g(x, y)$ est tourné de $+\pi/2$ par rapport à (x, y). Quant à f, elle est proportionnelle à g, et plus précisément $f(u) = g(u)/\|u\|^2$ où $\|\cdot\|$ désigne la norme euclidienne. Donc, en vertu de la proposition 7.1, le portrait de phase de $u' = f(u)$ est le même que celui de $u' = g(u)$, à l'exception de l'orbite ponctuelle $\{(0, 0)\}$ puisque f est singulière en $(0, 0)$.

ii) Le champ de vecteurs g est clairement à divergence nulle :

$$\partial_x(-y) + \partial_y(x) = 0 \,.$$

Au vu de l'exercice 1.4, cela signifie que son flot ϕ préserve les aires. On le voit directement sur son expression explicite (cf. § 6.3.1):

$$\phi_t(x,y) = ((\cos t)x - (\sin t)y, (\sin t)x + (\cos t)y) \,,$$

montrant que ϕ_t n'est autre que la rotation d'angle t. Le flot de l'équation non-linéaire $u' = f(u)$ s'obtient aisément en utilisant le fait que $(x, y) \mapsto x^2 + y^2$ en est aussi une intégrale première. Ainsi, le problème de Cauchy

$$\begin{cases} x' = -\dfrac{y}{x^2+y^2} \,, & x(0) = x_0 \,, \\ y' = \dfrac{x}{x^2+y^2} \,, & y(0) = y_0 \,, \end{cases}$$

équivaut au problème de Cauchy linéaire

$$\begin{cases} x' = -\dfrac{y}{x_0^2+y_0^2} \,, & x(0) = x_0 \,, \\ y' = \dfrac{x}{x_0^2+y_0^2} \,, & y(0) = y_0 \,, \end{cases}$$

qui se résout en

$$(x(t), y(t)) = ((\cos(t/r_0^2))x_0 - (\sin(t/r_0^2)y_0, (\sin(t/r_0^2)x_0 + (\cos(t/r_0^2)y_0),$$

avec $r_0^2 = x_0^2 + y_0^2$. Le flot de f restreint au cercle de rayon r_0 est donc encore une rotation, mais son angle (t/r_0^2) dépend de r_0 : plus le point de départ est proche de $(0, 0)$, plus le flot tourne vite. Il préserve néanmoins encore les aires, car f est à divergence nulle, ce que l'on vérifie en écrivant :

$$\operatorname{div} f = \lambda \operatorname{div} g + \nabla\lambda \cdot g,$$

avec $\lambda(x, y) = \dfrac{1}{x^2 + y^2}$, d'où $\nabla\lambda(u) = -2\lambda^2 u \perp g(u)$. (Sur la figure 7.5, les « quadrilatères » $(ABCD)$, $(ABFE)$, $(CDEF)$ sont distordus par le flot mais les domaines images $(A'B'C'D')$, $(A'B'F'E')$, $(C'D'E'F')$ ont les mêmes aires.)

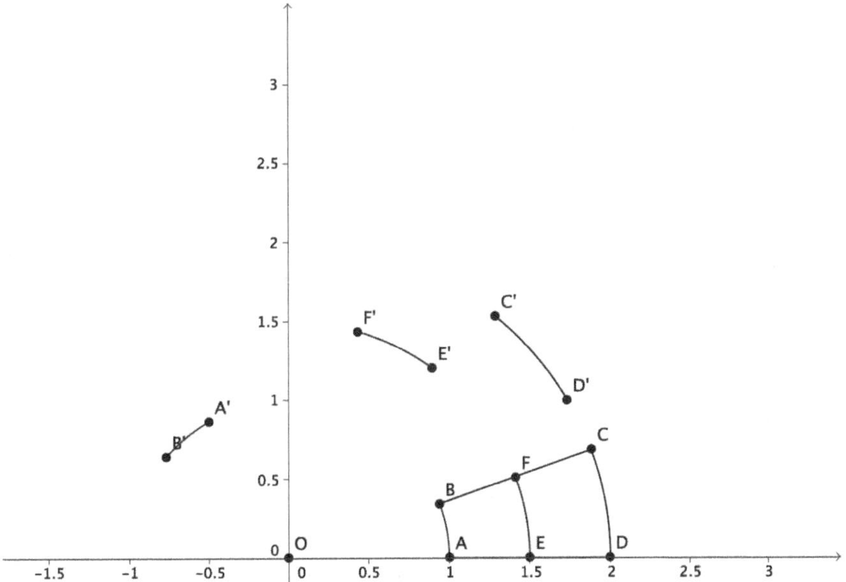

Figure 7.5 **Image de quelques points ($M' = \psi_t(M)$ pour $M \in \{A, B, C, D, E, F\}$ et $t = 2\pi/3$) par le flot ψ de f.**

iii) On calcule $\operatorname{rot} g = \partial_x(x) - \partial_y(-y) = 2$. Ce vecteur tourbillon uniforme est lié au fait que le flot de g est une rotation à chaque instant. Par ailleurs (voir l'exercice 4.1),

$$\operatorname{rot} f = (\nabla\lambda \times g)_3 + \lambda \operatorname{rot} g = -2\,\lambda^2\,\lambda^{-1} + 2\lambda = 0.$$

C'est un exemple contre-intuitif de flot « qui tourne » pour un champ de vecteurs en apparence irrotationnel (en fait, le rotationnel de f est défini en un sens faible comme une *masse de Dirac* concentrée en $(0, 0)$: en passant en coordonnées polaires, on trouve en effet que $\int_{\mathbb{R}^2}(f_1\,\partial_2\varphi - f_2\,\partial_1\varphi) = 2\pi\,\varphi(0, 0)$, pour toute fonction φ de classe $\mathcal{C}^\infty$ nulle en dehors d'un compact).

7.2 La fonction $I : (x,v) \mapsto \frac{1}{2}v^2 + \frac{1}{2}x^2 - \frac{1}{6}x^3$ est une intégrale première de l'équation écrite dans le plan de phase :

$$\begin{cases} \dfrac{\mathrm{d}x}{\mathrm{d}t} = v\,, \\ \dfrac{\mathrm{d}v}{\mathrm{d}t} = -x + \dfrac{1}{2}x^2\,. \end{cases}$$

Cette fonction I admet un minimum local strict en (0, 0), un point selle en (2, 0), et ses courbes de niveau ont l'allure représentée sur la figure 7.6. Le portrait de phase comporte notamment une orbite homocline à (2, 0) et des orbites périodiques concentriques autour de (0, 0) à l'intérieur de l'orbite homocline.

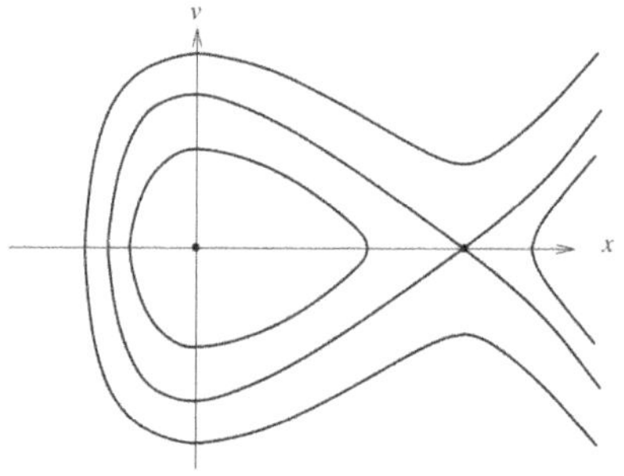

Figure 7.6 **Allure des courbes de niveau de I.**

7.3 L'équation d'Euler-Lagrange pour L s'écrit

$$\begin{cases} \dfrac{\mathrm{d}}{\mathrm{d}t}\left(\dfrac{\partial L}{\partial \dot\varphi}\right) = 0\,, \\ \dfrac{\mathrm{d}}{\mathrm{d}t}\left(\dfrac{\partial L}{\partial \dot\psi}\right) = 0\,, \\ \dfrac{\mathrm{d}}{\mathrm{d}t}\left(\dfrac{\partial L}{\partial \dot\theta}\right) = \dfrac{\partial L}{\partial \theta}\,, \end{cases}$$

puisque $\dfrac{\partial L}{\partial \varphi} \equiv 0$, $\dfrac{\partial L}{\partial \psi} \equiv 0$. (On dit que φ et ψ sont des variables cycliques.) Par suite,

$$\frac{\partial L}{\partial \dot\varphi} = C\,(\dot\varphi + \dot\psi\cos\theta) \quad \text{et} \quad \frac{\partial L}{\partial \dot\psi} = A\,\dot\psi\sin^2\theta + C\,(\dot\varphi + \dot\psi\cos\theta)\cos\theta$$

sont des intégrales premières du mouvement. La dernière équation du mouvement s'écrit quant à elle

$$\frac{\mathrm{d}}{\mathrm{d}t}\big(A\,\dot\theta\big) = (A - C)\,\dot\psi^2\cos\theta\sin\theta - C\,\dot\psi\,\dot\varphi\sin\theta + mg\ell\sin\theta\,.$$

D'après les deux premières intégrales premières, une solution est telle que

$$C\,(\dot\varphi + \dot\psi\cos\theta) \;\equiv\; \gamma\,, \quad A\,\dot\psi\sin^2\theta \,+\, \gamma\cos\theta \;\equiv\; \alpha \tag{7.2}$$

De plus, une troisième intégrale première est fournie par l'énergie E associée à L, c'est-à-dire le Hamiltonien (voir l'exercice 3.10, chapitre 3) exprimé en variables $(\theta, \dot\psi, \dot\theta, \dot\varphi)$:

$$E \;=\; \dot\theta\,\frac{\partial L}{\partial \dot\theta} + \dot\psi\,\frac{\partial L}{\partial \dot\psi} + \dot\varphi\,\frac{\partial L}{\partial \dot\varphi} - L\,.$$

La fonction L étant quadratique en $(\dot\psi, \dot\theta, \dot\varphi)$, on obtient simplement

$$E = L + m\,g\,\ell\cos\theta = \frac{1}{2}\,A\,(\dot\theta^2 + \dot\psi^2\sin^2\theta) + \frac{1}{2}\,C\,(\dot\varphi + \dot\psi\cos\theta)^2 + m\,g\,\ell\cos\theta\,.$$

En particulier, le long d'une solution vérifiant (7.2),

$$E \;=\; \frac{1}{2}\,A\,\dot\theta^2 \;+\; \frac{1}{2}\,\frac{(\alpha - \gamma\cos\theta)^2}{A\sin^2\theta} \;+\; \frac{1}{2}\,\frac{\gamma^2}{C} \;+\; mg\ell\cos\theta\,.$$

Autrement dit, les mouvements de la toupie sont gouvernés par les équations de la forme

$$\dot\theta^2 \;+\; \frac{(\alpha - \gamma\cos\theta)^2}{\sin^2\theta} \;+\; \beta\cos\theta \;=\; \delta\,,$$

où α, β, γ, δ sont des paramètres dépendant des valeurs des trois intégrales premières et des données physiques A, C, et $mg\ell$.

7.4 Supposons que u soit une solution de l'équation d'Euler-Lagrange associée à L. Comme par hypothèse on a

$$L(u(t),\, u'(t)) \;=\; L(f^\lambda(u(t)), \mathrm{d}f^\lambda(u(t))\cdot u'(t))$$

quels que soient t et λ, en dérivant par rapport à λ on obtient en $\lambda = 0$,

$$0 = \sum_{i=1}^{n} \frac{\partial L}{\partial q_i}(u(t), u'(t))\,\frac{\mathrm{d}}{\mathrm{d}\lambda}\Big(f_i^\lambda(q)\Big)_{|\lambda=0} + \sum_{i=1}^{n} \frac{\partial L}{\partial \dot q_i}(u(t), u'(t))\,\frac{\mathrm{d}}{\mathrm{d}\lambda}\Big(\mathrm{d}f_i^\lambda(u(t))\cdot u'(t)\Big)_{|\lambda=0}$$

Par ailleurs,

$$\frac{\mathrm{d}}{\mathrm{d}t}N(u(t), u'(t)) := \sum_{i=1}^{n} \frac{\mathrm{d}}{\mathrm{d}t}\left(\frac{\partial L}{\partial \dot q_i}(u(t), u(t))\right)\frac{\mathrm{d}}{\mathrm{d}\lambda}\Big(f_i^\lambda(u(t))\Big)_{|\lambda=0} + \sum_{i=1}^{n} \frac{\partial L}{\partial \dot q_i}(u(t), u(t))\,\frac{\mathrm{d}}{\mathrm{d}t}\left(\frac{\mathrm{d}}{\mathrm{d}\lambda}\Big(f_i^\lambda(u(t))\Big)_{|\lambda=0}\right).$$

Or le théorème de dérivation des fonctions composées et le théorème de Schwarz montrent que

$$\frac{\mathrm{d}}{\mathrm{d}t}\left(\frac{\mathrm{d}}{\mathrm{d}\lambda}\left(f_i^\lambda(u(t))\right)\right) = \frac{\mathrm{d}}{\mathrm{d}\lambda}\left(\mathrm{d}f_i^\lambda(u(t))\cdot u'(t)\right).$$

Donc, par définition de l'équation d'Euler-Lagrange et d'après l'égalité obtenue plus haut, on trouve que

$$\frac{\mathrm{d}}{\mathrm{d}t}N(u(t),u'(t)) = 0.$$

7.5 **i)** Supposons que $u \in \mathcal{C}^1(\mathbb{R};\Omega)$ soit une solution périodique de période T. Alors $\Gamma := \{u(t)\,;\ t \in [0, T[\}$ est une courbe fermée simple dans Ω, séparant le plan en deux composantes connexes d'après le théorème de Jordan. Soit U la composante bornée : c'est l'intérieur de Γ ; de plus, puisque Ω est simplement connexe, $\overline{U}$ est inclus dans Ω. Donc d'après la formule de Green-Riemann,

$$\oint_\Gamma f_1(x_1,x_2)\,\mathrm{d}x_2 - f_2(x_1,x_2)\,\mathrm{d}x_1 = \iint_U \operatorname{div} f(x_1,x_2)\,\mathrm{d}x_1 \otimes \mathrm{d}x_2.$$

Or par définition de Γ, $\oint_\Gamma f_1(x_1,x_2)\,\mathrm{d}x_2 - f_2(x_1,x_2)\,\mathrm{d}x_1 =$

$$\int_0^T \left(f_1(u_1(t), u_2(t))\,u_2'(t) - f_2(u_1(t), u_2(t))\,u_1'(t)\right)\mathrm{d}t = 0$$

puisque $u_1'(t) = f_1((u_1(t), u_2(t))$ et $u_2'(t) = f_2(u_1(t), u_2(t))$ (par définition de u). On en déduit que $\iint_U \operatorname{div} f(x_1, x_2)\,\mathrm{d}x_1 \otimes \mathrm{d}x_2 = 0$, ce qui contredit l'hypothèse $\operatorname{div} f > 0$ dans U.

ii) D'après la proposition 7.1, l'existence d'un cycle pour le système $u' = f(u)$ équivaut à l'existence d'un cycle pour le système $u' = \lambda(u)f(u)$. Il suffit alors d'appliquer la première question au champ λf.

7.6 **i)** Les points critiques sont les zéros de $f : (n, p) \mapsto (n(a - bp),\ p(cn - d))$. On en trouve deux, à savoir $(0, 0)$, $(d/c, a/b)$.

ii) Supposons que $(n,: p) \in C^1(J;\mathbb{R}^2)$ soit une solution de (LV) telle que $n(t_0) = 0$ pour une valeur $t_0 \in J$. Alors $t \in \mathbb{R} \mapsto (0, p(t_0)\mathrm{e}^{-d(t-t_0)})$est solution du même problème de Cauchy et coïncide donc partout avec (n, p). De même, si $p(t_1) = 0$ alors $t \in \mathbb{R} \mapsto (n(t_1)\mathrm{e}^{a(t-t_1)}, 0)$ coïncide avec (n, p). Ceci prouve que les axes $\{(0, p), p \in \mathbb{R}\}$ et $\{(n, 0), n \in \mathbb{R}\}$ sont invariants par (LV). Par suite, le quart de plan $Q := \{(n, p)\,;\ n > 0, p > 0\}$ l'est aussi (si une solution atteignait une autre région du plan, sa trajectoire devrait passer par l'un des axes, à cause du théorème des valeurs intermédiaires, et dans ce cas elle serait complètement incluse dans cet axe).

iii) L'orientation du champ de vecteurs f dans Q dépend du signe de $a - bp$ et de $cn - d$, comme représenté sur la figure 7.7. Supposons que $(n, p) \in \mathcal{C}^1(J;\mathbb{R}^2)$ soit une solution maximale de (LV) pour laquelle $0 < n(t) < d/c$ et $0 < p(t) < a/b$ quel que soit $t \in J$. Alors $J = \mathbb{R}$ (ceci résulte du théorème 5.5 car (n, p) est bornée) et n est une fonction strictement croissante sur $\mathbb{R}$, tandis que p est strictement décroissante. Ces fonctions ont par conséquent des limites $n_+ \in]0, d/c]$ et $p_+ \in [0, a/b[$ en $+\infty$, d'où

$$\lim_{t\to+\infty} (n'(t),\, p'(t)) = f(n_+,\, p_+)\,,$$

et nécessairement $f(n_+,\, p_+) = 0$: d'après la première question, ceci est impossible car $n_+ > 0$ et $p_+ < a/b$. Supposons maintenant que $(n,\, p) \in \mathcal{C}^1(J; \mathbb{R}^2)$ soit une solution maximale de (LV) pour laquelle $d/c < n(t)$ et $0 < p(t) < a/b$ quel que soit $t \in J$. Alors les fonctions n, p sont strictement croissantes et ont donc des limites $n_+ \in]d/c,\, +\infty]$, $p_+ \in]0, a/b]$ lorsque $t \to \sup J$ (ou $+\infty$ si J n'est pas majoré). Si n était borné, alors J ne serait pas majoré (d'après le théorème des bouts) et comme précédemment on aboutirait à une contradiction (car $(n_+,\, p_+)$ devrait être un point fixe, ce qui n'est pas possible puisque $n_+ > d/c$). Donc pour tout $t_0 \in J$, n est un difféomorphisme de $J \cap [t_0,\, +\infty[$ sur $[n(t_0),\, +\infty[$. Alors la fonction

$$\begin{array}{rccl} \widetilde{p}: & [n(t_0), +\infty[& \to & [p(t_0),\, p_+[\\ & \nu & \mapsto & \widetilde{p}(\nu) := p(n^{-1}(\nu)) \end{array}$$

vérifie $\lim_{\nu\to+\infty} \widetilde{p}(\nu) = p_+$ et

$$\frac{\mathrm{d}\widetilde{p}}{\mathrm{d}\nu} = \frac{p\,(c\,\nu - d)}{\nu(a - b\,p)}\,,$$

qui a une limite strictement positive (ou infinie si $p_+ = a/b$). Ceci étant incompatible avec la limite finie pour $\widetilde{p}$, on a une contradiction. Les arguments à invoquer sont analogues pour une solution qui serait à valeurs dans l'une des deux autres régions $\{(n, p)\,;\ 0 < n < d/c\,,\ p > a/b\}$ (échanger les rôles de n et p et considérer le comportement des solutions en « remontant » le temps), et $\{(n, p)\,;\ n > d/c\,,\ p > a/b\}$ (considérer le comportement des solutions en « remontant » le temps).

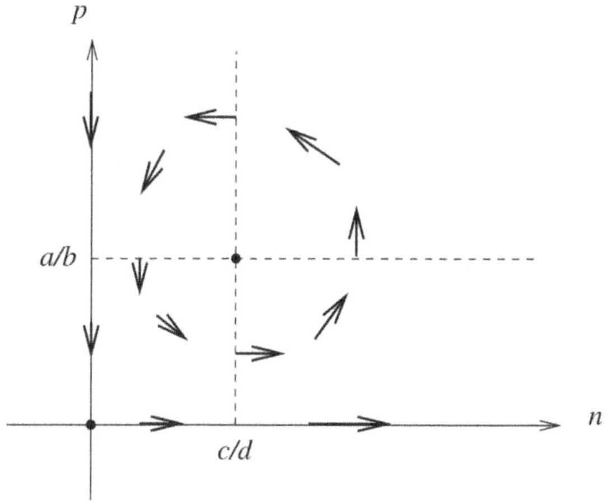

Figure 7.7 **Orientation du champ de vecteurs** $(n,\, p) \mapsto (n\,(a - b\,p), p\,(c\,n - d))$.

iv) Une façon commode de trouver une intégrale première à variables séparées (lorsqu'elle existe) est de travailler avec des formes différentielles. On remarque en effet qu'une fonction (n, p) à valeurs dans l'une quatre zones de Q où les composantes du champ f ne s'annule pas est une solution de (LV) si et seulement si

$$\mathrm{d}t = \frac{\mathrm{d}n}{n\,(a - b\,p)} = \frac{\mathrm{d}p}{p\,(c\,n - d)},$$

d'où

$$\frac{(c\,n - d)\,\mathrm{d}n}{n} = \frac{(a - b\,p)\,\mathrm{d}p}{p},$$

c'est-à-dire encore $\mathrm{d}(c\,n - d\ln n) = \mathrm{d}(a\ln p - b\,p)$. On en déduit que la fonction $E : (n,p) \mapsto c\,n - d\ln n + b\,p - a\ln p$ est de différentielle nulle, et donc constante le long de cette solution. Plus généralement on vérifie que E est constante le long de toute solution à valeurs dans Q. C'est donc une intégrale première. (Une méthode sans forme différentielle consiste à chercher des fonctions G et H telles que $E : (n, p) \mapsto G(n) + H(p)$ soit une intégrale première, c'est-à-dire que

$$(n\,(a - b\,p)\,\frac{\mathrm{d}G}{\mathrm{d}n} + p\,(c\,n - d)\,\frac{\mathrm{d}H}{\mathrm{d}p} = 0,$$

ce qui montre qu'à une constante multiplicative près E est la fonction trouvée ci-dessus.)

v) On vérifie sans peine que E a un minimum global en $(d/c,\, a/b)$. Ses courbes de niveau dans Q sont donc des courbes fermées. Par conséquent, toute trajectoire de (LV) dans Q, nécessairement incluse dans une courbe de niveau de E, est relativement compacte : ceci montre (par le théorème des bouts) que toutes les solutions maximales sont globales. D'après la question *iii)*, une trajectoire revient forcément dans la zone d'où elle est partie initialement, aussi bien lorsque $t \to +\infty$ que lorsque $t \to -\infty$. Comme elle est connexe, elle ne peut que coïncider avec la courbe de niveau de $\{(n, p)\,;\, E(n, p) = E(n_0, p_0)\}$.

7.7 **i)** Comme $f(0, y) = 0$ et $g(x, 0) = 0$ quels que soient x et y, le champ de vecteurs (f, g) est colinéaire aux axes $x = 0$ et $y = 0$, qui sont par conséquent des droites invariantes par le flot. Plus précisément, quel que soit $y_0 > 0$, l'orbite de y_0 pour l'équation scalaire $y' = -2y - y^2$ est égale à $\mathbb{R}^{+*}$, qui s'identifie à l'orbite de $(0, y_0)$ pour le système (PP). De façon analogue, quel que soit $x_0 > 0$, l'orbite de x_0 pour l'équation scalaire $x' = x - 2x^2$ est égale à $]0, x_* := 1/2[$ si $x_0 \in]0, x_*[$, $\{x_*\}$ si $x_0 = x_*$, et $]x_*, +\infty[$ si $x_0 > x_*$, et c'est dans tous les cas l'orbite de $(x_0, 0)$ pour le système (PP). Par suite, les orbites étant disjointes, l'orbite d'un point (x_0, y_0) avec $x_0 > 0$ et $y_0 > 0$ est incluse dans le quart de plan $Q := \{(x, y) \in \mathbb{R}^2\,;\; x > 0, y > 0\}$.

ii) Les points critiques de (PP) vérifient ($x = 0$ ou $2x + y = 1$) et ($y = 0$ ou $x - y = 2$), ce qui laisse deux points possibles dans $\overline{Q}$: $(0, 0)$ et $(x_*, 0)$. Le système linéarisé en (0, 0) est formé des deux équations découplées $x' = x$ et $y' = -2y$. On a donc un point selle en (0, 0). Le système linéarisé en $(x_*, 0)$ est $x' = -x - y/2$, $y' = -3y/2$. La matrice

$$\begin{pmatrix} -1 & -1/2 \\ 0 & -3/2 \end{pmatrix}$$

ayant ses valeurs propres réelles de même signe (négatif), le point fixe $(x_*, 0)$ est un nœud attractif.

iii) On a $f(x, y) > 0$ et $g(x, y) < 0$ si $0 < x < 1/2$ et $0 < y < 1 - 2x$, $f(x, y) < 0$ et $g(x, y) < 0$ si $1/2 < x < 2$ et $0 < y$, $f(x, y) < 0$ et $g(x, y) > 0$ si $2 < x$ et $0 < y < x - 2$, voir la figure 7.8.

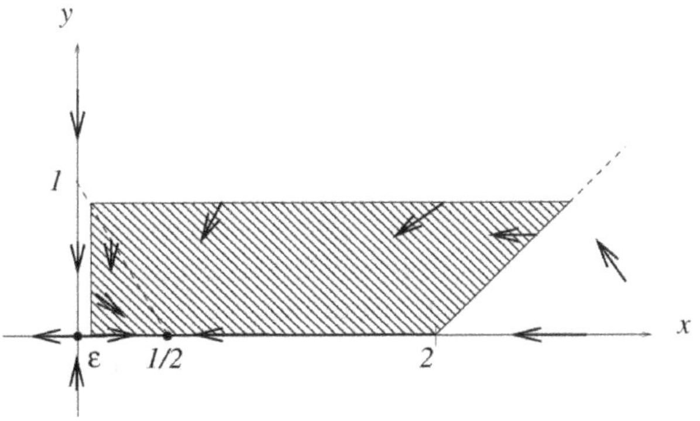

Figure 7.8 **Orientation du champ de vecteurs** (f, g) **et domaine** $\mathcal{D}_\varepsilon$ **(hachuré).**

iv) Le champ (f, g) est clairement rentrant (ou tangent, pour $y = 0$) sur les côtés de $\mathcal{D}_\varepsilon$ (voir à nouveau la figure 7.8).

v) Pour $(x_0, y_0) \in \mathcal{D}_\varepsilon$, si $y_0 = 0$, on a déjà vu que l'orbite de (x_0, y_0) s'identifiait à celle de x_0 pour l'équation scalaire $x' = x - 2x^2$. En particulier, comme l'ensemble ω-limite dex_0 pour $x' = x - 2x^2$ est $\{1/2\}$, celui de (x_0, y_0) pour le système (PP) est $\{(1/2, 0)\}$. Si $y_0 > 0$, la solution maximale passant par (x_0, y_0) est telle que y est strictement décroissante et à valeurs strictement positives. Donc y a une limite $y_\infty \geqslant 0$. Si de plus $y_0 \leqslant 1 - 2x_0$, le triangle $\mathcal{T}_\varepsilon := \{(x, y)\,;\, \varepsilon \leqslant x \leqslant 1/2,\ 0 \leqslant y \leqslant 1 - 2x\}$ étant positivement invariant par le flot, $t \mapsto x(t)$ est strictement croissante et majorée par 1/2. On en déduit qu'elle a une limite $x_\infty \geqslant 1/2$. Le point (x_∞, y_∞) est donc nécessairement un point fixe: dans $\mathcal{D}_\varepsilon$ ce ne peut être que $(x_\infty, y_\infty) = (1/2, 0)$. Reste le cas des points $(x_0, y_0) \in \mathcal{D}_\varepsilon$ tels que $y_0 > 1 - 2x_0$: ou bien l'orbite de (x_0, y_0) atteint le triangle $\mathcal{T}_\varepsilon$ et l'on conclut comme précédemment, ou bien cette orbite reste dans le trapèze $\{(x,y)\,;\,(1 - y)/2 \leqslant x \leqslant 2 - y,\ 0 \leqslant y \leqslant 1 - 2\varepsilon\}$, et dans ce cas $t \mapsto x(t)$ est décroissante minorée par ε, donc elle a encore une limite x_∞ et l'on conclut de la même façon. Ce résultat signifie que pour une donnée initiale dans $\mathcal{D}_\varepsilon$, les prédateurs s'éteignent et la population de proies tend vers l'état d'équilibre qu'elle aurait aussi seule.

7.8 **i)** D'après la formule de Duhamel, pour tout $s \in [0, \beta[$,

$$x(s) = e^{-s}x_0 + \int_0^s e^{\tau - s}\, \alpha(\tau)\,(x(\tau))^2\, d\tau,$$

d'où, si $z(s) < r$ pour tout $s \in [0, t]$,

$$z(s) \leqslant |x(s)| \leqslant e^{-s}\,|x_0| + r\int_0^s e^{\tau - s}\, z(\tau)\, d\tau.$$

Autrement dit, l'application $s \in [0, t] \mapsto y(s) := e^s z(s)$ vérifie l'inégalité intégrale

$$y(s) \leqslant |x_0| + r\int_0^s y(\tau)\, d\tau$$

pour $s \in [0, t]$, d'où par le lemme de Gronwall,

$$y(s) \leqslant |x_0|\, e^{rs}.$$

En revenant à z, ceci donne $z(s) \leqslant |x_0|\, e^{(r-1)s} = \varphi(s)$.

ii) Par construction, $z(0) = |x_0| < r$, et $\varphi(t) \leqslant |x_0| < r$ pour tout $t \in \mathbb{R}^+$. Comme de plus φ est continue, le resultat de la question précédente permet d'appliquer la proposition 7.2. On a donc $z(t) \leqslant \varphi(t)$ pour tout $t \in [0, \beta[$.

iii) D'après ce qui précède, $|x(t)| \leqslant \varphi(t) < r < 1$ pour tout $t \in [0, \beta[$. Le théorème 7.2 (ou le théorème des bouts) appliqué au système autonome

$$\begin{cases} x' = -x + a(t)x^2, \\ t' = 1, \end{cases}$$

montre alors que nécessairement $\beta = +\infty$.

7.9 **i)** D'après l'exercice 5.8, le temps maximal d'existence de la solution de

$$\frac{dx}{dt} = x + x^2$$

telle que $x(0) = v > 0$ est égal à $T_0 = \displaystyle\int_v^{+\infty} \frac{dx}{x + x^2} = \ln\Big(1 + \frac{1}{v}\Big)$.

ii) (a) L'ensemble $B_\varepsilon := \Big\{ t \in [0, T_\varepsilon[\,;\ \int_0^t \varepsilon\, x_\varepsilon(s)^2\, ds < \ln 2 \Big\}$ contient évidemment 0 (puisque $\ln 2 > 0$), et même l'intervalle $[0, \tau_\varepsilon]$ avec $\tau_\varepsilon > 0$ tel que $0 < v \leqslant x_\varepsilon(t) < 2v$ pour $t \in [0, \tau_\varepsilon]$, car alors

$$\int_0^t \varepsilon\, x_\varepsilon(s)^2\, ds = \int_0^t \left(\frac{x_\varepsilon'(s)}{x_\varepsilon(s)} - 1 - x_\varepsilon(s)\right) ds \leqslant \int_0^t \frac{x_\varepsilon'(s)}{x_\varepsilon(s)}\, ds = \ln\Big(\frac{x_\varepsilon(t)}{v}\Big).$$

(Le fait que $0 < v \leqslant x_\varepsilon(t)$ vient de ce que la fonction $x \mapsto x + x^2 + \varepsilon x^3$ est à valeurs strictement positives sur $\mathbb{R}^{+*}$, qui est donc en particulier invariant par le flot de l'équation différentielle (E_ε).) De plus B_ε est un intervalle car si $t \in B_\varepsilon$ et $0 \leqslant \tau \leqslant t$,

$$\int_0^T \varepsilon\, x_\varepsilon(s)^2\,\mathrm{d}s \leqslant \int_0^t \varepsilon\, x_\varepsilon(s)^2\,\mathrm{d}s < \ln 2\,.$$

Par suite, puisque B_ε est ouvert dans $[0, T_\varepsilon[$, si l'on note $\beta_\varepsilon = \sup B_\varepsilon$ on a $B_\varepsilon = [0, \beta_\varepsilon[$.

(b) On a déjà fait observer que $x_\varepsilon(t) \geqslant v > 0$ pour tout $t \in [0, T_\varepsilon[$. De plus,

$$\frac{x'_\varepsilon(t)}{x_\varepsilon(t)} = 1 + x_\varepsilon(t) + \varepsilon\, x_\varepsilon(t)^2\,,$$

d'où

$$\ln\left(\frac{x_\varepsilon(t)}{v}\right) = t + \int_0^t (x_\varepsilon(s) + \varepsilon\, x_\varepsilon(s)^2)\,\mathrm{d}s\,,$$

et donc $x_\varepsilon(t) \leqslant 2v\,\mathrm{e}^t \exp\big(\int_0^t x_\varepsilon(s)\,\mathrm{d}s\big)$ si $t \in B_\varepsilon$.

(c) En s'inspirant de la démonstration du lemme de Gronwall, on cherche à estimer le majorant de $x_\varepsilon(t)\,\mathrm{e}^{-t}$ fourni par l'inégalité ci-dessus (bien qu'elle soit hautement non-linéaire), à savoir (au facteur $2v$ près) $y_\varepsilon(t) := \exp\big(\int_0^t x_\varepsilon(s)\,\mathrm{d}s\big)$. Pour majorer $y_\varepsilon(t)$ il suffit de majorer $u_\varepsilon(t) := -1/y_\varepsilon(t)$, dont la dérivée vérifie

$$u'_\varepsilon(t) = \frac{x_\varepsilon(t)\,y_\varepsilon(t)}{y_\varepsilon(t)^2} \leqslant 2v\,\mathrm{e}^t\,,$$

d'où par intégration entre 0 et t,

$$u_\varepsilon(t) \leqslant -1 + 2v\,(\mathrm{e}^t - 1)\,,$$

et finalement

$$x_\varepsilon(t) \leqslant 2v\,\mathrm{e}^t\,y_\varepsilon(t) \leqslant \frac{2\,v\,\mathrm{e}^t}{1 - 2\,v\,(\mathrm{e}^t - 1)}\,.$$

(d) Puisque $\overline{T} < \ln(1 + \frac{1}{2v})$, la fonction $\varphi : t \mapsto 2\,v\,\mathrm{e}^t(1 - 2\,v\,(\mathrm{e}^t - 1))^{-1}$ est continue donc bornée sur $[0, \overline{T}]$, disons pas $\overline{C}$. On a alors le résultat voulu pour

$$\overline{\varepsilon} < \frac{\ln 2}{\overline{T}\,\overline{C}^2}\,.$$

En effet, raisonnons par l'absurde et supposons que, pour $\varepsilon \leqslant \overline{\varepsilon}$, $T_\varepsilon \leqslant \overline{T}$. Alors par un argument de connexité, et plus exactement de « bootstrap », on peut déduire de ce qui précède que $\beta_\varepsilon = T_\varepsilon$ et que x_ε est bornée par $\overline{C}$ sur$[0, T_\varepsilon[$, ce qui est en contradiction avec le théorème des bouts.
Pour préciser l'argument de bootstrap, on peut faire appel à la proposition 8.1 de l'appendice. En posant $J = [0, T_\varepsilon[$, on définit les propositions $H(t)$ et $C(t)$ pour $t \in J$ comme suit : $H(t)$ demande que $t \in B_\varepsilon$, tandis que $C(t)$ demande que $x_\varepsilon(s) \leqslant \varphi(s)$ pour tout $s \in [0, t]$. Alors $H(0)$ est vraie (puisque

$0 \in B_\varepsilon = [0, \beta_\varepsilon[\,!)$, et l'ensemble des t tels que $C(t)$ est fermé puisque $\varphi - x_\varepsilon$ est continue sur J. Si $C(t)$ est vraie, alors $0 < x_\varepsilon(t) \leqslant \overline{C}$ (puisque $t \in J \subset [0, \overline{T}[$), d'où

$$\int_0^t \varepsilon\, x_\varepsilon(s)^2 \, \mathrm{d}s \leqslant \overline{T}\,\overline{C}^2\,\overline{\varepsilon} < \ln 2$$

par hypothèse sur $\overline{\varepsilon}$. Donc $H(t)$ est vraie et elle le reste au voisinage de t puisque c'est une condition ouverte. Enfin, la question précédente montre que si $H(t)$ est vraie alors $C(t)$ l'est. Donc $C(t)$, ainsi que $H(t)$, sont vraies pour tout $t \in J$.

7.10 **i)** Le système (S_ε) est constitué des deux équations $x' = y$, $y' = \varepsilon\,(x^2 - 1)y - x$. Le point $(0, 0)$ en est le seul point fixe. Le système linéarisé en ce point est $x' = y$, $y' = -\varepsilon\, y - x$. Les valeurs propres de la matrice correspondantes sont complexes conjuguées de partie réelle $-\varepsilon/2 < 0$: le point $(0, 0)$ est donc un puits.

ii) Si $(x, y) = (r\cos\theta, r\sin\theta)$ alors $r' = x'\cos\theta + y'\sin\theta$ et $\theta' = (y'\cos\theta - x'\sin\theta)/r$, ce qui donne immédiatement le système (Σ_ε) lorsque (x, y) est solution de (S_ε), et vice versa.

iii) (a) L'essentiel du travail porte sur la majoration de $\rho_\varepsilon := |r_\varepsilon - v|$, car

$$\theta_\varepsilon(t) + t = \varepsilon \int_0^t (r_\varepsilon(s)^2 \cos^2\theta_\varepsilon(s) - 1)\sin\theta_\varepsilon(s)\cos\theta_\varepsilon(s)\,\mathrm{d}s\,,$$

et donc $|\theta_\varepsilon(t) + t| \leqslant 4\pi\,\varepsilon\,((v + K\varepsilon_0)^2 - 1)$ si $\rho_\varepsilon \leqslant K\varepsilon$, $|t| \leqslant 4\pi$ et $\varepsilon \leqslant \varepsilon_0$. Sous les mêmes conditions, en notant $C_K := ((v + K\varepsilon_0)^2 - 1)$, on observe également que, puisque

$$v - r_\varepsilon(t) = \varepsilon \int_t^0 (r_\varepsilon(s)^2\cos^2\theta_\varepsilon(s) - 1)\, r_\varepsilon(s)\sin^2\theta_\varepsilon(s)\,\mathrm{d}s\,,$$

$$\rho_\varepsilon(t) \leqslant \varepsilon\, C_K \int_t^0 (v + \rho_\varepsilon(s))\,\mathrm{d}s\,,$$

pour $t \leqslant 0$, d'où par le lemme de Gronwall (en prenant garde au fait que t est négatif)

$$\rho_\varepsilon(t) \leqslant (\mathrm{e}^{-\varepsilon C_K t} - 1)\, v\,.$$

Or, d'après l'inégalité $\mathrm{e}^x - 1 \leqslant x\mathrm{e}^x$, on a $(\mathrm{e}^{-\varepsilon C_K t} - 1)\, v < K\varepsilon$ si $4\pi C_K\, \mathrm{e}^{4\pi C_K \varepsilon_0}\, v < K$. Pour satisfaire cette dernière inégalité il suffit par exemple de choisir $K > \max(1, 4\pi(4v^2 - 1)\,\mathrm{e}^{4\pi(4v^2-1)})\, v$ et $\varepsilon_0 = v/K$. Ces choix étant faits, on démontre effectivement le résultat voulu par un argument de bootstrap : il suffit d'appliquer la proposition 7.2 avec $z(t) := \rho_\varepsilon(-t)$, $r := K\,\varepsilon$ (et $\varepsilon \leqslant \varepsilon_0$), et $\varphi(t) := (\mathrm{e}^{-\varepsilon C_K t} - 1)\, v$, ainsi que le théorème 7.2 pour assurer la minoration du temps d'existence par 4π.

(b) On a $|\theta'(t)+1| \leqslant C\varepsilon/(4\pi)$ (inégalité se montrant exactement comme sa version « intégrée » $|\theta(t)+t| \leqslant C\varepsilon$). Donc pour $\varepsilon \leqslant \varepsilon_0 < 2\pi/C$, $\theta'(t) > 1/2$, ce qui implique que θ est un difféormorphisme strictement croissant, et de plus, $\theta(-4\pi) \geqslant 4\pi - C\varepsilon > 2\pi$, tandis que $\theta(0)=0$: d'après le théorème des valeurs intermédiaires, il existe un unique $\tau_\varepsilon \in]-4\pi, 0[$ tel que $\theta_\varepsilon(\tau_\varepsilon) = 2\pi$.

(c) Par définition,

$$\frac{\mathrm{d}\widetilde{r}_\varepsilon}{\mathrm{d}\omega} = \frac{\varepsilon\,(\widetilde{r}_\varepsilon(\omega)^2\cos^2\omega - 1)\,\widetilde{r}_\varepsilon(\omega)\sin^2\omega}{-1 + \varepsilon\,(\widetilde{r}_\varepsilon(\omega)^2\cos^2\omega - 1)\cos\omega\sin\omega},$$

Or avec nos choix précédents $|\widetilde{r}_\varepsilon| \leqslant 2v$ et $\varepsilon\,|\widetilde{r}_\varepsilon(\omega)^2\cos^2\omega - 1| \leqslant 1/2$, donc

$$\left|\frac{\mathrm{d}\widetilde{r}_\varepsilon}{\mathrm{d}\omega} + \varepsilon\,(\widetilde{r}_\varepsilon(\omega)^2\cos^2\omega - 1)\,\widetilde{r}_\varepsilon(\omega)\sin^2\omega\right| \leqslant 4\,\varepsilon^2\,(4v^2-1)^2\,v\,.$$

iv) D'après la question précédente et comme $\widetilde{r}_0(\omega) = v$,

$$\lim_{\varepsilon\to 0} F(v,\varepsilon) = \int_0^{2\pi} (v\sin^2\omega - v^3\cos^2\omega\sin^2\omega)\,\mathrm{d}\omega = \pi\,(v - \frac{1}{4}v^3)\,.$$

v) D'après ce qui précède, $F(2,0) = 0$ et $\partial_v F(2,0) = -2\pi \neq 0$, donc le théorème des fonctions implicites s'applique.

vi) Pour tout $\varepsilon \in]0, \varepsilon_1[$, il existe $v = \rho(\varepsilon)$ tel que $R(\omega;\varepsilon,v) = R(0;\varepsilon,v)$: ceci fournit une solution de Σ_ε telle que $r_\varepsilon(\tau_\varepsilon) = r_\varepsilon(0)$ et $\theta_\varepsilon(\tau_\varepsilon) = 2\pi$, et donc une solution de $|\tau_\varepsilon|$-périodique de (S_ε), voir la figure 7.9.

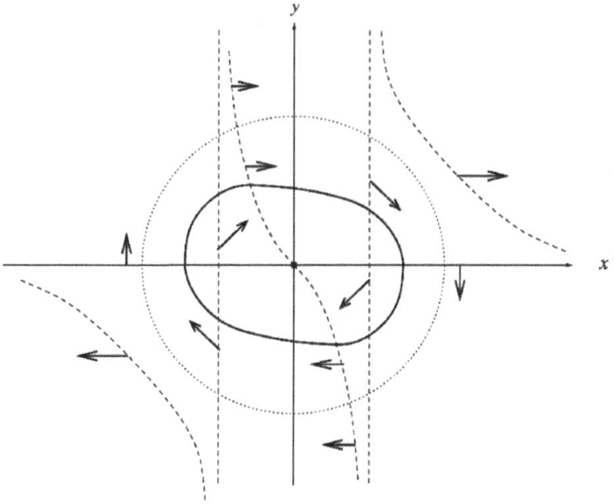

Figure 7.9 **Éléments du portrait de phase pour le système S_ε.**

7.11 **i)** Le flot de l'équation différentielle

$$\frac{\mathrm{d}u}{\mathrm{d}\lambda} = v(u)$$

définit un unique groupe de transformations à un paramètre (φ_λ) dont v est, par construction, le générateur infinitésimal.

ii) Pour traiter cette question avec un minimum de calculs, il est bon d'observer que deux champs de vecteurs v et w coïncident si et seulement si, pour toute fonction $f : \mathbb{R}^d \to \mathbb{R}$ de classe C^∞, $v(f) = w(f)$, où l'on utilise ici l'interprétation de v et w comme des opérateurs différentiels (voir le § 4.1), c'est-à-dire que

$$v(f) = \sum_{j=1}^{d} \phi_j \frac{\partial f}{\partial u_j}.$$

Par linéarité, il suffit de se convaincre qu'un champ v est identiquement nul si et seulement si $v(f) = 0$ quelle que soit f : ceci est clair, en choisissant successivement les fonctions $f = f_j : u \mapsto u_j$. De plus, concernant le crochet de Lie, on a la relation fondamentale

$$[v,w](f) = v(w(f)) - w(v(f)).$$

Ceci résulte de la règle de dérivation d'un produit et de l'égalité des dérivées croisées pour f (théorème de Schwarz). Enfin, une dernière observation utile (bien qu'immédiate), est que pour un champ hamiltonien $\widehat{v}_K$, pour toute fonction $f \in \mathcal{C}^\infty(U \times \mathbb{R}^n; \mathbb{R})$, on a $\widehat{v}_K(f) = \{f, K\}$. Par conséquent

$$\begin{aligned}[\widehat{v}_K,\widehat{v}_H](f) = \widehat{v}_K(\widehat{v}_H(f)) - \widehat{v}_H(\widehat{v}_K(f)) &= \{\{f,H\},K\} - \{\{f,K\},H\} \\ &= \{f,\{H, K\}\} = \widehat{v}_{\{H,\, K\}}(f),\end{aligned}$$

où l'on a de plus utilisé l'identité de Jacobi (voir p. 87).

iii) Par définition, K est une intégrale première de (H) si et seulement si $\mathrm{d}K \cdot \widehat{v}_H \equiv 0$, c'est-à-dire $\widehat{v}_H(K) = 0$, ce qui s'écrit encore $\{K, H\} = 0$.

iv) La question peut se traiter pour une équation non nécessairement hamiltonienne. Supposons que v soit le générateur infinitésimal d'un groupe à un paramètre de transformations φ_λ laissant invariant les solutions de $u' = g(u)$, avec g de classe $\mathcal{C}^3$ sur $U \subset \mathbb{R}^d$. Par souci de cohérence des notations, renommons w le champ g, c'est-à-dire que

$$w := \sum_{j=1}^{d} g_j \frac{\partial}{\partial u_j}.$$

Toute solution de $u' = g(u)$ est de classe $\mathcal{C}^2$ et par l'hypothèse d'invariance on a $(\varphi_\lambda(u))' = g(\varphi_\lambda(u))$. En dérivant par rapport à λ et en permutant les dérivées en t et λ (ce qui est possible car $(\lambda, t) \mapsto \varphi_\lambda(u(t))$ est deux fois différentiable), on obtient (en $\lambda = 0$), $(v(u))' = \mathrm{d}g(u) \cdot v(u)$. Avec les notations précédentes, si

$v = \sum_{j=1}^{d} \phi_j \frac{\partial}{\partial u_j}$,cette égalité s'écrit encore, composante par composante, $(\phi_j(u))' = v(g_j)(u)$, soit par dérivation de fonctions composées,

$$\sum_{k=1}^{d} \frac{\partial \phi_j}{\partial u_k}(u)\, u'_k = v(g_j)(u)\,, \quad j \in \{1,\ldots,d\}\,.$$

Ceci doit être vrai quel que soit $(u, u') \in U \times \mathbb{R}^d$ tel que $u' = g(u)$ (car pour tout $u_0 \in \mathbb{R}^d$ il existe une solution (unique) de $u' = g(u)$ valant u_0 à $t = 0$ par exemple). Or en substituant g_k à u'_k, l'égalité ci-dessus s'écrit :

$$\sum_{k=1}^{d} g_k \frac{\partial \phi_j}{\partial u_k} - \sum_{k=1}^{d} \phi_k \frac{\partial g_j}{\partial u_k} \equiv 0\,, \quad j \in \{1,\ldots,d\}\,,$$

ce qui signifie précisément $[v, w] = 0$. Inversement, si $[v, w] = 0$, en utilisant que

$$\frac{\partial \varphi_\lambda}{\partial \lambda} = v(\varphi_\lambda)$$

et en « remontant les calculs », on obtient que pour toute solution de l'équation différentielle $u' = g(u)$,

$$\frac{\mathrm{d}}{\mathrm{d}\lambda}((\varphi_\lambda(u))' - g(\varphi_\lambda(u))) = 0\,,$$

et donc $(\varphi_\lambda(u))' - g(\varphi_\lambda(u)) = (\varphi_0(u))' - g(\varphi_0(u)) = u' - g(u) = 0$. Au vu des deux questions précédentes, on a ainsi montré que K est une intégrale première de (H) si et seulement si $\widehat{v}_K$ est le générateur infinitésimal d'un groupe de transformations à un paramètre.

Noter que ce résultat, considéré comme «élémentaire» par les géomètres, est en fait abusivement attribué à Emmy Noether (voir [23]).

STABILITÉ DES SOLUTIONS STATIONNAIRES

8

« D'ailleurs, ce qui nous rend ces solutions périodiques si précieuses, c'est qu'elles sont, pour ainsi dire, la seule brèche par où nous puissions essayer de pénétrer dans une place jusqu'ici réputée inabordable.»

Henri Poincaré,
Les méthodes nouvelles de la mécanique céleste, 1892.

Les solutions stationnaires constituent des états d'équilibre dont la stabilité (ou l'instabilité) est cruciale du point de vue des applications : dans le « monde réel », un système physique est toujours soumis à des perturbations, aussi infimes soient-elles, et lorsqu'on cherche à le simuler numériquement avec un ordinateur, on commet nécessairement des erreurs de mesures et des erreurs d'arrondis (sans parler des approximations inhérentes à la modélisation). Les solutions périodiques évoquées par Poincaré correspondent aux orbites des planètes dans le système solaire, et peuvent également être vues comme des états d'équilibre, dont la stabilité (ou non) est sans nul doute importante. Poincaré avait consacré à cette question beaucoup d'énergie, et il a fallu attendre près d'un siècle pour que la réponse tombe: « Les simulations très récentes montrent même que les collisions planétaires ou les éjections sont possibles sur une durée inférieure à 5 milliards d'années, avant la fin de vie du soleil », écrivait en 2010 l'auteur de cette découverte, Jacques Laskar, dans le cadre du Séminaire ... Poincaré bien sûr !

On va s'intéresser ici à deux types de stabilité. La première concerne le comportement asymptotique des solutions lorsque le temps tend vers l'infini, pour des données initiales proches d'une solution stationnaire. Si ces solutions restent indéfiniment proches de l'état d'équilibre, on parle de stabilité tout court, et si de plus elles retournent, asymptotiquement, à l'état d'équilibre, on parle assez naturellement de *stabilité asymptotique*. On doit notamment au mathématicien russe *Lyapunov*[1] une

1. Alexandre Liapounoff, que l'on écrit ici dans sa transcription anglo-saxonne, beaucoup plus courante.

théorie très puissante pour étudier cette sorte de stabilité. Le second type de stabilité concerne le portrait de phase autour d'un point fixe et sa sensibilité aux perturbations, liées par exemple à des variations de paramètres. Si le portrait de phase n'est pas sensiblement modifié par ces perturbations, on parle de *stabilité structurelle*. L'étude de cette sorte de stabilité conduit aux notions de *variétés stable/instable/centrale* et de *bifurcations*, ces dernières nous ramenant aux questions de stabilité asymptotique et, pour ce qui concerne la célèbre bifurcation de Hopf (ou Poincaré-Andronov-Hopf), aux solutions périodiques.

8.1 Théorie de Lyapunov

Voici le problème tel que formulé par Lyapunov lui-même [25], concernant la stabilité d'un état d'équilibre qu'il ramène à zéro (sans perte de généralité) : « Le problème revient à savoir s'il est possible de choisir les valeurs initiales des fonctions [solutions] suffisamment petites pour que, pendant tout le temps qui suit l'instant initial, ces fonctions demeurent, en valeurs absolues, inférieures à des limites données à l'avance, aussi petites qu'on veut. »

Ce qui suit est une reformulation en langage (à peine plus) moderne, dans laquelle U est un ouvert d'un espace de Banach E.

Définition 8.1

Soit un champ de vecteurs complet $f \in \mathcal{C}^1(U; E)$ de flot ϕ. Un point singulier v de f (c'est-à-dire tel que $f(v) = 0_E$) est dit *stable* s'il existe un voisinage $\mathcal{V}_0$ de v dans U tel que

i) le flot $\phi_t(w)$ est défini pour tout $t \geqslant 0$ et pour tout $w \in \mathcal{V}_0$,

ii) pour tout voisinage $\mathcal{W}$ de v dans U, il existe un voisinage $\mathcal{V} \subset \mathcal{V}_0$ tel que $\phi_t(w)$ appartient à $\mathcal{W}$ pour tout $t \geqslant 0$ et pour tout $w \in \mathcal{V}$.

Il est dit *asymptotiquement stable* si de plus il existe un voisinage $\mathcal{V}_1 \subset \mathcal{V}_0$ tel que,

iii) pour tout $w \in \mathcal{V}_1$, $\lim_{t\to+\infty} \phi_t(w) = v$.

On dit d'un point non stable qu'il est *instable*.

On a en fait déjà étudié la stabilité des équilibres pour les équations linéaires en dimension finie. La proposition 6.6 (p. 222) montre le

Théorème 8.1

Soit $A \in \mathcal{M}_n(\mathbb{R})$. Le point 0 est stable pour le champ linéaire $u \mapsto Au$ si et seulement si

i) les valeurs propres de A sont toutes de partie réelle négative ou nulle,

ii) les valeurs propres imaginaires pures de A sont *semi-simples*.

Le point 0 est asymptotiquement stable si et seulement si

iii) les valeurs propres de A sont toutes de partie réelle strictement négative.

En dimension infinie, c'est-à-dire pour une équation linéaire $u' = Au$ avec $A \in \mathcal{L}(E)$ où E est de dimension infinie, on n'a pas de résultat aussi net. Toutefois, le théorème 6.6 (p. 229) montre qu'une condition suffisante de stabilité asymptotique est que le spectre de A soit inclus dans $\{\lambda \in \mathbb{C}\,;\ \mathrm{Re}\,\lambda < 0\}$.

Pour les équations non-linéaires, la stabilité des équilibres est plus délicate à étudier, que ce soit en dimension finie ou a fortiori en dimension infinie. Citons à nouveau Lyapunov [25], et son objectif particulièrement original pour son époque : « Quand nous savons intégrer nos équations différentielles, ce problème ne présente assurément pas de difficultés. Mais il serait important d'avoir des méthodes qui permettraient de le résoudre, indépendamment de la possibilité de cette intégration. » La théorie qu'il a ensuite développée atteint parfaitement cet objectif. Elle fait appel à des fonctions particulières au voisinage de l'équilibre, permettant de « contrôler » le comportement asymptotique des solutions pour des données initiales dans ce voisinage, justement appelées *fonctions de Lyapunov*. La présentation qui en est donnée ci-après, et qui décline plusieurs variantes de théorèmes se démontrant à l'aide de fonctions de Lyapunov, ne prétend cependant pas être fidèle à l'approche originale de ce dernier.

Théorème 8.2 ***Théorème de Lyapunov n°1***

Soit v un point singulier de $f \in \mathcal{C}^1(U; E)$. On suppose qu'il existe un voisinage $\mathcal{V}$ de v dans U et une fonction $F \in \mathcal{C}^2(\mathcal{V})$, telle que

- le point v est un minimum local de F, d'où nécessairement $\mathrm{d}F(v) = 0$, et de plus il existe $\alpha > 0$ tel que $\mathrm{d}^2F(v) \geqslant \alpha\,\mathrm{Id}_E$,
- et la fonction F est décroissante le long des orbites issues de $\mathcal{V}$, c'est-à-dire $\mathrm{d}F(u) \cdot f(u) \leqslant 0$ pour tout $u \in \mathcal{V}$.

Alors v est un point d'équilibre stable.

DÉMONSTRATION. Soit $\eta_0 > 0$ tel que f soit bornée, disons par M, et Lipschitzienne dans la boule $B(v; 2\eta_0) \subset \mathcal{V}$. Le lemme 5.4 montre que le flot $\phi_t(w)$ est défini pour tout $w \in B(v; \eta_0)$ et $t \in [0,\tau]$ avec $\tau := \eta_0/(2M)$, et à valeurs dans $B(v; 2\eta_0)$. D'après l'hypothèse sur F et la formule de Taylor-Young à l'ordre 2, il existe $\eta_1 \leqslant \eta_0$ tel que

$$F(v+h) - F(v) \geqslant \tfrac{\alpha}{4}\,\|h\|^2$$

pour tout $h \in E$ avec $\|h\| \leqslant \eta_1$. Pour tout $\eta \leqslant \eta_1$, on a donc

$$\inf_{\|h\|=\eta} F(v+h) \geqslant F(v) + \frac{\alpha}{4}\eta^2 =: m_\eta\,.$$

Par continuité de F, $\mathcal{V}_\eta := \{u \in B(v;\eta)\,;\ F(u) < m_\eta\}$ est un voisinage ouvert de v dans U. De plus, si $w \in \mathcal{V}_\eta$,

$$F(\phi_t(w)) \leqslant F(w) < m_\eta$$

pour $t \in [0,\tau]$ et donc $\|\phi_t(w) - v\|$ reste strictement inférieur à $\eta \leqslant \eta_1$. En particulier, $\phi_\tau(w)$ appartient à $\mathcal{V}_\eta \subset B(v;\eta_0)$. On en déduit (comme dans le théorème 7.2 p. 265) que pour tout $w \in \mathcal{V}_\eta$, $\phi_t(w)$ est défini pour tout $t \geqslant 0$, et à valeurs dans $\mathcal{V}_\eta \subset \mathcal{W}_\eta := B(v;\eta)$. Les boules $B(v;\eta)$ pour $\eta \leqslant \eta_1$ formant une base de voisinages de v, ceci prouve bien la stabilité de v. □

Définition 8.2

On appelle *fonction de Lyapunov* une fonction F vérifiant les hypothèses du théorème 8.2.

Remarque 8.1

En dimension finie, on peut se contenter d'une fonction F de classe $\mathcal{C}^1$ ayant un minimum local strict en v : il suffit alors dans la démonstration de remplacer m_η par $\min\limits_{\|h\|=\eta} F(v+h)$ (qui est atteint puisque la sphère de rayon η est compacte).

Exemple

Une intégrale première ayant un minimum local (au sens strict de l'énoncé du théorème 8.2) en v est une fonction de Lyapunov.

Dans les modèles physiques, les fonctions de Lyapunov sont souvent reliées à une *énergie* (voir la remarque p. 303 ci-après).

Théorème 8.3 ***Théorème de Lyapunov n°2***

Soit v un point singulier de $f \in \mathcal{C}^1(U;E)$. On suppose qu'il existe un voisinage $\mathcal{V}$ de v dans U et une fonction de Lyapunov $F \in \mathcal{C}^2(\mathcal{V})$ pour laquelle

- il existe $\beta > 0$ tel que $\mathrm{d}F(u)\cdot f(u) \leqslant -\beta(F(u) - F(v))$ pour tout $u \in \mathcal{V}$.

Alors v est un point d'équilibre asymptotiquement stable.

DÉMONSTRATION. D'après la preuve du théorème 8.2, il existe un voisinage $\mathcal{V}_{\eta_1}$ de v inclus dans $\mathcal{V}$ tel que $\phi_t(\mathcal{V}_{\eta_1}) \subset \mathcal{V}_{\eta_1}$ pour tout $t \geqslant 0$. De plus, pour tout $w \in \mathcal{V}_{\eta_1}$ on a

$$\frac{\mathrm{d}}{\mathrm{d}t}(F(\phi_t(w)) - F(v)) = \mathrm{d}F(\phi_t(w))\cdot f(\phi_t(w)) \leqslant -\beta(F(\phi_t(w)) - F(v)),$$

ce qui implique par intégration :

$$(F(\phi_t(w)) - F(v)) \leqslant (F(w) - F(v))\,\mathrm{e}^{-\beta t}.$$

Or par construction de η_1 on a

$$F(\phi_t(w)) - F(v) \geqslant \frac{\alpha}{4} \| \phi_t(w) - v \|^2$$

avec $\alpha > 0$. Comme $\beta > 0$ on en déduit que $\phi_t(w) - v$ tend vers 0 lorsque $t \to +\infty$. □

Définition 8.3

Une fonction F vérifiant les hypothèses du théorème 8.3 est appelée une *fonction de Lyapunov forte*.

Remarque 8.2

i) En dimension finie, on peut à nouveau affaiblir ces hypothèses et se contenter d'une fonction F de classe $\mathcal{C}^1$ ayant un minimum local strict en v telle que $\mathrm{d}F(w) \cdot f(w) < 0$ pour $w \neq v$ au voisinage de v : on démontre alors par l'absurde que l'ensemble ω-limite de w est le singleton $\{v\}$ (s'il existait $t_n \to +\infty$ tel que $\lim_{n \to +\infty} \phi_{t_n}(w) = w_\infty \neq v$, on aurait pour $t_n > s > 0$, $F(\phi_{t_n}(w)) < F(\phi_s(w)) < F(w)$, d'où $F(w_\infty) \leqslant F(\phi_s(w))$ par continuité de F ; par ailleurs, on aurait pour tout $\tau > 0$, $\lim_{n \to +\infty} F(\phi_{\tau + t_n}(w)) = F(\phi_\tau(w_\infty)) < F(w_\infty)$ puisque $w_\infty \neq v$; ceci contredirait, pour n assez grand, l'inégalité $F(w_\infty) \leqslant F(\phi_{\tau + t_n}(w))$.)

ii) Une intégrale première ne peut pas être une fonction de Lyapunov forte. Cependant, une intégrale première d'un système « approché » peut s'avérer utile. Par exemple pour l'équation du pendule avec amortissement :

$$\frac{d^2x}{\mathrm{d}t^2} + k \frac{dx}{\mathrm{d}t} + \sin x = 0, \quad k > 0,$$

la fonction E (intégrale première dans le cas $k = 0$) définie par

$$E(x,x') = \frac{1}{2} (x')^2 - \cos x$$

est décroissante le long des solutions :

$$\frac{\mathrm{d}}{\mathrm{d}t} E(x(t),x'(t)) = x'(t) \left(x''(t) + \sin x(t) \right) = -k \, (x'(t))^2 < 0$$

pour $x'(t) \neq 0$. C'est une fonction de Lyapunov aux points de la forme $(2k\pi,0)$; ce n'est pas tout à fait une fonction de Lyapunov forte, mais elle permet de montrer que ces points sont asymptotiquement stables (voir l'exercice 8.1).

iii) Il y a parfois une fonction de Lyapunov forte « évidente », comme pour certains *systèmes gradient*, c'est-à-dire de la forme

$$\frac{\mathrm{d}u}{\mathrm{d}t} = -\,\mathrm{grad} V(u).$$

Si V a un minimum local strict en v et si $\mathrm{d}V$ se n'annule pas au voisinage de v en dehors de v, alors V est une fonction de Lyapunov forte au point v, car $-\mathrm{d}V(u) \cdot \mathrm{grad} V(u) = -\|\mathrm{grad} V(u)\|^2 < 0$.

Théorème 8.4 ***Théorème de Lyapunov n°3***

Soit v un point d'équilibre du champ $f \in \mathcal{C}^1(U;\mathbb{R}^n)$, $U \subset \mathbb{R}^n$. On suppose que la matrice jacobienne $\mathrm{D}f(v)$ a toutes ses valeurs propres de partie réelle strictement négative. Alors v est asymptotiquement stable.

Les théorèmes 8.1 et 8.4 montrent ainsi qu'en dimension finie, si 0 est un point d'équilibre *asymptotiquement* stable du *système linéarisé* autour d'un point d'équilibre v :

$$\frac{\mathrm{d}u}{\mathrm{d}t} = \mathrm{D}f(v)\,u\,,$$

alors v est asymptotiquement stable pour le système *non-linéaire*. La stabilité asymptotique pour le système linéarisé étant d'après le théorème 8.1 équivalente à la *stabilité spectrale*, c'est-à-dire au fait que le spectre du linéarisé soit inclus dans $\{\lambda \in \mathbb{C};\ \mathrm{Re}\,\lambda < 0\}$, on peut même dire que la stabilité spectrale implique la stabilité non-linéaire. On verra au paragraphe 8.2 que ce résultat très fort reste vrai pour les équations différentielles ordinaires dans les espaces de Banach de dimension infinie : ceci contraste avec ce que l'on sait des équations aux dérivées partielles d'évolution, pour lesquelles il en général difficile de montrer que la stabilité spectrale implique la stabilité linéaire (et non-linéaire).

Pour démontrer le théorème 8.4, nous utiliserons le résultat préliminaire suivant.

Lemme 8.1

Soit $A \in \mathcal{M}_n(\mathbb{R})$ dont les valeurs propres sont toutes de partie réelle strictement négative. Alors l'équation $u' = Au$ admet une forme quadratique comme fonction de Lyapunov forte.

DÉMONSTRATION. On commence par « diagonaliser A à ε près », c'est-à-dire à trouver, pour tout $\varepsilon > 0$, une matrice $P_\varepsilon \in \mathrm{GL}_n(\mathbb{C})$ et une matrice $C_\varepsilon \in \mathcal{M}_n(\mathbb{C})$ de norme (subordonnée à la norme hermitienne sur $\mathbb{C}^n$) inférieure à ε telles que $P_\varepsilon^{-1}\,A\,P_\varepsilon = D + C_\varepsilon$, avec D diagonale de coefficients $\{\lambda_1,\dots,\lambda_n\}$ les valeurs propres de A. Pour cela, il suffit de trigonaliser A de façon particulière : si a est l'endomorphisme de matrice A dans la base canonique de $\mathbb{C}^n$, on choisit une base $(\mathbf{e}_1,\dots,\mathbf{e}_n)$ dans laquelle la matrice de a soit une matrice triangulaire supérieure $D + B$, c'est-à-dire que pour tout $j \in \{1,\dots,n\}$:

$$a(\mathbf{e}_j) = \lambda_j\,\mathbf{e}_j + \sum_{i=1}^{j-1} b_{ij}\,\mathbf{e}_i\,,$$

puis on dilate les vecteurs de base en $\widetilde{\mathbf{e}}_j = \eta^j\,\mathbf{e}_j$, de sorte que

$$a(\widetilde{\mathbf{e}}_j) - \lambda_j\,\widetilde{\mathbf{e}}_j = \sum_{i=1}^{j-1} b_{ij}\,\eta^{j-i}\,\widetilde{\mathbf{e}}_i\,.$$

Autrement dit, on a $P^{-1} A P = D + C$ avec P la matrice de vecteurs colonnes $\widetilde{\mathbf{e}}_1, \dots, \widetilde{\mathbf{e}}_n$ et C la matrice triangulaire supérieure de coefficients $c_{ij} := b_{ij}\, \eta^{j-i}$ pour $i \leqslant j-1$ (et $c_{ij} = 0$ pour $i \geqslant j$). Cette matrice est de norme inférieure à ε pourvu que $\eta < \min(1, \varepsilon/\|B\|)$.
Soient alors $Q := P_\varepsilon^{-1}$ et $q(u) := u^* Q^* Q u = \| Q\, u \|^2$. On a

$$q(0) = 0\,,\ \mathrm{d}q(u) \cdot h = u^*\, Q^*\, Q\, h + h^*\, Q^*\, Q\, u\,,\ \mathrm{Hess} q(u) = 2\, Q^*\, Q\,.$$

Comme $Q^*\, Q$ est hermitienne définie positive, la fonction q admet bien un minimum local strict en 0 (on a $Q^*\, Q \geqslant \alpha\, \mathbf{I}_n$ avec $\alpha = \min_{\|h\|=1} \|Qh\|^2$). De plus, $\mathrm{D}q(u)\, A\, u = 2\,\mathrm{Re}\,(u^*\, Q^*\, Q\, A\, u) =$

$$2\,\mathrm{Re}\,(u^*\, Q^*\, D\, Q\, u) + 2\,\mathrm{Re}\,(u^*\, Q^*\, C\, Q\, u)\,.$$

D'après l'inégalité de Cauchy-Schwarz, on a

$$\mathrm{Re}\,(u^*\, Q^*\, C\, Q\, u) \leqslant \|\, Q\, u \,\|\ \|\, C\, Q\, u \,\| \leqslant \varepsilon\, \|\, Q\, u \,\|^2$$

par construction de C. Donc, si $\beta = -\max_j \mathrm{Re}\,\lambda_j$, on a

$$\mathrm{D}q(u)\, A\, u \leqslant -2\,(\beta - \varepsilon)\, q(u)\,,$$

ce qui implique que q est une fonction de Lyapunov forte pourvu qu'on ait choisi $\varepsilon < \beta$. □

Démonstration : Théorème 8.4. On peut appliquer le lemme 8.1 à la matrice jacobienne $A = \mathrm{D}f(v)$. On a ainsi une forme quadratique $q(u) = \|Q\, u\|^2$, telle que

$$q(0) = 0\,,\ \mathrm{D}q(0) = \mathbf{0}_n\,,\ \mathrm{Hess} q(0) = 2\, Q^*\, Q \geqslant \alpha\, \mathbf{I}_n$$

et $\mathrm{D}q(u)\, A\, u \leqslant -\beta\, q(u)$ avec α et $\beta > 0$. Alors $F(w) := q(w - v)$ définit une fonction de Lyapunov forte pour le champ f. En effet, on a :

$$F(v) = 0\,,\ \mathrm{D}F(v) = \mathrm{D}q(0) = \mathbf{0}_n\,,\ \mathrm{Hess} F(v) = \mathrm{Hess} q(0) \geqslant \alpha\, \mathbf{I}_n\,.$$

De plus, d'après la formule de Taylor avec reste intégral,

$$f(w) = \mathrm{d}f(v) \cdot (w - v) + B(v, w) \cdot (w - v, w - v)$$

où $B(v, w)$ est l'application bilinéaire définie par :

$$B(v, w) = \int_0^1 (1 - \theta)\ \mathrm{d}^2 f(v + \theta(w - v))\ \mathrm{d}\theta\,.$$

En particulier, il existe $c > 0$ tel que pour $\|w - v\| \leqslant 1$:

$$\|B(v, w) \cdot (w - v, w - v)\| \leqslant c\, \|w - v\|^2 \leqslant \tfrac{2c}{\alpha}\, \|Q\, (w - v)\|^2\,.$$

$$\begin{aligned}\text{Or } \mathrm{D}F(w)\, f(w) \;&=\; 2\,\mathrm{Re}\,((w-v)^*\, Q^*\, Q\, f(w)) = \\ &\mathrm{D}q(w-v)\, A\,(w-v) + 2\mathrm{Re}\,((w-v)^* Q^* Q B(v,w)\cdot(w-v,w-v)) \\ &\leqslant -\beta\, F(w) + \tfrac{4c}{\alpha}\, \|Q\|\, \|Q(w-v)\|^3 \leqslant -(\beta - \tfrac{4c}{\alpha}\, \|Q\|^2\, \|w-v\|)\, F(w)\end{aligned}$$

par l'inégalité de Cauchy-Schwarz et la minoration de Q^*Q. Pour $\|w-v\| \leqslant \alpha\beta/(8c\,\|Q\|^2)$ on a donc $\mathrm{D}F(w)\, f(w) \leqslant -(\beta/2)\, F(w)$. Ceci montre que F est une fonction de Lyapunov forte pour f au point v, et l'équilibre v est donc asymptotiquement stable d'après le théorème 8.3. □

Il existe divers outils pour le calcul, exact ou approché, des valeurs propres d'une matrice (voir par exemple [34, chap. 10]), ou bien encore pour la détermination du nombre de valeurs propres de partie réelle négative (théorème de *Routh-Hurwitz*, voir [16]). Cependant pour un « gros » système, il peut être plus facile de trouver une fonction de Lyapunov que de montrer la stabilité spectrale. La recherche de fonctions de Lyapunov est donc très importante. C'est d'autant plus vrai en dimension infinie car bien que l'on puisse en théorie avoir recours à la généralisation du théorème 8.4 (théorème 8.5 ci-après), le spectre du linéarisé est en général difficile à localiser (il n'y a pas de polynôme caractéristique en dimension infinie).

8.2 Approche spectrale

Malgré les limites que l'on vient de signaler, l'approche spectrale peut dans certains cas permettre de démontrer de la stabilité ou de l'instabilité, grâce aux deux théorèmes suivants.

Premièrement, la stabilité spectrale au sens fort implique la stabilité non-linéaire, et ceci même en dimension infinie.

Théorème 8.5

Soient $f : U \to E$ de classe $\mathcal{C}^2$ sur un ouvert U d'un espace de Banach E et $v \in U$ tel que $f(v) = 0$. Si le spectre de $\mathrm{d}f(v)$ est inclus dans le demi-plan ouvert $\{\lambda\,;\ \mathrm{Re}\,\lambda < 0\}$ alors v est un point d'équilibre asymptotiquement stable pour l'équation $u' = f(u)$.

Démonstration. Elle repose sur les outils introduits dans la démonstration du théorème 6.6 (p. 229), et sur un argument de « *bootstrap* » allié au théorème 7.2 (p. 265). Soit $\varepsilon > 0$. On veut montrer qu'il existe $\eta > 0$ tel que pour tout $u_0 \in E$ tel que $\|u_0 - v\| \leqslant \eta$, la solution maximale de $u' = f(u)$ vérifiant $u(0) = u_0$ est définie pour tout $t \geqslant 0$, telle que $\|u(t) - v\| \leqslant \varepsilon$ pour tout $t \geqslant 0$, et $\lim_{t\to+\infty} \|u(t) - v\| = 0$.

On commence par observer que, puisque le spectre de $A := \mathrm{d}f(v)$ est compact (voir p. 224) et inclus dans $\{\lambda\,;\ \mathrm{Re}\,\lambda < 0\}$, il existe $\beta > 0$ et une courbe fermée simple Γ incluse dans un demi-plan $\{\lambda;\ \mathrm{Re}\,\lambda \leqslant -\beta\}$ entourant l'ensemble du spectre de A. De la formule de Dunford-Taylor on déduit alors l'existence de $C_1 > 0$ tel que $|||\mathrm{e}^{tA}||| \leqslant C_1\,\mathrm{e}^{-\beta t}$ pour tout $t \in \mathbb{R}^+$. Par ailleurs, d'après la formule de Duhamel, une fonction $u \in \mathcal{C}^1(J;E)$ est solution de $u' = f(u)$ sur un intervalle J contenant 0 si et seulement si

$$u(t) - v = \mathrm{e}^{tA}(u(0) - v) + \int_0^t \mathrm{e}^{(t-s)A}\, g(u(s))\,\mathrm{d}s \quad \text{pour tout } t \in J\,,$$

où $g(u) := f(u) - \mathrm{d}f(v)\cdot(u - v)$ (rappelons que $f(v) = 0$)). D'après la formule de Taylor (avec reste intégral, en utilisant que $\mathrm{d}^2 g$ est localement bornée), il existe $r_0 \in]0,\varepsilon]$ et $C_0 > 0$ tels que $\|u - v\| \leqslant r_0$ implique $\|g(u)\| \leqslant C_0\,\|u - v\|^2$. (En dimension finie, où les boules fermées sont compactes, on a une telle majoration quel que soit r_0.) Grâce à cette majoration et à celle de $|||\mathrm{e}^{tA}|||$, on va montrer que la proposition 7.2 (« *bootstrap* », p. 265) s'applique sur $J \cap \mathbb{R}^+$ à $r \in]0,r_0]$ convenablement choisi, $z(t) := \|u(t) - v\|$ et $\varphi(t)$ de la forme $C_1\eta\mathrm{e}^{-\gamma t}$, où $\gamma \in]0,\beta[$ est indépendant de $\eta \in]0,\min(r,r/C_1)[$ et de $u \in \mathcal{C}^1(J;E)$ solution de $u' = f(u)$ telle que $\|u(0) - v\| \leqslant \eta$.

Le premier point à vérifier est évident dès lors que $\eta < r$: si $\|u(0) - v\| \leqslant \eta$ alors $\|u(0) - v\| < r$. Le deuxième point demande que $C_1\eta\mathrm{e}^{-\gamma t} < r$ pour tout $t \geqslant 0$, ce qui sera le cas si $\eta < r/C_1$. Le dernier point est celui qui demande un peu de travail. Soit $t \in J \cap \mathbb{R}^+$, où J est l'intervalle de définition de u, une solution maximale de $u' = f(u)$. On suppose que $\|u(s) - v\| < r$ pour tout $s \in [0,t]$ et l'on veut en déduire une majoration de la forme

$$\|u(s) - v\| \leqslant C_1\eta\mathrm{e}^{-\gamma s} \quad \text{pour tout } s \in [0,t]\,.$$

D'après les majorations de $\|g\|$ et $|||\mathrm{e}^{tA}|||$ et la formule intégrale pour u, on a pour tout $s \in [0,t]$,

$$\|u(s) - v\| \leqslant C_1\,\mathrm{e}^{-\beta s}\,\|u(0) - v\| + C_0\,C_1\,r \int_0^s \mathrm{e}^{-\beta(s-\sigma)}\,\|u(\sigma) - v\|\,\mathrm{d}\sigma\,.$$

Autrement dit, la fonction $f : s \mapsto \mathrm{e}^{\beta s}\,\|u(s) - v\|$ vérifie l'inéquation intégrale linéaire

$$f(s) \leqslant C_1 f(0) + C_0\,C_1\,r \int_0^s f(\sigma)\,\mathrm{d}\sigma$$

pour tout $s \in [0,t]$. C'est un cas d'application du lemme de Gronwall (lemme 5.2 p. 181), qui donne simplement $f(s) \leqslant C_1 f(0)\,\mathrm{e}^{C_0 C_1 r s}$ pour tout $s \in [0,t]$, d'où

$$\|u(s) - v\| \leqslant C_1\,\mathrm{e}^{-(\beta - C_0 C_1 r)s}\,\|u(0) - v\|\,.$$

On peut maintenant préciser le choix des paramètres : on choisit d'abord $r \in]0, r_0]$ tel que $C_0 C_1 r \leqslant \beta/2$ par exemple, de sorte que $\beta - C_0 C_1 r \geqslant \gamma := \beta/2$, puis $\eta \in]0, \min(r, r/C_1)[$. Ainsi, la proposition 7.2 montre que

$$\|u(t) - v\| \leqslant C_1 \eta \mathrm{e}^{-\gamma t} < r \quad \text{pour tout } t \in J \cap \mathbb{R}^+ ,$$

et le théorème 7.2 implique que $J \cap \mathbb{R}^+ = \mathbb{R}^+$. Comme $r \leqslant r_0 \leqslant \varepsilon$, on a bien $\|u(t) - v\| \leqslant \varepsilon$ pour tout $t \in \mathbb{R}^+$. Et puisque $\gamma > 0$, $\lim_{t \to +\infty} \|u(t) - v\| = 0$. □

D'autre part, l'instabilité spectrale implique l'instabilité non-linéaire.

Théorème 8.6

Soient $f \in \mathcal{C}^2(U; E)$ et $v \in U$ tel que $f(v) = 0$. On suppose que $\max\{\mathrm{Re}\,\lambda\,;\ \lambda \in \sigma(\mathrm{d}f(v))\}$ est atteint en une valeur propre de $\mathrm{d}f(v)$ de partie réelle strictement positive. Alors v est un point d'équilibre instable pour l'équation $u' = f(u)$.

DÉMONSTRATION. On cherche $\varepsilon_0 > 0$ tel que pour tout $\eta > 0$ il existe $T > 0$ et une solution $u \in \mathcal{C}^1([0, T])$ vérifiant $\|u(0) - v\| \leqslant \eta$ et $\|u(T) - v\| \geqslant \varepsilon_0$. Les ingrédients de la démonstration sont essentiellement les mêmes que pour le théorème 8.5, bien que sa mise en place (en particulier le choix des paramètres) soit un peu plus compliquée. On note $A = \mathrm{d}f(v)$, $\gamma = \mathrm{Re}\,\lambda$, et x un vecteur propre associé à λ (dans le complexifié de E).
Soit $\varepsilon > 0$ (sur lequel on introduira par la suite une condition de petitesse). L'hypothèse sur le spectre de A permet de l'entourer par une courbe fermée incluse dans le demi-plan $\{z \in \mathbb{C}\,;\ \mathrm{Re}\, z \leqslant \gamma + \varepsilon\}$. Grâce à la formule de Dunford-Taylor sur cette courbe, on en déduit l'existence d'une constante $C_\varepsilon > 0$ telle que pour tout $t \in \mathbb{R}^+$,

$$|||\mathrm{e}^{tA}||| \leqslant C_\varepsilon \, \mathrm{e}^{(\gamma+\varepsilon)t} .$$

Soit $\delta > 0$ un second paramètre à ajuster ultérieurement. Alors $u_\ell : t \mapsto \delta \mathrm{e}^{\lambda t} x$ est solution de l'équation linéarisée $u' = A\,u$. En posant $u = v + u_\ell + w$, il s'agit de contrôler la solution de l'équation $w' = A\,w + g(u_\ell + w)$, avec $g(w) := f(v + w) - \mathrm{d}f(v) \cdot w$, pour la donnée initiale $w(0) = 0$. On considère la solution maximale $w \in \mathcal{C}^1(J; E)$ de ce problème. Par la formule de Duhamel et la majoration de $|||\mathrm{e}^{tA}|||$ obtenue précédemment on a

$$\|w(t)\| \leqslant C_\varepsilon \int_0^t \mathrm{e}^{(\gamma+\varepsilon)(t-s)} \, \|g(u_\ell(s) + w(s))\| \, \mathrm{d}s$$

pour tout $t \in J$, $t \geqslant 0$. Or comme $g(0) = 0$, $\mathrm{d}g(0) = 0$, d'après la formule de Taylor-Lagrange, il existe $r_0 > 0$ et $C_0 > 0$ tel que $\|w\| \leqslant 2r_0$ implique $\|g(w)\| \leqslant C_0 \, \|w\|^2$. Dans la suite, pour $\delta \in]0, r_0/\|x\|[$ on note,

$$T_\delta := \frac{1}{\gamma} \ln\left(\frac{r_0}{\delta\|x\|}\right) > 0 .$$

Comme par définition, $\|u_\ell(t)\| = \delta\|x\| \, e^{\gamma t}$, on a $\|u_\ell(t)\| \leqslant r_0$ pour tout $t \in [0, T_\delta]$. Par conséquent, pour tout $t \in J \cap [0, T_\delta]$, si $\|w(t)\| < r_0$ alors

$$\|g(u_\ell(t) + w(t))\| \leqslant 2\, C_0\, (\|u_\ell(t)\|^2 + \|w(t)\|^2) .$$

Ainsi, pour tout $t \in J \cap [0,T_\delta]$ tel que $\|w(s)\| < r_0$ quel que soit $s \in [0, t]$,

$$\|w(t)\| \leqslant 2\, C_0\, C_\varepsilon \, e^{(\gamma+\varepsilon)t} \int_0^t \left(\delta^2 \, e^{(\gamma-\varepsilon)s} \, \|x\|^2 + e^{-(\gamma+\varepsilon)s} \, \|w(s)\|^2\right) ds .$$

Grâce à cette propriété, nous allons montrer qu'il existe $r \in]0,r_0]$, $C > 0$ et $\kappa \in]0,r_0/\|x\|]$, tels que l'on puisse appliquer, pour tout $\delta \in]0,\kappa[$, la proposition 7.2 (« *bootstrap* ») à $z(t) := \|w(t)\|$ et $\varphi(t) := C\delta^2 \, e^{2\gamma t}$ sur $[0, \beta[$ avec $\beta := \frac{1}{\gamma} \ln\left(\frac{\kappa}{\delta}\right) \leqslant \min(T_\delta, \sup J)$. Les hypothèses à satisfaire sont :

i) $\|w(0)\| < r$

ii) pour tout $t \in [0,\beta[$, $C\delta^2 \, e^{2\gamma t} < r$,

iii) si $t \in]0,\beta[$ est tel que $\|w(s)\| < r$ pour tout $s \in [0, t]$ alors $\|w(s)\| \leqslant C\delta^2 \, e^{2\gamma s}$ pour tout $s \in [0, t]$.

Puisque $w(0) = 0$ on a trivialement *i)*. Pour *ii)* il faudra s'assurer que

$$\beta < \frac{1}{2\gamma} \ln\left(\frac{r}{C\delta^2}\right) ,$$

c'est-à-dire simplement $\kappa^2 < r/C$ (tout en ayant $\kappa \leqslant r_0/\|x\|$, pour que $\beta \leqslant T_\delta$). L'essentiel du travail consiste donc à montrer *iii)*.

Prenons $r = b\kappa^2$ avec $b \in]0,r_0/\kappa^2]$ un paramètre auxiliaire. Pour tout $t \in J \cap [0, \beta]$, si $\|w(s)\| < r$ pour tout $s \in [0, t]$ alors d'après l'inégalité (8.1) au point s (au lieu de t)

$$\|w(s)\| \leqslant 2C_0 C_\varepsilon e^{(\gamma+\varepsilon)s} \int_0^s \left(\delta^2 e^{(\gamma-\varepsilon)\sigma} \|x\|^2 + b\kappa^2 e^{-(\gamma+\varepsilon)\sigma} \|w(\sigma)\|\right) d\sigma .$$

De cette inéquation intégrale linéaire on peut déduire une estimation de $\|w\|$ sur $[0, t]$ par le lemme de Gronwall. Pour plus de clarté, faisons le calcul explicitement. On considère la fonction auxiliaire

$$\zeta : s \mapsto \zeta(s) = \int_0^s \left(\delta^2 \, e^{(\gamma-\varepsilon)\sigma} \, \|x\|^2 + b\kappa^2 \, e^{-(\gamma+\varepsilon)\sigma} \, \|w(\sigma)\|\right) d\sigma .$$

D'après (8.2) on a pour tout $s \in [0, t]$,

$$\zeta'(s) \leqslant \delta^2 \, \mathrm{e}^{(\gamma-\varepsilon)\sigma} \, \|x\|^2 + 2\, C_0 \, C_\varepsilon \, b\kappa^2 \, \zeta(s)\,,$$

d'où par intégration sur $[0, s]$, en supposant désormais $\varepsilon \leqslant \gamma/4$ et $2\, C_0 \, C_\varepsilon \, b\kappa^2 \leqslant \gamma/4$,

$$\zeta(s) \leqslant \frac{2}{\gamma}\, \delta^2 \, \mathrm{e}^{(\gamma-\varepsilon)s} \, \|x\|^2\,,$$

et en reportant dans (8.2), $\|w(s)\| \leqslant C\delta^2 \, \mathrm{e}^{2\gamma s}$ avec $C := 4C_0 C_\varepsilon \|x\|^2/\gamma$. Cette constante étant donnée, on choisit $b > C$ puis $\kappa \in]0, r_0/\|x\|[$ tel que $\kappa^2 \leqslant r_0/b$ et enfin $r = b\kappa^2$: ainsi on a bien $r \leqslant r_0$ et $\kappa^2 < r/C$. La proposition 7.2 montre alors que pour tout $t \in [0, \beta]$,

$$\|w(t)\| \leqslant C\delta^2 \, \mathrm{e}^{2\gamma t} < r\,,$$

et l'on déduit du théorème 7.2 que $\sup J \geqslant \beta$.
La fin de la démonstration est quasiment immédiate. Pour tout $\eta > 0$, pour tout $\delta \in]0, \kappa[$ tel que $\delta\|x\| \leqslant \eta$, pour $T = \frac{1}{\gamma} \ln\left(\frac{\kappa}{\delta}\right)$ il existe une solution $u = v + u_\ell + w \in \mathcal{C}^1([0, T])$ satisfaisant d'une part $\|u(0) - v\| = \|u_\ell(0)\| = \delta\|x\| \leqslant \eta$, et d'autre part, $\|u_\ell(T)\| = \kappa\,\|x\|$ et $\|w(T)\| \leqslant C\,\kappa^2$, d'où

$$\|u(T) - v\| \geqslant \kappa\,\|x\| - C\,\kappa^2 \geqslant \frac{1}{2}\kappa\|x\| =: \varepsilon_0 > 0$$

si de plus κ a été choisi inférieur à $\|x\|/(2C)$.
En résumé on a trouvé $\varepsilon_0 > 0$ tel que pour tout $\eta > 0$ il existe $T > 0$ et une solution $u \in \mathcal{C}^1([0, T])$ vérifiant $\|u(0) - v\| \leqslant \eta$ et $\|u(T) - v\| \geqslant \varepsilon_0$, ce qu'il fallait démontrer pour que v soit instable. □

8.3 Points fixes hyperboliques

Passons maintenant aux questions de stabilité structurelle, c'est-à-dire de sensibilité par rapport aux perturbations de l'équation elle-même (et non des données initiales). La classification des points fixes dans le plan (voir le paragraphe 6.3.1) montre que les centres (correspondant à une matrice $A \in \mathcal{M}_2(\mathbb{R})$ dont les valeurs propres sont imaginaires pures) jouent un rôle particulier, au sens où ils ne sont pas structurellement stables : une modification arbitrairement petite de la matrice

$$\begin{pmatrix} 0 & \beta \\ -\beta & 0 \end{pmatrix} \quad \text{en} \quad \begin{pmatrix} \alpha & \beta \\ -\beta & \alpha \end{pmatrix}$$

avec $|\alpha| \ll 1$ modifie dramatiquement le portrait de phase au voisinage du point $(0, 0)$. Ces points sont les prototypes de points fixes *non hyperboliques*.

Définition 8.4

Un point singulier v d'un champ $f \in \mathcal{C}^1(U; E)$ est dit *hyperbolique* si le spectre de l'opérateur $\mathrm{d}f(v)$ n'intersecte pas l'axe imaginaire. On dit aussi que c'est un *point fixe hyperbolique* pour l'équation $u' = f(u)$.

Les points fixes hyperboliques sont précisément ceux qui sont structurellement stables, au sens topologique du terme. C'est l'objet du théorème suivant, que nous admettrons (voir [18, p. 244]).

Théorème 8.7 *Théorème de Hartman-Grobman*

Si v est un point fixe hyperbolique de l'équation différentielle $u' = f(u)$, pour un champ complet $f \in \mathcal{C}^1(U; \mathbb{R}^n)$, U un ouvert de $\mathbb{R}^n$, il existe un voisinage $\mathcal{V}$ de v dans U, un voisinage $\mathcal{O}$ de 0 dans $\mathbb{R}^n$ et un homéomorphisme h de $\mathcal{V}$ sur $\mathcal{O}$ tel que le flot ϕ du champ f vérifie :

$$h(\phi_t(w)) = \mathrm{e}^{t\,\mathrm{d}f(v)}\,h(w)$$

pour tout $w \in \mathcal{V}$ et $t \in \mathbb{R}$.

Ce théorème signifie que l'on peut déformer *continûment* les orbites au voisinage de v pour obtenir les orbites du système linéarisé

$$\frac{\mathrm{d}u}{\mathrm{d}t} = \mathrm{d}f(v) \cdot (u - v)\,,$$

et réciproquement. Il ne dit rien sur les propriétés de nature différentielle (tangentes, courbure, etc.) de ces courbes. En particulier, il ne fait pas la distinction entre les différentes sortes de nœuds en dimension 2. Le théorème dit de la variété stable ci-après ne fait pas non plus de distinction entre ces points, mais il donne des informations sur les propriétés différentielles des orbites, permettant en outre de se ramener à des espaces de phases de plus petite dimension.

Théorème 8.8 *Théorème de la variété stable*

Soit $f \in \mathcal{C}^1(U; \mathbb{R}^n)$ un champ complet de flot ϕ. On suppose que v est un point fixe hyperbolique de l'équation différentielle $u' = f(u)$, et l'on note E^s et E^u, les sous-espaces stable et instable de $\mathrm{d}f(v)$ donnés par le théorème 6.6 (p. 229). Alors il existe un voisinage $\mathcal{V}$ de v dans U tel que les ensembles

$$\mathcal{W}^s_{\mathrm{loc}} = \{\, w \in \mathcal{V};\ \phi_t(w) \in \mathcal{V}, \forall t \in \mathbb{R}^+ \,\},\ \mathcal{W}^u_{\mathrm{loc}} = \{\, w \in \mathcal{V};\ \phi_t(w) \in \mathcal{V}, \forall t \in \mathbb{R}^- \,\}$$

soient des *graphes* de fonctions différentiables « au dessus » de voisinages de v dans les sous-espaces affines $v + E^s$ et $v + E^u$ respectivement, de différentielles nulles en v. (On dit que ce sont des *variétés* (à bord) contenant v, tangentes respectivement à E^s et E^u.) De plus, $\mathcal{W}^s_{\text{loc}}$ est positivement invariante par le flot, c'est-à-dire que $\phi_t(\mathcal{W}^s_{\text{loc}}) \subset \mathcal{W}^s_{\text{loc}}$ pour tout $t \geqslant 0$, tandis que $\phi_t(\mathcal{W}^u_{\text{loc}}) \subset \mathcal{W}^u_{\text{loc}}$ pour tout $t \leqslant 0$, et l'on a

$$\mathcal{W}^s_{\text{loc}} = \{ w \in \mathcal{V};\ \lim_{t\to+\infty} \phi_t(w) = v \}, \quad \mathcal{W}^u_{\text{loc}} = \{ w \in \mathcal{V};\ \lim_{t\to-\infty} \phi_t(w) = v \}.$$

Définition 8.5

Les ensembles $\mathcal{W}^s_{\text{loc}}$ et $\mathcal{W}^u_{\text{loc}}$ sont appelés respectivement *variété stable locale* et *variété instable locale*.

Nous allons voir une démonstration du théorème de la variété stable (locale) à l'aide de la *méthode de Lyapunov-Schmidt*.

Méthode de Lyapunov-Schmidt

Cette méthode permet de résoudre des problèmes non-linéaires auxquels le théorème des fonctions implicites ne s'applique pas directement. Plus précisément, considérons une fonction F de la forme

$$F(x,\xi) = Bx - G(x,\xi)$$

pour $(x,\xi) \in \mathcal{X} \times \mathbb{R}^p$, où $\mathcal{X}$ est un espace de Banach, $B \in \mathcal{L}(\mathcal{X}; \mathcal{Z})$ avec $\mathcal{Z}$ un autre espace de Banach, et $G \in \mathcal{C}^1(\mathcal{X} \times \mathbb{R}^p; \mathcal{Z})$ est telle que[2]

$$G(0,0) = 0, \quad \mathrm{d}_x G(0,0) = 0.$$

La méthode de Lyapunov-Schmidt est fondée sur une conséquence du

Théorème 8.9 ***Théorème de l'application ouverte***

Si B est une application linéaire continue *surjective* d'un espace de Banach $\mathcal{X}$ dans un espace de Banach Y, alors B est *ouverte*, c'est-à-dire pour tout ouvert Ω de $\mathcal{X}$, $B(\Omega)$ est un ouvert de Y. Par suite, si B est *bijective*, son inverse B^{-1} est continu.

(Pour la démonstration, voir par exemple [2], p. 19-20. Notons que le théorème de Banach énoncé p. 8 en est une conséquence.) Une application linéaire injective admet un inverse à gauche au sens algébrique, de même qu'une application linéaire

2. Il suffit en fait que G soit de classe $\mathcal{C}^1$ au voisinage de $(0,0)$.

surjective admet un inverse à droite. Du point de vue de l'analyse fonctionnelle, l'existence d'un inverse à droite continu pour une application linéaire continue surjective demande en plus que son noyau admette un *supplémentaire topologique*[3], tandis que l'existence d'un inverse à gauche continu pour une application linéaire continue injective demande que son image soit fermée et admette un supplémentaire topologique (voir par exemple [2], p. 23). Le lemme suivant rassemble en quelque sorte ces deux résultats en un seul.

Lemme 8.2

Soit $B \in \mathcal{L}(\mathcal{X}; \mathcal{Z})$, où $\mathcal{X}$ et $\mathcal{Z}$ sont des espaces de Banach. Si $\mathcal{X}_0 := \mathrm{Ker}B$ admet un supplémentaire topologique $\mathcal{X}_1 = \mathrm{Ker}P$, où P est un projecteur continu d'image $\mathcal{X}_0$, et si $\mathrm{Im}B$ est fermé, alors il existe un opérateur K linéaire continu de $\mathrm{Im}B$ dans $\mathcal{X}_1$ tel que

$$B\,K = \mathrm{Id}_{\mathrm{Im}B} \quad \text{et} \quad K\,B = \mathrm{Id}_{\mathcal{X}} - P\,.$$

DÉMONSTRATION. La restriction de B à $\mathcal{X}_1$ est injective d'image $\mathrm{Im}B$. Donc, pour tout $z \in \mathrm{Im}B$, il existe un unique $x \in \mathcal{X}_1$ tel que $z = B\,x$. Si l'on définit l'opérateur K sur $\mathrm{Im}B$, qui est un espace de Banach comme sous-espace fermé d'un espace de Banach, par $K\,z = x$, K est évidemment linéaire, et continu d'après le théorème de l'application ouverte ; il vérifie par construction l'identité $K\,B\,x = x$ pour tout $x \in \mathcal{X}_1$. De plus, n'importe quel $x \in \mathcal{X}$ s'écrit de façon unique sous la forme $x = x_0 + x_1$ avec $x_0 = P\,x \in \mathrm{Ker}B$ et $x_1 \in \mathcal{X}_1$. On a alors $B\,x = B\,x_1$, d'où $K\,B\,x = K\,B\,x_1 = x_1 = x - P\,x$ par définition de K. □

Ainsi, pour un opérateur B satisfaisant les hypothèses de ce lemme et $G \in \mathcal{C}^1(\mathcal{X} \times \mathbb{R}^p; \mathcal{Z})$, l'équation $Bx = G(x,\xi)$ équivaut à $G(x,\xi) \in \mathrm{Im}B$ et $B\,(x_0 + x_1) = G(x_0 + x_1,\xi)$ avec $x_0 = P\,x \in \mathcal{X}_0 = \mathrm{Ker}B$ et $x_1 \in \mathcal{X}_1$. Si de plus il existe Q un projecteur continu sur $\mathrm{Im}B$, ceci équivaut à $G(x_0 + x_1,\xi) = Q\,G(x_0 + x_1,\xi)$ et $B\,x_1 = Q\,G(x_0 + x_1,\xi)$. En composant à gauche par K, cette dernière équation implique $x_1 = x_1 - P\,x_1 = K\,Q\,G(x_0 + x_1,\xi)$. On arrive ainsi au système :

$$\begin{cases} x_1 = K\,Q\,G(x_0 + x_1,\xi)\,, \\ 0 = (\mathrm{Id}_{\mathcal{Z}} - Q)\,G(x_0 + x_1,\xi)\,, \end{cases} \tag{8.3}$$

Réciproquement, si l'on a une solution $(x_1,x_0) \in \mathcal{X}_1 \times \mathcal{X}_0$ de ce système, alors

$$\begin{aligned} B\,(x_0 + x_1) &= B\,x_1 = B\,K\,Q\,G(x_0 + x_1,\xi) \\ &= Q\,G(x_0 + x_1,\xi) = G(x_0 + x_1,\xi)\,. \end{aligned}$$

3. Par définition, un supplémentaire topologique d'un sous-espace *fermé* est un supplémentaire au sens algébrique, qui est de plus fermé et sur lequel il existe un projecteur continu.

Or la première équation du système (8.3) se résout par le théorème des fonctions implicites. En effet, par hypothèse sur G, la fonction

$$\begin{array}{rcl} F_1 : \mathcal{X}_1 \times \mathcal{X}_0 \times \mathbb{R}^p & \to & \mathcal{X}_1 \\ (x_1, x_0, \xi) & \mapsto & x_1 - K\,Q\,G(x_0 + x_1, \xi) \end{array}$$

est telle que $F_1(0, 0, 0) = 0$ et $\mathrm{d}_{x_1} F_1(0, 0, 0) = \mathrm{Id}_{\mathcal{X}_1}$. Donc il existe une application χ_1 de classe $\mathcal{C}^1$ au voisinage de $(0, 0)$ telle que $F_1(x_1, x_0, \xi) = 0$ avec (x_1, x_0, ξ) voisin de $(0, 0, 0)$ équivaut à $x_1 = \chi_1(x_0, \xi)$. En substituant cette relation dans la deuxième équation du système (8.3), on voit que la résolution de l'équation de départ $F(x, \xi) = 0$ au voisinage de (0,0) équivaut à la résolution de

$$(\mathrm{Id}_{\mathcal{Z}} - Q)\,G(x_0 + \chi_1(x_0, \xi), \xi) = 0$$

au voisinage de $(0, 0)$. Cette dernière équation est trivialement satisfaite dans le cas où $Q = \mathrm{Id}_{\mathcal{Z}}$, c'est-à-dire si $\mathrm{Im}B = \mathcal{Z}$. Ce sera le cas dans la démonstration du théorème de la variété stable par cette méthode.

Démonstration. Théorème de la variété stable locale
Sans perte de généralité, quitte à faire une translation dans l'espace des phases, on suppose $v = 0$. On notera $A := \mathrm{d}f(0)$ et $g(u) := f(u) - A\,u$.
On va traiter le cas de $\mathcal{W}^u_{\mathrm{loc}}$, celui de $\mathcal{W}^s_{\mathrm{loc}}$ s'en déduisant en changeant t en $-t$. Les espaces $\mathcal{X} := \mathcal{C}^1_b(\mathbb{R}^-; X)$ et $\mathcal{Z} := \mathcal{C}_b(\mathbb{R}^-; X)$ munis des normes « naturelles » :

$$\|x\|_{\mathcal{X}} = \max(\|x\|_\infty, \|x'\|_\infty), \quad \|z\|_{\mathcal{Z}} = \|z\|_\infty := \max_{t \in \mathbb{R}^-} \|z(t)\|_X$$

sont des espaces de Banach et

$$B : x \in \mathcal{X} \mapsto \frac{\mathrm{d}x}{\mathrm{d}t} - A\,x$$

définit un opérateur linéaire continu de $\mathcal{X}$ dans $\mathcal{Z}$. D'après le théorème 6.6 (p. 229), on voit que $\mathrm{Ker}B = \mathrm{Im}S$, où $S : E^u \to \mathcal{X}$ est défini par $(S\xi)(t) := \mathrm{e}^{tA}\,\xi$. Un projecteur sur $\mathrm{Ker}B$ est simplement donné par

$$P\,x = S \circ \Pi^u\,x(0)\,,$$

où Π^u est le projecteur sur E^u donné par le théorème 6.6. On a bien $P \circ P = P$ puisque $(P\,x)(0) = \Pi^u\,x(0)$ et donc

$$P(P\,x) = S \circ \Pi^u\,(P\,x)(0) = S \circ \Pi^u \circ \Pi^u\,x(0) = S \circ \Pi^u\,x(0) = P\,x\,.$$

D'autre part, $\mathrm{Im}B = \mathcal{Z}$. Soit en effet $z \in \mathcal{Z}$. L'équation $z = B\,x$ n'étant autre que l'équation différentielle avec terme source :

$$\frac{\mathrm{d}x}{\mathrm{d}t} = A\,x + z\,,$$

montrons que la formule (de type Duhamel) :

$$x(t) = \int_{-\infty}^{t} e^{(t-\tau)A}\, \Pi^s\, z(\tau)\, d\tau - \int_{t}^{0} e^{(t-\tau)A}\, \Pi^u\, z(\tau)\, d\tau \qquad (8.4)$$

fournit un antécédent $x \in \mathcal{X}$ de z par B. La première intégrale est bien convergente et :

$$\left|\int_{-\infty}^{t} e^{(t-\tau)A}\, \Pi^s z(\tau) d\tau\right| \leqslant b_\varepsilon\, \|z\|_{\mathcal{Z}} \int_{-\infty}^{t} e^{-(\beta-\varepsilon)(t-\tau)} d\tau = \frac{b_\varepsilon}{\beta-\varepsilon}\, \|z\|_{\mathcal{Z}}.$$

On a aussi une majoration pour la seconde intégrale :

$$\left|\int_{t}^{0} e^{(t-\tau)A}\, \Pi^u z(\tau) d\tau\right| \leqslant c_\varepsilon\, \|z\|_{\mathcal{Z}} \int_{t}^{0} e^{(\gamma-\varepsilon)(t-\tau)} d\tau =$$

$$\frac{c_\varepsilon}{\gamma-\varepsilon}\, \|z\|_{\mathcal{Z}}\, \left(1 - e^{(\gamma-\varepsilon)t}\right) \leqslant \frac{c_\varepsilon}{\gamma-\varepsilon}\, \|z\|_{\mathcal{Z}}\, .$$

Donc la formule (8.4) définit bien une fonction continue bornée sur $\mathbb{R}^-$; le fait que $x'(t) = A\,x(t) + z(t)$ découle d'un calcul facile, en se rappelant que $\Pi^u + \Pi^s = \mathrm{Id}_X$; et on déduit une borne pour x'. Donc x appartient à $\mathcal{X}$ et vérifie $B\,x = z$. Étant donné $w \in X$ proche de 0, on peut reformuler à l'aide des opérateurs B et S le fait que $x\,:\, t \mapsto \phi_t(w)$ appartienne à $\mathcal{X}$. En effet, par définition du flot, x doit être solution du problème de Cauchy :

$$x' = Ax + g(x)\,, \quad x(0) = w\,. \qquad (8.5)$$

Ce problème a une solution $x \in \mathcal{X}$ si et seulement si $P\,x = S\,\xi$ avec $\xi = \Pi^u\, w$ et $x_1 = x - P\,x \in \mathcal{X}_1 := \mathrm{Ker} P$ est solution de

$$B\,x_1 = g(\,S\,\xi + x_1)\,.$$

D'après le lemme 8.2, il existe un opérateur K linéaire continu de $\mathcal{Z}$ dans $\mathcal{X}_1$ tel que $B\,K = \mathrm{Id}_{\mathcal{Z}}$ et $K\,B = \mathrm{Id}_{\mathcal{X}} - P$. On a même une expression explicite de K, d'après la formule (8.4) :

$$(K\,z)(t) = \int_{-\infty}^{t} e^{(t-\tau)A}\, \Pi^s\, z(\tau)\, d\tau - \int_{t}^{0} e^{(t-\tau)A}\, \Pi^u\, z(\tau)\, d\tau\,, \quad t \leqslant 0\,.$$

Soit alors

$$\begin{array}{rcl} F_1\,:\, \mathcal{X}_1 \times E^u & \to & \mathcal{X}_1 \\ (x_1,\xi) & \mapsto & x_1 - K\,g(\,S\,\xi + x_1)\,. \end{array}$$

On a $F_1(0, 0) = 0$ et $d_{x_1} F_1(0, 0) = \mathrm{Id}_{\mathcal{X}_1}$. Donc on peut appliquer le théorème des fonctions implicites à F_1 au voisinage de $(0, 0)$. On en déduit que l'équation $B\,x_1 = g(\,S\,\xi + x_1)$ admet une solution unique $x_1 = \chi_1(\xi)$ dans un voisinage

$\mathcal{V}_1 \times \mathcal{W} \subset \mathcal{X}_1 \times E^u$ de $(0,0)$, avec χ de classe $\mathcal{C}^1$ sur $\mathcal{W}$ et $\chi_1(0) = 0$, $\mathrm{d}_\xi \chi_1(0) = 0$ (puisque $\mathrm{d}g(0) = 0$). Par suite, pour tout $w \in (\Pi^u)^{-1}(\mathcal{W})$, le problème de Cauchy (8.5) admet une unique solution $x \in S\mathcal{W} + \mathcal{V}_1 \subset \mathcal{X}$, donnée par $x = S\xi + \chi_1(\xi)$, $\xi = \Pi^u w$. En particulier, on a $w = x(0) = \xi + \chi_1(\xi)(0)$. On observe que $\chi_1(\xi)(0)$ appartient à E^s, car $x_1 = \chi_1(\xi)$ appartient à Ker P et donc $S\,\Pi^u x_1(0) = 0$, ce qui implique $\Pi^u x_1(0) = 0$. L'application

$$\begin{array}{rcl} h : \mathcal{W} \subset E^u & \to & E^s \\ \xi & \mapsto & h(\xi) = \chi_1(\xi)(0) \end{array}$$

est de classe $\mathcal{C}^1$ et vérifie $h(0) = 0$, $\mathrm{d}_\xi h(0) = 0$. Ceci signifie exactement que

$$\mathcal{W}^u_{\mathrm{loc}} := \{w \in (\Pi^u)^{-1}(\mathcal{W});\ t \mapsto \phi_t(w) \in \mathcal{X}\} = \{w = \xi + h(\xi);\ \xi \in \mathcal{W}\}$$

est une variété tangente à E^u.

Il reste à vérifier que le voisinage $\mathcal{V} = (\Pi^u)^{-1}(\mathcal{W})$, est tel que $\phi_t(\mathcal{V}) \subset \mathcal{V}$ pour tout $t \leqslant 0$, et qu'on a même $\lim_{t\to-\infty} \phi_t(w) = 0$ pour tout $w \in \mathcal{V}$. Pour cela on va appliquer le théorème de Lyapunov n°3 à une équation différentielle réduite, pour laquelle 0 est asymptotiquement stable. Considérons en effet, pour $w \in \mathcal{V}$, $y(t) := \Pi^u(\phi_t(w))$: au voisinage de $t = 0$ on a $y(t) \in \mathcal{W}$ et donc $\phi_t(w) = y(t) + h(y(t))$ (puisque $\phi_t(w) \in \mathcal{W}^u_{\mathrm{loc}}$ comme w), ce qui montre que y est solution dans E^u du problème de Cauchy :

$$\begin{cases} \dfrac{\mathrm{d}y}{\mathrm{d}t} = A^u y + \Pi^u \circ g(y + h(y)), \\ y(0) = \Pi^u w, \end{cases}$$

où $A^u = A \circ \Pi^u$. Par construction, l'application $y \mapsto \Pi^u \circ g(y + h(y))$ a une différentielle nulle en $y = 0$. Comme A^u a tout son spectre de partie réelle strictement positive, le théorème 8.4 (en renversant le temps) montre que, quitte à réduire $\mathcal{W}$, $y(t)$ reste dans $\mathcal{W}$ pour tout $t \leqslant 0$ et de plus que

$$\lim_{t\to-\infty} y(t) = 0.$$

Ceci implique $\phi_t(w) \in \mathcal{W}$ pour tout $t \leqslant 0$ et, par continuité de h (qui vaut 0 en 0), $\lim_{t\to-\infty} \phi_t(w) = 0$. □

Remarque 8.3

À partir des variétés stable et instable locale on peut définir les variétés globales :

$$\mathcal{W}^s = \bigcup_{t\leqslant 0} \phi_t\left(\mathcal{W}^s_{\mathrm{loc}}\right) \quad \text{et} \quad \mathcal{W}^u = \bigcup_{t\geqslant 0} \phi_t\left(\mathcal{W}^u_{\mathrm{loc}}\right).$$

Cependant, rien ne dit que ce sont des graphes, et elles peuvent même coïncider, comme par exemple pour un point selle admettant deux orbites homoclines (dessin en forme de 8).

8.4 Variétés invariantes

Plus généralement, on peut construire des variétés invariantes par le flot d'une équation différentielle en séparant de façon arbitraire le spectre de l'équation linéarisée, s'affranchissant ainsi de l'hyperbolicité du point fixe.

De plus, on peut construire des « variétés globales » qui soient des graphes de fonctions définies sur des sous-espaces invariants par l'équation linéarisée, à condition que la partie non-linéaire du champ de vecteurs soit globalement assez petite. C'est l'objet du résultat suivant, que l'on admettra (voir [4, p. 286]) mais dont on montrera comment il implique en particulier le théorème 8.8.

Théorème 8.10

Soient $f \in \mathcal{C}^1(\mathbb{R}^n;\mathbb{R}^n)$ et $v \in \mathbb{R}^n$ tels que $f(v) = 0$. Soient E^-, E^+ des sous-espaces supplémentaires dans $\mathbb{R}^n$, invariants par $A := \mathrm{d}f(v)$ tels que

$$\sigma\big(A_{|E^-}\big) \subset \{\lambda;\ \mathrm{Re}\,\lambda \leqslant -\beta\}, \quad \sigma\big(A_{|E^+}\big) \subset \{\lambda;\ \mathrm{Re}\,\lambda \geqslant \gamma\},$$

où $-\beta < \gamma$. En notant $g(x) := f(x) - \mathrm{d}f(v)\cdot(x-v)$, il existe $\varepsilon > 0$ tel que si $\|g\|_{\mathcal{C}^1_b(\mathbb{R}^n)} \leqslant \varepsilon$, il *existe* un *unique* $h \in \mathcal{C}^1(E^+;E^-)$ tel que

$$h(0) = 0, \quad \mathrm{d}h(0) = 0, \quad \sup_{\xi\in E^+} |||\mathrm{d}h(\xi)||| < +\infty,$$

et le graphe de h, $\mathcal{W}^+ := \{v + \xi + h(\xi)\,;\ \xi \in E^+\}$, soit invariant par le flot ϕ de l'équation différentielle $u' = f(u)$. De plus, pour tout $w = v + \xi + h(\xi) \in \mathcal{W}^+$ et pour tout $\gamma' > \gamma$ il existe $C > 0$ tel que

$$\|\phi_t(w) - v\| \leqslant C\,\mathrm{e}^{\gamma' t}\,\|\xi\|, \quad t < 0.$$

Dans cet énoncé, si les deux paramètres β et γ sont strictement positifs, le point fixe est hyperbolique, et la variété obtenue est la variété instable.

Voyons comment le théorème 8.8 se déduit du théorème 8.10. Quitte à modifier f, et donc aussi g en dehors d'un voisinage de v, on peut supposer $\|g\|_{\mathcal{C}^1(\mathbb{R}^n)} \leqslant \varepsilon$. En effet, il existe une boule $B(v;\eta)$ dans $\mathbb{R}^n$ telle que

$$\sup_{x\in B(v;\eta)} |||\mathrm{d}g(x)||| \leqslant \varepsilon/3, \quad \text{d'où} \quad \sup_{x\in B(v;\eta)} \|g(x)\| \leqslant \eta\,\varepsilon/3$$

par le théorème des accroissements finis. Soit alors $\chi \in \mathcal{C}^\infty(\mathbb{R}^n;\mathbb{R}^+)$, valant identiquement 1 dans $B(v;\eta/3)$, identiquement 0 en dehors de $B(v;\eta)$ telle que

$$\sup_{x\in\mathbb{R}^n} \|\chi(x)\| = 1, \quad \sup_{x\in\mathbb{R}^n} |||\mathrm{d}\chi(x)||| \leqslant 2/\eta.$$

(L'existence d'un tel χ, appelé *fonction de troncature* est laissée en exercice. C'est ici que se situerait la principale difficulté dans un espace de Banach de dimension infinie au lieu de $\mathbb{R}^n$, voir [38].) Considérons $\widetilde{f}$ définie par

$$\widetilde{f}(x) = \mathrm{d}f(v) \cdot (x - v) + \widetilde{g}(x), \quad \widetilde{g} := \chi g .$$

Évidemment on a $\widetilde{f} = f$ dans $B(v; \eta/3)$, et donc en particulier $\mathrm{d}\widetilde{f}(v) = \mathrm{d}f(v)$. De plus

$$|||\mathrm{d}\widetilde{g}(x)||| \leqslant |||\mathrm{d}\chi(x)||| \sup_{x \in B(v;\eta)} \|g(x)\| + |||\mathrm{d}g(x)||| \leqslant \frac{2}{\eta} \frac{\eta\varepsilon}{3} + \frac{\varepsilon}{3} = \varepsilon .$$

Donc le théorème 8.10 s'applique à l'équation différentielle $u' = \widetilde{f}(u)$, dont le flot coïncide avec celui de $u' = f(u)$ dans $B(v; \eta/3)$.

Définition 8.6

Lorsque $\gamma = 0$ dans l'énoncé du théorème 8.10, la variété obtenue $\mathcal{W}^+$ est appelée *variété centrale-instable* (au point v) et généralement notée $\mathcal{W}^{cu}$. On obtient la *variété centrale-stable* $\mathcal{W}^{cs}$ par renversement du temps ($t \mapsto -t$). On définit alors la *variété centrale* (au point v) par $\mathcal{W}^c := \mathcal{W}^{cu} \cap \mathcal{W}^{cs}$.

Quite à diminuer ε dans l'énoncé du théorème 8.10, on peut démontrer que $\mathcal{W}^c$ est le graphe d'une fonction de classe $\mathcal{C}^1$ au-dessus de $E^c := E^{cu} \cap E^{cs}$ où E^{cu} et E^{cs} désignent naturellement les espaces tangents respectivement à $\mathcal{W}^{cu}$ et $\mathcal{W}^{cs}$ au point v. D'après le théorème 8.10, si $w \in \mathcal{W}^c$, pour tout $\alpha > 0$ il existe $C > 0$ tel que

$$\forall t \in \mathbb{R}, \quad \|\phi_t(w) - v\| \leqslant C \,\mathrm{e}^{\alpha t} .$$

Autrement dit, les solutions de problèmes Cauchy avec donnée initiale dans la variété centrale $\mathcal{W}^c$ ne peuvent croître que de façon modérée (tout en restant à valeurs dans $\mathcal{W}^c$ du fait de son invariance par le flot).

Insistons sur le fait que le théorème 8.10 ne s'applique qu'aux champs de vecteurs dont la partie non-linéaire est assez petite dans $\mathcal{C}^1_b(\mathbb{R}^n)$. Cependant on peut démontrer (notamment à l'aide d'une troncature comme ci-dessus, voir [37]), l'existence d'une *variété centrale locale*.

Théorème 8.11 *Théorème de la variété centrale locale*

Soient $f \in \mathcal{C}^1(U; \mathbb{R}^n)$ un champ complet de flot ϕ et v tels que $f(v) = 0$. On suppose que E^c, le sous-espace central de $\mathrm{d}f(v)$, c'est-à-dire la somme des sous-espaces caractéristiques associés aux valeurs propres imaginaires pures de $\mathrm{d}f(v)$, est non trivial. Alors il existe un voisinage $\mathcal{V}$ de v dans U et une variété locale $\mathcal{W}^c_{\mathrm{loc}}$, tangente à E^c au point v, c'est-à-dire que

$$\mathcal{W}^c_{\mathrm{loc}} = \{ w = v + \xi + h(\xi) ;\ \xi \in \mathcal{O} \subset E^c \} ,$$

où $\mathcal{O}$ est un voisinage de 0 dans E^c et $h : \mathcal{O} \to E^s \oplus E^u$ (somme des sous-espaces caractéristiques associés aux valeurs propres de parties réelles respectivement strictement négatives et strictement positives) est telle que $h(0) = 0$, $\mathrm{d}h(0) = 0$, vérifiant les deux propriétés suivantes :
i) Invariance par le flot : quel que soit $w \in \mathcal{W}^c_{\text{loc}}$, quel que soit $t \in \mathbb{R}$,

$$\phi_t(w) \in \mathcal{V} \quad \Rightarrow \quad \phi_t(w) \in \mathcal{W}^c_{\text{loc}} .$$

ii) Lieu des orbites globales proches de v : quel que soit $w \in \mathcal{V}$, si $\phi_t(w)$ est à valeurs dans $\mathcal{V}$ quel que soit $t \in \mathbb{R}$, alors $w \in \mathcal{W}^c_{\text{loc}}$.

Remarque 8.4

Ce théorème ne dit rien de l'unicité de $\mathcal{W}^c_{\text{loc}}$, qui est fausse en général. Un exemple très simple est celui du système

$$\begin{cases} x' = x^2 , \\ y' = -y , \end{cases}$$

dont on peut calculer explicitement les solutions et constater que les orbites sont incluses dans les courbes ayant une équation de la forme

$$y = C \exp(1/x) ,$$

où C est une constante arbitraire. Le portrait de phase (voir la figure 8.3) montre ainsi une infinité de courbes tangentes à l'axe Ox et vérifiant les propriétés *i) ii)* : ce sont précisément les graphes de toutes les fonctions de la forme

$$x \mapsto \begin{cases} 0 & x \geqslant 0 , \\ C \exp(1/x) & x < 0 . \end{cases} .$$

Les variétés invariantes jouent un rôle crucial dans l'étude des propriétés qualitatives des équations différentielles. Nous allons en donner une illustration avec la *méthode de Melnikov*, qui permet de montrer la persistance d'orbites hétéroclines (ou homoclines).

Méthode de Melnikov

Considérons une équation différentielle dans $\mathbb{R}^2$, dépendant d'un paramètre $\omega \in \Omega \subset \mathbb{R}^p$ (Ω ouvert) :

$$\frac{\mathrm{d}u}{\mathrm{d}t} = g(u,\omega) ,$$

avec $g \in \mathcal{C}^1(U \times \Omega)$, U un ouvert de $\mathbb{R}^2$. Un exemple avec $p = 1$ est le système du pendule amorti ($\omega = k$ le taux d'amortissement, voir p. 303). On verra plus loin un exemple plus intéressant avec $p = 3$, provenant de la modélisation de transitions de phase.

Commençons par un résultat facile concernant la persistance des points selles. Par souci de lisibilité on note D la différentiation partielle par rapport à u.

Lemme 8.3

Supposons qu'il existe $u_0 \in U$ et $u_1 \in U$ tels que pour $j = 0$ ou 1, $g(u_j,\omega_0) = 0$, et $\mathrm{D}g(u_j,\omega_0)$ ait comme valeurs propres λ_j, μ_j, avec

$$\mathrm{Re}\,\lambda_j < 0 < \mathrm{Re}\,\mu_j\,.$$

Alors il existe des voisinages $\mathfrak{U}_0$, $\mathfrak{U}_1$ et $\mathfrak{O}$ de u_0, u_1 et ω_0 respectivement, et des applications $u_- \in \mathcal{C}^1(\mathfrak{O};\mathfrak{U}_0)$, $u_+ \in \mathcal{C}^1(\mathfrak{O};\mathfrak{U}_1)$, telles que

$$(\,g(u,\omega) = 0\,,\ (u,\omega) \in \mathfrak{U}_1 \times \mathfrak{O}\,) \quad\Longleftrightarrow\quad u = u_+(\omega)\,,$$
$$(\,g(u,\omega) = 0\,,\ (u,\omega) \in \mathfrak{U}_0 \times \mathfrak{O}\,) \quad\Longleftrightarrow\quad u = u_-(\omega)\,.$$

De plus, pour tout $\omega \in \mathfrak{O}$, les jacobiennes $\mathrm{D}g(u_\pm(\omega),\omega)$ ont des valeurs propres $\lambda_\pm$, $\mu_\pm$, avec $\mathrm{Re}\,\lambda_\pm < 0 < \mathrm{Re}\,\mu_\pm$.

DÉMONSTRATION. La première partie est une simple application du théorème des fonctions implicites. La seconde utilise la continuité des valeurs propres (voir [21, p. 107]) par rapport à (u,ω). □

Dans l'exemple du pendule amorti :

$$\begin{cases} x' = y\,, \\ y' = -k\,y - \sin x\,, \end{cases}$$

les applications $u_\pm$ sont en fait triviales : $u_+ \equiv u_1 = (\pi,0)^{\mathrm{t}}$ et $u_- \equiv u_0 = (-\pi,0)^{\mathrm{t}}$.

En se plaçant dans le cadre du lemme 8.3, on suppose de plus qu'il existe une orbite hétérocline reliant u_0 à u_1 pour la valeur ω_0 du paramètre, c'est-à-dire une solution $\varphi \in \mathcal{C}^1(\mathbb{R})$ de

$$\varphi'(t) = g(u,\omega_0)\,, \quad \lim_{t\to-\infty} \varphi(t) = u_0\,, \quad \lim_{t\to+\infty} \varphi(t) = u_1\,. \tag{8.6}$$

La question est de savoir si, lorsqu'on modifie (légèrement) le paramètre ω, il persiste des orbites hétéroclines reliant les points fixes voisins $u_-(\omega)$ et $u_+(\omega)$. On va voir que la méthode de Melnikov en fournit une condition suffisante. L'idée de départ est d'exprimer l'existence d'un orbite hétérocline entre $u_-(\omega)$ et $u_+(\omega)$ sous forme d'une équation scalaire $\delta(\omega) = 0$. Dans le cas d'un paramètre ω scalaire, il n'y a « génériquement » (si $\delta'(\omega_0) \neq 0$) que la valeur ω_0 qui fournisse une orbite hétérocline : c'est le cas par exemple pour le pendule amorti. La méthode de Melnikov est vraiment intéressante lorsqu'il y a plus d'un paramètre (scalaire), c'est-à-dire si $p \geqslant 2$, car on peut espérer appliquer le théorème des fonctions implicites.

D'après le théorème de la variété centrale-stable (théorème 8.10) appliqué au système augmenté (comme au § 5.5.2) de l'équation $\omega' = 0$, quitte à diminuer $\mathcal{O}$, pour tout $\omega \in \mathcal{O}$ il existe deux courbes $\mathcal{W}^u(\omega)$ et $\mathcal{W}^s(\omega)$ « proches » de l'orbite $\gamma = \{\varphi(t)\,;\ t \in \mathbb{R}\}$, l'une est la variété instable issue de u_- et l'autre la variété stable issue de $u_+(\omega)$, pour l'équation $u' = g(u,\omega)$. En particulier, si Σ est une *section locale* en $\varphi(0)$, $\mathcal{W}^u(\omega)$ et $\mathcal{W}^s(\omega)$ intersectent (transversalement) Σ en des points $y_0(\omega)$ et $y_1(\omega)$ respectivement. L'existence d'une orbite hétérocline joignant $u_-(\omega)$ à $u_+(\omega)$ équivaut alors à

$$y_0(\omega) = y_1(\omega)\,,$$

ou encore à la relation scalaire $\delta(\omega) = 0$ avec $\delta(\omega) := \varphi'(0) \wedge (\,y_0(\omega) - y_1(\omega)\,)$, où l'on note ici $\wedge$ la forme bilinéaire alternée définie par le déterminant dans la base canonique de $\mathbb{R}^2$. La fonction δ, mesurant une sorte de distance entre les variétés $\mathcal{W}^u(\omega)$ et $\mathcal{W}^s(\omega)$, est appelée fonction (de séparation) de *Melnikov*. Comme $y_1(\omega_0) = y_0(\omega_0) = \varphi(0)$, on a bien sûr $\delta(\omega_0) = 0$. La force de la méthode réside dans l'évaluation des dérivées partielles de δ.

Lemme 8.4

Dans le cadre du lemme 8.3, si φ est solution de (8.6), et σ désigne l'une quelconque des composantes de ω, la fonction δ définie ci-dessus vérifie :

$$\frac{\partial \delta}{\partial \sigma}(\omega_0) = \int_{-\infty}^{+\infty} \mathrm{e}^{-\int_0^s \operatorname{tr} \mathrm{D}g(\varphi(\tau),\omega_0)\,\mathrm{d}\tau}\; g(\varphi(s),\omega_0) \wedge \frac{\partial g}{\partial \sigma}(\varphi(s),\omega_0)\,\mathrm{d}s\,.$$

DÉMONSTRATION. Par définition de $y_0(\omega)$ et $y_1(\omega)$, les applications φ_0 et φ_1 définies respectivement par

$$\varphi_0'(t) = g(\varphi_0(t),\omega) \quad \forall t \leqslant 0\,, \qquad \varphi_0(0) = y_0(\omega)\,,$$
$$\varphi_1'(t) = g(\varphi_0(t),\omega) \quad \forall t \geqslant 0\,, \qquad \varphi_1(0) = y_1(\omega)\,,$$

vérifient $\lim_{t\to-\infty} \varphi_0(t) = u_-(\omega)$ et $\lim_{t\to+\infty} \varphi_0(t) = u_+(\omega)$. De plus, on a (si toutes les composantes de ω sauf σ coïncident avec celles de ω_0),

$$\varphi_j(t) = \varphi(t) + (\sigma - \sigma_0)\,\chi_j(t) + \mathcal{O}((\sigma-\sigma_0)^2)\,,$$

où les applications χ_0 et χ_1 sont définies et bornées sur $\mathbb{R}^-$ et sur $\mathbb{R}^+$ respectivement par

$$\chi_j'(t) = \mathrm{D}g(\varphi(t),\omega_0)\,\chi_j(t) + \frac{\partial g}{\partial \sigma}(\varphi(t),\omega_0)\,, \quad \chi_j(0) = \frac{\partial y_j}{\partial \sigma}(\omega_0)\,.$$

On a donc en particulier :

$$\frac{\partial \delta}{\partial \sigma}(\omega_0) = \varphi'(0) \wedge (\,\chi_0(0) - \chi_1(0)\,)\,.$$

Pour évaluer ce nombre, introduisons :

$$\Delta_j(t) := \varphi'(t) \wedge \chi_j(t) = g(\varphi(t),\omega_0) \wedge \chi_j(t)$$

pour $j = 0$ ou 1. On a

$$\begin{aligned}\frac{\mathrm{d}}{\mathrm{d}t}\Delta_j(t) &= (\mathrm{D}g(\varphi(t),\omega_0) \cdot \varphi'(t)) \wedge \chi_j(t) + g(\varphi(t),\omega_0) \wedge \chi_j'(t) \\ &= (\mathrm{tr}\,\mathrm{D}g(\varphi(t),\omega_0))\ \Delta_j(t) + g(\varphi(t),\omega_0) \wedge \frac{\partial g}{\partial \sigma}(\varphi(t),\omega_0)\,.\end{aligned}$$

Soit $a(t) = \mathrm{tr}\,\mathrm{D}g(\varphi(t),\omega_0))$. On a

$$\lim_{t\to-\infty} a(t) = \lambda_0 + \mu_0\,, \quad \lim_{t\to+\infty} a(t) = \lambda_1 + \mu_1$$

et

$$\begin{aligned}\varphi(t) &= \mathcal{O}(\mathrm{e}^{\mu_0 t})\,, \quad t \to -\infty\,, \\ \varphi(t) &= \mathcal{O}(\mathrm{e}^{\lambda_1 t})\,, \quad t \to +\infty\,.\end{aligned}$$

On en déduit facilement[4]

$$\lim_{t\to-\infty} \Delta_0(t)\,\mathrm{e}^{-\int_0^t a(\tau)\,\mathrm{d}\tau} = 0\,, \quad \lim_{t\to+\infty} \Delta_1(t)\,\mathrm{e}^{-\int_0^t a(\tau)\,\mathrm{d}\tau} = 0\,,$$

d'où les formules pour $\Delta_0(0)$ et $\Delta_1(0)$:

$$\Delta_0(0) = \int_{-\infty}^0 \mathrm{e}^{-\int_0^s a(\tau)\,\mathrm{d}\tau}\ g(\varphi(s),\omega_0) \wedge \frac{\partial g}{\partial \sigma}(\varphi(s),\omega_0)\ \mathrm{d}s\,,$$

$$\Delta_1(0) = -\int_0^\infty \mathrm{e}^{-\int_0^s a(\tau)\,\mathrm{d}\tau}\ g(\varphi(s),\omega_0) \wedge \frac{\partial g}{\partial \sigma}(\varphi(s),\omega_0)\ \mathrm{d}s\,.$$

Comme

$$\frac{\partial \delta}{\partial \sigma}(\omega_0) = \Delta_0(0) - \Delta_1(0)\,,$$

on en déduit la formule annoncée. □

4. Grâce au résultat de comparaison entre primitives : si $a(t) \underset{t\to+\infty}{=} \mathcal{O}(b(t))$ avec b de signe constant et si l'intégrale impropre $\int_0^{+\infty} b(t)\,\mathrm{d}t$ diverge, alors $\int_0^t a(\tau)\,\mathrm{d}\tau = \mathcal{O}\Big(\int_0^t b(\tau)\,\mathrm{d}\tau\Big)$ (voir par exemple [12, § III.10]).

Application aux transitions de phase

Certaines transitions de phase (liquide-vapeur ou dans un matériau élastique) peuvent être décrites au moyen d'un système d'équations aux dérivées partielles de la forme :

$$\begin{cases} \partial_t v - \partial_x u = 0, \\ \partial_t u + \partial_x(p(v)) = \mu\, \partial^2_{xx} u - \varepsilon\, \partial^3_{xxx} v. \end{cases} \tag{8.7}$$

Le paramètre $\mu \geqslant 0$ est un coefficient de *viscosité* et $\varepsilon > 0$ est un coefficient de *capillarité*. Des transitions de phase se produisent lorsque la fonction $v \mapsto p(v)$ n'est pas monotone. Pour fixer les idées considérons $p(v) := v\,(1 - v)\,(2v - 1)$. La primitive f de $-p$ s'annulant en 0 admet deux puits, l'un en 0 et l'autre en 1, appelés points *points de Maxwell*. Il existe une solution de (8.7), représentant une transition de phase stationnaire, indépendante de t avec $\lim_{x\to-\infty} v(x) = 1$ et $\lim_{x\to+\infty} v(x) = 0$. En effet, les solutions du système d'EDO

$$\begin{cases} u' = 0, \\ (p(v))' = \mu\, u'' - \varepsilon\, v''', \end{cases}$$

sont telles que u = constante et par conséquent $p(v) + \varepsilon\, v''$ = constante. Si v converge suffisamment vite en $\pm\infty$, toutes ses dérivées tendent vers 0, et il faut donc $p(v) + \varepsilon\, v'' = 0$. Ceci est une équation différentielle du second ordre admettant v' comme facteur intégrant : en multipliant par v' et en intégrant « à vue » entre $-\infty$ et x, on obtient

$$\frac{1}{2}\,\varepsilon\,(v')^2 = -\int_0^v p(w)\,\mathrm{d}w = f(v).$$

Or la fonction $\sqrt{f}$ est localement Lipschitzienne dans $[0,1]$ (car $f(0) = f'(0) = 0$, $f(1) = f'(1) = 0$ et $f(v) > 0$ pour $v \in]0,1[$), donc le théorème de Cauchy-Lipschitz s'applique à l'équation $v' = \sqrt{2\, f(v)/\varepsilon}$, et quel que soit $v_0 \in]0,1[$, la solution valant v_0 en $x = 0$ est globale et fournit une orbite hétérocline de 0 à 1. Toutes les solutions ainsi obtenues sont en fait, d'après le lemme d'unicité 5.3 (p. 187), des translatées $x \mapsto \underline{v}(x - x_0)$ de $\underline{v}$, valant par exemple $1/2$ en $x = 0$.

Ces considérations sur les solutions stationnaires étant faites, on fixe $\underline{v}$ comme ci-dessus et l'on cherche des solutions *ondes progressives* « proches » de $\underline{v}$, c'est-à-dire des solutions ne dépendant que de $x - \sigma t$ avec σ petit et ayant pour comportements asymptotiques :

$$\lim_{x\to-\infty} v(x,t) = v_- \approx 0, \quad \lim_{x\to+\infty} v(x,t) = v_+ \approx 1.$$

Ceci revient (par un changement d'échelle ou en cherchant directement des solutions comme fonctions de $\xi := (x - \sigma t)/\sqrt{\varepsilon}$) à chercher des orbites hétéroclines du système

$$\begin{cases} \sigma v' + u' = 0\,, \\ -\sigma u' + (p(v))' = \eta u'' - v''' \,, \end{cases}$$

avec $\eta := \mu/\sqrt{\varepsilon}$. L'élimination de u et une première intégration à vue sont encore possibles. On se ramène ainsi à l'équation en v :

$$v'' + \sigma \eta v' + p(v) - p(v_-) + \sigma^2 (v - v_-) = 0\,.$$

Cette nouvelle équation différentielle n'admet pas de facteur intégrant évident, et c'est tout l'intérêt de la méthode de Melnikov pour chercher des orbites hétéroclines. On peut en effet appliquer cette méthode avec comme paramètre $\omega = (\sigma, v_-)$, en écrivant l'équation sous forme d'un système du premier ordre dans le plan de phase :

$$\begin{cases} v' = w\,, \\ w' = -\sigma \eta w - p(v) + p(v_-) - \sigma^2 (v - v_-)\,. \end{cases}$$

Le champ $g(v,w;\sigma,v_-) := \big(w, -\sigma\eta w - p(v) + p(v_-) - \sigma^2(v - v_-)\big)^{\mathrm{t}}$ est tel que

$$g(\underline{v},\underline{w};0{,}0) \wedge \frac{\partial g}{\partial \sigma}(\underline{v},\underline{w};0{,}0) = -\eta\, \underline{w}^2 < 0\,.$$

Par conséquent, d'après le lemme 8.4 et le théorème des fonctions implicites, pour tout σ proche de 0 il existe v_- proche de 0, et v_+ proche de 1 relié à v_- par une orbite hétérocline.

8.5 Introduction aux bifurcations

On va s'intéresser ici aux bifurcations dites de co-dimension 1, c'est-à-dire concernant des champs de vecteurs dépendant d'un paramètre scalaire et dont le portrait de phase (local) change brutalement lorsque le paramètre traverse une valeur critique. D'après le théorème de Hartman-Grobman, ceci ne peut se produire qu'au voisinage d'un point fixe *non hyperbolique*. Nous allons donc considérer

$$\begin{array}{rccc} f : U \times \Lambda \subset \mathbb{R}^n \times \mathbb{R} & \to & \mathbb{R}^n \\ (u,\lambda) & \mapsto & f(u,\lambda)\,, \end{array}$$

de classe $\mathcal{C}^2$, tel qu'il existe $(u_0,\lambda_0) \in U \times \Lambda$ pour lequel $f(u_0,\lambda_0) = 0$ et le spectre de $\mathrm{D}f(u_0,\lambda_0)$ (où D désigne comme au paragraphe précédent la différentielle partielle par rapport à u) intersecte l'axe imaginaire. Plus précisément, nous allons nous placer successivement dans les cas les plus simples :

i) la seule valeur propre imaginaire pure de $\mathrm{D}f(u_0,\lambda_0)$ est 0 ;
ii) la jacobienne $\mathrm{D}f(u_0,\lambda_0)$ admet exactement deux valeurs propres imaginaires pures (et donc forcément conjuguées l'une à l'autre).

Sous des hypothèses « génériques » , le premier cas correspond à la bifurcation élémentaire dite *nœud-col*, et le second à une *bifurcation de Hopf*.

8.5.1 Bifurcation nœud-col

Si $\mathrm{D}f(u_0,\lambda_0)$ a seulement 0 comme valeur propre imaginaire pure, alors le système *augmenté* :

$$\begin{cases} \dfrac{\mathrm{d}u}{\mathrm{d}t} = f(u,\lambda)\,, \\ \dfrac{\mathrm{d}\lambda}{\mathrm{d}t} = 0\,, \end{cases} \tag{8.8}$$

admet une variété centrale locale en (u_0,λ_0) de dimension 2. Le système réduit sur cette variété est de la forme

$$\begin{cases} \dfrac{\mathrm{d}x}{\mathrm{d}t} = g(x,\lambda)\,, \\ \dfrac{\mathrm{d}\lambda}{\mathrm{d}t} = 0\,, \end{cases} \tag{8.9}$$

où l'inconnue x est scalaire, $g(0,\lambda_0) = 0$ et $\partial_x g(0,\lambda_0) = 0$. Supposons en outre que

$$\partial_\lambda g(0,\lambda_0) \neq 0\,, \quad \partial_x g(0,\lambda_0) \neq 0\,.$$

Pour fixer les idées, on supposera ces deux quantités positives. Dans ce cas, pour $\lambda < \lambda_0$, la fonction $g(\cdot,\lambda)$ ne s'annule pas au voisinage de 0, pour $\lambda = \lambda_0$ elle s'annule exactement au point 0, et pour $\lambda > \lambda_0$ elle s'annule en deux points de signes opposés. Plus précisément, au voisinage de $(0,\lambda_0)$ dans le plan $\{(x,\lambda) \in \mathbb{R}^2\}$, l'ensemble des zéros de g est une courbe, tangente à l'axe Ox en $(0,\lambda_0)$, avec la concavité tournée vers $\lambda > \lambda_0$. Le portrait de phases du système (8.9) est particulièrement simple à tracer, car sur les droites d'équation $\lambda =$ constante, il se ramène au portrait de phase d'équations différentielles *scalaires*. Il est d'usage de tracer ce portrait de phases avec le paramètre (λ) en abscisse, voir la figure 8.1.

Le nom de cette bifurcation provient du portrait de phase de l'équation scalaire

$$\frac{\mathrm{d}x}{\mathrm{d}t} = g(x,\lambda)$$

augmentée d'une équation hyperbolique, par exemple

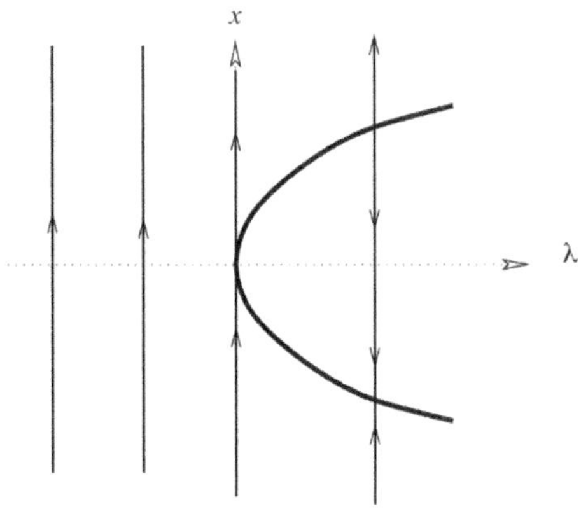

Figure 8.1 **Portrait de phase du système (8.9) lorsque** $\partial_\lambda g(0,\lambda_0) > 0$ **et** $\partial_x g(0,\lambda_0) > 0$.

$$\frac{\mathrm{d}y}{\mathrm{d}t} = -y\,.$$

Le portrait de phase du système plan ainsi obtenu est qualitativement le même que celui du système modèle :

$$\begin{cases} \dfrac{\mathrm{d}x}{\mathrm{d}t} = x^2 - \lambda + \lambda_0\,, \\ \dfrac{\mathrm{d}y}{\mathrm{d}t} = -y\,, \end{cases}$$

(aussi appelé forme réduite). Il change radicalement lorsque λ traverse la valeur critique λ_0, voir les figures 8.2, 8.3, 8.4.

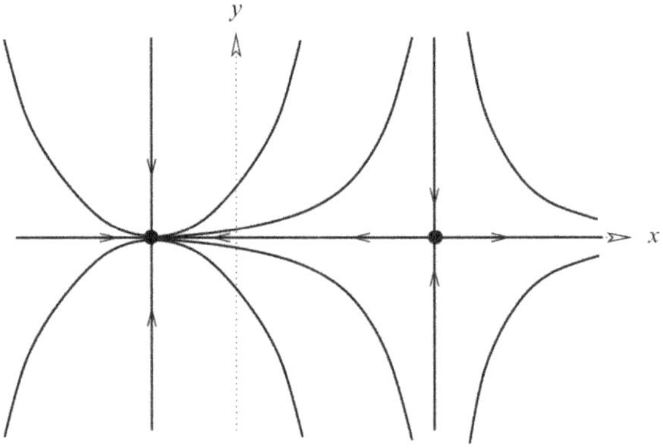

Figure 8.2 **Portrait de phase du système (8.10) pour** $\lambda > \lambda_0$.

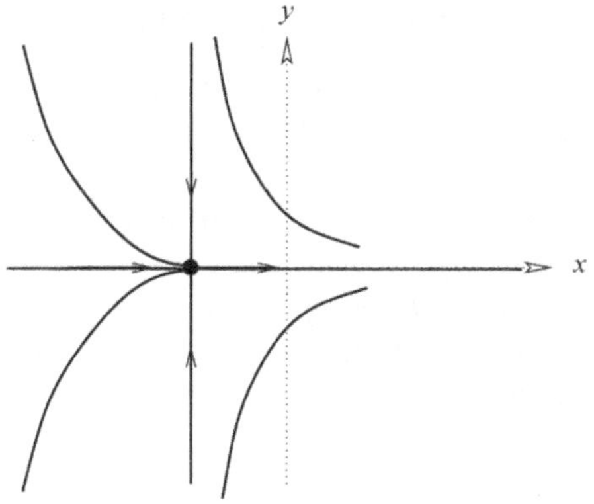

Figure 8.3 **Portrait de phase du système (8.10) pour $\lambda = \lambda_0$.**

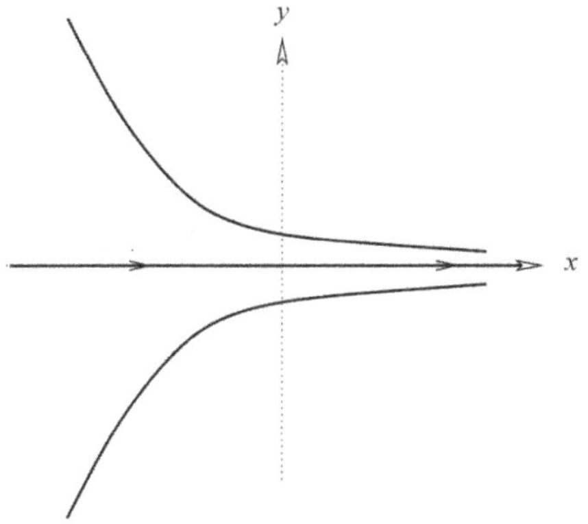

Figure 8.4 **Portrait de phase du système (8.10) pour $\lambda < \lambda_0$.**

8.5.2 Bifurcation de Hopf

On revient maintenant à un champ f tel que $f(u_0,\lambda_0) = 0$ et l'on suppose que $\mathrm{D}f(u_0,\lambda_0)$ admet exactement deux valeurs propres imaginaires pures, $\pm i\omega$ avec $\omega \neq 0$. Ainsi, 0 n'est pas valeur propre, et donc $\mathrm{D}f(u_0,\lambda_0)$ est inversible. Le théorème des fonctions implicites montre donc que l'ensemble des zéros de f voisins de (u_0,λ_0) est paramétré par λ : il existe une fonction u_*, définie et de classe $\mathcal{C}^2$ au voisinage de λ_0, telle que $u_*(\lambda_0) = u_0$ et

$$f(v,\lambda) = 0 \quad \Longleftrightarrow \quad v = u_*(\lambda)\,.$$

à nouveau le système augmenté (8.8) admet une variété centrale locale en (u_0,λ_0). Elle est ici de dimension 3, et contient nécessairement la courbe de points fixes $\{(u_*(\lambda),\lambda)\}$. Le système réduit sur cette variété se ramène à un système plan dépendant du paramètre λ. C'est pourquoi on suppose dans ce qui suit $n = 2$.

Théorème 8.12 ***Théorème de bifurcation de Hopf***

On suppose que $\mathrm{D}f(u_*(\lambda),\lambda)$ admet deux valeurs propres complexes conjuguées valant $\pm i\omega$ en λ_0 et dont la partie réelle change de signe en λ_0. Alors trois cas sont possibles au voisinage de λ_0 :

i) le point fixe $u_*(\lambda)$ est un centre : le portrait de phase du champ de vecteurs (non-linéaire) $f(\cdot,\lambda)$ est constitué de cycles concentriques ;

ii) on a une *bifurcation surcritique* : pour $\lambda < \lambda_0$, le champ de vecteurs $f(\cdot,\lambda)$ n'admet aucun cycle autour de $u_*(\lambda)$, et pour $\lambda > \lambda_0$, il admet exactement un cycle autour (et assez proche) de $u_*(\lambda)$; le diamètre de ce cycle est en $\mathcal{O}(\sqrt{\lambda - \lambda_0})$.

iii) on a une *bifurcation souscritique* : pour $\lambda > \lambda_0$, le champ de vecteurs $f(\cdot,\lambda)$ n'admet aucun cycle autour de $u_*(\lambda)$, et pour $\lambda < \lambda_0$, il admet exactement un cycle autour (et assez proche) de $u_*(\lambda)$; le diamètre de ce cycle est en $\mathcal{O}(\sqrt{\lambda_0 - \lambda})$.

La démonstration de ce théorème repose sur la théorie des formes normales (voir [1, p. 257]). Nous nous contenterons d'observer ce qui se passe sur la *forme réduite de Poincaré-Andronov* :

$$\begin{cases} x' = -y + \lambda - x(x^2 + y^2)\,, \\ y' = x + \lambda - y(x^2 + y^2)\,. \end{cases}$$

La valeur critique du paramètre est ici évidemment $\lambda = 0$. En passant en coordonnées polaires, ce système se ramène à

$$\begin{cases} r' = \lambda r - r^3\,, \\ \theta' = 1\,, \end{cases}$$

c'est-à-dire finalement à l'équation scalaire

$$\frac{\mathrm{d}r}{\mathrm{d}\theta} = \lambda r - r^3\,.$$

Si $\lambda < 0$ cette équation a un seul point fixe, 0, et si $\lambda > 0$, elle en a trois : 0 et $\pm\sqrt{\lambda}$. Attention, $\sqrt{\lambda}$ et $-\sqrt{\lambda}$ ne sont pas des points fixes du système de départ, mais $\sqrt{\lambda}$ est précisément le rayon d'un cycle.

Exercices

8.1 Soient $k > 0$ et le système

$$(\text{PA}) \qquad \begin{cases} \dfrac{\mathrm{d}x}{\mathrm{d}t} = v\,, \\ \dfrac{dv}{\mathrm{d}t} = -k\,v - \sin x\,. \end{cases}$$

(C'est l'équation du mouvement d'un pendule simple avec amortissement écrite dans le plan de phases.) Démontrer que l'équilibre $(0,0)^{\mathrm{t}}$ est asymptotiquement stable.

8.2 On considère le système

$$(\text{S}) \qquad \begin{cases} x' = y\,, \\ y' = -x + (x^2 - 1)\,y\,. \end{cases}$$

i) Montrer que $(0,0)^{\mathrm{t}}$ est un point fixe hyperbolique asymptotiquement stable pour (S).

ii) Montrer que $H\,:\,(x,y) \in \mathbb{R}^2 \mapsto x^2 + y^2$ est une fonction de Lyapunov pour (S) au point $(0,0)$.

iii) Soient (x_0, y_0) tel que $H(x_0, y_0) < 1$ et $L_\omega(x_0, y_0)$ l'ensemble ω-limite de $(x_0, y_0)^{\mathrm{t}}$, relativement à (S). Montrer que $L_\omega(x_0, y_0)$ est compact et non-vide.

iv) Le système (S) admet-il des cycles dans $\mathcal{D} := \{(x,y);\ x^2 + y^2 < 1\}$?

v) Déduire de ce qui précède que $L_\omega(x_0, y_0)$ est réduit à $\{(0,0)^{\mathrm{t}}\}$. Dire en quoi ce résultat est plus fort que la stabilité asymptotique de $(0,0)^{\mathrm{t}}$.

8.3 On considère le système

$$(\Sigma) \qquad \begin{cases} \dfrac{\mathrm{d}x}{\mathrm{d}t} = -y + xy\,, \\ \dfrac{\mathrm{d}y}{\mathrm{d}t} = x + \dfrac{1}{2}(x^2 - y^2)\,. \end{cases}$$

i) Déterminer les points fixes de (Σ) et leur nature.

ii) Montrer que les courbes stables et instables des points fixes hyperboliques sont des droites.

iii) Montrer que (Σ) admet une intégrale première H telle que

$$\frac{\partial H}{\partial y} = -y + xy\,.$$

iv) Montrer que H admet un maximum local en (0,0).
v) Tracer (qualitativement) le portrait de phase de (Σ).

8.4 Soient $\gamma \geqslant 0$ et $\alpha \geqslant 0$. On considère l'équation différentielle scalaire

$$(\mathrm{E}_{\gamma,\alpha}) \qquad \frac{\mathrm{d}^2 x}{\mathrm{d}t^2} + \gamma(x^2 - 1)\frac{\mathrm{d}x}{\mathrm{d}t} + x = \alpha\,.$$

i) Écrire $(\mathrm{E}_{\gamma,\alpha})$ sous forme d'un système du premier ordre $(\mathrm{P}_{\gamma,\alpha})$ dans le plan de phase.
ii) Montrer que l'application $\Psi : (x,y) \mapsto (x, y + \gamma(x - x^3/3))$ est un difféormorphisme de $\mathbb{R}^2$.
iii) Soit $u \in \mathcal{C}^1(J;\mathbb{R}^2)$ une solution de $(\mathrm{P}_{\gamma,\alpha})$. Montrer que la fonction $\Psi^{-1} \circ u$ est solution d'un système $(\mathrm{L}_{\gamma,\alpha})$ que l'on explicitera.
iv) Démontrer que les points fixes de $(\mathrm{P}_{\gamma,\alpha})$ et de $(\mathrm{L}_{\gamma,\alpha})$ sont en bijection et sont de même nature.
v) Déterminer ces points fixes et leur nature selon les valeurs des paramètres γ et α. Donner notamment des valeurs de γ et α pour lesquelles les systèmes présentent une bifurcation de Hopf.

8.5 On considère le système de *van der Pol*

$$(\mathrm{VdP}) \qquad \begin{cases} \dfrac{\mathrm{d}x}{\mathrm{d}t} = y - x + x^3\,, \\ \dfrac{\mathrm{d}y}{\mathrm{d}t} = -x\,, \end{cases}$$

modélisant un circuit RLC (voir § 5.1.2, chapitre 5) dans lequel la loi d'Ohm généralisée est (en variables adimensionnées) $F(x) = x - x^3$.
i) Déterminer les points critiques du système (VdP) et leur nature.
ii) Représenter, dans quatre régions remarquables du plan $\{(x,y) \in \mathbb{R}^2\}$ que l'on précisera, l'orientation du champ de vecteurs correspondant .
iii) Montrer que chaque courbe intégrale rencontre successivement les quatre zones en question.
iv) Montrer que $(x,y) \mapsto x^2 + y^2$ est une fonction de Lyapunov en (0,0) pour le système (VdP), et que le disque ouvert $D = \{(x,y)\,;\, x^2 + y^2 < 1\}$ est positivement invariant par le flot de ce système.
v) Montrer que pour tout $(x_0, y_0) \in D$, la solution de (VdP) telle que $x(0) = x_0$ et $y(0) = x_0$ tend vers (0,0) en $+\infty$.
vi) Montrer qu'il existe une application continue $\alpha : \mathbb{R}^{+*} \to \mathbb{R}^{-*}$ telle que pour tout $y_0 \in \mathbb{R}^{+*}$, l'orbite positive du point $(0, y_0)$, c'est-à-dire $\{(x(t), y(t)\,;\, t \geqslant 0\}$ où (x, y) est la solution de (VdP) telle que $x(0) = 0$ et $y(0) = x_0$, recoupe pour la première fois l'axe des y au point $(0, \alpha(y_0))$.

vii) Exprimer $\delta(p) := \alpha(p)^2 - p^2$ sous forme intégrale.
viii) Grâce au théorème des valeurs intermédiaires, montrer que la fonction δ s'annule en un point $p_* \in \mathbb{R}^{+*}$.
ix) Montrer que l'orbite de $(0, p_*)$ est un cycle.

8.6 On considère l'EDP de *réaction-diffusion* appelée équation de *Fisher*

$$\partial_t u = \kappa \partial^2_{xx} u + au(1-u)\,, \tag{8.11}$$

(modélisant par exemple l'évolution d'une population de concentration u, diffusant avec un coefficient de diffusion κ, réagissant selon un taux de croissance linéaire a et un terme de modération $-au^2$ analogue à ceux de l'exercice 7.7). Le but est de démontrer l'existence de solutions *ondes progressives* de (8.11), c'est-à-dire ne dépendant que de $x - \sigma t$ pour certaines valeurs de la vitesse $\sigma > 0$, ayant pour comportements asymptotiques :

$$\lim_{x\to-\infty} u(x,t) = 1\,, \quad \lim_{x\to+\infty} u(x,t) = 0$$

(ces solutions représentent l'« envahissement » de l'espace par la population).
i) Montrer qu'une telle onde progressive existe si et seulement le système

$$v' = u\,, \quad u' = -cv + u(u-1)\,, \tag{8.12}$$

où l'on exprimera c en fonction de σ, κ et a, admet des orbites hétéroclines reliant $(1, 0)$ à $(0, 0)$.
ii) Donner la nature des points fixes $(1, 0)$ et $(0, 0)$ selon les valeurs de c, et en déduire une condition nécessaire sur c pour qu'il existe une orbite hétérocline de (8.12) reliant $(1, 0)$ à $(0, 0)$ dans le demi-plan $\{(u, v)\,;\, u \geqslant 0\}$.
iii) On suppose désormais $c \geqslant 2$. Montrer que le triangle $\mathcal{T}$ délimité par les droites $\{(u, 0)\}$, $\{(u, v)\,;\; 2v = (-c + \sqrt{c^2-4})u\}$ et $\{(u, v)\,;\; 2v = (-c + \sqrt{c^2+4})(u-1)\}$ est positivement invariant par le flot de (8.12).
iv) Montrer que si la courbe instable du point selle $(1, 0)$ intersecte l'intérieur de $\mathcal{T}$ alors il existe une orbite hétérocline de $(1, 0)$ à $(0, 0)$.
v) Donner un développement à l'ordre 2 de l'équation de cette courbe, et en déduire qu'elle intersecte effectivement $\mathcal{T}$.

8.7 Soient $H \in \mathcal{C}^2(\mathbb{R}^d; \mathbb{R})$ et $J \in \mathcal{M}_d(\mathbb{R})$. On notera $\langle \cdot, \cdot \rangle$ le produit scalaire « canonique » dans $\mathbb{R}^d$. On suppose la matrice J inversible et antisymétrique, et on considère le système d'équations différentielles

$$(S) \quad \frac{\mathrm{d}u}{\mathrm{d}t} = J\,\nabla H(u)\,.$$

i) Vérifier que H est une intégrale première du système (S).

ii) Caractériser les points fixes v de (S) à l'aide de la fonction H.
iii) Donner une condition suffisante pour qu'un point fixe v soit stable.

Désormais, on suppose que $\nabla H(v) = 0$ et $A := \mathrm{Hess}H(v)$ a pour signature $(1, d-1)$, c'est-à-dire qu'il existe $y \in \mathbb{R}^d$ tel que $\langle y, Ay\rangle < 0$ et $\langle x, Ax\rangle > 0$ pour tout $x \in y^\perp$. L'objectif est de démontrer que v est instable.

iv) Dans le cas $d = 2$, dessiner le portrait de phase de (S) au voisinage de v. Voyez vous pourquoi v est instable ?

v) On revient au cas général. Soit $\psi \in \mathcal{C}^2(I; \mathbb{R}^d)$, où I est un intervalle ouvert de $\mathbb{R}$ contenant 0, telle que $\psi(0) = v$, $\psi'(0) = y$. Montrer que $H \circ \psi$ admet un maximum local strict en 0.

vi) On note $R(\lambda, w) = \lambda y + w$ pour tout $(\lambda, w) \in \mathbb{R} \times \mathbb{R}^d$. Démontrer qu'au voisinage de $(0, v)$ on a

$$H(R(\lambda, w)) \leqslant H(w) + \lambda P(w)$$

où $P(w) := \langle y, \nabla H(w)\rangle$.

vii) Démontrer qu'il existe un voisinage ouvert $\mathcal{W}$ de v et une application régulière $\Lambda : w \mapsto \Lambda(w) \in \mathbb{R}$ tels que $\Lambda(v) = 0$, $R(\Lambda(w), w) - v \in y^\perp$, et $H(R(\Lambda(w), w)) > H(v)$ pour $w \in \mathcal{W}\backslash\{v\}$.

viii) Déduire des questions précédentes que, quitte à réduire $\mathcal{W}$, $H(v) < H(w) + \Lambda(w)P(w)$ pour $w \in \mathcal{W}\backslash\{v\}$, puis que $\Lambda \circ \psi$ et $P \circ \psi$ changent de signe en $s = 0$.

ix) Soit $\varepsilon > 0$ tel que la boule ouverte $B(v; \varepsilon)$ soit incluse dans $\mathcal{W}$, et soit $s \in I\backslash\{0\}$ tel que $\psi(s) \in B(v; \varepsilon)$ et $P(\psi(s)) > 0$. Soient u la solution maximale de (S) telle que $u(0) = \psi(s)$ et $T := \sup\{t \geqslant 0\,;\ \forall \tau \in [0, t]\,,\ u(\tau) \in B(v; \varepsilon)\}$, avec la convention que $T = +\infty$ si l'ensemble n'est pas majoré. On veut justement montrer que T est fini. Quitte à réduire ε, montrer que l'on peut supposer $\Lambda(u(t)) \leqslant 1$ pour tout $t \in [0, T[$.

x) Montrer que pour tout $t \in [0, T[$, $\Lambda(u(t))P(u(t)) > 0$, puis que

$$P(u(t)) > H(v) - H(\psi(s)) =: \alpha > 0.$$

xi) Déduire de ce qui précède que pour tout $t \in [0, T[$, $(L \circ u)'(t) > \alpha$ avec

$$L(w) := -\langle J^{-1}y, w\rangle\,,$$

puis que $T \leqslant 2\|J^{-1}y\|\,(\|v\| + \varepsilon)/\alpha$.
xii) Conclure.

Solutions

8.1 Comme on l'a vu plus haut (remarque 8.2), la fonction $E : (x,v) \mapsto \frac{1}{2}v^2 - \cos x$ est une fonction de Lyapunov en (0, 0) pour le système (PA). Donc d'après le théorème 8.2, (0, 0) est un point d'équilibre stable. Pour démontrer qu'il est asymptotiquement stable, puisque E n'est pas une fonction de Lyapunov forte, il faut faire appel à d'autres arguments (le *principe d'invariance de LaSalle* en référence à [24]). On va obtenir un résultat plus global en faisant appel au théorème de Poincaré-Bendixson. Notons Φ_t le flot de (PA). Si (x_0, v_0) appartient à la composante connexe de (0, 0) dans l'ouvert $\{(x,v)\,;\ E(x,v) < 1\}$ (incluse dans $]-\pi, \pi[\times]-2, 2[$ et en forme d'œil : voir la figure 7.3, où apparaissent les courbes de niveau remarquables de E), alors pour tout $t \geqslant 0$, $\Phi_t(x_0, v_0)$ appartient au compact $\mathcal{K} := \{(x, v) \in]-\pi, \pi[\times]-2, 2[\,;\ E(x, v) \leqslant E(x_0, v_0)\}$. Donc l'ensemble $\{\Phi_t(x_0, v_0)\,;\ t \geqslant 0\}$ est relativement compact, et par suite (d'après la proposition 7.5) l'ensemble ω-limite $L_\omega(x_0, v_0)$ est compact non vide. D'après le théorème 7.6, si $L_\omega(x_0, v_0)$ ne contenait pas de point fixe, ce serait un cycle. Or le système (PA) n'admet pas de cycle (pour $k > 0$) : si $t \mapsto (x(t), v(t))$ était une solution périodique de période T, on aurait $E(x(T), v(T)) = E(x(0), v(0))$ et la fonction monotone $t \mapsto E(x(t), v(t))$ serait donc constante ; on aurait donc

$$0 = \frac{\mathrm{d}}{\mathrm{d}t}E(x(t), v(t)) = -k\, v(t)^2$$

et par conséquent $v(t) = 0$ quel que soit t, et x serait constante. C'est donc que $L_\omega(x_0, v_0)$ contient au moins un point fixe. Comme (0, 0) est le seul point fixe dans $\mathcal{K}$, $(0, 0) \in L_\omega(x_0, v_0)$. De plus, $L_\omega(x_0, v_0)$ doit être inclus dans $\mathcal{K}$ et, d'après la proposition 7.4, dans un ensemble de niveau de E. Or

$$\{(0, 0)\} = \mathcal{K} \cap \{(x, v)\,;\ E(x, v) = E(0, 0)\},$$

donc $L_\omega(x_0, v_0)$ est en fait réduit à $\{(0, 0)\}$. Ceci implique que $\Phi_t(x_0, v_0)$ converge vers (0, 0) lorsque t tend vers $+\infty$.

8.2 **i)** Le système (S) coïncide avec celui de l'exercice 7.10 dans le cas particulier $\varepsilon = 1$. On a vu à cette occasion que le point (0, 0) était un puits, c'est pourquoi il est asymptotiquement stable.

ii) La fonction H a évidemment un minimum (global) strict en (0, 0). De plus, le long d'une solution on a $H(x, y)' = y^2(x^2 - 1) \leqslant 0$ tant que $(x(t), y(t)) \in \mathcal{D}$. Ceci montre que le disque $\mathcal{D}$ est positivement invariant par le flot et que H est une fonction de Lyapunov.

iii) D'après ce qui précède, si $(x_0, y_0) \in \mathcal{D}$ alors $L_\omega(x_0, y_0) \subset \overline{\mathcal{D}}$, et donc $L_\omega(x_0, y_0)$ est compact et non-vide.
iv) Le système (S) n'admet pas de cycle dans $\mathcal{D}$ car H décroît strictement en dehors de l'axe Oy le long des orbites incluses dans $\mathcal{D}$.
vi) On en déduit que $L_\omega(x_0, y_0) = \{(0,0)^t\}$ comme dans le premier exercice. C'est un résultat est plus fort que la stabilité asymptotique de $(0, 0)^t$ car il montre que les orbites de tous les points de $\mathcal{D}$ (et pas seulement ceux voisins de $(0,0)^t$) convergent vers $(0, 0)^t$.

8.3 **i)** Les points fixes de (Σ) sont caractérisés par $y(x-1) = 0$ et $x^2 - y^2 + 2x = 0$, ce qui donne quatre points : $O := (0, 0)$, $A := (-2, 0)$, $B := (1, -\sqrt{3})$ et $C := (1, \sqrt{3})$. Le système linéarisé autour du premier est $x' = -y$, $y' = x$, dont les valeurs propres sont $\pm i$: ceci correspond à un centre. Les trois autres sont des points selle, de valeurs propres $\pm\sqrt{3}$. (Le linéarisé en $(-2, 0)$ est $x' = -3y$, $y' = -x$, et en $(1, \pm\sqrt{3})$ c'est $x' = \pm x\sqrt{3}$, $y' = 2x \mp y\sqrt{3}$.)
ii) La courbe stable en $(1, \sqrt{3})$ a une tangente verticale (direction du vecteur propre associé à la valeur propre négative $-\sqrt{3}$), de même que la courbe instable en $(1, -\sqrt{3})$. Or la droite d'équation $x = 1$ est invariante par le flot, puisque le champ de vecteurs est vertical sur cette droite. Donc la courbe stable de $(1, \sqrt{3})$ et la courbe instable de $(1, -\sqrt{3})$ coïncident avec cette droite. On remarque que les droites passant par $(-2, 0)$ et $(1, \pm\sqrt{3})$ sont aussi invariantes par le flot (si $y = \pm(x+2)\sqrt{3}$ alors $x + (x^2 - y^2)/2 = \pm(-y + xy)\sqrt{3}$) : ce sont les courbes stable (signe +) et instable (signe −) de $(-2, 0)$, et aussi la courbe instable (signe +) de $(1, \sqrt{3})$ et la courbe stable (signe −) de $-(1, \sqrt{3})$. En fait, le système est invariant par la rotation d'angle $2\pi/3$: ceci se voit facilement en l'écrivant sous forme complexe, $z' = i(z + \bar{z}^2/2)$, car ladite rotation revient à une multiplication par $j := (-1 + i\sqrt{3})/2 = \bar{j}^2$).
iii) On trouve par intégration en y puis en x que $H(x,y) := \frac{1}{2}(x-1)y^2 - \frac{1}{2}x^2 - \frac{1}{6}x^3$ définit une intégrale première comme demandé. (Notons que H est bien invariante par la rotation mentionnée ci-dessus, car $H(x,y) = \frac{2}{3}(\mathrm{Re}\, z)\, \mathrm{Re}\,(jz)\, \mathrm{Re}\,(j^2 z) - \frac{1}{2}|z|^2$.)
iv) Comme $\mathrm{d}H(0,0) \equiv 0$ et $\mathrm{d}^2H(0,0) = -\mathbf{I}_2$, H a un maximum local strict en $(0, 0)$.
v) D'après l'invariance par la rotation d'angle $2\pi/3$, les orbites à l'intérieur du triangle ABC sont des cycles. Les orbites à l'extérieur sont non bornées.

8.4 **i)** Dans le plan de phase, $(E_{\gamma,\alpha})$ s'écrit

$$(P_{\gamma,\alpha}) \qquad \begin{cases} x' = v\,, \\ v' = \gamma(1-x^2)v - x + \alpha\,. \end{cases}$$

ii) La jacobienne de Ψ est triangulaire inférieure de coefficients diagonaux égaux à 1, donc inversible en tout point. De plus, Ψ est bijective car $\Psi(x, y) = (\xi, v)$ équivaut à $x = \xi$ et $y = v - \gamma(\xi - \xi^3/3)$.

iii) Si $u = (x, v)$ est solution de $(P_{\gamma,\alpha})$ alors $\widetilde{u} := (x, y := v - \gamma(x - x^3/3))$ (coordonnées de *Liénard*) est solution de

$$(L_{\gamma,\alpha}) \qquad \begin{cases} x' = y + \gamma(x - x^3/3)\,, \\ y' = -x + \alpha\,, \end{cases}$$

et réciproquement.

iv) C'est un résultat général : d'après la formule de dérivation des fonctions composées, si u est solution de $u' = f(u)$ et $u = \Psi \circ \widetilde{u}$ alors $\widetilde{u}$ est solution de $\widetilde{u}' = g(\widetilde{u}) := (d\Psi(\widetilde{u}))^{-1} f(\Psi(\widetilde{u}))$. Ainsi Ψ est (naturellement) une bijection entre les points singuliers (c'est-à-dire les zéros) de f et de g. Quant à leur nature, elle est déterminée par les valeurs propres de $df(u)$ et de $dg(\widetilde{u})$, qui se réduit à $(d\Psi(\widetilde{u}))^{-1} df(\Psi(\widetilde{u})) d\Psi(\widetilde{u})$ si $f(u) = 0$, c'est-à-dire que $df(u)$ et $dg(\widetilde{u})$ sont conjuguées : elles ont donc mêmes valeurs propres.

v) Concentrons nous sur le système $(L_{\gamma,\alpha})$, d'une certaine façon plus simple que $(P_{\gamma,\alpha})$ (qui a été étudié à l'exercice 7.10 dans le cas $\gamma = \varepsilon > 0$ petit et $\alpha = 0$). Les changements de direction du champ de vecteur ont lieu sur l'axe Oy (au lieu de l'axe Ox dans le plan de phase), et surtout sur la courbe régulière d'équation $y = \gamma(x^3/3 - x)$ (au lieu de celle d'équation $\gamma(1-x^2)v - x + \alpha$, qui a des asymptotes en $x = \pm 1$). Le seul point fixe est $A := (\alpha, \gamma(\alpha^3/3 - \alpha))$, le système linéarisé en ce point étant $x' = y + \gamma(1-\alpha^2)x$, $y' = -x$. Si $\gamma^2(1-\alpha^2)^2 > 4$, le point A est un nœud (attractif si $\gamma(1-\alpha^2) < 0$ ou répulsif si $\gamma(1-\alpha^2) > 0$). Si $\gamma^2(1-\alpha^2)^2 < 4$, c'est un puits de plus $\gamma(1-\alpha^2) < 0$, ou une source si $\gamma(1-\alpha^2) > 0$. Le cas $\gamma(1-\alpha^2) = 0$ correspond à une bifurcation de Hopf, où les valeurs propres traversent l'axe imaginaire.

8.5 **i)** Les points critiques du système (VdP) sont caractérisés par $x = 0$ et $y = x - x^3$: il n'y a donc que le point $(0, 0)^t$. La matrice du système linéarisé en ce point est

$$A = \begin{pmatrix} -1 & 1 \\ -1 & 0 \end{pmatrix},$$

dont les valeurs propres sont $(-1 \pm i\sqrt{3})/2$: ce point est donc hyperbolique, et c'est plus précisément un puits.

ii) L'orientation du champ de vecteurs $(x, y) \mapsto (y - x + x^3, -x)$ dépend de la position de (x, y) par rapport à l'axe de y (lieu des points où le champ est horizontal) et par rapport à la courbe $\mathcal{C}$ d'équation $y = x - x^3$ (lieu des points où les champ est vertical), voir la figure 8.5.

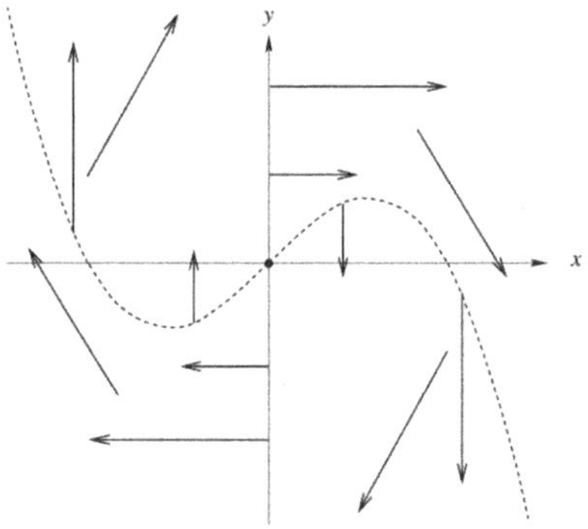

Figure 8.5 **Orientation du champ de vecteurs** $(x, y) \mapsto (y - x + x^3, -x)$.

iii) Le fait que chaque courbe intégrale rencontre successivement les quatre zones délimitées par l'axe des y et la courbe $\mathcal{C}$ se montre par un raisonnement analogue à celui effectué pour le système de Lotka-Volterra (voir l'exercice 7.6, solution p. 288).

iv) La fonction $E : (x, y) \mapsto x^2 + y^2$ a un minimum global strict en $(0, 0)$. De plus, si $t \mapsto (x(t), y(t))$ est solution de (VdP) alors

$$\frac{\mathrm{d}}{\mathrm{d}t}\left(x(t)^2 + y(t)^2\right) = -2x^2(1 - x^2) \leqslant 0$$

dans la bande $B := \{(x,y)\,;\,|x| \leqslant 1\}$, qui contient le disque $D = \{(x,y)\,;\,x^2 + y^2 < 1\}$. Ceci montre à la fois que E est une fonction de Lyapunov en $(0, 0)$ pour le système (VdP), et que le D est positivement invariant par le flot (puisque E décroit le long des orbites des points de D).

v) Pour $(x_0, y_0) \in D$, on montre comme dans l'exercice 8.1 (solution p. 333) que l'ensemble ω-limite $L_\omega(x_0, y_0)$ se réduit à $\{(0, 0)\}$.

vi) Si l'on note Φ_t le flot de (VdP), d'après la question **iii)** pour tout $y_0 \in \mathbb{R}^{+*}$, il existe $t_c = t_c(y_0) > 0$ et $t_2 = t_2(y_0) > 0$ tels que pour $t \in]0, t_c[$, $\Phi_t(0, y_0)$ appartienne à la région du plan au dessus de $\mathcal{C}$ et à droite de l'axe des y, pour $t \in]t_c, t_2[$ appartienne à la région du plan en dessous de $\mathcal{C}$ et à droite de l'axe des y, et $\Phi_{t_2}(0, y_0)$ appartienne à l'axe des y. On définit alors $\alpha(y_0) := \Phi_{t_2}(0, y_0)$.

vii) On a par définition,

$$\delta(p) = \|\Phi_{t_2(p)}(0,\, p)\|^2 - \|\Phi_0(0,\, p)\|^2 = \int_0^{t_2(p)} \frac{\mathrm{d}}{\mathrm{d}t}\|\Phi_t(0,\, p)\|^2\, \mathrm{d}t\,.$$

c'est-à-dire encore, si l'on note ξ_t la première composante de Φ_t,

$$\delta(p) = 2\int_0^{t_2(p)} \xi_t(p)^2\,(\xi_t(p)^2 - 1)\,\mathrm{d}t\,.$$

Si $0 < p < 1$, on a (d'après la question **iv)**), $0 < \xi_t(p) < 1$ pour tout $t \in]0,\, t_2(p)]$, donc $\delta(p) < 0$. D'autre part, pour p assez grand, on peut découper $\{\Phi_t(p)\,;\ t \in [0,\, t_2(p)]\}$ en trois morceaux : deux inclus dans la bande B et paramétrés par x,

$$\{(x,\, y)\,;\ y = Y_p^{\pm}(x)\,,\ x \in [0,\, 1]\}\,,$$

le troisième dans le demi-plan $\{(x,y)\,;\, x \geqslant 1\}$ et paramétré par y,

$$\{(x,\, y)\,;\ x = X_p(y)\,,\ y \in [Y_p^-(1),\, Y_p^+(1)]\}\,,$$

avec $Y_p^-(x) < 0 < Y_p^+(x)$ pour $x \in [0,\, 1]$, de sorte que le point $\Phi_{t_1}(p)$ soit sur le morceau paramétré par y (son ordonnée étant un zéro de X_p'). En notant que $Y_p^-(x) < x - x^3 < Y_p^+(x)$ pour $x \in [0,\, 1]$, le long des morceaux paramétrés respectivement par x et par y on a

$$\mathrm{d}t = \frac{\mathrm{d}x}{\mathrm{d}Y_p^{\pm}(x) - x + x^3} \quad \text{et} \quad \mathrm{d}t = -\frac{\mathrm{d}y}{X_p(y)}\,,$$

d'où l'expression

$$\int_0^{t_2(p)} \xi_t(p)^2\,(\xi_t(p)^2 - 1)\,\mathrm{d}t = \int_0^1 \frac{x^2\,(x^2-1)}{Y_p^+(x) - x + x^3}\,\mathrm{d}x$$

$$-\int_0^1 \frac{x^2\,(x^2-1)}{Y_p^-(x) - x + x^3}\,\mathrm{d}x + \int_{Y_p^-(1)}^{Y_p^+(1)} X_p(y)\,(X_p(y)^2 - 1)\,\mathrm{d}y\,.$$

Le dernier morceau est minoré par 0. Les deux autres sont des fonctions croissantes de p. En effet, les orbites ne s'intersectant pas, $p \mapsto Y_p^+(x)$ est croissante et $p \mapsto Y_p^-(x)$ est décroissante.

viii) D'après ce qui précède, δ prend des valeurs négatives dans $]0,\, 1[$ et positives pour p assez grand. Puisqu'elle est continue, le théorème des valeurs intermédiaires implique qu'elle s'annule en un point $p_* \in \mathbb{R}^{+*}$.

ix) Par définition $\alpha(p_*) = -p_*$. De plus, le système est invariant par la symétrie centrale $(x, y) \mapsto (-x, -y)$. Donc l'orbite de $(0, -p_*)$ est symétrique de celle de $(0, p_*)$: puisque le premier appartient à l'orbite du second, leurs deux orbites sont par conséquent confondues et forment un cycle.

8.6 **i)** Le problème revient à chercher une solution de (8.11) ne dépendant que de $\xi := (x - \sigma t)\sqrt{a/\kappa}$, c'est-à-dire une solution de l'EDO du second ordre $u'' + cu' + u(1 - u) = 0$ (ce qui donne le système voulu dans le plan de phase) avec $c := \sigma/\sqrt{a\kappa}$, tendant vers 1 en $-\infty$ et vers 0 en $+\infty$.
ii) Le système linéarisé autour du point fixe (1, 0) est

$$u' = v\,, \quad v' = -cv + u\,,$$

dont les valeurs propres sont $\lambda_1^{\pm} := (-c \pm \sqrt{c^2 + 4})/2$, de signes oppposés (et les vecteurs propres associés sont $(1, \lambda_1^{\pm})^{\mathrm{t}}$). Le point (1, 0) est donc un point selle. Pour qu'une orbite relie $A := (1, 0)$ à $O := (0, 0)$ en restant dans le demi-plan $u \geqslant 0$, il ne faut pas que (0, 0) soit un foyer. Or le système linéarisé autour du point fixe (0, 0) est

$$u' = v\,, \quad v' = -cv - u\,,$$

dont les valeurs propres sont réelles si et seulement si $c^2 \geqslant 4$, auquel cas elles valent $\lambda_0^{\pm} := (-c \pm \sqrt{c^2 - 4})/2$. Une condition nécessaire est donc $c^2 \geqslant 4$, c'est-à-dire $c \geqslant 2$ puisqu'on a supposé $c > 0$ au départ.
iii) Le point B d'intersection des droites d'équation $v = \lambda_1^+(u - 1)$ (tangente à la courbe instable en A) et $v = \lambda_0^+ u$ est en dessous de l'axe Ou puisque $\lambda_0^+ < 0 < \lambda_1^+$, et l'on a

$$\mathcal{T} = OBA = \{(u, v)\,;\; u \in [0, 1]\,, v \leqslant 0\,, v \geqslant \lambda_0^+ u\,, v \geqslant \lambda_1^+(u - 1)\}\,.$$

Le long du segment $[OA]$ ($u \in [0, 1]$, $v = 0$), le champ est vertical dirigé vers le bas. Le long du segment $[OB]$ ($u \in [0, 1]$, $v = \lambda_0^+ u$),

$$v' - \lambda_0^+ u' = -c\lambda_0^+ u + u(u - 1) - (\lambda_0^+)^2 u = u^2 \geqslant 0\,,$$

et le long du segment $[BA]$ ($u \in [0, 1]$, $v = \lambda_1^+(u - 1)$),

$$v' - \lambda_1^+ u' = -c\lambda_1^+(u - 1) + u(u - 1) - (\lambda_1^+)^2(u - 1) = (u - 1)^2 \geqslant 0\,.$$

iv) Supposons que (u_0, v_0) soit un point de la courbe instable de A à l'intérieur de $\mathcal{T}$. Alors, puisque $\mathcal{T}$ est positivement invariant, la solution (u, v) de (8.12) valant (u_0, v_0) en $t = 0$ est à valeurs dans $\mathcal{T}$ pour tout $t \geqslant 0$, ce qui implique en particulier que $u' = v \leqslant 0$. Donc u est décroissante et a une limite $u_\infty \in [0, 1]$ en $+\infty$.

Ainsi l'ensemble ω-limite de (u_0, v_0) est inclus dans $\mathcal{T} \cap \{(u_\infty, v)\}$, et ne peut donc par contenir de cycle. D'après le théorème de Poincaré-Bendixson, il doit donc contenir un point fixe. Ceci implique nécessairement $u_\infty = 0$ et $L_\omega(u_0, v_0) = \mathcal{T} \cap \{(0, v)\} = O$.

v) Faisons un changement de variables affine $(u, v) \mapsto (q, p)$ tel que l'équation de la tangente à la courbe instable en A soit $p = 0$:

$$q := u - 1\,, \quad p := v - \lambda_1^+(u - 1)\,.$$

Après calcul (en utilisant que $(\lambda_1^+)^2 + c\lambda_1^+ - 1 = 0$), le système (8.12) équivaut à

$$q' = p + \lambda_1^+ q\,, \quad p' = -(c + \lambda_1^+)p + q^2\,.$$

D'autre part, l'équation de la courbe instable en A est de la forme $p = h(q)$ avec $h(0) = 0$ et $\frac{\mathrm{d}h}{\mathrm{d}q}(0) = 0$. Et le long de toute orbite sur cette courbe (qui est invariante par le flot) on a $p' = \frac{\mathrm{d}h}{\mathrm{d}q}(q)q'$. Ceci fournit l'équation implicite pour h :

$$-(c + \lambda_1^+)h(q) + q^2 = \frac{\mathrm{d}h}{\mathrm{d}q}(q)(h(q) + \lambda_1^+ q)\,.$$

On déduit (soit en identifiant le coefficient de q^2 dans le développement limité, soit en évaluant en $q = 0$ la dérivée seconde de chacun des deux membres) que $h(q) = \frac{q^2}{c+3\lambda_1^+} + \mathcal{O}(q^3)$. Comme $c + 3\lambda_1^+ > 0$, ceci montre que, localement, la courbe instable est dans le demi-plan défini par $p \geqslant 0$, donc dans le triangle $\mathcal{T}$ pour la partie en dessous de l'axe Ou.

8.7 **i)** Si u est solution de (S) alors on a

$$(H \circ u)'(t) = \langle \nabla H(u(t)), J\, \nabla H(u(t)) \rangle = 0$$

par antisymétrie de J. Donc H est une intégrale première de (S).

ii) Un point fixe v de (S) est caractérisé par $J\,\nabla H(v) = 0$, c'est-à-dire par $\nabla H(v) = 0$ puisque J est inversible. Les points fixes de (S) sont donc les points critiques de H.

iii) Si $\nabla H(v) = 0$ et $\mathrm{Hess} H(v)$ est définie positive, alors H est une fonction de Lyapunov et v est stable (mais pas asymptotiquement stable car H est constante le long des solutions).

iv) Le portrait de phase de (S) est donné par les courbes de niveau de H. Les hypothèses sur H montrent que H a un point selle en v : il existe un voisinage de v tel que des trajectoires issues de points arbitrairement proches de v sortent de ce voisinage (si H était quadratique, ces trajectoires seraient simplement des branches d'hyperboles).

v) On calcule

$$(H \circ \psi)'(0) = \langle \nabla H(\psi(0)), \psi'(0) \rangle = 0\,,$$
$$(H \circ \psi)''(0) = \langle \mathrm{Hess} H(\psi(0))\psi'(0), \psi'(0) \rangle + \langle \nabla H(\psi(0)), \psi''(0) \rangle = \langle Ay, y \rangle < 0\,,$$

ce qui implique par la formule de Taylor-Young que $H \circ \psi$ admet un maximum local strict en 0.

vi) On calcule

$$\partial_\lambda H(R(0, w)) = P(w)\,,\ \partial_\lambda^2 H(R(0, w)) = \langle y, \mathrm{Hess} H(w) y \rangle\,,$$

d'où par la formule de Taylor-Young,

$$H(R(\lambda, w)) = H(w) + \lambda P(w) + \frac{\lambda^2}{2} \langle y, \mathrm{Hess} H(w) y \rangle + o(\lambda^2)\,.$$

On en déduit $H(R(\lambda, w)) < H(w) + \lambda P(w)$ pour (λ, w) voisin de $(0, v)$ puisque $\langle y, \mathrm{Hess} H(v) y \rangle < 0$ et donc aussi $\langle y, \mathrm{Hess} H(w) y \rangle < 0$ pour w voisin de v.

vii) Il suffit de poser

$$\Lambda(w) := \frac{\langle v - w, y \rangle}{\|y\|^2}\,.$$

On a alors $R(\Lambda(w), w) - v \in y^\perp$ et la formule de Taylor-Young

$$H(R(\Lambda(w), w)) = H(v) + \langle R(\Lambda(w), w) - v, A(R(\Lambda(w), w) - v) \rangle$$
$$+ o(\|R(\Lambda(w), w) - v\|^2)$$

montre que $H(R(\Lambda(w), w)) > H(v)$ pour $w \neq v$ voisin de v (grâce à l'hypothèse $\langle x, Ax \rangle > 0$ pour tout $x \in y^\perp$).

viii) D'après les questions **vi)** et **vii)**, pour $w \neq v$ voisin de v,

$$H(w) + \Lambda(w) P(w) > H(R(\Lambda(w), w)) > H(v)\,.$$

En particulier, pour $s \neq 0$ petit, $\Lambda(\psi(s)) P(\psi(s)) > H(v) - H(\psi(s)) > 0$. Or on a $(\Lambda \circ \psi)'(0) = -1$ (en dérivant l'identité $\Lambda(\psi(s))\|y\|^2 + \langle \psi(s) - v, y \rangle = 0$). Donc $\Lambda \circ \psi$ change de signe en $s = 0$, et par conséquent $P \circ \psi$ aussi, puisque leur produit est strictement positif.

ix) Comme $\Lambda(v) = 0$ et Λ est continue, on peut supposer $\Lambda \leqslant 1$ dans $B(v; \varepsilon)$.

x) Pour tout $t \in [0, T[$, $H(u(t)) = H(\psi(s)) < H(v) < H(u(t)) + \Lambda(u(t)) P(u(t))$ (d'après les questions **i)**, **v)** et **viii)**).

Donc $\Lambda(u(t)) P(u(t)) > 0$: ceci montre que $P \circ u$ ne s'annule pas. Comme $P(u(0)) = P(\psi(s)) > 0$, on en déduit $P(u(t)) > 0$ par le théorème des valeurs intermédiaires, puis

$$P(u(t)) \geqslant \Lambda(u(t))P(u(t)) > H(v) - H(\psi(s))\,.$$

xi) Par définition de L et de u, $(L \circ u)'(t) = -\langle J^{-1}y, J\nabla H(u(t))\rangle$, ce qui vaut $P(u(t))$ par antisymétrie de J et par définition de P. Par suite $(L \circ u)'(t) > \alpha$, d'où par intégration, $(L \circ u)(t) - (L \circ u)(0) > \alpha t$. Comme $|L(w)| \leqslant \|J^{-1}y\|\|w\|$, on en déduit par l'inégalité triangulaire que $\alpha t \leqslant 2\|J^{-1}y\|\,(\|v\| + \varepsilon)$.
xii) Quel que soit $\eta \in]0, \varepsilon]$, il existe $s \in I\backslash\{0\}$ tel que $\psi(s) \in B(v;\ \eta)$ (car ψ est continue et $\psi(0) = v$) et $P(\psi(s)) > 0$ (car on a vu que $P \circ \psi$ changeait de signe en $s = 0$). Et d'après la question précédente, la solution maximale de (S) telle que $u(0) = \psi(s)$ sort de $B(v;\ \varepsilon)$ en un temps au plus égal à $2\|J^{-1}y\|\,(\|v\| + \varepsilon)/\alpha$. Donc v est instable.

Appendice

Formule des accroissements finis pour les fonctions à valeurs réelles

Théorème 8.13 ***Théorème de Rolle***

Soit une fonction $f\ :\ [a, b] \to \mathbb{R}$, avec $a < b$. On suppose que f est continue sur $[a, b]$, dérivable sur $]a, b[$ et que $f(a) = f(b)$. Alors il existe $c \in]a, b[$ tel que $f'(c) = 0$.

DÉMONSTRATION. Si f est constante, on a $f'(c) = 0$ pour tout c et il n'y a donc rien à démontrer. Supposons maintenant f non constante. La fonction f atteint son minimum et son maximum sur le compact $[a, b]$. Puisqu'elle n'est pas constante, l'un des deux au moins est différent de la valeur $y := f(a) = f(b)$. Supposons que ce soit le maximum (si ce n'était pas le cas, on changerait f en $-f$). Cela veut dire qu'il existe $c \in]a, b[$ tel que $f(c) > y$ et pour tout $x \in [a, b]$, $f(x) \leqslant f(c)$. Voyons maintenant pourquoi cela implique $f'(c) = 0$. Soit $\eta > 0$ tel que $[c - \eta, c + \eta] \subset [a, b]$. On a, pour $c - \eta \leqslant x < c$,

$$\frac{f(x) - f(c)}{x - c} \geqslant 0\,,$$

alors que pour $c < x \leqslant c + \eta$,

$$\frac{f(x) - f(c)}{x - c} \leqslant 0.$$

Par suite, la limite à gauche en c du taux d'accroissement de f est positive ou nulle et la limite à droite est négative ou nulle. Comme ces limites à gauche et à droite sont toutes deux égales à $f'(c)$, on en déduit $f'(c) = 0$. □

Théorème 8.14 ***Formule des accroissements finis***

Soit une fonction $f : [a, b] \to \mathbb{R}$, avec $a < b$. On suppose que f est continue sur $[a, b]$, dérivable sur $]a, b[$. Alors il existe $c \in]a, b[$ tel que

$$f'(c) = \frac{f(b) - f(a)}{b - a}.$$

DÉMONSTRATION. Si l'on note $\gamma := \frac{f(b)-f(a)}{b-a}$, on peut considérer la fonction

$$g : x \mapsto f(x) - \gamma(x - a).$$

Elle est, comme f, continue sur $[a, b]$, dérivable sur $]a, b[$. Et par construction elle vérifie $g(b) = g(a) = f(a)$. Donc sa dérivée $g' : x \mapsto f'(x) - \gamma$ s'annule en un point c de $]a, b[$. □

Bootstrap (ou « induction continue »)

Proposition 8.1

Soit J un intervalle non vide de $\mathbb{R}$. On considère deux familles de propositions paramétrées par $t \in J$: une famille d'« hypothèses » $H(t)$ et une famille de « conclusions » $C(t)$, et l'on suppose que

i) il existe au moins une proposition vraie $H(t_0)$,
ii) l'ensemble des $t \in J$ tels que $C(t)$ est vraie est fermé,
iii) pour tout $t \in J$, si $C(t)$ est vraie alors il existe un voisinage $\mathcal{V}$ de t dans J tel que pour tout $s \in \mathcal{V}$, $H(s)$ est vraie.
iv) pour tout $t \in J$, si $H(t)$ est vraie alors $C(t)$ est vraie.

Alors $C(t)$ est vraie pour tout $t \in J$.

DÉMONSTRATION. La démonstration repose sur la connexité de J. Soit en effet

$$A := \{t \in J \,;\, C(t) \text{ est vraie}\}.$$

D'après *i)* et *iv)*, A contient t_0. D'après *ii)*, A est fermé. D'après *iii)* et *iv)*, A est ouvert. Donc $A = J$. □

Transformation de Laplace

Proposition 8.2

Soit $f : \mathbb{R}^+ \to \mathbb{C}$ une fonction localement intégrable et de type exponentiel $a \in \mathbb{R}$, c'est-à-dire qu'il existe $C > 0$ tel que $|f(t)| \leqslant C\mathrm{e}^{at}$ pour tout $t \in \mathbb{R}^+$. Alors la fonction $t \in \mathbb{R}^+ \mapsto f(t)\,\mathrm{e}^{-\gamma t}$ est intégrable pour tout $\gamma > a$, et la fonction

$$\mathcal{L}[f] : s \mapsto \int_0^{+\infty} f(t)\,\mathrm{e}^{-st}\,\mathrm{d}t$$

est holomorphe dans le demi-plan complexe $\{s \in \mathbb{C}\,;\ \mathrm{Re}\, s > a\}$. Si $F := \mathcal{L}[f]$ est intégrable sur la droite verticale $\{z\,;\ \mathrm{Re}\, z = \gamma\}$ avec $\gamma > a$, alors

$$f(t) = \frac{1}{2i\pi} \int_{-\infty}^{+\infty} F(\gamma + i\zeta)\,\mathrm{e}^{(\gamma+i\zeta)t}\,\mathrm{d}\zeta.$$

C'est la *formule d'inversion de Laplace* (qui se déduit de la formule d'inversion de Fourier).

Bibliographie

[1] V. Arnold. – *Équations différentielles ordinaires*. Éditions Mir, Moscow, 1974. Champs de vecteurs, groupes à un paramètre, difféomorphismes, flots, systèmes linéaires, stabilités des positions d'équilibre, théorie des oscillations, équations différentielles sur les variétés, Traduit du russe par Djilali Embarek.

[2] H. Brezis. – *Analyse fonctionnelle. Théorie et applications*. Collection Mathématiques Appliquées pour la Maîtrise. Dunod, Paris, 2005.

[3] H. Cartan. – *Formes différentielles. Applications élémentaires au calcul des variations et à la théorie des courbes et des surfaces*. Hermann, Paris, 1967.

[4] C. Chicone. – *Ordinary differential equations with applications*, volume 34 of *Texts in Applied Mathematics*. Springer-Verlag, New York, 1999.

[5] E. A. Coddington and N. Levinson. – *Theory of ordinary differential equations*. McGraw-Hill Book Company, Inc., New York-Toronto-London, 1955.

[6] R. Conte and M. Musette. – *The Painlevé handbook*. Springer, Dordrecht, 2008.

[7] W. A. Coppel. – *Dichotomies in stability theory*. Lecture Notes in Mathematics, Vol. 629. Springer-Verlag, Berlin, 1978.

[8] W. J. Cunningham. – *Analyse non linéaire. Résolution des équations différentielles*. Traduit par P. de Miribel. Dunod, Paris, 1963.

[9] B. Dacorogna. – *Direct methods in the calculus of variations*, volume 78 of *Applied Mathematical Sciences*. Springer, New York, second edition, 2008.

[10] R. W. R. Darling. – *Differential forms and connections*. Cambridge University Press, Cambridge, 1994.

[11] J. Diestel and J. J. Uhl, Jr. – *Vector measures*. Mathematical Surveys, No. 15. American Mathematical Society, Providence, R.I., 1977.

[12] J. Dieudonné. – *Calcul infinitésimal*. Hermann, Paris, 1968.

[13] J. Dugundji. – *Topology*. Allyn and Bacon Inc., Boston, Mass., 1966.

[14] A. F. Filippov. – *Differential equations with discontinuous righthand sides*, volume 18 of *Mathematics and its Applications (Soviet Series)*. Kluwer Academic Publishers Group, Dordrecht, 1988. Translated from the Russian.

[15] V. V. Filippov. – *Basic topological structures of ordinary differential equations*, volume 432 of *Mathematics and its Applications*. Kluwer Academic Publishers, Dordrecht, 1998. Translated from the Russian.

[16] F. R. GANTMACHER. – *The theory of matrices*. Vol. 1. AMS Chelsea Publishing, Providence, RI, 1998. Translated from the Russian by K. A. Hirsch, Reprint of the 1959 translation.

[17] C. GODBILLON. – *Géométrie différentielle et mécanique analytique*. Hermann, Paris, 1969.

[18] P. HARTMAN. – *Ordinary differential equations*, volume 38 of Classics in Applied Mathematics. Society for Industrial and Applied Mathematics (SIAM), Philadelphia, PA, 2002.

[19] J.-B. HIRIART-URRUTY and C. LEMARÉCHAL. – *Convex analysis and minimization algorithms. I*, volume 305 of *Grundlehren der Mathematischen Wissenschaften [Fundamental Principles of Mathematical Sciences]*. Springer-Verlag, Berlin, 1993. Fundamentals.

[20] C. K. R. T. JONES. – Whither applied nonlinear dynamics ? In *Mathematics unlimited-2001 and beyond*, pages 631-645. Springer, Berlin, 2001.

[21] T. KATO. – *Perturbation theory for linear operators*. Classics in Mathematics. Springer-Verlag, Berlin, 1995. Reprint of the 1980 edition.

[22] A. N. KOLMOGOROV and A. P. YUSHKEVICH. – *Mathematics of the 19th century*. Birkhäuser Verlag, second edition, 1998. Volume 3, Constructive Function Theory, Ordinary Differential Equations, Calculul of Variations, Theory of Finite Differences.

[23] Y. KOSMANN-SCHWARZBACH. – *Les théorèmes de Noether*. Histoire des Mathématiques (Palaiseau). [History of Mathematics (Palaiseau)]. Éditions de l' École Polytechnique, Palaiseau, second edition, 2006. Invariance et lois de conservation au XXe siècle. [Invariance and conservation laws in the twentieth century], With a translation of the original article "Invariante Variationsprobleme", With the collaboration of Laurent Meersseman.

[24] J. P. LASALLE. – Some extensions of Liapunov's second method. *IRE Trans.*, CT-7 :520-527, 1960.

[25] A. LIAPOUNOFF. – *Problème général de la stabilité du mouvement. Traduit du russe par M. Edouard Davaux*. Éditions Jacques Gabay, 1988. Réimpression du texte paru dans les « Annales de la Faculté des Sciences de Toulouse », tome 9, 203-474, 1907.

[26] J. DAVID LOGAN. – *Applied mathematics*. Wiley-Interscience [John Wiley & Sons], Hoboken, NJ, third edition, 2006.

[27] P. D. MILLER. – *Applied asymptotic analysis*, volume 75 of *Graduate Studies in Mathematics*. American Mathematical Society, Providence, RI, 2006.

[28] R. MNEIMNÉ and F. TESTARD. – *Introduction à la théorie des groupes de Lie classiques*. Collection Méthodes. Hermann, Paris, 1986.

[29] J. D. MURRAY. – *Mathematical biology. I An introduction*, volume 17 of *Interdisciplinary Applied Mathematics*. Springer-Verlag, New York, third edition, 2002.

[30] P. J. OLVER. – *Applications of Lie groups to differential equations*, volume 107 of *Graduate Texts in Mathematics*. Springer-Verlag, New York, second edition, 1993.

[31] William T. REID. – *Sturmian theory for ordinary differential equations*, volume 31 of *Applied Mathematical Sciences*. Springer-Verlag, New York, 1980. With a preface by John Burns.

[32] W. RUDIN. – *Analyse réelle et complexe*. Dunod, Paris, 2009.

[33] D. SERRE. – *Systèmes de lois de conservation*. I. Hyperbolicité, entropies, ondes de choc. Fondations. Diderot Editeur, Paris, 1996.

[34] D. SERRE. – *Les matrices. Théorie et pratique*. Dunod, Paris, 2001.

[35] Gerald TESCHL. – *Ordinary differential equations and dynamical systems*, volume 140 of *Graduate Studies in Mathematics*. American Mathematical Society, Providence, RI, 2012.

[36] E. TRÉLAT. – *Contrôle optimal : théorie & applications*. Vuibert, 2005. Collection « Mathématiques Concrètes ».

[37] A. VANDERBAUWHEDE. – Center manifolds and their basic properties. An introduction. *Delft Progr. Rep.*, 12(1) :57-78, 1988.

[38] A. VANDERBAUWHEDE and G. IOOSS. – Center manifold theory in infinite dimensions. In *Dynamics reported : expositions in dynamical systems*, volume 1 of *Dynam. Report. Expositions Dynam. Systems (N.S.)*, pages 125-163. Springer, Berlin, 1992.

[39] G. B. WHITHAM. – *Linear and nonlinear waves*. Pure and Applied Mathematics. John Wiley & Sons Inc., New York, 1999. Reprint of the 1974 original, A Wiley-Interscience Publication.

INDEX

G

H

I

N

O

P

T

V

W

83323 – (III) – OSB 80°– LAX – PRU
Dépôt légal : juillet 2021 - Suite du tirage : juillet 2025

Achevé d'imprimer par Dupliprint
N° d'impression : 2025063584
www.dupliprint.fr

Imprimé en France